D1539624

Physique des ondes

2e édition

PRESSES DE L'UNIVERSITÉ DU QUÉBEC
Le Delta I, 2875, boulevard Laurier, bureau 450
Québec (Québec) G1V 2M2
Téléphone : (418) 657-4399 • Télécopieur : (418) 657-2096
Courriel : puq@puq.ca • Internet : www.puq.ca

Diffusion/Distribution :

CANADA et autres pays

PROLOGUE INC.
1650, boulevard Lionel-Bertrand (Québec) J7V 1N7
Téléphone : (450) 434-0306 / 1-800-363-2864

FRANCE
AFPU-DIFFUSION
SODIS

BELGIQUE
PATRIMOINE SPRL
168, rue du Noyer
1030 Bruxelles
Belgique

SUISSE
SERVIDIS SA
5, rue des Chaudronniers,
CH-1211 Genève 3
Suisse

QC
157
S24
2008

André ST-AMAND

Physique des ondes

2008

Université du Québec
**École
de technologie
supérieure**

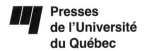

**Presses
de l'Université
du Québec**

*Catalogage avant publication de Bibliothèque
et Archives nationales du Québec et Bibliothèque et Archives Canada*

St-Amand, André, 1960-

Physique des ondes

2ᵉ éd.

Comprend des réf. bibliogr. et un index.

Publ. en collab. avec : École de technologie supérieure.

ISBN 978-2-7605-1539-0 (Presses de l'Université du Québec)

ISBN 978-2-921145-64-0 (École de technologie supérieure)

1. Ondes. 2. Ondes électromagnétiques. 3. Ondes sonores - Diffusion. 4. Ondes - Problèmes et exercices. I. Université du Québec. École de technologie supérieure. II. Titre.

QC157.S24 2008   531'.1133   C2007-942341-8

Nous reconnaissons l'aide financière du gouvernement du Canada
par l'entremise du Programme d'aide au développement
de l'industrie de l'édition (PADIE) pour nos activités d'édition.

La publication de cet ouvrage a été rendue possible
grâce à l'aide financière de la Société de développement
des entreprises culturelles (SODEC).

Révision linguistique : Reine Pinsonneault

Mise en pages : André St-Amand

Photo de la page couverture : Ronald Maisonneuve

Concepteur graphiste : Yves Tougas

1 2 3 4 5 6 7 8 9 PUQ 2008 9 8 7 6 5 4 3 2 1

Dépôt légal – 1ᵉʳ trimestre 2008
Bibliothèque et Archives nationales du Québec / Bibliothèque et Archives Canada
Imprimé au Canada

À mon ami Daniel Tousignant, un
physicien remarquable qui l'ignore.

Remerciements

Même si l'écriture de ce livre a nécessité de très nombreuses heures de travail en solitaire, l'auteur tient à souligner qu'il ne s'est pas écrit seul. Je tiens spécialement à remercier Marc Boulé pour sa patience dans la mise à jour des réponses aux exercices que j'ai dû sans cesse ajuster et renouveler avec la progression de l'ouvrage ; je le remercie aussi pour la révision scientifique qu'il a faite de l'ouvrage. Je remercie également Reine Pinsonneault et Virginie Loranger pour l'attention, la minutie et l'assiduité de leur travail de révision linguistique. Je remercie Richard Labonté d'avoir participé à l'amélioration des premiers jets de mon texte. Je tiens également à remercier mon collègue de travail Claude Blais pour l'aide et les conseils judicieux apportés à la mise en page de l'ouvrage ainsi que pour ses critiques constructives. Merci à tout le personnel du Service des enseignements généraux de l'École de technologie supérieure qui, de près ou de loin, m'a encouragé à poursuivre l'écriture de ce livre. Je remercie les secrétaires Michelle Landry, Sylvie Brière, Martine Guertin et Camille Harvey pour leur contribution à une première correction de l'ouvrage. Merci aux étudiants sans qui ce livre n'aurait jamais vu le jour. Merci enfin à mon amie Michèle Comeau de m'avoir appuyé et encouragé même dans les périodes d'écriture difficiles.

Table des matières

Avant-propos de la deuxième édition

L'intérêt soutenu qu'ont accordés les étudiant(e)s à l'ouvrage Physique des Ondes permet la parution d'une seconde édition dans laquelle plusieurs de leurs suggestions ont été prises en considération. Au moment d'écrire ces lignes, la majorité d'entre eux manifestent toujours un vif espoir de pouvoir accéder aux solutions des exercices contenus dans le livre. Après plusieurs discussions avec les enseignants impliqués dans l'amélioration de l'ouvrage, la suggestion nous semble, au plan pédagogique, plus constructive que nuisible. Plusieurs raisons motivent le choix d'inclure le solutionnaire aux exercices impairs dans la deuxième édition. D'une part, nous pensons ainsi accroître l'autonomie des étudiants qui, pour des questions de responsabilités sociales (famille, enfants, travail, etc.), n'ont pas facilement accès aux enseignants. D'autre part, nous pensons que le solutionnaire permet aux étudiants consciencieux d'approfondir certains aspects de la physiques qui, faute de temps, ne peuvent être abordées en classe. À ce sujet, est-ce possible qu'un *solutionnaire* puisse servir de support et de *modèle* pour l'apprentissage du langage symbolique propre aux sciences ? Peut-il favoriser l'intégration des notions présentées en classe ? Peut-il accroître le niveau de compréhension chez certains étudiants ? Ne permet-il pas une autoévaluation ? Nous aimons bien penser qu'il est possible de répondre affirmativement à ces questions et conséquemment, nous avons jugé qu'il peut être bénéfique à l'apprentissage. Mais comme tout choix, nous sommes conscients qu'il aura le défaut de ses qualités.

Collaborateurs

Plusieurs enseignants et étudiant(e)s se sont impliqués dans l'amélioration de l'ouvrage. En espérant ne pas en oublier, voici les principaux : Marc Boulé, Geoffroy Pignal, Stéphane Baune, Jean-Guy Blouin, Gérald Paquin, Jean-François Connolly, Richard Thivierge, Pascale Ouimet et Nicolas Courcy.

Remerciements

La tâche qu'exige la rédaction d'un solutionnaire détaillé est colossale. À ce sujet, je tiens à offrir un remerciement spécial à Marc Boulé qui a consacré un temps considérable à sa rédaction et à sa révision. Je tiens aussi à le remercier pour son support constant dans la recherche d'environnements LATEX qui, nous l'espérons, a contribué à raffiner la première édition, tant au niveau de la précision du langage scientifique utilisé qu'au niveau de sa mise en page. Je tiens aussi à remercier Jocelyne St-Pierre pour la révision linguistique des nouveaux éléments textuels qui se sont ajoutés. Remerciement à Camille Harvey et Martine Guertin pour leur disponibilité, pour les nombreuses suggestions et pour le travail de retouche au niveau du français écrit.

Dans de futures éditions, nous avons encore le vif espoir de voir s'ajouter des annexes afin de mieux couvrir l'aspect théorique de certains thèmes qui y sont abordés.

André St-Amand, novembre 2005.

Avant-propos de la première édition

Les physiciens tendent à penser que les seules questions à résoudre sont du type : « Voilà les conditions actuelles, que va-t-il arriver maintenant ? »

Richard P. Feynman

Ce livre s'adresse aux étudiants qui entreprennent des études universitaires en ingénierie et dont les connaissances en sciences de la physique ont principalement été acquises dans le cadre d'un programme collégial en sciences techniques. Tout enseignant sait que le savoir scientifique acquis par les étudiants en provenance d'un profil *technique* diffère du bagage scientifique acquis par des étudiants ayant emprunté la voie des sciences de la nature autrefois dites *pures*. Quelques années d'enseignement universitaire nous montrent qu'il n'est guère pertinent d'enseigner les sciences aux étudiants provenant d'un profil technique comme s'ils avaient reçu une formation en sciences pures, et croire qu'il faut combler entièrement leurs lacunes sur le plan de l'abstraction est une stratégie pédagogique passive : cela revient alors à admettre qu'il faut tout d'abord leur enseigner pour pouvoir ultérieurement leur enseigner... Il y a mieux à faire dès que l'on remarque que les points de repère de ces étudiants en matière de sciences ne se trouvent précisément pas dans les sciences dites *pures*, et en tant qu'enseignant, on a tout avantage à tirer profit du savoir-faire que ces étudiants montrent lorsqu'ils sont confrontés à un problème qui exige une solution pragmatique.

Le présent ouvrage a pour objectif de présenter les concepts importants de la physique des ondes en insistant sur le sens pratique à apporter à ces concepts et ce, sans égard à la complexité des calculs qu'ils peuvent engendrer. C'est ainsi que dans la description du contenu de ce livre apparaîtront des sujets qui sont généralement absents des ouvrages écrits pour des gens dont les connaissances en physique des ondes sont restreintes. Il peut sembler tout à fait paradoxal de vouloir aborder des notions abstraites de la physique des ondes qui présupposent par ailleurs une aisance en mathématique quand la majorité des étudiants de

formation technique n'ont pas cette aisance ! Et il est vrai que la résolution
de problèmes physiques concrets, même simples, fait régulièrement appel à
un outillage mathématique sophistiqué que ces étudiants ne maîtrisent pas
ou ne connaissent tout simplement pas. Sur ce plan, quelques commentaires
s'imposent.

Primo, il est essentiel de souligner que l'habileté à manipuler des outils
mathématiques sophistiqués ne signifie pas pour autant *pouvoir résoudre un
problème concret.* En effet, les calculs à effectuer pour déterminer la solution
exacte d'un problème de physique concret s'avèrent souvent longs et fastidieux,
de sorte qu'il est à peu près certain, pour ne pas dire tout à fait certain, qu'une
solution déterminée par un calcul écrit contiendra au moins une erreur... Pour
éviter que cela ne se produise, l'enseignant élimine généralement de son exposé,
bon gré mal gré, les problèmes *complexes* en se contentant de parler d'une
physique simple où *les choses se déroulent bien.*

Secundo, la plupart des ouvrages pédagogiques destinés aux étudiants ayant
peu fait de physique sont conçus d'une telle façon qu'il ne font pas intervenir
des objets comme les fonctions à plusieurs variables, les intégrales de ligne,
les intégrales de surface, les vecteurs, le produit scalaire, le produit vectoriel,
la divergence, le rotationnel, etc. Cette situation est probablement due au fait
qu'il faut réduire le niveau de complexité des calculs qu'implique la manipulation
de ces objets. Or, il est important de mentionner qu'il est très difficile, voire
impossible, de présenter correctement certains concepts élémentaires de la
physique sans par ailleurs invoquer de tels objets mathématiques. Il est bon
que le lecteur sache immédiatement que le présent ouvrage ne cherchera pas à
édulcorer un concept de physique sous prétexte que l'étudiant ne sait pas, à
titre d'exemple, effectuer le calcul d'un produit scalaire entre deux vecteurs.

Le lecteur aura ainsi compris que pour l'enseignant, la possibilité de s'affranchir
des calculs engendrés par des concepts physiques signifie *être en mesure
de présenter des concepts physiques avec plus de justesse et de réalisme* et
subséquemment *pouvoir concentrer ses explications sur la signification physique*
des opérations en jeu. De plus, dans un programme scolaire où la solution à
apporter à un problème prédomine sur sa justification théorique (*cf.* preuve
d'existence et d'unicité), il est légitime de vouloir se doter d'outils de travail qui
permettent à l'enseignant et aux étudiants d'établir un lien entre le problème
concret et sa solution, que celle-ci soit difficile ou non à calculer. Dans un
tel contexte, il est légitime de se poser les questions suivantes : Comment
l'enseignant peut-il parvenir à insister sur la signification pratique à apporter
à des concepts de physique tout en faisant fi de la complexité des calculs qu'ils
peuvent engendrer ? Quelle stratégie pédagogique lui permettra d'atteindre cet
objectif ?

Les améliorations apportées aux calculateurs symboliques portables permettent
actuellement aux enseignants d'atteindre bon nombre d'objectifs qu'il eût été
impensable d'atteindre, ne serait-ce qu'il y a un an ou deux. En plus de résoudre
le paradoxe soulevé par la question précédente, cet outil de travail permet de

poser un pont entre trois étapes fondamentales du travail de futurs ingénieurs, soit :

— *La modélisation d'un problème ;*

— *Les solutions apportées au problème ;*

— *L'identification des solutions techniquement réalisables.*

C'est principalement au cours de la deuxième étape que les calculateurs symboliques jouent un rôle déterminant dans l'enseignement des sciences à des étudiants qui entreprennent un programme universitaire en ingénierie. En effet, l'efficacité des calculateurs symboliques permet actuellement à un enseignant de couvrir et d'intégrer les trois étapes durant un même cours. Il est important de souligner que l'aspect portable du calculateur symbolique permet aux étudiants d'exécuter, simultanément à l'enseignant, l'ensemble des tâches à accomplir pour parvenir à la solution d'un problème. En plus de ne pas voir gâcher ses explications par des interruptions répétées qu'occasionne la *résolution du problème au tableau*, l'enseignant peut retourner un même problème dans tous ses sens en posant des questions du type : Qu'arrive-t-il à la solution du problème si on modifie tel ou tel paramètre du système physique ? Quelle signification physique doit-on accorder à la modification du paramètre ? Est-ce physiquement sensé de faire une telle modification ? En l'absence de calculateur symbolique, l'enseignant est pratiquement confiné à une stratégie pédagogique plus traditionnelle et il est alors confronté à un questionnement du type suivant : « Comment, par exemple, réussir à présenter adéquatement la notion de puissance en ne faisant pas apparaître le produit scalaire entre deux champs vectoriels ? À quoi bon modéliser un problème physique en classe si le calcul de la solution exige une période de temps qui dépasse la durée du cours ? Comment espérer discuter des solutions réalisables si l'accès aux solutions est impossible ? » Voilà qui donne une bonne vue d'ensemble des objectifs pédagogiques vers lesquels l'auteur a voulu tendre en écrivant ce livre.

Les ouvrages pédagogiques traditionnels s'adressant aux gens ayant une base restreinte en sciences de la physique ont évidemment été conçus de manière à rendre les calculs possibles en classe et il est dans ce cas compréhensible que le contenu (théorie et exercices) présente un bas niveau de complexité. Malheureusement, une telle conception, fort louable par ailleurs, se fait au détriment de la richesse des situations physiques. On peut dire que les problèmes abordés dans les manuels de physique actuels sont présentés comme des problèmes qui ne nécessitent pas trop de calculs à effectuer. Or, lorsqu'on analyse le monde physique dans lequel nous vivons, la situation est tout autre. La catégorie d'exercices dans lesquels *les choses se passent bien*, a largement été explorée. Le présent livre n'est certes pas exempt d'exercices qui semblent directement sortir des studios de production de Hollywood mais, dans des éditions ultérieures, les exercices de ce livre devraient de plus en plus ressembler à certains exercices que l'on retrouve actuellement dans les chapitres 1, 4, 6 et 7. Ainsi, le lecteur aura compris le sens de l'avertissement suivant : ne pas utiliser cet ouvrage sans être muni d'un calculateur symbolique !

Cet ouvrage vise à dégager quelques thèmes importants de la théorie des ondes en insistant sur la signification de chacun des concepts introduits, que ceux-ci impliquent ou non des calculs complexes. L'ouvrage débute (chapitre 1) par une introduction qui permet aux étudiants d'avoir dès le départ une vue d'ensemble de ce que recouvre le concept d'onde lorsqu'il est invoqué en sciences physiques. La présentation et l'illustration du principe mathématique (translation temporelle ou spatiale) impliqué dans l'effet de propagation d'une impulsion permettent d'entrée de jeu aux étudiants d'explorer le concept d'interférence entre deux ondes. La description des mouvements vibratoires transversaux simples (M.H.S) fait ensuite place à la description des vibrations longitudinales planes dans l'espace à trois dimensions (propagation unidirectionnelle). Un point de vue plus réaliste est ensuite proposé en considérant la propagation d'une impulsion sous une forme sphérique (propagation omnidirectionnelle). En combinant le concept de front d'onde et le principe de conservation de l'énergie, il est possible de définir la notion d'intensité dans le cas où le signal émis par la source est contenu à l'intérieur d'un cône.

Bien qu'il puisse faire l'objet d'un exposé en classe, le chapitre 2 a été écrit dans le but d'apporter une réponse aux deux questions suivantes : d'où proviennent les fonctions de vibration de la forme $s(t) = A\cos(2\pi f t + \varphi)$ et quelles sont les hypothèses physiques sous-jacentes à respecter pour utiliser ces fonctions (l'environnement doit être libéré de forces dissipatives et de forces externes secondaires). Il suffit à l'enseignant de mentionner en classe la remarque entre parenthèses pour rendre le chapitre 2 facultatif !

Le chapitre 3 se veut une synthèse de l'étude des ondes en milieu élastique. Même en présence d'une interface, un lien est établi entre les milieux *cordes* et *air ambiant*, lien qui s'applique aussi dans le chapitre 6 puisque le concept d'impédance Z fait tout simplement place au concept d'indice de réfraction n (milieux transparents). Le chapitre 3 se termine par une présentation des phénomènes Doppler acoustiques et électromagnétiques.

Le contenu du chapitre 4, mis à part ses exercices, est le même que celui que l'on retrouve dans plusieurs autres ouvrages. Le traitement de l'optique géométrique présenté dans le chapitre 4 est minimaliste puisque tous les résultats qu'il regroupe découlent du principe de moindre action de Fermat.

Dans le chapitre 5, la définition d'une onde électromagnétique (OEM) est donnée. Des distinctions sont apportées entre une OEM polarisée et une OEM non polarisée. Pour expliquer le type d'interaction qui existe entre le champ électrique et le champ magnétique (*cf.* section 5.3), une analyse des équations de Maxwell est entreprise. Le chapitre se termine par la présentation du phénomène de pression de radiation, phénomène qui captive immanquablement les étudiants. Pour les enseignants qui sont moins familiers avec le cours de physique des ondes, il est probablement sage de reporter la présentation des sections 5.3 à 5.5 au tout dernier cours de la session et d'utiliser d'emblée le résultat portant sur l'intensité I moyenne d'une OEM lorsque cela sera nécessaire dans les chapitres 6 et 7.

Les chapitres 6 et 7 forment un bloc difficile à séparer. Dans le premier on y montre comment effectuer le calcul de l'intensité d'un signal électromagnétique après sa réflexion et sa transmission à une interface plane transparente. Dans le second, on obtient l'expression du calcul de la différence de marche δ entre deux signaux qui interfèrent et l'expression du calcul de l'intensité résultante. C'est pour effectuer ce dernier calcul qu'il s'avère pertinent d'utiliser les notions étudiées au chapitre 6.

Dans de futures éditions, diverses annexes devraient graduellement s'ajouter à ce livre dans le but de mieux couvrir l'aspect théorique de certains thèmes qui y sont abordés.

André St-Amand, mai 2002.

Chapitre 1

Phénomènes ondulatoires

1.1 Introduction

L'histoire de la physique révèle qu'il est impossible de perturber localement la matière sans la perturber globalement. Cette quête de compréhension des liens existant entre le *local* et le *global* constitue un domaine de recherche très riche autant dans le monde scientifique que dans le monde non scientifique. En physique, ce désir de compréhension se fait sentir à travers des questions telles que : Quel lien existe-t-il entre un dé à coudre de matière et la configuration actuelle de l'univers (théorie du Big-Bang) ? Quel lien existe-t-il entre la force de nature nucléaire et la force gravitationnelle (théorie de l'unification des forces) ? Comment se fait-il que deux masses interagissent à distance (théorie des champs) ? À l'échelle atomique, comment le comportement des molécules influence-t-il le comportement macroscopique de la matière (physique statistique et thermodynamique) ? etc. Dans les disciplines telles que la psychologie, la politique, la médecine, etc., ces liens entre le *local* et le *global* revêtent un caractère encore plus aigu et complexe.

Au cours de son développement, la *physique des ondes* est parvenue à expliquer le mode de transmission qui existe entre un signal émis de Montréal et ce signal capté aux quatre coins de l'univers. La mise au jour des mécanismes impliqués dans ce mode de transmission a permis l'invention du télégraphe, de la radio, du téléphone, de la télévision, autant d'instruments dont nous ne nous soucions presque plus de l'existence tant ils font partie intégrante de notre environnement. Mais quel que soit le support technologique nécessaire à la production d'un type d'onde bien particulier, on peut résumer le problème ainsi : comment l'information peut-elle être propagée sur une si grande distance ? Dans un même ordre d'idée, comment se fait-il qu'un coup assené sur une table se fasse ressentir jusqu'à l'autre extrémité, bien que ce coup ait été assené localement ? Une explication humoristique pourrait être la suivante : la matière est une commère ; lorsqu'elle est perturbée elle communique, sans trop tarder, à son voisinage tout ce qu'elle vient de subir ! En physique, le terme exact employé pour caractériser les phénomènes où l'information est ainsi communiquée de proche en proche à tout l'espace ambiant est celui de *propagation*. Les choix de phénomènes découlant de ce concept sont multiples.

Une étude préliminaire des phénomènes ondulatoires précèdera son étude rigoureuse. L'objectif du chapitre 1 est de dégager les concepts-clés qui se rattachent aux phénomènes ondulatoires sans justifier l'origine des outils mathématiques nécessaires à leurs descriptions. L'auteur croit que cette stratégie est bénéfique à l'apprentissage des étudiants, car elle permet de regrouper des idées importantes qui, si elles étaient présentées simultanément à l'exposé formel (*cf.* problème de la corde vibrante au chapitre 3), auraient assurément pour effet de le surcharger. Pour cette raison, une description sommaire et non rigoureuse des phénomènes ondulatoires apparaît souhaitable sur le plan pédagogique.

1.2   Propagation unidirectionnelle

La théorie des ondes contient trois éléments de base presque indissociables : la *source*, le *canal* et le *récepteur*. La **source**, aussi appelée l'émetteur, est un dispositif qui permet d'émettre des impulsions dans un milieu donné. Nous verrons dans le présent cours qu'il suffit de perturber localement la matière pour transmettre des impulsions. Le **canal** est la voie par laquelle le signal est transmis. Quant au **récepteur**, il s'agit d'un dispositif qui permet de décoder les impulsions émises. À titre d'exemple, si la source était une corde de guitare qui vibre, alors le canal pourrait être l'air ambiant et le récepteur pourrait être votre oreille. Chacune de ces trois composantes de la physique des ondes peut certainement constituer un domaine de recherche assez riche pour faire l'objet de nombreuses heures d'étude. Dans le cadre de ce cours, l'accent sera surtout mis sur la façon dont un signal se propage à travers un canal.

Au sens mécaniste du terme, la notion de canal réfère à un milieu dont les propriétés élastiques permettent à une impulsion de le traverser. Dans les sections suivantes, nous présenterons des outils mathématiques de base qui permettent une description des phénomènes de propagation en nous inspirant de quelques contextes physiques simples. Voici la première situation physique considérée : une source S met en mouvement l'extrémité d'une corde tendue (fig. 1.1) parallèlement à l'axe des Y. Dans ce qui suit, la source sera localisée en $x = 0$. Ainsi, supposons que la position du bras de la source soit donnée par la fonction suivante :

$$s(t) = A\cos(2\pi f t + \varphi) \tag{1.1}$$

En (1.1), la variable principale est le **temps** t et son unité de mesure est la se-

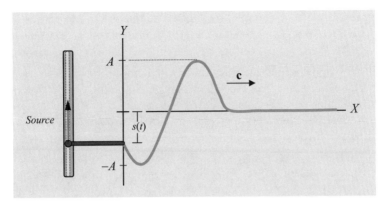

Fig. 1.1 Source animant une corde en $x = 0$. Bien qu'elles soient produites localement, les perturbations vont s'étendre dans le milieu corde à la vitesse c.

conde (s). Tous les autres paramètres en (1.1), soit A, f et φ, sont des constantes qu'un système physique particulier permet de déterminer. Examinons-les tour à tour.

Le paramètre A est appelé ***amplitude*** du mouvement vibratoire. En physique des ondes l'amplitude A est la grandeur avec laquelle le milieu est perturbé. Les unités de mesure attribuées à A dépendent du système physique considéré. À la figure 1.1, l'amplitude A est exprimée en mètres (m) puisqu'elle fait référence à la hauteur maximale atteinte par la corde lorsque la source fait vibrer son extrémité. En observant l'égalité en (1.1), il appert que l'unité de mesure de $s(t)$ coïncide avec celle de l'amplitude A.

Le paramètre f est appelé ***fréquence*** du mouvement vibratoire. La fréquence fait référence au nombre de cycles par seconde produit par la source. L'unité de mesure de base de la fréquence f est l'inverse de la seconde (s^{-1}), mais, à la suite des travaux de Heinrich Rudolf Hertz (1857-1894) portant sur un émetteur-récepteur d'ondes radios, l'unité de mesure de f fut nommée *hertz* (Hz). Ainsi, lorsqu'on dit qu'une source émet à une fréquence de 20 Hz cela signifie que, chaque seconde, 20 suites identiques d'impulsions sont émises.

Cela dit, il est aisé de vérifier (exercice laissé au lecteur) que chaque seconde le bras de la source, dont le déplacement est donné par la fonction en (1.1), effectue f cycles. Soulignons qu'une suite d'impulsions est aussi appelée ***train d'ondes***.

Le paramètre φ de la fonction en (1.1) est appelé ***phase initiale*** du mouvement vibratoire. L'unité de mesure de la phase initiale φ sera exprimée en radians (rad). Dans le présent contexte, le paramètre φ a peu de signification sur le plan physique, tellement que la plupart des ouvrages traitant de la physique des ondes l'omettent de l'argument de la fonction cosinus similaire à (1.1). En fait, le rôle principal de φ consiste à ajuster l'argument de la fonction cosinus pour remplir les conditions initiales d'un système physique particulier (*cf.* chapitre 2). À titre d'exemple, si on dit qu'au temps $t = 0$ le bras de la source est situé sur l'axe des X, c'est-à-dire si $s(0) = 0$, alors on déduit que $\varphi = \pi/2$ ou que $\varphi = 3\pi/2$.

En conclusion : quelles que soient les valeurs de l'amplitude A, de la fréquence f et de la phase initiale φ, tout étudiant sait maintenant que la fonction $s(t)$ en (1.1) va osciller périodiquement entre $-A$ et A. En physique des ondes, un mouvement décrit par la fonction en (1.1) est appelé **mouvement harmonique simple** auquel on réfère par l'acronyme M.H.S.

Abordons maintenant le concept d'onde. Considérons une corde horizontale immobile située sur l'axe des X positifs et dans laquelle s'exerce une force de tension F. La mise en fonction de la source produira dans la corde un effet similaire à celui produit par les gouttelettes tombant sur un plan d'eau : dans les deux cas des impulsions seront communiquées au milieu et celles-ci se propageront dans le milieu (fig.1.1). Dans ce contexte, on appelle **onde** l'ensemble des configurations qu'adopte un milieu lorsque ce dernier est localement perturbé par une source. Nous allons graduellement clarifier le sens de cette définition.

La première notion qu'il importe de distinguer lorsqu'on parle d'une onde a trait à la propagation de l'impulsion. Du point de vue mécaniste, on peut dire que la propagation d'une impulsion dans un milieu (pensez à une vague) est rendue possible par la présence des forces de cohésion qui relient ses diverses parties. En général, plus les forces de cohésion d'un milieu sont grandes, plus l'impulsion traversera rapidement ce milieu. À quelle vitesse c les impulsions se déplacent-elles dans un milieu ? Pour un milieu ayant des propriétés élastiques, on obtient la **vitesse de propagation** c d'une impulsion au moyen de la formule en (1.2) :

$$c = \sqrt{\frac{\textit{Mesure de cohésion élastique}}{\textit{Mesure d'inertie}}} \tag{1.2}$$

Dans le cas du milieu corde, la mesure de cohésion élastique est sa **tension** F et la mesure d'inertie est la **densité linéique** μ de la corde. Ainsi, la vitesse c à laquelle une impulsion traverse le milieu élastique formé par une corde tendue est la suivante :

$$c = \sqrt{\frac{F}{\mu}} \tag{1.3}$$

Le résultat en (1.3) sera formellement démontré au chapitre 3. En considérant que les unités de mesure de la densité μ sont des kilogrammes par mètre (kg/m) et que celles pour la tension F sont des newtons (N), le lecteur peut vérifier que les unités de mesure de c sont bel et bien celles d'une vitesse (m/s). Nous supposerons que les paramètres F et m sont tous deux constants. Cela implique *a fortiori* que la vitesse de propagation c de l'impulsion traversant la corde est aussi une constante.

Est-ce que l'amplitude A d'une impulsion est une quantité qui demeure constante durant la propagation ? En l'absence de forces de friction (forces dissipatives), le principe de conservation de l'énergie stipule que l'énergie transférée dans un milieu doit y demeurer présente. Malgré cela, c'est-à-dire même en l'absence de forces dissipatives, l'amplitude A d'une impulsion s'atténue en général avec la distance, sauf dans le cas où l'impulsion est contrainte à se propager dans une et une seule direction. Sans entrer dans les détails techniques de la question, disons simplement que le principe de conservation de l'énergie appliqué aux concepts de propagation s'interprète ainsi : l'énergie cherche à se répartir uniformément dans les directions de propagation accessibles. À titre d'exemple, l'amplitude d'une impulsion circulaire se propageant sur un plan d'eau s'atténue avec la distance qu'elle parcourt puisque l'énergie cherche à s'étaler sur un cercle dont la circonférence s'accroît sans cesse avec le temps. En appliquant ce principe au cas d'une impulsion se déplaçant uniquement vers la droite, on conclut que l'amplitude doit demeurer constante puisque l'énergie ne peut s'étaler que dans la direction de l'axe des X positifs.

Résumons-nous. Le résultat en (1.3) indique que l'impulsion se propagera à une vitesse constante c. De plus, le principe de conservation de l'énergie appliqué au cas d'une propagation unidirectionnelle nous permet de dire que la suite d'impulsions communiquées à la corde en $x = 0$ ne s'atténue pas avec la distance qu'elle parcourt. Dans ce contexte, on peut montrer que l'ensemble des configurations adoptées par la corde est décrit par la fonction $y(x,t)$ ci-dessous :

$$y(x,t) = s(t - x/c) \tag{1.4}$$

En appliquant le résultat en (1.4) à la fonction de déplacement du bras de la source en (1.1), c'est-à-dire à la fonction $s(t)$ suivante :

$$s(t) = A\cos(2\pi f t + \varphi)$$

on obtient le résultat suivant (exercice laissé au lecteur) :

$$y(x,t) = A\cos(2\pi f t - \frac{2\pi f}{c}\, x + \varphi) \tag{1.5}$$

La fonction $y(x,t)$ en (1.5) porte le nom de ***fonction d'onde*** et elle est particulièrement utilisée en physique des ondes pour décrire l'évolution de propagations unidirectionnelles. Pour interpréter le rôle des variables x et t de la fonction en (1.5), nous allons fixer la valeur des variables à tour de rôle. La fonction obtenue en fixant la valeur de la variable spatiale x permet d'étudier le comportement dynamique du point matériel de la corde qui correspond à la position x de l'élément de la corde. À titre d'exemple, si on fixe $x = 2$

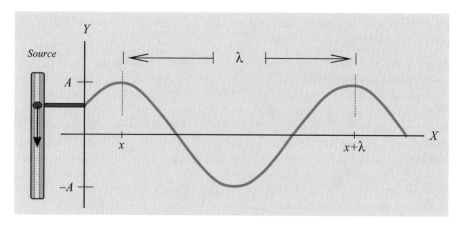

Fig. 1.2 Photo du mouvement vibratoire de la corde à l'instant $t = 0$ s.

dans la fonction en (1.5), la fonction ainsi obtenue rend uniquement compte du mouvement local de la corde en ce point. En conclusion : lorsqu'on souhaite porter un regard local sur un mouvement vibratoire d'ensemble, il suffit de fixer la valeur de la variable x. Dans le même ordre d'idées, fixer le temps t dans la fonction d'onde en (1.5) revient à prendre une photographie de la corde qui vibre. L'image ainsi obtenue est appelée **profil** de la corde vibrante. Nous noterons ce profil par $f(x)$. Étudions ce cas plus en détail. Pour ce faire, supposons qu'on active la source en laissant le temps aux impulsions de se propager vers la droite et qu'ensuite on démarre le chronomètre ($t = 0$ s). Quel est le profil de la corde à cet instant ? Pour répondre à cette question, il suffit de fixer $t = 0$ dans la fonction en (1.5) et d'en tracer le graphe. Cela dit,

$$f(x) = y(x, 0) = A \cos(-\frac{2\pi f}{c} x + \varphi) \tag{1.6}$$

Une fois son mouvement figé, la corde pourrait ressembler à celle de la figure 1.2. Dans cette figure l'aspect périodique de la fonction en (1.6) est mis en évidence. Pour déterminer la distance λ séparant deux points de la corde ayant une même hauteur et une même vitesse, il suffit de remarquer que le laps de temps T requis pour effectuer un cycle est relié à la fréquence par la relation suivante :

$$T = 1/f \tag{1.7}$$

Le temps T requis pour effectuer un cycle est appelé **période** et son unité de mesure est la seconde (s). Puisque les impulsions émises durant une période T se sont déplacées le long de la corde à la vitesse c, on conclut que la distance λ est reliée à la période T de la façon suivante :

$$\lambda = c\,T = c/f \tag{1.8}$$

En physique des ondes, la distance λ est appelée **longueur d'onde**. Le résultat en (1.8) révèle que la valeur de la longueur d'onde dépend autant des caractéristiques du milieu (c) que de celles de la source (f). L'effet du mouvement du bras de la source de la figure 1.1 est d'induire dans la corde une translation du profil illustré. Ainsi, durant un laps de temps t arbitraire, le profil $f(x)$ doit se déplacer vers la droite d'une distance de ct unités puisque toutes les impulsions se propagent vers la droite à la vitesse c. Cette remarque permet de dégager un résultat plus général. En effet, rappelons qu'une translation de a unités vers la droite de la fonction $f(x)$ est produite par l'opération mathématique (composition d'une fonction) :

$$y(x) = f(x - a) \tag{1.9}$$

Cela dit, pour *translater* le profil de $f(x)$ de « ct » unités vers la droite, il suffit d'effectuer l'opération énoncée en (1.9), soit :

$$y(x, t) = f(x - ct) \tag{1.10}$$

En appliquant l'opération en (1.10) au profil $f(x)$ donné en (1.6), le lecteur peut vérifier qu'on retrouve la fonction d'onde $y(x, t)$ en (1.5), c'est-à-dire :

$$y(x, t) = A \cos(2\pi f t - \frac{2\pi f}{c} x + \varphi) \tag{1.11}$$

En incorporant le paramètre λ dans (1.11), il s'ensuit que :

$$y(x, t) = A \cos(2\pi f t - \frac{2\pi}{\lambda} x + \varphi) \tag{1.12}$$

Afin de simplifier l'écriture de la fonction d'onde en (1.12), il est commode d'introduire les **paramètres secondaires** ω et k. Ceux-ci sont respectivement définis par les égalités en (1.13) et en (1.14). En physique des ondes, le paramètre ω est appelé **fréquence angulaire** ou **pulsation**.

$$\omega = 2\pi f \tag{1.13}$$

Les unités de mesure de ω correspondent à l'inverse des secondes (s^{-1}). Ces unités de mesure résultent du fait que, dans le cercle de rayon unitaire, 1 Hz correspond à une rotation angulaire complète de 2π radians. C'est du moins ce que l'égalité en (1.13) révèle. Pour cette raison, il est juste de dire que tous les phénomènes périodiques ont une correspondance circulaire.

Le paramètre k est appelé **nombre d'onde** et ses unités de mesure correspondent à l'inverse du mètre (m^{-1}).

$$k = 2\pi/\lambda \tag{1.14}$$

L'introduction de ces deux nouveaux paramètres secondaires permet de réécrire la fonction d'onde en (1.12) sous la forme compacte suivante :

$$y(x, t) = A\cos(\omega t - kx + \varphi)$$

Comment parvient-on à décrire une suite d'impulsions se déplaçant uniquement vers la gauche ? Rappelons qu'une translation vers la gauche du profil $f(x)$ se réalise par l'opération mathématique suivante :

$$y(x, t) = f(x + ct)$$

Il s'ensuit que la fonction d'onde appropriée serait de la forme :

$$y(x, t) = A\cos(\omega t + kx + \varphi)$$

Dans le même ordre d'idées, si $s(t)$ est la fonction de déplacement de la corde en $x = 0$ alors on obtient la fonction permettant la description d'impulsions se propageant vers la gauche par l'opération mathématique suivante :

$$y(x, t) = s(t + x/c)$$

En résumé, le principe de translation spatial ou temporel se formule de la façon suivante : si le profil $f(x)$ correspondant au temps $t = 0$ est connu, alors

$$y(x, t) = f(x \pm ct) \tag{1.15}$$

Et si la fonction $s(t)$ de déplacement de la corde en $x = 0$ est connue, alors

$$y(x, t) = s(t \pm x/c) \tag{1.16}$$

Dans les encadrés, le signe « $-$ » symbolise une propagation vers la droite, tandis que le signe « $+$ » nous indique une propagation vers la gauche. L'exemple qui suit devrait préciser le contexte d'utilisation des résultats (1.15) et (1.16).

Exemple 1.1

Une impulsion se propage vers la droite à 2 m/s. À l'instant $t = 0$, le profil de la corde est décrit par la fonction $f(x)$ exprimée en mètre.

$$f(x) = \frac{1}{1 + x^2} \quad \text{m}$$

  (a) Esquissez le profil $f(x)$ de la corde ;
  (b) Trouvez la fonction d'onde $y(x, t)$;
  (c) Esquissez le profil de la corde correspondant à l'instant $t = 1$ s ;

   (d) Donnez la fonction $s(t)$ du déplacement de la corde en $x = 0$;

   (e) Dites si le concept de fréquence f s'applique ici ;

   (f) Déterminez la vitesse transversale $v_y(x, t)$ de la corde ;

   (g) Calculez la vitesse transversale de la corde en $x = 0$ à $t = 1$ s ;

   (h) Déterminez l'accélération transversale de la corde ;

   (i) Calculez l'accélération transversale de la corde en $x = 0$ à $t = 1$ s.

Solution :
À $t = 0$, le profil $f(x)$ de la corde est le suivant :

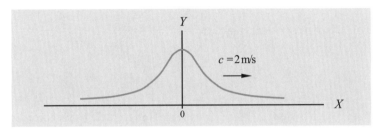

FIG. 1.3 Profil de la corde à $t = 0$ s.

En vertu du résultat en (1.15), on obtient la fonction d'onde $y(x, t)$ de la façon suivante :

$$y(x, t) = f(x - 2t) = \frac{1}{1 + (x - 2t)^2}$$

Puisque l'impulsion se déplace vers la droite, le signe retenu est le signe « $-$ ». À l'instant $t = 1$ s, le profil de la figure 1.3 a effectué une translation de 2 m vers la droite. Notez que l'expression mathématique du profil s'obtient de la façon suivante :

$$y(x, 1) = \frac{1}{1 + (x - 2)^2}$$

La hauteur $s(t)$ de la corde en $x = 0$ est :

$$s(t) = y(0, t) = \frac{1}{1 + 4t^2}$$

L'absence de périodicité de la fonction $s(t)$ indique que mouvement du bras de la source ne procède pas d'un mouvement répétitif de va-et-vient. Le concept de fréquence ne s'applique donc pas ici. Pour vous en convaincre, esquissez le graphe de $s(t)$.

On obtient la vitesse transversale $v_y(x, t)$ de la corde au moment du passage de l'impulsion en dérivant la hauteur $y(x, t)$ par rapport au temps t. Cela dit, il s'ensuit que :

$$v_y(x, t) = \frac{\partial}{\partial t} \, y(x, t) = \frac{\partial}{\partial t} \left(\frac{1}{1 + (x - 2t)^2} \right)$$

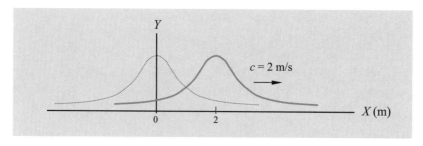

FIG. 1.4 Superposition des profils de la corde aux instants $t = 0$ et $t = 1$ s.

Après avoir effectué le calcul, on obtient :

$$v_y(x, t) = \frac{4(x - 2t)}{\left(1 + (x - 2t)^2\right)^2}$$

À $t = 1$ s et à la position $x = 0$ m, la vitesse transversale de la corde est :

$$v_y(0, 1) = -\frac{8}{25} \text{ m/s}$$

Le signe négatif de la réponse indique qu'à ce point et à cet instant, la corde descend. Il est intéressant de remarquer que la figure 1.4 nous convainc de la justesse du signe négatif obtenu.

On obtient l'accélération transversale $a_y(x, t)$ de la corde en dérivant la fonction de vitesse $v_y(x, t)$ par rapport au temps t. Cela dit, il s'ensuit que :

$$a_y(x, t) = \frac{\partial}{\partial t} \, v_y(x, t)$$

Après le calcul, on obtient :

$$a_y(x, t) = \frac{8(3x^2 - 12tx + 12t^2 - 1)}{\left(1 + (x - 2t)^2\right)^3}$$

À l'instant $t = 1$ s et en 0 m, l'accélération transversale de la corde est :

$$a_y(0, 1) = \frac{88}{125} \text{ m/s}^2$$

De façon générale, lorsqu'on observe une impulsion qui traverse un milieu, il est possible de distinguer deux types de vitesse. L'un a trait à la vitesse **c** de propagation de l'onde, tandis que l'autre a trait à la vitesse **v** à laquelle la matière se déplace localement. Selon que les vecteurs vitesses **c** et **v** sont perpendiculaires ou parallèles, les ondes produites sont respectivement appelées *onde transversale* ou *longitudinale*. Les deux définitions précédentes appliquées au cas d'une source imprimant un mouvement harmonique simple (1.1) à une corde nous permet de dire que la fonction d'onde

$$y(x,t) = A\cos(\omega t - kx + \varphi) \tag{1.17}$$

doit être interprétée comme une fonction d'onde transversale (fig.1.5).

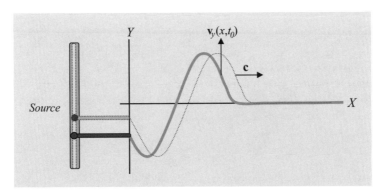

FIG. 1.5 Dans une onde transversale les vecteurs **c** et **v** sont perpendiculaires.

Subséquemment, la *vitesse transversale* de la corde, notée $v_y(x,t)$, s'obtient par le calcul de la dérivée suivante :

$$v_y(x,t) = \frac{\partial}{\partial t}\, y(x,t) = -A\omega \sin(\omega t - kx + \varphi)$$

De même, l'*accélération transversale* de la corde, notée $a_y(x,t)$, s'obtient par le calcul suivant :

$$a_y(x,t) = \frac{\partial}{\partial t}\, v_y(x,t) = -A\omega^2 \cos(\omega t - kx + \varphi) = -\omega^2 y(x,t)$$

1.3   Modèle de l'onde plane

Dans cette section, nous présenterons les caractéristiques de l'onde dite onde longitudinale tout en abordant un thème important qui s'y rattache, soit celui de l'onde plane. Une *onde longitudinale* est produite lorsque les vecteurs vitesses **c** et **v** sont parallèles. Pour que cette dernière condition se réalise, il faut que le milieu élastique soit déformé dans la même direction que celle de la propagation des impulsions. Dans le contexte de la figure 1.5, cela revient à imaginer que la source met en mouvement la corde parallèlement à l'axe des X.

Pour rendre le propos plus crédible en termes physiques, remplaçons le milieu *corde* par le milieu *air ambiant* et pensons à la source comme à une membrane faisant localement osciller les molécules d'air. L'analyse détaillée de ce problème

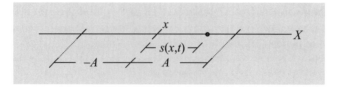

FIG. 1.6 Mouvement oscillatoire d'amplitude A autour d'un point x. La position du point en noir est exprimée par la fonction à deux variables $s(x,t)$.

fait l'objet de la section 3.6. Pour l'instant, disons simplement que la vibration de la membrane est la cause des phénomènes sonores. Avant de mettre la membrane en vibration, la molécule d'air en x est immobile[1] et x représente la ***position d'équilibre*** d'une molécule (fig.1.6). Supposons qu'en $x = 0$ le mouvement de l'air s'effectue selon (1.18) :

$$s(t) = A\cos(2\pi f t + \varphi) \tag{1.18}$$

En vibrant dans l'air, la membrane crée localement des zones de compression et de raréfaction qui vont se propager dans l'environnement à la vitesse c. L'application du résultat en (1.16) à la fonction $s(t)$ conduit à la fonction d'onde suivante :

$$s(x,t) = A\cos(\omega t - kx + \varphi) \tag{1.19}$$

Remarquons que la fonction d'onde est strictement identique à celle obtenue en (1.17) dans le contexte de la corde vibrante. Toutefois, dans le contexte de molécules d'air qui oscillent autour de leur point d'équilibre x, l'aspect unidimensionnel de la figure 1.6 n'est plus vraiment approprié en raison de l'aspect tridimensionnel du milieu *air ambiant*.

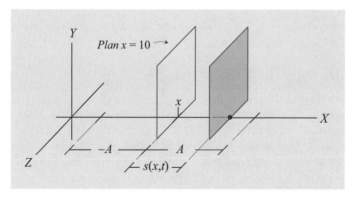

FIG. 1.7 Plan oscillant autour d'un point x. La fonction de position $s(x,t)$ du plan est la même que celle en (1.19).

---

[1]D'un point de vue microscopique, le concept d'immobilité signifie que le déplacement moyen des molécules d'air est nul.

Dans ce nouveau contexte, comment devons-nous interpréter la fonction d'onde en (1.19)? La réponse apparaît dès que l'on remarque que l'équation $x = a$ désigne aussi le lieu géométrique du **plan de l'espace** (*cf.* algèbre vectorielle). Voyons cela de plus près. Considérons l'équation $x = 10$. S'il est vrai que cette équation indique un point de l'axe X, elle réfère aussi au plan de l'espace passant par $x = 10$. Si l'on applique cette remarque au point de la figure 1.6, on obtient la figure 1.7 dont l'interprétation est alors la suivante : les molécules d'air contenues dans le plan d'équilibre $x = 10$ vont osciller autour de ce plan. La fonction $s(x,t)$ en (1.19) est alors appelée fonction d'**onde plane**. Dans le cadre de l'acoustique (*cf.* chapitre 3), nous utiliserons régulièrement ce type de fonction.

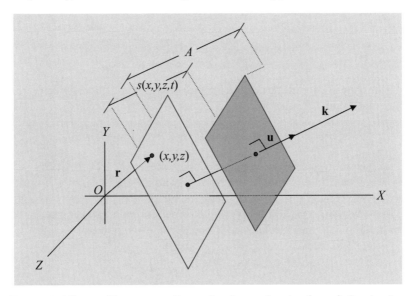

Fig. 1.8 Plan oscillant autour d'un point de coordonnées $(x; y; z)$. Le signal se propage dans la direction du vecteur $\mathbf{k}$. La fonction $s(x, y, z, t)$ donne la position du plan en gris par rapport au plan d'équilibre qui passe par les coordonnées $(x; y; z)$. L'équation du plan d'équilibre est fournie par $\mathbf{k} \cdot \mathbf{r} = a$ où a est une constante.

De façon plus générale, pour déterminer la fonction $s(x, y, z, t)$ décrivant le mouvement vibratoire d'amplitude A autour d'un plan d'équilibre (fig. 1.8), il suffit de rappeler que l'équation d'un plan dans l'espace (*cf.* algèbre vectorielle) est la suivante :

$$\mathbf{k} \cdot \mathbf{r} = a \tag{1.20}$$

Du point de vue géométrique, $\mathbf{k}$ est un vecteur perpendiculaire au plan et $\mathbf{r}$ est le **vecteur position** allant de l'origine $O = (0; 0; 0)$ au point $(x; y; z)$. Le symbole $\cdot$ qui apparaît entre les vecteurs $\mathbf{k}$ et $\mathbf{r}$ désigne le produit scalaire. Les vecteurs $\mathbf{k}$ et $\mathbf{r}$ s'écrivent de la façon suivante :

$$\mathbf{r} = x\,\mathbf{i} + y\,\mathbf{j} + z\,\mathbf{k} \equiv [x; y; z]$$

$$\mathbf{k} = k_1\,\mathbf{i} + k_2\,\mathbf{j} + k_3\,\mathbf{k} \equiv [k_1; k_2; k_3]$$

Si l'on utilise la forme explicite des vecteurs **r** et **k**, l'équation du plan en (1.20) s'écrit aussi sous la forme algébrique suivante :

$$k_1\ x + k_2\ y + k_3\ z = a \qquad (1.21)$$

En pratique, le vecteur **k** est connu et nous verrons dans les exemples 1.2 et 1.3 comment déterminer sa valeur. Si on suppose que le vecteur **k** est connu, alors un plan est déterminé dès que les coordonnées $(x; y; z)$ d'un point de ce plan sont fixées ou dès que le paramètre a est connu ; c'est ce qu'indique l'égalité en (1.21). Cela dit, dans le contexte où une onde se propage dans la direction du vecteur **k**, la fonction en (1.22) est appelée ***fonction d'onde plane***.

$$s(\mathbf{r}, t) = A \cos(\omega t - \mathbf{k} \cdot \mathbf{r} + \varphi) \qquad (1.22)$$

En développant le produit scalaire $\mathbf{k} \cdot \mathbf{r}$ dans l'argument du cosinus, on obtient la forme plus explicite suivante :

$$s(x, y, z, t) = A \cos(\omega t - (k_1\ x + k_2\ y + k_3\ z) + \varphi)$$

Nous privilégierons la forme compacte proposée en (1.22). En physique des ondes, le vecteur **k** est appelé ***vecteur propagation***[2]. Comme l'illustre la figure 1.8, le vecteur **k** est perpendiculaire au plan de vibration. Il est aussi parallèle au vecteur **c** puisqu'il indique la direction de la propagation de l'onde longitudinale plane. Sa grandeur s'obtient par le calcul suivant :

$$\| \mathbf{k} \| \equiv k = \sqrt{k_1{}^2 + k_2{}^2 + k_3{}^2}$$

La valeur k correspond au nombre d'onde introduit en (1.14). Rappelons que le nombre d'onde k est relié aux paramètres λ, ω et c.

$$k = 2\pi/\lambda\ = \omega/c \qquad (1.23)$$

Bien qu'il existe une infinité de vecteurs perpendiculaires à un plan, les égalités en (1.23) indiquent que la grandeur du vecteur **k** ne peut pas être choisie arbitrairement. En fait, un seul choix est possible. Pour déterminer la valeur du vecteur **k**, il est commode de recourir à un vecteur unitaire **u** qui lui soit parallèle et qui ait le même sens :

$$\mathbf{k} = k\ \mathbf{u} \qquad (1.24)$$

Le vecteur unitaire **u** est sans unité. On peut l'obtenir de multiples façons ; seul un contexte physique bien défini permet de préciser la stratégie à utiliser pour

---

[2]La notation **k** pour le vecteur propagation peut porter à confusion avec le vecteur unitaire **k** utilisé pour exprimer les vecteurs dans le référentiel cartésien. L'utilisation de la notation $\mathbf{k} = [k_1; k_2; k_3]$ permet de dissiper la confusion.

déterminer sa valeur (*cf.* exemple 1.2). Toutefois, notons que si l'onde se propage dans la direction de l'axe des X positifs, nous obtenons l'égalité suivante :

$$\mathbf{k} = [k; 0; 0]$$

et nous retrouvons la fonction d'onde présentée en (1.19).

$$s(x, t) = A \cos(\omega t - kx + \varphi)$$

Si l'onde se propage dans la direction de l'axe des X négatifs, alors on obtient l'égalité suivante :

$$\mathbf{k} = [-k; 0; 0]$$

et la fonction d'onde a la forme suivante :

$$s(x, t) = A \cos(\omega t + kx + \varphi)$$

La valeur k est positive. Le signe $\pm$ des composantes scalaires du vecteur $\mathbf{k}$,

$$\mathbf{k} = [k_1; k_2; k_3]$$

indique le sens de la propagation de l'onde dans la direction des axes X, Y et Z, respectivement. Par exemple, si

$$\mathbf{k} = [8; 11; -16] \, \text{m}^{-1} \tag{1.25}$$

cela signifie que l'onde se déplace vers l'axe des X positifs, vers l'axe des Y positifs et vers l'axe des Z négatifs (fig. 1.9).

Nous terminerons cette section portant sur l'onde plane tridimensionnelle en apportant une réponse à la question suivante : combien de temps met une impulsion plane à atteindre un observateur situé au point Q si celle-ci provient du point P ? Puisque la vitesse c de propagation est constante, la distance d parcourue par une impulsion durant le temps Δt est la suivante :

$$d = c \, \Delta t$$

Si la valeur de c et celle de Δt sont connues alors la distance d l'est aussi. Toutefois, le problème est différent si on demande : quel temps Δt met une impulsion plane à aller d'un point P à un point Q ? Dans ce dernier cas, la distance d à considérer est illustrée à la figure 1.9. En l'occurrence, la valeur de d correspond à la distance du point Q au plan passant par le point P. Il est relativement simple de montrer que (*cf.* algèbre vectorielle) :

$$d = \mathbf{D} \cdot \mathbf{u} \tag{1.26}$$

En (1.26), le symbole $\mathbf{D}$ réfère au vecteur allant du point P au point Q. Remarquons que le résultat du produit scalaire en (1.26) peut être négatif.

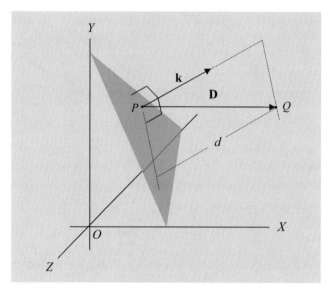

FIG. 1.9 Vecteur **k** pointant dans la direction de la propagation de l'onde plane. Les signes des composantes scalaires du vecteur **k** illustré sont conformes à ceux du vecteur **k** en (1.25). Combien de temps mettra l'impulsion plane passant par le point P à atteindre le point Q ?

Dans le présent contexte, un signe négatif pour la distance d indique que l'impulsion au point P est déjà passée par le point Q. Inversement, une valeur positive de d signifie que l'impulsion va bel et bien atteindre le point Q. En utilisant la figure 1.9, pouvez-vous vous convaincre de la véracité des deux affirmations précédentes ? La figure 1.9 révèle aussi que deux observateurs situés à une même distance r de l'origine O ne recevront pas simultanément des signaux émis à partir de l'origine O. Si ce constat semble aller à l'encontre de l'expérience que nous avons de la propagation du son, c'est que dans certaines circonstances le modèle de l'onde plane doit être remplacé par le modèle sphérique (*cf.* section 1.4). Toutefois, nous verrons dans la prochaine section que le modèle de l'onde plane s'avère adéquat pour décrire la propagation d'impulsions qui se sont suffisamment éloignées d'une source qui émet de façon omnidirectionnelle. En principe, même si le modèle sphérique est plus approprié que celui de l'onde plane pour décrire la propagation d'un son, en pratique, plusieurs circonstances nous permettent d'utiliser le modèle de l'onde plane (fig. 1.12). Outre les modèles de propagation plane et sphérique, plusieurs autres modes de propagation sont possibles. Par exemple, le modèle de propagation correspondant à une antenne filiforme rectiligne est *a priori* plus près du ***modèle cylindrique*** que du modèle sphérique ou du modèle planaire. Notons finalement que certaines sources peuvent émettre de façon unidirectionnelle. Le laser en est un exemple. Nous reviendrons sur ce thème à la prochaine section.

Exemple 1.2

Une onde longitudinale de 400 Hz se propage dans la direction du vecteur $\mathbf{b} = [2; 3; -6]$ m à une vitesse de 100 m/s. L'amplitude du mouvement vibratoire est 5 μm et sa phase initiale est $\pi/7$. Considérez les points suivants :

$$A = (1; 1; 2) \text{ m}; \quad B = (15; 8; -19) \text{ m}; \quad C = (1; 2; 4) \text{ m}.$$

(a) Quelle est la longueur d'onde du signal ?

(b) Que vaut le vecteur propagation $\mathbf{k}$?

(c) Quelle distance parcourt le signal en 3 secondes ?

(d) Combien de temps met le signal à aller du point A au point B ?

(e) À l'instant $t = 1$ s, où se situe le plan qui oscille autour du plan d'équilibre passant par le point C ?

(f) À l'instant $t = 1$ s, que vaut la vitesse longitudinale du plan qui oscille autour du plan d'équilibre passant par le point C ?

Solution :

La longueur d'onde du signal est obtenue par le calcul suivant

$$\lambda = c/f = 100/400 = 1/4 \text{ m}$$

Si l'on dit que l'onde plane longitudinale se déplace dans la direction du vecteur $\mathbf{b} = [2; 3; -6]$ m, alors le vecteur $\mathbf{u}$ s'obtient par le calcul suivant :

$$\mathbf{u} = \frac{1}{b} \, \mathbf{b} = \frac{1}{7} \, [\, 2; \, 3; \, -6 \,] = [\, \frac{2}{7}; \, \frac{3}{7}; \, -\frac{6}{7} \,]$$

En utilisant la forme vectorielle en (1.24), il s'ensuit que :

$$\mathbf{k} = k \, \mathbf{u} = \frac{2\pi}{\lambda} \, \mathbf{u} = 8\pi \, [\, \frac{2}{7}; \, \frac{3}{7}; \, -\frac{6}{7} \,] = [\, \frac{16\pi}{7}; \, \frac{24\pi}{7}; \, -\frac{48\pi}{7} \,] \text{ m}^{-1}$$

En 3 secondes, le signal parcourt une distance

$$d = c \, \Delta t = 100 \times 3 = 300 \text{ m}$$

Pour déterminer le temps que prendra le signal à atteindre un observateur dont les coordonnées spatiales sont $B = (15; 8; -19)$ m, il faut calculer la distance qui sépare les plans d'*émission* et de *réception*. Le plan d'émission concerne l'onde plane qui passe par les coordonnées du point $A = (1; 1; 2)$ m, tandis que le plan de réception concerne le plan de l'observateur qui passe par le point $B = (15; 8; -19)$ m. En résumé, il faut donc déterminer la distance d qui sépare ces deux plans parallèles. Conformément à (1.26), la distance d s'obtient par le calcul suivant :

$$d = \mathbf{D} \cdot \mathbf{u} = [14; 7; -21] \cdot [2/7; 3/7; -6/7]$$

$$d = 25 \text{ m}$$

Le signe positif de d indique que le signal émis à partir du point $A = (1; 1; 2)$ m se dirige bel et bien vers l'*observateur*. L'intervalle de temps Δt que mettra le signal à atteindre l'*observateur* est

$$\Delta t = d/c = 25/100 = 1/4 \text{ s}$$

La fonction d'onde est la suivante :

$$s(\mathbf{r}, t) = A \cos(\omega t - \mathbf{k} \cdot \mathbf{r} + \varphi)$$

$$s(\mathbf{r}, t) = 5 \cos(800\pi t - [\ \frac{16\pi}{7};\ \frac{24\pi}{7};\ -\frac{48\pi}{7}\ ] \cdot [x; y; z] + \frac{\pi}{7})$$

Pour décrire le mouvement vibratoire autour du plan d'équilibre passant par le point $C = (1; 2; 4)$ m, il suffit que l'extrémité du vecteur $\mathbf{r}$ touche à un des points du plan d'équilibre (fig. 1.8). Cela dit, fixons le vecteur $\mathbf{r}$ à $\mathbf{r}_0$.

$$\mathbf{r} = \mathbf{r}_0 = [x_0; y_0; z_0] = [1; 2; 4] \text{ m}$$

La fonction de position qui en découle dépend uniquement de la variable t.

$$s(\mathbf{r}_0, t) = 5 \cos(800\pi t - [\ \frac{16\pi}{7};\ \frac{24\pi}{7};\ -\frac{48\pi}{7}\ ] \cdot [1; 2; 4] + \frac{\pi}{7})$$

$$s(\mathbf{r}_0, t) = 5 \cos(800\pi t + \frac{129\pi}{7}) \ \mu\text{m}$$

Notons que la fonction obtenue décrit un mouvement harmonique identique à celui obtenu en (1.1). À l'instant $t = 1$ s, le plan oscillant est à la position

$$s(\mathbf{r}_0, 1 \text{ s}) = 5 \cos(800\pi + \frac{129\pi}{7}) \ \mu\text{m} \ \approx 1,113 \ \mu\text{m}$$

La ***vitesse longitudinale*** du plan qui oscille autour du plan d'équilibre s'obtient en dérivant la fonction de position $s(\mathbf{r}, t)$ par rapport au temps.

$$v_s(\mathbf{r}, t) = -A\omega \sin(\omega t - \mathbf{k} \cdot \mathbf{r} + \varphi)$$

$$v_s(\mathbf{r}, t) = -4000\pi \sin(\omega t - \mathbf{k} \cdot \mathbf{r} + \frac{\pi}{7}) \ \mu\text{m/s}$$

En $\mathbf{r} = \mathbf{r}_0 = [1; 2; 4]$ m et à l'instant $t = 1$ s, on trouve que :

$$v_s(\mathbf{r}_0, 1 \text{ s}) = -4000\pi \sin(800\pi + \frac{129\pi}{7}) \ \mu\text{m/s}$$

$$v_s(\mathbf{r}_0, 1 \text{ s}) \approx -12,251 \text{ mm/s}$$

Exemple 1.3

Considérez le plan d'équilibre passant par les coordonnées $(8; -1; 4)$ m. Un mouvement vibratoire de $210/\pi$ Hz autour de ce plan d'équilibre produit une onde longitudinale dont le vecteur propagation est $\mathbf{k} = [8; -16; 11]$ m^{-1}. À l'instant $t = 3/10$ s, le plan oscillant est à 2 μm à gauche du plan d'équilibre et sa vitesse longitudinale est de 500 μm/s vers la droite.

(a) Calculez la vitesse de propagation de l'onde ;
(b) Déterminez la fonction d'onde plane ;
(c) Évaluez la position $s(\mathbf{r}, t)$ en $\mathbf{r} = [1; 2; 4]$ m ;
(d) Interprétez le résultat obtenu en c).

Solution :
À partir des égalités en (1.8), (1.13) et (1.14), il est facile de montrer que la vitesse c est reliée au nombre d'onde k par l'égalité

$$c = \omega/k$$

La valeur de k fait référence à la grandeur du vecteur propagation $\mathbf{k}$.

$$k = \| \mathbf{k} \| = \sqrt{8^2 + (-16)^2 + 11^2} = 21 \text{ m}^{-1}$$

La vitesse c est donc la suivante :

$$c = \omega/k = 420/21 = 20 \text{ m/s}$$

La fonction d'onde recherchée est assurément de la forme

$$s(\mathbf{r}, t) = A\cos(\omega t - \mathbf{k} \cdot \mathbf{r} + \varphi)$$

Dans ce problème, les conditions initiales du mouvement sont les suivantes :

$$t_0 = 3/10 \text{ s} ; \quad \mathbf{r}_0 = [8; -1; 4] \text{ m}; \quad s(\mathbf{r}_0, t_0) = -2 \ \mu\text{m}; \quad v_s(\mathbf{r}_0, t_0) = 500 \ \mu\text{m/s};$$

Nous allons voir que ces conditions initiales permettent de déterminer la valeur de A et de φ. Pour ce faire, désignons respectivement par s_0 et v_0 les valeurs de $v_s(\mathbf{r}_0, t_0)$ et $v_s(\mathbf{r}_0, t_0)$, c'est-à-dire posons que

$$s_0 = s(\mathbf{r}_0, t_0) ; \qquad v_0 = v_s(\mathbf{r}_0, t_0)$$

En utilisant les fonctions $s(\mathbf{r}, t)$ et $v_s(\mathbf{r}, t)$, il s'ensuit que :

$$s_0 = A\cos(\omega t_0 - \mathbf{k} \cdot \mathbf{r}_0 + \varphi) = -2 \ \mu\text{m} < 0 \tag{1.27}$$

$$v_0 = -A\omega \sin(\omega t_0 - \mathbf{k} \cdot \mathbf{r}_0 + \varphi) = 500 \ \mu\text{m/s} > 0 \tag{1.28}$$

Les deux équations ci-dessus permettent de déterminer[3] les deux inconnues recherchées, soit A et φ.

---

[3]En pratique, l'utilisation du calculateur symbolique permet de déterminer les valeurs A et φ, sans avoir à effectuer les manipulations algébriques qui suivent.

En effectuant la division v_0/s_0, on obtient l'équation qui permet, en général, de déterminer la valeur de la phase initiale φ.

$$\omega t_0 - \mathbf{k} \cdot \mathbf{r}_0 + \varphi = \tan^{-1}(-\frac{v_0}{\omega s_0})$$

En remplaçant les variables par les valeurs numériques dans le membre droite de l'égalité ci-dessus, on obtient :

$$\omega t_0 - \mathbf{k} \cdot \mathbf{r}_0 + \varphi = \tan^{-1}(-\frac{25}{-42})$$

Après avoir identifié le quadrant du cercle trigonométrique qui permet de respecter les signes des conditions initiales en (1.27) et (1.28), il s'ensuit que :

$$\omega t_0 - \mathbf{k} \cdot \mathbf{r}_0 + \varphi = \tan^{-1}(25/42) + \pi$$

En poursuivant le calcul, on obtient

$$126 - [8; -16; 11] \cdot [8; -1; 4] + \varphi = \tan^{-1}(25/42) + \pi$$

$$126 - 124 + \varphi = \tan^{-1}(25/42) + \pi$$

$$\varphi \approx 1,6785 \text{ rad}$$

On détermine l'amplitude A en élevant au carré chacun des membres des égalités (1.27) et (1.28) de la façon suivante :

$$(\omega s_0)^2 + v_0{}^2 = A^2\omega^2 \cos^2(\omega t_0 - \mathbf{k} \cdot \mathbf{r}_0 + \varphi) + A^2\omega^2 \sin^2(\omega t_0 - \mathbf{k} \cdot \mathbf{r}_0 + \varphi)$$

$$(\omega s_0)^2 + v_0{}^2 = A^2\omega^2$$

Comme l'amplitude A est considérée positive, il s'ensuit que :

$$A = \sqrt{s_0{}^2 + (v_0/\omega)^2}$$

En utilisant les données du problème, on trouve que :

$$A = \sqrt{(-2)^2 + (500/420)^2} \approx 2,3275 \ \mu m$$

La fonction d'onde recherchée est la suivante :

$$s(\mathbf{r}, t) = 2,3275 \cos(420t - [8; -16; 11] \cdot \mathbf{r} + 1,6785) \ \mu m$$

Comme nous l'avons vu dans l'exemple 1.2, on détermine le vecteur $\mathbf{r}$ en considérant un plan d'équilibre particulier. Pour $\mathbf{r} = \mathbf{r}_0 = [1; 2; 4]$ m,

$$s(t) = 2,3275 \cos(420t - [8; -16; 11] \cdot [1; 2; 4] + 1,6785) \ \mu m$$

$$s(t) = 2,3275 \cos(420t - 18,3215) \ \mu m$$

La fonction $s(t)$ obtenue indique la position du plan en vibration par rapport au plan d'équilibre passant par le point $(1; 2; 4)$ m et dont l'orientation est fournie par le vecteur propagation $\mathbf{k}$.

1.4   Modèle sphérique

Dans la section 1.3, nous avons mentionné qu'un son émis dans un milieu se déplace à la vitesse c dans toutes les directions (fig. 1.10) et, subséquemment, que le **modèle sphérique** est le plus approprié pour décrire sa propagation dans l'air. Dans la présente section, nous présentons les caractéristiques principales du modèle sphérique tout en les interprétant dans le contexte de la physique des ondes.

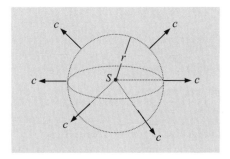

FIG. 1.10 Propagation d'une onde selon le modèle sphérique.

Bien que la situation physique envisagée puisse être différente, considérons un émetteur sonore S plongé dans un milieu homogène et isotrope (*cf.* chapitre 4). La fonction $s(r, t)$ en (1.29) donne la position de la sphère en vibration autour de sa sphère d'équilibre. Dans le modèle sphérique, il est à noter que le concept de plan d'équilibre est remplacé par celui de sphère d'équilibre, si bien que la figure 1.8 demeure valide dans la mesure où on remplace respectivement le plan d'équilibre et le plan en vibration par la **sphère d'équilibre** et la **sphère en vibration**. Ainsi, dans le modèle sphérique, le déplacement des molécules d'air procède d'un mouvement périodique où expansion radiale et contraction radiale se répètent f fois par seconde. Cela signifie simplement que la sphère pulse à la fréquence f autour de sa sphère d'équilibre ; c'est le sens à attribuer à la fonction d'onde en (1.29).

$$s(r, t) = \frac{\mathcal{A}}{r}\,\cos(\omega t - kr + \varphi) \qquad (1.29)$$

En (1.29), la variable spatiale r de la fonction d'onde doit être interprétée dans le système de **coordonnées sphériques**. Dans ce système, r est la distance du point de source S à un observateur Q. Le signe « $-$ » devant r indique une propagation qui est excentrique à S (explosion) tandis qu'un signe « $+$ » indique une propagation qui est concentrique à S (implosion). Dans ce qui suit, nous considérons uniquement le signe « $-$ » (fig. 1.10).

Le terme $\mathcal{A}$ est une constante qui dépend des conditions initiales. Ce terme

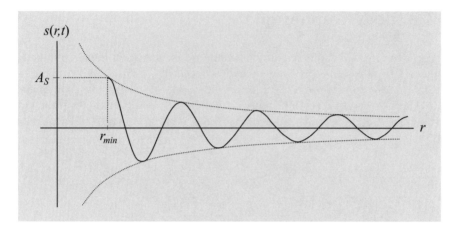

Fig. 1.11 Profil type de la fonction d'onde sphérique énoncée en (1.29).

ne doit pas être confondu avec le terme d'amplitude $\mathcal{A}/r$ de la fonction d'onde en (1.29). Contrairement à la fonction d'onde plane, la fonction d'onde en (1.29) révèle que l'amplitude $\mathcal{A}/r$ est inversement proportionnelle à la distance r parcourue. En remarquant que la fonction cosinus oscille entre -1 et 1, on anticipe que le profil de $s(r,t)$ correspondant à l'instant $t = t_0$ aura la même forme que celle du profil présenté à la figure 1.11. La courbe du terme d'amplitude $\mathcal{A}/r$ possède une singularité en $r = 0$. Cette singularité ne nous préoccupe guère du point de vue physique puisque concrètement toutes les sources (émetteurs) sont de dimensions finies ; les fronts d'onde sphérique qui en émanent ont donc assurément un rayon r différent de zéro.

Dans la figure 1.11, le rayon de l'émetteur sphérique est désigné par r_{min} ; en deçà du rayon r_{min} il n'est plus pertinent de considérer la propagation de l'onde puisque la source elle-même occupe l'espace. Si on dit que les vibrations émises au voisinage de l'émetteur sphérique sont d'amplitude A_S, il s'ensuit que :

$$A_S = \frac{\mathcal{A}}{r_{min}} \tag{1.30}$$

Par exemple, si l'amplitude $A_S = 2$ mm et que la source S est contenue dans un rayon $r < r_{min} = 50$ mm, alors la fonction d'onde en (1.29) serait de la forme suivante :

$$s(r,t) = \frac{100}{r} \, \cos(\omega t - kr + \varphi) \text{ mm}$$

Pour mieux visualiser le processus de propagation d'une onde dans l'espace, il est courant de recourir au concept de ***front d'onde***. Pour un milieu élastique, un front d'onde est la (ou les) région(s) de l'espace où la déformation du milieu est la même à un instant $t = t_0$ fixé. Par exemple, dans le cas de l'onde plane longitudinale en (1.19), on pourrait se demander : « En quels points de l'espace

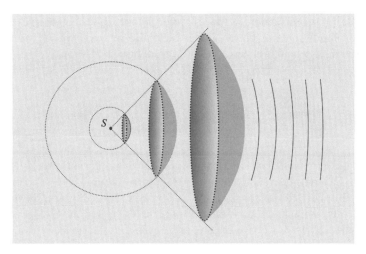

FIG. 1.12 Propagation d'une portion d'un même front d'onde sphérique regardé en trois instants différents. L'énergie transportée par la calotte sphérique demeure constante. Les lignes arquées à l'extrémité de droite révèlent que plus un front d'onde est émis de loin, plus celui-ci s'apparente à une surface plane, ce qui revient à dire que l'approximation du modèle de l'onde sphérique par le modèle de l'onde plane est toujours possible localement.

le milieu est-il déformé de la moitié de sa valeur maximale ? » Pour identifier le front d'onde correspondant à cet état, il faudrait résoudre l'équation suivante :

$$y(x, t_0) = A/2 \tag{1.31}$$

La solution de l'équation en (1.31) est une égalité de la forme $x = cte$ ce qui, dans l'espace tridimensionnel, correspond à un plan. Dans le contexte d'une propagation omnidirectionnelle, on détermine les fronts d'onde en résolvant l'équation suivante :

$$s(r, t_0) = s_0 = \frac{\mathcal{A}}{r} \cos(\omega t_0 - kr + \varphi) \tag{1.32}$$

La résolution de l'équation en (1.32) mène à une égalité de la forme $r = cte$ ce qui, dans le système de coordonnées sphériques, correspond à l'équation d'une sphère. Ainsi, les trois calottes sphériques de la figure 1.12 doivent être interprétées comme la propagation d'une section d'un seul et même front d'onde. Durant un laps de temps Δt tous les points d'un front d'onde se déplacent d'une distance $c\Delta t$; comme toutes les directions sont également accessibles à la propagation, l'énergie transportée par le front d'onde initial se répartira uniformément sur la coquille sphérique de rayon $r + c\,\Delta t$. Conformément au principe de **_conservation de l'énergie_**, la quantité d'énergie transportée par un front d'onde (coquille sphérique) doit demeurer constante, ce qui revient à dire que l'énergie transportée par une portion de front d'onde (calotte sphérique) doit aussi le demeurer (fig. 1.12).

Bien que la quantité d'énergie transportée par un front d'onde soit une constante, nous allons voir que l'intensité en watts par mètre carré (W/m^2) diminue avec la distance r parcourue. Nous allons définir l'***intensité*** I de la façon suivante :

$$I = \frac{\textit{Puissance traversant une surface de référence}}{\textit{L'aire de la surface interceptée}} \qquad (1.33)$$

En physique, l'*intensité* est sujette à des définitions différentes de celle énoncée en (1.33). La complexité du calcul de l'intensité I en (1.33) dépend principalement du choix de la ***surface de référence***. Pour illustrer la nature des difficultés qui risquent de survenir au moment du calcul en (1.33), supposons qu'une source S omnidirectionnelle émette avec une puissance W au voisinage d'une surface plane dont l'aire est A. Concrètement, cette situation pourrait se traduire ainsi : quelle intensité parvient à un panneau solaire qu'on incline devant le soleil ? Pour répondre à cette question de façon exacte, il nous faut recourir à une intégrale de surface que nous ne présenterons pas dans la présente introduction. Toutefois, si les vecteurs **c** sont en tous points perpendiculaires à la surface de référence choisie, et que la valeur de la puissance est partout la même à la surface de référence choisie, alors le calcul de (1.33) se réduit à l'expression

$$I = \frac{W_A}{A} \qquad (1.34)$$

Le terme W_A représente la puissance en watts (W) qui traverse la surface dont l'aire est A. Pour pouvoir utiliser le résultat en (1.34), nous allons choisir la surface de référence qui coïncide avec les fronts d'onde (expliquez pourquoi ce choix de surface de référence permet l'utilisation du résultat en (1.34). Cela dit, nous effectuerons le calcul de l'intensité I en considérant la situation suivante : une source omnidirectionnelle S émet avec une puissance W au centre d'une calotte sphérique sous-tendue par un angle θ (fig. 1.13).

On peut montrer que l'aire A d'une calotte sphérique est donnée par la formule suivante :

$$A = 2\pi r^2 \left(1 - \cos(\theta/2)\right)$$

Si on rappelle que W_A est la valeur de la puissance effective qui traverse la calotte sphérique (surface de référence), alors l'intensité I est donnée par l'expression suivante :

$$I_{calotte} = \frac{W_A}{2\pi r^2 \left(1 - \cos(\theta/2)\right)} \qquad (1.35)$$

Le résultat en (1.35) révèle que dans le modèle de propagation sphérique, l'intensité est inversement proportionnelle au carré de la distance parcourue. Cela permet d'expliquer pourquoi un son peut devenir difficile à entendre s'il

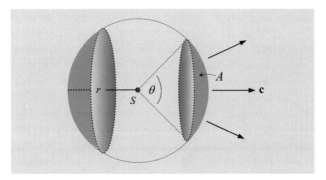

FIG. 1.13 Source omnidirectionnelle S émettant à partir du centre de la calotte sphérique de rayon r (surface de référence). La valeur de l'intensité I mesurée sur la calotte sphérique est donnée par l'expression en (1.35).

est émis de très loin. Si la surface de référence choisie est celle de la coquille sphérique entière ($\theta = 360°$), la valeur de W_A correspond à la puissance W d'émission de la source S et l'intensité I est alors la suivante :

$$I_{sphère} = \frac{W}{4\pi r^2} \qquad (1.36)$$

Bien que les résultats en (1.35) et (1.36) soient tous deux strictement équivalents, le résultat en (1.36) est plus utile que celui en (1.35), car il contient le terme W relatif à la puissance d'émission. Insistons tout de même sur le fait que dans le modèle sphérique, l'intensité I est la même à une distance r fixe, que celle-ci soit mesurée sur une calotte sphérique ou sur la coquille sphérique entière.

Le résultat en (1.35) révèle que si l'on souhaite émettre un signal à partir de la planète Mars dans l'espoir qu'il soit capté sur Terre, alors on a avantage à utiliser une source S qui émette avec un angle θ inférieur à 360° (expliquez pourquoi). Inversement, si l'on souhaite émettre un signal qui puisse se répandre le plus possible dans l'entourage, on préconisera un type de source qui émette avec un angle le plus près possible de 360°. Supposons que la source S est capable de restreindre les directions de propagation (fig. 1.13) à un cône d'ouverture θ. La conséquence de cette dernière hypothèse sur le résultat en (1.35) est que le terme de puissance W_A doit alors être remplacé par le terme de puissance W d'émission de la source (expliquez pourquoi). Dans ce contexte, l'angle θ peut s'interpréter comme l'***angle d'émission*** de la source. Plus l'angle θ est petit, plus le signal tend à être unidirectionnel et plus l'intensité est élevée ; tout autre paramètre demeurant fixe. Mais quel que soit le mode de propagation, une onde radio émise à l'arrière de la lune ne pourra malheureusement pas être détectée par un récepteur sur Terre. Il s'ensuit donc que le modèle de propagation n'est pas seul à être déterminant dans l'intensité I mesurée en un point fixe de l'espace.

Nous voilà à la fin de l'introduction dont l'objectif était de dégager les idées directrices qui se rattachent aux phénomènes ondulatoires en les regroupant sous un même chapitre. Pour favoriser l'assimilation des concepts-clés de la physique des ondes, l'auteur a accordé plus d'importance aux explications, aux commentaires, aux mises en situation physique élémentaires, etc. qu'il n'en a accordé au traitement formel de l'exposé. Il est toutefois clair que la présente introduction ne fait pas un tour d'horizon complet du sujet. Par exemple, les discussions précédentes ne tiennent pas compte des multiples réflexions qu'une onde est susceptible de subir en se propageant. Il est en effet notoire que les ondes radios de grandes longueurs d'onde sont réfléchies par l'atmosphère terrestre. En pratique, les ondes sphériques, planes, cylindriques, etc. peuvent subir de grandes modifications lorsqu'elles rencontrent des obstacles, et selon le type d'onde émis, les obstacles sont susceptibles de nuire à sa propagation (une fenêtre est moins nuisible à la propagation d'une onde du spectre visible qu'à la propagation d'une onde sonore). Les thèmes traités dans ce chapitre l'ont été par l'intermédiaire de modèles mathématiques simples qui, bien que pratiques, ne traduisent pas entièrement la richesse dynamique du monde matériel dans lequel la physique des ondes s'inscrit.

1.5 Synthèse du chapitre 1

La **propagation** d'impulsions se déplaçant à la **vitesse** c dans une corde alignée selon l'axe des X est décrite par l'une des 2 fonctions suivantes :

$$y(x,t) = f(x \pm ct); \quad y(x,t) = s(t \pm x/c)$$

La fonction $f(x)$ obtenue en posant $t = 0$ donne le **profil** de la corde et la fonction $s(t)$ obtenue en posant $x = 0$, donne son **déplacement transversal**. Si le mouvement produit en $x = 0$ est un M.H.S de **période** T, d'**amplitude** A et de **phase initiale** φ, alors la fonction d'onde est la suivante :

$$y(x,t) = A\cos(\omega t \pm kx + \varphi)$$

Les paramètres secondaires ω et k sont respectivement reliés à la **fréquence** f et à la **longueur d'onde** λ dont la valeur dépend à la fois des caractéristiques de la source (f) et des propriétés élastiques du milieu (c). Les relations principales entre tous ces paramètres sont les suivantes :

$$\omega = 2\pi f; \quad k = 2\pi/\lambda; \quad \lambda = c\,T; \quad T = 1/f; \quad c = \sqrt{F/\mu}$$

Plus généralement, le concept d'**onde** désigne l'ensemble des configurations d'un milieu lorsqu'il est localement perturbé par une source S et, selon que les ébranlements sont respectivement perpendiculaires ou parallèles au **vecteur propagation** k, les ondes sont dites **transversales** ou **longitudinales**. De plus, si le **front d'onde** est une surface plane, l'onde est dite **onde plane** et si le front d'onde est une coquille sphérique, l'onde est dite **onde sphérique**. Les modèles appropriés pour la description de chacun de ces deux types d'onde sont respectivement les suivants :

$$s(\mathbf{r},t) = A\cos(\omega t - \mathbf{k} \cdot \mathbf{r} + \varphi); \quad s(r,t) = \frac{\mathcal{A}}{r}\cos(\omega t - kr + \varphi); \quad A_S = \frac{\mathcal{A}}{r_{min}}$$

Le vecteur $\mathbf{r} = [x; y; z]$ pointe sur un **plan d'équilibre** tandis que la variable spatiale r fait référence à une **sphère d'équilibre**. À proximité d'une source S **omnidirectionnelle**, il est raisonnable de croire que l'amplitude du mouvement vibratoire est donnée par A_S. Lorsqu'une source S émet avec une puissance W au centre d'une calotte sphérique sous-tendue par un angle θ, la puissance effective W_A par unité de surface sur la calotte donne l'**intensité** I dont la valeur est la suivante :

$$I_{calotte} = \frac{W_A}{2\pi r^2\,(1 - \cos(\theta/2))}$$

Lorsque les circonstances le permettent, l'angle θ peut aussi s'interpréter comme l'**angle d'émission** de la source.

1.6 Exercices

1.1 En $x = 0$, une source met une corde en mouvement selon la fonction $s(t)$ exprimée en cm.

$$s(t) = \frac{3}{2 + \cos(6\pi t)} - 2$$

(a) Est-ce que le mouvement est périodique ? Si oui, quelle est sa période ?
(b) Combien de fois par seconde le système est-il dans le même état ?
(c) Comment nomme-t-on la quantité obtenue en (b) ?
(d) Est-ce que le concept d'amplitude s'applique ? Si oui, que vaut A ?
(e) Est-ce que le graphe de la fonction $s(t)$ valide vos réponses ?

1.2 Reconsidérez l'énoncé de l'exercice 1.1 et supposez maintenant que la tension de la corde est de 10 N et que sa densité est de 5/2 kg/m. Si les impulsions se propagent vers la droite :

(a) Déterminez la fonction d'onde $y(x, t)$;
(b) Esquissez le profil $f(x)$ de la corde correspondant à l'instant $t = 0$;
(c) Calculez la longueur d'onde ;
(d) Déterminez la vitesse transversale $v_y(x, t)$ de la corde ;
(e) Calculez la vitesse transversale de la corde en $x = 2$ m à l'instant $t = 1$ s ;
(f) Déterminez l'accélération transversale $a_y(x, t)$ de la corde ;
(g) Calculez l'accélération transversale de la corde en $x = 2$ m à $t = 1$ s.

1.3 À l'instant $t = 0$ s, les profils d'impulsions qui se déplacent vers la droite et vers la gauche sont respectivement donnés par les fonctions $f_d(x)$ et $f_g(x)$. Chacune des impulsions se déplace à 5 m/s le long de la même corde.

$$f_d(x) = 2e^{-(x+5)^2} \text{ cm}; \quad f_g(x) = -2e^{-(x-5)^2} \text{ cm}$$

Étudions quelques particularités du mouvement de la corde.

(a) Dessinez le profil de la corde à $t = 9/10$ s ;
(b) Calculez la hauteur de la corde en $x = 1$ m à $t = 9/10$ s ;
(c) Calculez la vitesse de la corde en $x = 1$ m à $t = 9/10$ s ;
(d) Calculez l'accélération de la corde en $x = 1$ m à $t = 9/10$ s ;
(e) Déterminez un point x où la corde a une vitesse de $+5$ cm/s à $t = 9/10$ s ;
(f) Déterminez la grandeur de la vitesse maximale de la corde ;
(g) Déterminez la grandeur de l'accélération maximale de la corde.

1.4 Reprenez l'exercice 1.3 dans le cas où le profil des impulsions à $t = 0$ s se déplaçant vers la droite (d) et vers la gauche (g) est respectivement donné par les fonctions $f_d(x)$ et $f_g(x)$.

$$f_d(x) = 2e^{-(x+5)^2} \text{ cm}; \quad f_g(x) = -e^{-(x-5)^2} \text{ cm}$$

1.5 À $t = 0$ s, le profil des impulsions qui se déplacent vers la droite (d) et vers la gauche (g) est respectivement donné par les fonctions $f_d(x)$ et $f_g(x)$. La hauteur y est exprimée en cm, tandis que la position x est exprimée en m.

$$f_d(x) = \frac{1}{1 + (x + 10)^2}; \quad f_g(x) = \frac{1}{1 + (x - 10)^2}$$

La tension de la corde est $F = 10$ N et sa densité est $\mu = 5/2$ kg/m. En considérant séparément chacune des impulsions,

   (a) Dessinez le profil $f_d(x)$ de la corde correspondant à l'instant $t = 0$;

   (b) Pour le même instant, superposez le profil $f_g(x)$ à celui obtenu en (a) ;

   (c) Déterminez les fonctions d'onde $y_d(x, t)$ et $y_g(x, t)$;

   (d) Superposez les profils de $y_d(x, t)$ et $y_g(x, t)$ correspondant à $t = 2$ s ;

   (e) Superposez les profils de $y_d(x, t)$ et $y_g(x, t)$ correspondant à $t = 4$ s ;

   (f) Superposez les profils de $y_d(x, t)$ et $y_g(x, t)$ correspondant à $t = 5$ s ;

   (g) Superposez les profils de $y_d(x, t)$ et $y_g(x, t)$ correspondant à $t = 2\pi$ s ;

   (h) Dites si l'idée de propagation est respectée.

L'effet net de la propagation d'impulsions le long d'une corde est obtenu par la *somme des contributions partielles*, on parle alors de l'*onde résultante*.

   (i) Déterminez la fonction d'onde résultante $y(x, t)$;

   (j) Comparez le profil de $y(x, t)$ correspondant à $t = 2$ s à ceux en (d) ;

   (k) Comparez le profil de $y(x, t)$ correspondant à $t = 4$ s à ceux en (e) ;

   (l) Comparez le profil de $y(x, t)$ correspondant à $t = 5$ s à ceux en (f) ;

  (m) Comparez le profil de $y(x, t)$ correspondant à $t = 2\pi$ s à ceux en (g) ;

   (n) À l'aide des graphiques, convainquez-vous que $y(x, t) = y_d(x, t) + y_g(x, t)$;

   (o) À $t = 4$ s, dites en quel(s) x la corde est à 1 cm de hauteur ;

   (p) À $t = 4$ s, dites en quel(s) x la corde atteint une vitesse de 1 cm/s ;

   (q) Dites pour quel x et en quel t la vitesse de la corde est maximale ;

   (r) Calculez la vitesse maximale.

1.6 Reprenez l'exercice 1.5 si à l'instant $t = 0$ s :

$$f_d(x) = \frac{1}{1 + (x + 10)^2}; \quad f_g(x) = \frac{-1}{1 + (x - 10)^2}$$

1.7 Une corde vibre selon

$$y(x, t) = 2\cos(10\pi t - \pi x/2 + \pi/3) \text{ cm};$$

   (a) Calculez la fréquence, la longueur d'onde et la vitesse de propagation ;

   (b) Déterminez la hauteur maximale atteinte par la corde ;

   (c) Déterminez la vitesse maximale atteinte par la corde ;

   (d) Déterminez l'accélération maximale atteinte par la corde.

1.8   En $x = 0$, une corde vibre selon un mouvement harmonique simple.

$$y(0, t) = s(t) = A\cos(\omega t + \varphi)$$

L'amplitude du mouvement vibratoire est 2 mm, sa fréquence est 20 Hz, la tension de la corde est 12 N, la longueur d'onde est de 10 cm et la phase initiale vaut $\pi/6$. Dans ce contexte :

(a) Calculez la densité de la corde ;
(b) Calculez la hauteur de la corde en $x = \pi$ m à l'instant $t = 2$ s ;
(c) Calculez la vitesse de la corde en $x = \pi$ m à l'instant $t = 2$ s ;
(d) Calculez l'accélération de la corde en $x = \pi$ m à l'instant $t = 2$ s.

À l'instant $t = 2$ s, le point matériel de la corde situé en $x = \pi$ m :

(e) Est-il au-dessus ou en-dessous de l'axe des X ?
(f) Est-il en train de monter ou de descendre ?
(g) Est-il en train de gagner ou de perdre de la vitesse ?

1.9   L'onde qui se propage dans une corde est caractérisée par la fonction

$$y(x, t) = A\cos(\omega t - kx + \varphi)$$

La fréquence angulaire vaut 20π s^{-1} et le nombre d'onde vaut 10π m^{-1}. À l'instant $t = 1$ s on observe

$$y(2 \text{ m}, 1 \text{ s}) = 1 \text{ cm}; \quad v_y(2 \text{ m}, 1 \text{ s}) = -20\sqrt{3}\pi \text{ cm/s}.$$

Dans ce contexte, déterminez la valeur de A et de φ.

1.10   Reconsidérez l'exercice 1.9. Désignez respectivement par y_0 et v_0 la hauteur et la vitesse de la corde à $t = t_0$ en $x = x_0$, c'est-à-dire :

$$y_0 = y(x_0, t_0); \quad v_0 = v_y(x_0, t_0)$$

En supposant que les conditions initiales t_0, x_0, y_0 et v_0 sont connues, montrez que l'amplitude A et la phase initiale φ s'obtiennent par les formules suivantes :

$$A = \sqrt{y_0^2 + \left(\frac{v_0}{\omega}\right)^2}; \quad \tan(\omega t_0 - kx_0 + \varphi) = -\frac{v_0}{\omega y_0}$$

1.11   Une corde vibre paralèlement à l'axe Y. Les impulsions se propageant dans la direction de l'axe X positif ont une amplitude de 2 unités.

$$y(1 \text{ m}, 2 \text{ s}) = 2\cos(797); \quad y(2 \text{ m}, 4 \text{ s}) = 2\cos(1591); \quad y(5 \text{ m}, 7 \text{ s}) = 2\cos(2773)$$

Déterminez la fréquence, la longueur d'onde ainsi que la phase initiale de l'onde.

1.12 Considérez le plan d'équilibre passant par les coordonnées $(8; -1; 4)$ m. Un mouvement vibratoire de 210 Hz autour du plan d'équilibre produit une onde longitudinale dont la longueur d'onde vaut $2\pi/21$ m et qui se déplace dans la direction $\mathbf{b} = [8; -16; 11]$ m^{-1}. À $t = 3$ s, le plan oscillant est à 2 cm du plan d'équilibre et sa vitesse longitudinale est 500 cm/s. Déterminez la fonction d'onde plane.

1.13 Une onde longitudinale de 400 Hz oscille autour du plan d'équilibre qui passe par l'origine $O = (0; 0; 0)$ tout en se propageant dans la direction du vecteur $\mathbf{k} = [6; 5; 4]$ m^{-1}. La phase initiale vaut $\pi/4$ et on considère les points suivants :

$$A = (1; 1; 1) \text{ m}; \quad B = (-1; -4; -6) \text{ m}; \quad C = (-10; -15; -25) \text{ m}.$$

Dans ce contexte, déterminez :

(a) La longueur d'onde du signal ;

(b) La vitesse de propagation du signal ;

(c) La position et la vitesse du plan qui oscille autour de O à $t = 1$ s ;

(d) Le temps que met le signal à parcourir 1 km ;

(e) Le vecteur vitesse $\mathbf{c}$;

(f) Le temps que met le signal pour aller du point A au point B ;

(g) Le temps que met le signal pour aller du point B au point C.

1.14 Une onde longitudinale de 400 Hz se propage dans la direction du vecteur propagation $\mathbf{k} = [6; 5; 4]$ m^{-1}. Dans ce contexte :

(a) Que vaut la longueur d'onde du signal ?

(b) Quelle est la vitesse de propagation du signal ?

(c) Quelle distance parcourt l'onde durant un laps de temps de 5 s ?

1.15 Une onde longitudinale de 400 Hz se propage à une vitesse de 100 m/s dans la direction du vecteur $\mathbf{d} = [2; 3; -6]$ m. L'amplitude du mouvement harmonique est de 5 mm et sa phase initiale est $\pi/7$. Considérez les points suivants :

$$A = (1; 1; 2) \text{ m}; \quad B = (15; 8; -19) \text{ m}; \quad C = (1; 2; 4) \text{ m}.$$

(a) Quelle est la longueur d'onde du signal ?

(b) Que vaut le vecteur de propagation $\mathbf{k}$?

(c) Quelle est la fonction d'onde ?

(d) Quelle distance parcourt le signal en 3 secondes ?

(e) Combien de temps met le signal pour aller du point A au point B ?

(f) À $t = 1$ s, où se situe le plan qui oscille autour du plan passant par C ?

(g) À $t = 1$ s, quelle est la vitesse du plan qui oscille autour du point C ?

1.16 Des observations expérimentales indiquent qu'un signal sonore d'une fréquence de 100 Hz se déplace dans la direction du vecteur $\mathbf{d} = [3; 8; -1]$ m avec un nombre d'onde de $\pi/2$ m^{-1}. L'amplitude du mouvement vibratoire est 5 μm et sa phase initiale vaut $\pi/7$ rad. Considérez les points suivants :

$$A = (1; 1; 2) \text{ m}; \quad B = (15; 8; -19) \text{ m}; \quad C = (1; 2; 4) \text{ m}.$$

  (a) Quelle est la longueur d'onde du signal ?

  (b) Que vaut le vecteur de propagation $\mathbf{k}$?

  (c) Quel est la fonction d'onde ?

  (d) Quelle distance parcourt le signal en 3 secondes ?

  (e) Combien de temps met le signal pour aller du point A au point B ?

  (f) À $t = 1$ s, où se situe le plan qui oscille autour du plan passant par C ?

  (g) À $t = 1$ s, quelle est la vitesse du plan qui oscille autour du point C ?

1.17 Une onde plane de 100 Hz et d'une longueur d'onde de 4 m se propage dans la direction du vecteur unitaire $\mathbf{u} = [2/7; 3/7; 6/7]$ m^{-1}. Considérez les points suivants :

$$A = (10; 84; 90) \text{ m}; \quad B = (20; -60; 40) \text{ m}; \quad C = (-60; -70; 20) \text{ m}.$$

Dans ce contexte :

  (a) Quelle est la vitesse de propagation de l'onde ?

  (b) Combien de temps met l'onde pour aller du point A au point B ?

  (c) Combien de temps met l'onde pour aller du point B au point C ?

1.18 Un mouvement harmonique simple (M.H.S) produit une onde longitudinale de $210/\pi$ Hz orientée par le vecteur propagation $\mathbf{k} = [8; -16; 11]$ m^{-1}. À l'instant $t = 3/10$ s, le plan en vibration est à 2 μm à gauche du plan d'équilibre qui passe par le point $(8; -1; 4)$ m et sa vitesse longitudinale est de 500 μm/s.

  (a) Déterminez la fonction d'onde plane ;

  (b) Évaluez la position $s(\mathbf{r}, t)$ en $\mathbf{r} = [1; 2; 4]$ m ;

  (c) Expliquez ce que signifie la fonction $s(\mathbf{r}, t)$ obtenue en (b).

1.19 Un signal sonore passe par l'origine O en se propageant à 300 m/s. Deux capteurs sont respectivement localisés aux points suivants :

$$C_1 = (100; 500; 900) \text{ m}; \quad C_2 = (800; 400; 300) \text{ m}.$$

Pour chacun des modèles en (a) et en (b), dites lequel des capteurs est le premier à recevoir le signal, si

  (a) L'onde est plane et $\mathbf{k} = [6; -5; 4]$ m^{-1} ;

  (b) L'onde est sphérique.

1.20 Un signal de 100 Hz se propage dans toutes les directions de l'espace à une vitesse de 200 m/s. Des observations expérimentales indiquent qu'à 30 m du centre de la source S, les vibrations sont d'une amplitude de 4×10^{-6} m. Si la phase initiale $\varphi = 0$, déterminez :

   (a) L'amplitude des oscillations à 100 m de la source S ;

   (b) La vitesse maximale de vibration à 100 m de la source S ;

   (c) La position de la sphère qui pulse autour de $r = 50$ m à l'instant $t = \pi$ s ;

   (d) La signification du signe de la position obtenue en (c) ;

   (e) La vitesse de la sphère qui pulse autour de $r = 50$ m à l'instant $t = \pi$ s ;

   (f) La signification du signe de la vitesse obtenue en (e).

1.21 Un petit émetteur sonore sphérique de 400 Hz fait localement vibrer les molécules d'air à une amplitude de 4×10^{-4} m. À cinq mètres de la source, l'amplitude est de 8×10^{-7} m. Si la vitesse de propagation est de 300 m/s et que $\varphi = 0$, déterminez :

   (a) La dimension approximative de la source S ;

   (b) La fonction d'onde $s(r, t)$;

   (c) Le profil de l'onde correspondant à l'instant $t = 0$ s ;

   (d) L'amplitude du mouvement vibratoire à 3 m de l'émetteur ;

   (e) La position $s(r, t)$ en $r = 5$ m correspondant à l'instant $t = 1$ s ;

   (f) Ce que signifie le signe de la valeur de $s(r, t)$ obtenue en (e).

   (g) La vitesse radiale des molécules en (b).

1.22 Pour cet exercice, considérez que l'émetteur dont il est question à l'exercice 1.21 est situé au point $(1; 4; 3)$ m. Un observateur aimerait connaître les caractéristiques du mouvement des molécules d'air au voisinage du point $(10; 20; 3)$ m sous la forme approximative du modèle de l'onde plane. Dans ce contexte :

   (a) Déterminez le vecteur propagation $\mathbf{k}$;

   (b) Calculez l'amplitude du mouvement vibratoire ;

   (c) Déterminez la fonction d'onde plane $s(\mathbf{r}, t)$.

1.23 Une source omnidirectionnelle S émet à une puissance de 10 watts. Dans ce contexte, déterminez :

   (a) La puissance sur la coquille sphérique centrée en S de rayon $r = 5$ m ;

   (b) L'intensité du signal à 5 m de la source S ;

   (c) La puissance qui traverse la calotte sous-tendue par un angle $\theta = 60°$.

1.24 Lorsqu'un détecteur est placé à une certaine distance r d'une ampoule lumineuse, celui-ci mesure une intensité de 4 W/m². L'ouverture du détecteur qui capte le signal a une superficie de 5 cm² et elle sous-tend un angle de 1° avec la source. Dans ce contexte, à quelle distance r se trouve l'ampoule et quelle est sa puissance d'émission ?

1.25 Lorsqu'un émetteur sphérique est à une distance r d'un détecteur, celui-ci mesure une intensité I_1. Lorsqu'on éloigne le détecteur d'une distance d supplémentaire l'intensité mesurée est I_2. Dans ce contexte, exprimez l'intensité I_2 en fonction de r, d et I_1.

1.26 Des gardes forestiers veulent localiser un animal vivant dans une forêt délimitée par un circuit routier $BCDE$ (Fig. 1.14).

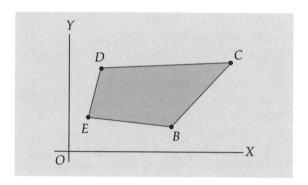

Fig. 1.14 Terrain délimitant l'emplacement de l'animal.

L'animal recherché porte à son cou un émetteur omnidirectionel à ultrasons de 50 kHz ayant une puissance de 10 watts. Pour localiser l'animal, un garde propose d'utiliser les valeurs d'intensité I_B et I_C du signal aux points B et C, respectivement. Les coordonnées des points B et C sont les suivantes :

$$B = (8;3) \text{ km}; \quad C = (10;15) \text{ km}$$

Les mesures d'intensité conduisent aux résultats suivants :

$$I_B = 44,21 \times 10^{-3} \text{ W/km}^2; \quad I_C = 7,5 \times 10^{-3} \text{ W/km}^2$$

On suppose que l'animal est immobile durant les prises de mesures d'intensité aux points B et C. La vitesse du son est $c = 340$ m/s. La constante $\mathcal{A}$ du modèle sphérique est $\mathcal{A} = 0,19880$ m^2. Dans ce contexte,

(a) Déterminez les coordonnées (x_A, y_A) du point A où se trouve l'animal ;

(b) Déterminez la fonction d'onde plane au voisinage du point B.

1.27 En utilisant des réflecteurs, on parvient à réduire à 90° l'angle d'émission d'une ampoule lumineuse. De quel facteur l'intensité s'est-elle accrue ?

1.28 Une source omnidirectionnelle S est à une distance r d'un détecteur. Lorsqu'on éloigne le détecteur d'une distance supplémentaire $d = 2r$, l'intensité mesurée au détecteur chute de 4 W/m^2.

(a) Que valent les intensités I_1 et I_2 ?

(b) Si $d = 6$ m, quelle est la puissance d'émission de la source S ?

1.29 Il y a quelques années, les astronomes croyaient que l'énergie émise par une supernova S qui explose se propageait dans toutes les directions. Or, de récents travaux scientifiques suggèrent au contraire que l'énergie transportée par la radiation électromagnétique après l'explosion de la supernova se déploie dans un cône double formant un angle θ (Fig. 1.15).

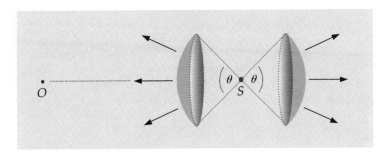

FIG. 1.15 Cône d'émission d'une supernova après son explosion.

Désignons par I_O l'intensité de l'onde qui parvient au point O, et désignons par W la puissance d'émission de la supernova S. Si on suppose $\theta = 10°$, alors en comparant l'ancien et le nouveau modèle adopté par les astronomes :

(a) Par quel facteur multiplicatif les intensités I_O diffèrent-elles ?

(b) En utilisant l'ancien modèle, est-ce que les astronomes sous-estimaient ou surestimaient la puissance d'émission W de la source S ?

L'explosion de l'étoile S produit une lumière de $3,5 \times 10^{20}$ watts. Le télescope Hubble localisé au point O observe l'explosion à 3×10^{16} m de l'étoile S. Le diamètre du télescope est 2 mètres. La vitesse de la lumière est $c = 3 \times 10^8$ m/s.

(c) Combien de jours met la lumière émise par S à atteindre le télescope ?

(d) Quel sera l'intensité du signal lumineux reçu par le télescope Hubble ?

(e) De combien de watts le télescope disposera t-il pour former une image ?

1.30 On dispose d'une source d'une puissance de 5 milliwatts pour produire un signal dont l'intensité doit être au moins de 100 W/m^2 à 3 mètres de la source. Quel est le plus grand angle d'émission pouvant remplir cette condition ?

1.31 Une source immobile localisée au point $S = (1; 4; 5)$ m émet des signaux sonores à une fréquence de 400 Hz. L'angle d'émission de la source est $\theta = 120°$ et sa puissance d'émission est 5π watts. Un observateur localisé au point B reçoit les signaux émis avec une intensité de 125×10^{-6} W/m^2 et les fronts d'onde reçus sont orientés dans la direction du vecteur $\mathbf{k} = [1; 4; 8]$ m^{-1}. La constante $\mathcal{A}$ du modèle sphérique est $\mathcal{A} = 6,2292 \times 10^{-5}$ m^2. Dans ce contexte :

(a) Calculez les coordonnées $(x_B; y_B; z_B)$ de position de l'observateur en B ;

(b) Déterminez la fonction d'onde plane au voisinage du point B.

1.32 Une source omnidirectionnelle située au point $S = (1; 4; 5)$ m émet un son d'une fréquence de 400 Hz. La vitesse du son est $c = 340$ m/s. À 2 mètres de la source, les molécules d'air oscillent à une amplitude de 1 μm. Un observateur veut étudier l'onde sonore au voisinage du point $B = (3; 10; 14)$ m sous la forme d'une onde sphérique et sous la forme d'une onde plane. Déterminez :

(a) La fonction d'onde sonore vue sous l'aspect du modèle sphérique ;
(b) La fonction d'onde sonore vue sous l'aspect du modèle planaire.

1.33 Vous voulez retrouver un ours polaire. Lui ayant antérieurement fixé un émetteur radio au cou, vous espérez le localiser en mesurant en divers points de l'espace l'intensité du signal émis par son collier. Durant votre recherche en hélicoptère vous effectuez les 4 mesures d'intensité (W/km^2) suivantes :

$$I_A = \frac{1}{81}; \qquad I_B = \frac{1}{225}; \qquad I_C = \frac{1}{169}; \qquad I_D = \frac{1}{324}.$$

Durant chacune des mesures, un satellite vous permettait de connaître votre position exacte. Ainsi, les coordonnées, en kilomètre (km), correspondant aux mesures d'intensité prélevées sont respectivement les suivantes :

$$A = (10; 7; 5); \quad B = (16; 8; 6); \quad C = (6; 15; 7); \quad D = (10; 19; 6).$$

Déterminez les coordonnées $(x_0; y_0; z_0)$ du point où se trouve l'ours. Supposez que l'animal est immobile durant les prises de mesures d'intensité.

1.34 Une source immobile localisée au point $S = (1; 4; 5)$ m émet des signaux sonores dans l'air. La vitesse du son est $c = 340$ m/s. L'angle d'émission de la source est $\theta = 120°$ et sa puissance d'émission est 5π watts. Au point B, les signaux sont reçus avec une intensité de 125×10^{-6} W/m^2. En ce point, les fronts d'onde sont orientés par le vecteur propagation $\mathbf{k} = [774; 819; 882]$ m^{-1}. La constante $\mathcal{A}$ du modèle sphérique est $\mathcal{A} = 3,2177 \times 10^{-7}$ m^2. Étant à l'origine O, un observateur souhaite déterminer :

(a) La fréquence du son émis par la source ;
(b) La fonction d'onde plane au voisinage du point B ;
(c) Les coordonnées $(x; y; z)$ de position de l'observateur en B.

1.35 En vous inspirant fortement du cheminement menant au résultat de l'exercice 1.10, montrez que pour une onde plane dont la fonction est

$$s(\mathbf{r}, t) = A \cos(\omega t - \mathbf{k} \cdot \mathbf{r} + \varphi)$$

l'amplitude A et la phase initiale φ sont les suivantes :

$$A = \sqrt{s_0^2 + \left(\frac{v_0}{\omega}\right)^2}; \quad \tan(\omega t_0 - \mathbf{k} \cdot \mathbf{r}_0 + \varphi) = -\frac{v_0}{\omega s_0}$$

Supposez que les conditions initiales ci-dessous sont connues.

$$\mathbf{r}_0 = [x_0; y_0; z_0]; \quad s_0 = s(\mathbf{r}_0, t_0); \quad v_0 = v_s(\mathbf{r}_0, t_0)$$

1.36 Le présent exercice vise à comparer l'aire A_c d'une calotte sphérique à l'aire A_d du disque soutendu, dans le cas où l'angle θ est petit (fig. 1.16). Le résultat que nous obtiendrons peut être utilisé dans plusieurs situations physiques où le rayon r_c est grand comparativement au rayon r_d, ce qui équivaut à supposer petit l'angle θ. L'exercice 1.37 en est un exemple.

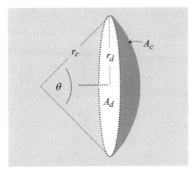

FIG. 1.16 Comparaison des aires A_c et A_d.

Afin de comparer les aires A_c et A_d :

  (a) Exprimez l'aire A_c de la calotte sphérique en fonction de r_c et θ ;
  (b) Exprimez l'aire A_d du disque en fonction de r_c et θ ;
  (c) Dégagez une expression permettant de mesurer de combien l'aire A_c est supérieure à l'aire A_d. Exprimez votre réponse en fonction de θ ;
  (d) Formulez une conclusion quant à la comparaison des aires A_c et A_d dans le cas où θ est petit.

1.37 Un laser imparfait éclaire un mur. La lumière émise par le laser se disperse uniformément dans un cône circulaire (fig. 1.17). À la sortie du laser, on note que la largeur du faisceau est 3 mm. À une distance $d = 30$ m plus loin, une mesure indique que la largeur du faisceau est $e = 5$ cm.

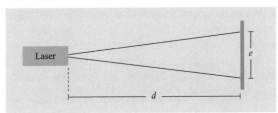

FIG. 1.17 Élargissement du faisceau lumineux d'un laser.

La puissance d'émission du laser est 9/10 mW.

  (a) Que vaut l'intensité de la lumière à la sortie du laser ?
  (b) Que vaut l'intensité de la lumière sur le mur ?
  (c) Par quel facteur multiplicatif l'intensité lumineuse diminue-t-elle à d mètres du laser ? Exprimez votre réponse en fonction de d.

1.38 Vous regardez une source lumineuse émettant W_S watts de radiation. La distance qui sépare un de vos yeux de l'ampoule est notée r. L'aire correspondant à l'ouverture de votre œil qui laisse passer la lumière jusqu'à la rétine est notée A. La puissance maximale qui peut pénétrer dans votre œil avant d'endommager la rétine est notée $W_{\max}$. Dans ce contexte, déterminez

(a) L'intervalle des distances r permettant de regarder l'ampoule sans risque. Exprimez votre réponse en fonction de W_S, A et $W_{\max}$;

(b) Si $W_S = 60$ watts, $A = 9$ mm^2 et $W_{\max} = 1$ mW, alors calculez la plus petite distance d'où il est possible d'observer l'ampoule sans risque.

1.39 Vous faites une étude portant sur un processus d'émission. La particule que vous étudiez a la propriété d'émettre une certaine quantité de lumière après modification de sa structure atomique. Toutefois, une analyse précise amène les scientifiques à penser, pour des raisons encore inconnues, que le processus d'émission de la lumière n'est pas omnidirectionnel. À ce sujet, plusieurs d'entre eux suggèrent que seules les directions comprises entre les angles θ_i et θ_s sont accessibles à la lumière (fig. 1.18).

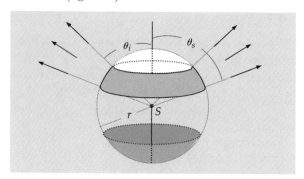

FIG. 1.18 Émission de lumière dans des directions restreintes.

Afin de vérifier si l'hypothèse est valide, une expérience est tentée. Les résultats de l'expérience révèlent que des photomètres situés à 500 cm de la particule cible S mesurent une émission lumineuse dont l'intensité est 2400 W/m^2. D'autres mesures indiquent que 22 kW sont émis sous la forme de radiation lumineuse lors de l'expérience. En supposant l'émission omnidirectionnelle :

(a) Est-ce que le principe de la conservation de l'énergie est respecté?

Vous analysez plus minutieusement les résultats et vous soupçonnez que la lumière se disperse uniformément à l'intérieur des angles $\theta_i = 20°$ et $\theta_s = 60°$. Selon cette hypothèse,

(b) Est-ce que le principe de la conservation de l'énergie est respecté?

Vous êtes convaincu que la valeur $\theta_i = 20°$ est exacte mais vous êtes encore incertain de la valeur pour l'angle θ_s. Dans le présent contexte :

(c) Quelle est la valeur la plus plausible pour θ_s?

1.40 Le principe de fonctionnement d'un ***sonar***[4] consiste à utiliser l'énergie que transporte l'onde réfléchie par le fond marin afin de former une image de sa structure. Le sonar S illustré dans la figure 1.19 peut, selon les exigences requises, émettre avec les angles suivants : $\theta_1 = 8°$, $\theta_2 = 20°$ ou $\theta_3 = 60°$.

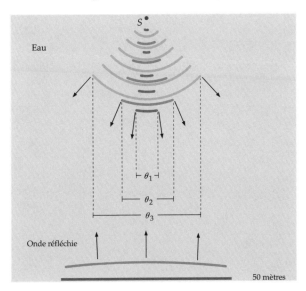

FIG. 1.19 Largeur du champ de détection en fonction de l'angle d'émission θ du sonar. La présence d'objets sous l'eau engendre un signal sonore réfléchi pouvant être détecté par le sonar situé près de la surface de l'eau. En fait, le sonar illustré procède du principe d'écholocation bien connu de la chauve-souris.

Mais quel que soit l'angle d'émission utilisé, la source émet un signal sonore transportant 1500 watts. Comparativement à un sonar émettant à 60°, par quel facteur multiplicatif diffère l'intensité du signal à une même profondeur si :

(a) Le sonar émet à 20° ;

(b) Le sonar émet à 8°.

En plus d'être doté d'un émetteur, le sonar est muni d'un récepteur pouvant capter le signal qui est réfléchi par le fond marin. Supposons que le plan d'eau sondé soit profond de 50 mètres. Dans le cas où le signal sonore serait parfaitement réfléchi par un fond horizontal, de quelle intensité disposerait le sonar pour décoder le signal de retour si :

(c) Le sonar émet à 60° ;

(d) Le sonar émet à 8°.

En utilisant des arguments propres à la physique des ondes :

(e) Expliquez aux pêcheurs qui utilisent un sonar pour visualiser le poisson les avantages d'émettre à un angle plutôt qu'à un autre.

---

[4]Le mot sonar provient de l'acronyme anglophone *sound navigation ranging*.

Chapitre 2

L'Oscillateur harmonique simple

L e but de ce chapitre est de présenter quelques concepts préliminaires reliés aux phénomènes ondulatoires. La gamme de phénomènes entrant dans la rubrique « phénomènes ondulatoires » est quasi infinie. La question que l'on peut alors se poser est la suivante : par quel concept commencer ? Un élément de réponse apparaît lorsqu'on consulte toutes les références sur le sujet.

Ces références semblent admettre qu'une étude préalable du système physique formé d'une masse attachée à un ressort constitue un point de départ judicieux. On est alors en droit de se demander en quoi ce phénomène est relié au concept d'« onde » ? À ce propos, il est important de souligner que le système masse-ressort n'est pas un système produisant une onde au sens physique, mais un outil pédagogique duquel on dégagera certains concepts pertinents quand on introduira le concept d'onde. Nous allons voir pourquoi il en est ainsi dans les sections qui suivent.

2.1 Système bloc-ressort horizontal

Notre point de départ sera le suivant : on place un ressort à l'horizontal ; l'une des extrémités du ressort est accrochée à un mur, l'autre est attachée à un bloc de masse m. Cette masse est traditionnellement associée à un bloc rectangulaire. Le bloc repose sur un plan lisse. Cette condition nous permettra de négliger la force de friction. Le ressort est de longueur ℓ_0 au repos (fig. 2.1). Dans cette position, il ne transmet évidemment aucune force au bloc. En l'absence d'une poussée, le bloc demeurera immobilisé en un point situé sur l'axe des X. Un point admettant cette propriété d'immobilité est dit **point d'équilibre** d'un système physique. Dans le présent problème, nous allons définir le point de

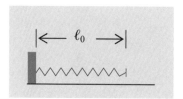

FIG. 2.1 Ressort sans élongation.

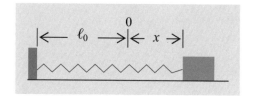

FIG. 2.2   Ressort allongé d'une distance x.

référence zéro, c'est-à-dire $x = 0$, comme étant ce point d'équilibre. Cette
remarque est particulièrement importante, car elle permet de fixer le référentiel
dans lequel nous allons dorénavant étudier le mouvement du bloc.

Ainsi, si on déplace le bloc d'une distance x vers la droite, l'équilibre du
système est perturbé (fig. 2.2). On peut anticiper qu'en relâchant le bloc, un
mouvement va s'amorcer. Lequel ? Quelle sera la position du bloc en fonction du
temps, c'est-à-dire que vaut $x(t)$? Tel que posé, ce problème relève entièrement
de la mécanique newtonienne. On peut esquisser le diagramme des forces
(*cf.* mécanique classique) agissant sur le bloc (fig. 2.3).

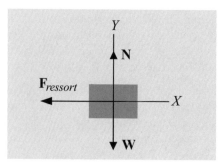

FIG. 2.3 Diagramme des forces.

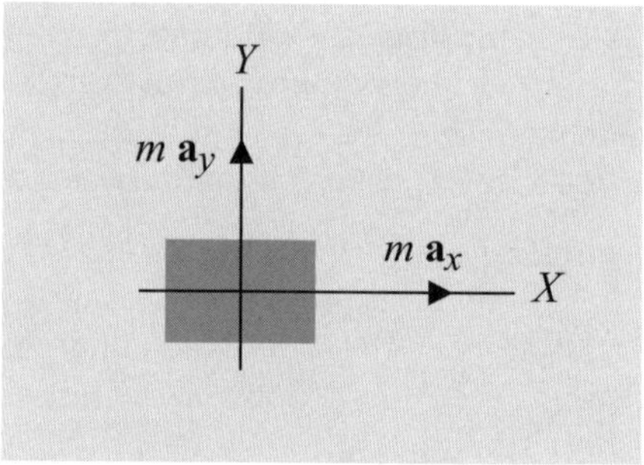

FIG. 2.4 Diagramme des accéléra-
tions.

Si $\mathbf{F}$ est la force résultante, alors la deuxième loi de Newton stipule que $\mathbf{F} = m\mathbf{a}$.
Cette équation vectorielle conduit aux équations scalaires suivantes :

$$\sum F_x = -F_{\text{ressort}} = m\, a_x \tag{2.1}$$

$$\sum F_y = N - W = m\, a_y \tag{2.2}$$

Puisqu'il n'y a pas de mouvement dans la direction de l'axe des Y, on en déduit
que $a_y = 0$. L'équation (2.2) ne nous sera donc d'aucun secours pour déterminer
la fonction $x(t)$. C'est l'équation (2.1) qui devrait nous fournir cette information.
En physique mécanique, les liens entre la position, la vitesse, et l'accélération
d'une masse dont le mouvement est unidirectionnel, sont les suivants :

$$a_x = \frac{\partial v_x}{\partial t} = \frac{d^2 x}{dt^2} = \ddot{x} \tag{2.3}$$

$$a_y = \frac{\partial v_y}{\partial t} = \frac{d^2 y}{dt^2} = \ddot{y} \qquad (2.4)$$

Le dernier membre de l'équation (2.3) introduit une notation simple pour exprimer l'accélération suivant l'axe des X. Cette notation, typique en physique, sera utilisée dans le traitement du système étudié. Ces conventions étant fixées, on tire l'équation (2.5) de (2.1) et de (2.3) :

$$m\,\ddot{x} = -F_{\text{ressort}} \qquad (2.5)$$

La force exercée par un ressort est en principe une fonction inconnue. Malgré tout, nous allons penser à cette fonction en termes du développement en série de Taylor (*cf.* calcul différentiel) autour du point d'équilibre $x = 0$, c'est-à-dire lorsque le ressort n'est pas allongé. Cela dit, considérons donc que :

$$F_{\text{ressort}} = k_0 + k\,x + k_2\,x^2 + k_3\,x^3 + k_4\,x^4 + \dots$$

Nous allons *linéariser* cette fonction inconnue en omettant tous les termes de degré supérieur à un et cela malgré tous les risques que cette modification comporte, telle que la théorie du « chaos » l'explique. On obtient alors :

$$F_{\text{ressort}} \approx k_0 + k\,x$$

En $x = 0$, le ressort n'exerce aucune force ; c'est pourquoi l'on tire $k_0 = 0$, et

$$F_{\text{ressort}} \approx k\,x \qquad (2.6)$$

Le modèle proposé en (2.6) porte le nom de **modèle de Hooke**. La constante de proportionnalité k est appelée **constante de rappel** du ressort. Les unités de mesure de cette constante sont des newtons par mètre (N/m). Géométriquement, cette constante correspond à la pente de la droite projetée dans le plan de coordonnées x et F_{ressort}. Certains ouvrages parlent plutôt de la *loi de Hooke* ; mentionnons que le terme « *loi* » est abusif : il s'agit ici non pas d'une « *loi* », mais d'un *modèle*. Si on tient compte du *modèle de Hooke*, on tire, de (2.5) et de (2.6), l'équation (2.7) :

$$\ddot{x} + \frac{k}{m}x = 0 \qquad (2.7)$$

L'équation (2.7) est une équation différentielle linéaire d'ordre deux à coefficients constants. En (2.7), le rapport k/m est positif et constant. Pour alléger le traitement, nous allons définir la constante intermédiaire

$$\omega^2 = k/m$$

La solution à cette équation différentielle (*cf.* équations différentielles) est la suivante :

$$x(t) = c_1 \cos(\omega t) + c_2 \sin(\omega t) \qquad (2.8)$$

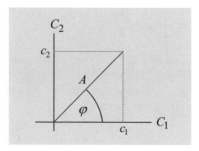

FIG. 2.5 Correspondance entre les couples de coordonnées $(c_1; c_2)$ et $(A; \varphi)$.

La forme que prend la solution (2.8) manque un peu de transparence. Quel est le graphe de cette fonction $x(t)$? Nous allons transformer cette équation de façon à la rendre plus facilement interprétable. Les constantes c_1 et c_2 étant arbitraires, nous allons poser que :

$$c_1 = A \cos \varphi \tag{2.9}$$

$$c_2 = A \sin \varphi \tag{2.10}$$

Ce changement de variables est légitime, car à chaque point de coordonnées c_1 et c_2 correspondent des valeurs uniques de A et de φ (fig. 2.5). Si on applique les transformations admises en (2.9) et en (2.10) à (2.8), on obtient :

$$x(t) = A \cos(\varphi) \cos(\omega t) + A \sin(\varphi) \sin(\omega t)$$

En utilisant l'identité trigonométrique

$$\cos(B - C) = \cos(B) \cos(C) + \sin(B) \sin(C)$$

il s'ensuit que :

$$x(t) = A \cos(\omega t - \varphi) \tag{2.11}$$

Puisque « $-\varphi$ » est aussi une constante on peut poser, sans trop d'abus, que $\varphi := -\varphi$. Finalement, la forme typique qu'on retrouve en physique est :

$$x(t) = A \cos(\omega t + \varphi) \tag{2.12}$$

Étudions de plus près la dernière forme de $x(t)$. Les termes ω et φ étant constants, il s'ensuit donc que la variation de la fonction cosinus dépend uniquement de la variable temporelle t. Or, l'argument du cosinus en (2.12) est une fonction linéaire dont la variable est le temps t. Dans une telle circonstance, il est facile d'anticiper le résultat suivant : la fonction cosinus en (2.12) va osciller périodiquement entre -1 et 1. Cette dernière remarque est suffisante

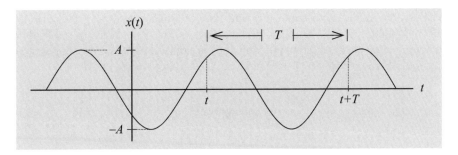

FIG. 2.6 Graphe de la fonction en (2.12) d'amplitude A et de période T.

pour qu'on en déduise que le bloc va se balader périodiquement entre les positions extrêmes A et $-A$. Ces deux positions correspondent physiquement aux déflexions maximales que peut subir le ressort et ce, peu importe les valeurs de ω et de φ. Pour cette raison, on définit A comme l'***amplitude*** correspondant au mouvement du bloc (fig. 2.6). Il s'agit de l'écart maximal que le bloc pourra atteindre lorsqu'il se déplace.

Cette discussion n'est pas sans intérêt, car aucun logiciel de calcul symbolique n'est en mesure de représenter graphiquement (2.12) sans avoir à attribuer préalablement des valeurs numériques aux constantes A, ω et φ. On peut affirmer sans exagération que la forme de $x(t)$ en (2.12), est éminemment plus éloquente que celle obtenue en (2.8). L'aspect périodique de la fonction *cosinus* est mis en relief dans la figure 2.6. Dès lors, il est pertinent de se poser la question suivante : quel est le laps de temps T (fig. 2.6) au bout duquel le bloc reviendra à la même position avec le même vecteur vitesse ? Pour répondre à cette question, nous devons trouver la valeur de T satisfaisant à l'équation (2.13) :

$$x(t) = x(t + T) \tag{2.13}$$

En vertu de (2.11), il faut alors que :

$$A\cos(\omega t + \varphi) = A\cos(\omega(t + T) + \varphi)$$

$$\cos(\omega t + \varphi) = \cos(\omega t + \varphi + \omega T)$$

Puisqu'on exige aussi que le vecteur vitesse du bloc soit exactement le même qu'à son départ, et donc que la valeur de la pente de la tangente à la courbe $x(t)$ soit aussi la même, on obtient l'égalité suivante (expliquez pourquoi) :

$$T = 2\pi/\omega \tag{2.14}$$

Dans ce contexte, T est appelé la ***période*** d'oscillation du système bloc-ressort. Physiquement, ce temps T est le temps requis par le bloc pour effectuer un cycle complet. Les unités de mesure de la période sont des secondes par cycle (s). Signalons en passant qu'il peut paraître surprenant que cette période T soit indépendante de l'amplitude d'oscillation du bloc. Nous y reviendrons au moment de la discussion portant sur les conditions initiales d'un système physique. En vertu de (2.1), la valeur de ω est reliée à k et m par

$$\omega = \sqrt{k/m} \qquad (2.15)$$

On peut vérifier que les unités de ω correspondent à l'inverse des secondes (s^{-1}). Malgré cela, ω a les apparences d'une vitesse angulaire (*cf.* mécanique classique). Bien que l'appellation soit artificielle, on attribue aussi à ω le nom de **fréquence angulaire** dans le cadre de la théorie des ondes. Il est bon d'ajouter que la constante ω en (2.15) n'a pas de véritable sens physique ; elle a été introduite en (2.1) pour alléger l'écriture des équations subséquentes. Ainsi, mieux vaut ne pas trop vous en faire si vous n'arrivez pas à relier le sens de cette constante au système du bloc-ressort. Nous allons voir que le véritable paramètre d'intérêt est la fréquence f.

Le concept de *période* T en engendre un autre de façon naturelle. Si le bloc requiert un temps T pour effectuer un cycle, alors on peut se demander combien il y aura de cycles par seconde. On définit la **fréquence** f comme étant le nombre de cycles par seconde qu'effectue le bloc. La valeur de la fréquence f s'obtient aisément par l'égalité suivante :

$$f = 1/T \qquad (2.16)$$

Les unités de mesure d'une fréquence sont donc des cycles par seconde (s^{-1}). En physique, un cycle par seconde est appelé un *hertz* et sa notation abrégée est « Hz ». Selon (2.14), la fréquence angulaire ω est reliée à la fréquence f par :

$$\omega = 2\pi f \qquad (2.17)$$

2.2   Conditions initiales d'un oscillateur simple

Nous voici rendus à une étape cruciale du métier de physicien. Il s'agit de vérifier si la solution proposée en (2.12) comporte des anomalies. C'est une étape primordiale, car c'est à ce stade de l'analyse que le travail peut devenir très ardu et, par le fait même, très plaisant... L'analyse de la solution au problème posé par un système physique peut révéler des comportements étranges, qui vont même jusqu'à bousculer l'intuition du physicien. Ainsi, les mots « *anomalies d'une solution* » doivent être pris avec un grain de sel.

L'équation (2.12) est la solution générale de la position du bloc au temps t. Toutefois, l'intuition nous pousse à croire que les valeurs de l'amplitude A et de φ devront être numériquement bien définies si on envisage de réaliser concrètement ce système. C'est précisément à ce stade qu'intervient ce que l'on appelle l'analyse d'un système physique par ses conditions initiales. Ce sont ces conditions initiales qui vont révéler quelle configuration concrète pourra adopter le système physique en cause. Dans le cas présent, les conditions initiales sont directement reliées à la position initiale $x(t_0) = x_0$ ainsi qu'à la vitesse initiale $v(t_0) = v_0$. La valeur t_0 réfère à l'instant précis à partir duquel on décide d'effectuer les mesures de x_0 et v_0. Ces deux dernières informations sont précieuses, car elles nous permettent d'obtenir, à partir de (2.12), les équations (2.18) et (2.19) :

$$x(t_0) = x_0 = A\cos(\omega t_0 + \varphi) \tag{2.18}$$

$$v(t_0) = v_0 = -A\omega\sin(\omega t_0 + \varphi) \tag{2.19}$$

Notre intérêt se porte maintenant sur la manière dont l'amplitude A et la valeur de φ sont influencées par x_0 et v_0. Nous allons résoudre le système d'équations (non linéaires) formé de (2.18) et de (2.19). En utilisant l'artifice $(\omega x_0)^2 + (v_0)^2$, il s'ensuit que :

$$(\omega x_0)^2 + (v_0)^2 = (A\omega)^2\cos^2(\omega t_0 + \varphi) + (-A\omega)^2\sin^2(\omega t_0 + \varphi)$$

$$(\omega x_0)^2 + (v_0)^2 = A^2\omega^2(\cos^2(\omega t_0 + \varphi) + \sin^2(\omega t_0 + \varphi))$$

$$A^2\omega^2 = \omega^2 x_0^2 + v_0^2$$

Puisque $A > 0$, on ne conserve que la valeur positive de la racine. Finalement on obtient :

$$A = \sqrt{x_0^2 + (v_0/\omega)^2} \tag{2.20}$$

Il est intéressant de noter en (2.20) qu'en l'absence de vitesse initiale v_0, c'est-à-dire si on ne transmet aucune poussée au bloc au moment de son départ, l'amplitude A correspond à l'élongation initiale du ressort, soit $A = |x_0|$. D'autre part, l'amplitude A sera d'autant plus prononcée que la vitesse initiale $|v_0|$ du bloc le sera. Cela revient à dire que l'amplitude A est d'autant plus grande que la poussée initiale communiquée au bloc l'est. Jusqu'ici, l'intuition physique que nous avons de ce système ne semble pas trop malmenée. Il est cependant instructif de s'interroger sur la relation entre la période T et l'amplitude A. Contrairement à l'amplitude A en (2.20) qui est déterminée par les conditions initiales x_0 et v_0, la période T quant à elle n'en dépend pas. Ainsi, peu importe la position dans laquelle vous relâchez le bloc et peu importe la vitesse à laquelle vous le lancerez, il demeure que *le temps T pris pour effectuer un cycle sera toujours le même !* C'est un peu étonnant, non ? Pouvez-vous vous en convaincre par des arguments physiques ? À présent, nous allons déterminer l'expression de la phase φ en fonction des conditions initiales x_0 et v_0. La démarche est similaire à celle utilisée pour exprimer A en fonction de x_0 et de v_0. Un coup d'œil rapide sur (2.18) et (2.19) permet d'anticiper l'élimination de l'amplitude A. De fait, l'opération algébrique v_0/x_0 conduit à :

$$v_0/x_0 = -A\omega\sin(\omega t_0 + \varphi)/(A\cos(\omega t_0 + \varphi))$$

$$v_0/x_0 = -\omega\tan(\omega t_0 + \varphi)$$

Finalement, on obtient :

$$\tan(\omega t_0 + \varphi) = -v_0/\omega x_0 \tag{2.21}$$

La valeur de φ peut être interprétée comme un *retard angulaire*. Le terme le plus couramment utilisé dans les ouvrages pédagogiques traitant de la théorie des ondes est celui de *déphasage angulaire* ou plus simplement de *déphasage*. Malheureusement, le terme *déphasage* possède un autre sens dans le cadre de la théorie des ondes (*cf.* chapitre 7). Dans le contexte actuel, pour éviter toute ambiguïté, nous dirons que φ est la **phase initiale** d'un mouvement harmonique simple. En pratique, la valeur de φ n'a pas de véritable sens physique ; son rôle consiste à ajuster l'équation du mouvement du bloc pour satisfaire aux conditions initiales d'une situation physique bien précise. Pour cette raison, l'appellation *phase initiale* pour désigner φ apparaît plus adéquate que le terme *déphasage*.

Exemple 2.1

Un bloc de masse $m = 1$ kg est attaché à un ressort horizontal dont la constante de rappel est $k = 1$ N/m. On étire le ressort de 1 m, vers la droite de sa position d'équilibre, puis on lui imprime une vitesse de 1 m/s vers la gauche. Au même instant, on déclenche le chronomètre. Dans ce contexte déterminez :

    (a) L'équation qui régit la position x du bloc au temps t ;
    (b) L'équation qui régit la vitesse v_x du bloc au temps t ;
    (c) La vitesse maximale qui est atteinte par le bloc ;
    (d) L'équation qui régit l'accélération a_x du bloc au temps t.

Solution :

Tout d'abord, choisissons arbitrairement le signe « + » pour désigner « à droite de la position d'équilibre », et le signe « − » pour désigner « à gauche du point d'équilibre ». De l'énoncé du problème, on tire les données suivantes :

$$x_0 = 1 \text{ m} \quad \text{et} \quad v_0 = -1 \text{ m/s} \quad \text{et} \quad t_0 = 0 \text{ s}$$

De (2.15), de (2.20) et de (2.21), on obtient respectivement :

$$\omega^2 = k/m = 1/1 = 1$$

$$A^2 = x_0^2 + (v_0/\omega)^2 = 1^2 + (-1/1)^2 = 2 \text{ m}$$

$$\omega t_0 + \varphi = \tan^{-1}(-(-1)/(1 \times 1)) = \tan^{-1}(1)$$

Les conditions initiales à respecter sont les suivantes :

$$x_0 = A\cos(\omega t_0 + \varphi) > 0 \quad \text{et} \quad v_0 = -A\omega\sin(\omega t_0 + \varphi) < 0$$

Des égalités précédentes, il s'ensuit que (expliquez pourquoi) :

$$\omega t_0 + \varphi = \pi/4 \quad \text{et} \quad \varphi = \pi/4$$

Finalement, la position $x(t)$ est

$$x(t) = \sqrt{2}\cos(t + \pi/4) \text{ m}$$

La vitesse v_x du bloc s'obtient en dérivant $x(t)$ par rapport au temps.

$$v_x(t) = \dot{x}(t) = -\sqrt{2}\sin(t + \pi/4) \text{ m/s}$$

La vitesse maximale du bloc s'obtient en considérant que la fonction sinus oscille entre les valeur -1 et 1. Ainsi :

$$v_{max} = \left| \sqrt{2} \times (\pm 1) \right| = \sqrt{2} \text{ m/s}$$

L'accélération a_x s'obtient de la façon suivante :

$$a_x(t) = \ddot{x}(t) = -\sqrt{2}\cos(t + \pi/4) \text{ m/s}^2$$

2.3 Système bloc-ressort sur un plan incliné

Voici un cas un peu plus général que celui du système bloc-ressort disposé à l'horizontal. Bien qu'il soit sans véritable intérêt dans le cadre d'un cours sur la théorie des ondes, il peut malgré tout être complémentaire. Il se présente comme suit : qu'advient-il de l'équation de la position $x(t)$ du bloc si le bloc se déplace sur un plan lisse incliné ? La situation est similaire au cas du bloc se déplaçant sur le plan horizontal. Il y a toutefois une petite différence. Pour illustrer cette différence, considérons les figures 2.7 et 2.8.

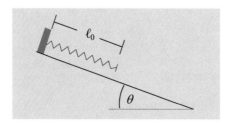

FIG. 2.7 Ressort sans élongation.

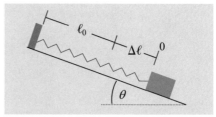

FIG. 2.8 Ressort allongé de $\Delta\ell$.

Initialement, le ressort est de longueur ℓ_0. Tel que disposé à la figure 2.7, il n'est pas allongé. Un bloc de masse m est ensuite attaché au ressort. Jusqu'à maintenant nous ne constatons rien de très nouveau... Dans une telle situation, le système n'est certainement pas en état d'équilibre. Cette fois, la position d'équilibre se situe plus bas sur le plan. La distance requise pour atteindre la position d'équilibre sera désignée par $\Delta\ell$ (fig. 2.8). Ainsi, $\Delta\ell$ est l'élongation que va subir le ressort pour atteindre le point d'équilibre.

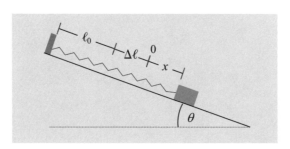

FIG. 2.9 Élongation « x » de la position. Notez le nouvel emplacement du zéro.

On définit la position $x = 0$ en ce point d'équilibre. C'est par rapport à cette position d'équilibre que la position $x(t)$ et les conditions initiales x_0 et v_0, doivent être exprimées (fig. 2.9). On peut démontrer (*cf.* mécanique classique) que $\Delta\ell$ est donnée par

$$\Delta\ell = m\,g\sin(\theta)/k \qquad (2.22)$$

On peut aussi démontrer (exercice laissé au lecteur) que l'équation de la position $x(t)$ demeure :

$$x(t) = A\cos(\omega t + \varphi) \tag{2.23}$$

Exemple 2.2

Un ressort de 1 m est suspendu verticalement. En empêchant qu'il s'allonge, un bloc de 1 kg est attaché à ce ressort dont la constante de rappel est $k = g$ N/m. De cette position, on déplace ensuite le bloc de $(1 + \sqrt{2})$ m vers le bas, puis on lui imprime une vitesse de 1 m/s vers le haut. Au même instant, on part le chronomètre. Dans ce contexte, déterminez la position du bloc en fonction du temps. Considérez que $g = 9,81$.

Solution :
Fixons la « convention de signe » de notre référentiel. Choisissons le signe « + » pour désigner « en bas du point d'équilibre » et le signe « − » pour désigner « en haut du point d'équilibre ». Déterminons tout d'abord la longueur $\Delta\ell$. En vertu de (2.22),

$$\Delta\ell = m\, g \sin\theta / k = 1 \times g \times \sin 90° / g = 1 \text{ m}$$

À ce stade, il est recommandé de faire un schéma. Déterminons les valeurs de x_0 et de v_0 au temps initial t_0. De l'énoncé, on tire les données suivantes :

$$t_0 = 0 \text{ s}\,;\; x_0 = (1 + \sqrt{2}) - 1 = \sqrt{2} \text{ m}\,;\; v_0 = -1 \text{ m/s}\,;\; \omega^2 = k/m = g/1 = g$$

De (2.15), de (2.20) et de (2.21), il découle que :

$$A^2 = x_0^2 + (v_0/\omega)^2 = 2 + 1/g = 2 + 1/g \approx 2,102 \text{ m}$$

$$\omega t_0 + \varphi = \tan^{-1}(-(-1)/(2g)^{1/2}) \approx 0,2220 \text{ rad}$$

Si $\omega t_0 + \varphi$ se situe dans le premier quadrant, alors :

$$x_0 = A\cos(\omega t_0 + \varphi) > 0 \quad \text{et} \quad v_0 = -A\omega \sin(\omega t_0 + \varphi) < 0$$

En comparant le signe des conditions initiales de notre système avec le signe des équations ci-dessus, nous concluons que :

$$\varphi \approx 0,2220 \text{ rad}$$

Ainsi, on obtient :

$$x(t) = 1,45 \cos(\sqrt{9,81}\, t + 0,2220) \text{ m}$$

2.4 Bilan énergétique d'un oscillateur simple

Le système masse-ressort que nous avons étudié va entretenir un mouvement perpétuel. Pour entretenir un tel mouvement, aucun apport d'énergie nouvelle (autre que celle qu'on lui a transmise pour le mettre en mouvement) n'est nécessaire. Une telle situation physique est caractéristique des systèmes non dissipatifs. Notre analyse du mouvement du bloc nous a conduit à ce type de système parce que nous avons négligé la force de friction qui s'exerce en réalité sur le bloc. Or, en l'absence de forces dissipatives pouvant atténuer le mouvement du bloc, le principe de conservation d'énergie s'applique et l'*énergie totale* (E) du système peut s'obtenir par la somme de son *énergie potentielle* (U) et de son *énergie cinétique* (K), c'est-à-dire :

$$E = U + K \tag{2.24}$$

Pour un *système bloc-ressort horizontal*, on peut montrer que :

$$U = k\,x^2/2 \quad \text{et} \quad K = m\,v^2/2 \tag{2.25}$$

De (2.12), de (2.24) et de (2.25), il s'ensuit que :

$$E = k(A\cos(\omega t + \varphi))^2/2 + m(-A\omega\sin(\omega t + \varphi))^2/2$$

$$E = k\,A^2\cos^2(\omega t + \varphi)/2 + m\,A^2\omega^2\sin^2(\omega t + \varphi)/2$$

En rappelant que $\omega^2 = k/m$, on obtient :

$$E = k\,A^2(\cos^2(\omega t + \varphi) + \sin^2(\omega t + \varphi))/2 = k\,A^2/2$$

Finalement, l'*énergie totale* du système bloc-ressort est constante et vaut :

$$E = kA^2/2 \tag{2.26}$$

En (2.26), le fait que l'énergie totale E soit en tout instant une constante n'est guère surprenant. Les remarques précédant ce calcul nous permettaient d'anticiper un tel résultat. Dans la mesure où le potentiel gravitationnel est supposé nul à la position d'équilibre (fig. 2.8) du système bloc-ressort incliné, il est important de mentionner que le résultat en (2.26) peut s'utiliser. Par contre, si des raisons d'ordre pratique nous obligent à fixer le potentiel gravitationnel à zéro à la surface de la terre, alors le résultat en (2.26) ne peut s'utiliser tel quel. Notons que l'unité de mesure de l'énergie est le joule (J).

Exemple 2.3

Un bloc oscille horizontalement selon un mouvement harmonique simple. Déterminez :

   (a) Les rapports K/E et U/E lorsque le bloc se situe à mi-chemin entre la position d'équilibre et la position extrême de son mouvement ;

   (b) La position où l'énergie E sera répartie en part égales entre K et U ;

   (c) Le premier $t > 0$ satisfaisant à la condition en (b) si $\omega = 2$ et $\varphi = 10$.

Solution :

On cherche les rapports U/E et K/E lorsque le bloc se situe à mi-chemin de sa course à partir du point d'équilibre, c'est-à-dire lorsque $x = \pm A/2$. Des résultats en (2.25) et en (2.26), on obtient :

$$U/E = (k\,A^2/8)/(k\,A^2/2) = 1/4$$

$$K/E = 1 - U/E = 1 - 1/4 = 3/4$$

La question (b) stipule que $U/E = 1/2$. Or,

$$U/E = (k\,x^2/2)/(k\,A^2/2) = 1/2$$

De l'égalité ci-dessus, on obtient $x = \pm A/\sqrt{2}$. En utilisant le résultat précédent et l'équation en (2.12), il s'ensuit que :

$$x(t) = A\cos(2t + 10) = \pm A/\sqrt{2}$$

$$\cos(2t + 10) = \pm 1/\sqrt{2}$$

Considérons tout d'abord le cas positif. Il s'ensuit que (identifiez les deux angles qui conduisent à une valeur positive du cosinus) :

$$2t + 10 = \pi/4 \quad \text{ou} \quad 2t + 10 = 7\pi/4$$

$$t = \pi/8 - 5 \quad \text{ou} \quad t = 7\pi/8 - 5$$

En additionnant à ces temps un multiple de fois la période $T = 2\pi/\omega = \pi$, les premiers instants $t > 0$ correspondants sont respectivement

$$t \approx 1,67 \text{ s} \quad \text{et} \quad t \approx 0,89 \text{ s}$$

En considérant le cas négatif, on obtient que :

$$2t + 10 = 3\pi/4 \quad \text{ou} \quad 2t + 10 = 5\pi/4$$

$$t = 3\pi/8 - 5 \quad \text{ou} \quad t = 5\pi/8 - 5$$

En additionnant à ces temps un multiple de fois la période $T = 2\pi/\omega = \pi$, les premiers instants $t > 0$ correspondants sont respectivement

$$t \approx 2,46 \text{ s} \quad \text{et} \quad t \approx 0,105 \text{ s}$$

Donc le premier instant est :

$$t \approx 0,105 \text{ s}$$

2.5   Brève discussion

Quelle est la valeur expérimentale de la solution en (2.12), c'est-à-dire :

$$x(t) = A\cos(\omega t + \varphi) \qquad (2.27)$$

Cette solution est-elle concrètement utilisable ? Peut-on obtenir une précision raisonnable sur la valeur $x(t)$? L'analyse des erreurs pouvant être commises quant à la valeur de x_0, v_0, k et de m, montre que l'équation en (2.27) va rapidement s'avérer inutilisable. Pour simplifier notre propos, nous allons supposer que la seule source d'erreur possible réside dans le terme ω. Cela dit, nous admettrons donc que le modèle de Hooke est valide (même si, en réalité, il ne l'est pas) et que nous pouvons obtenir autant de précision sur x_0 et v_0 qu'on le souhaite (ce qui contredit le principe d'incertitude de *Heisenberg*). Supposons donc que la seule source d'erreur possible provienne du terme ω. Cela dit, on doit alors envisager de déterminer la valeur ω par l'intervalle : $\omega \pm \Delta\omega$. Si tel est le cas, alors on tire de (2.27) que :

$$x(t) = A\cos((\omega \pm \Delta\omega)t + \varphi)$$

$$x(t) = A\cos(\omega t + \varphi \pm \Delta\omega t) \qquad (2.28)$$

L'équation (2.28) révèle qu'aussi petit que soit le $\Delta\omega$, il y aura toujours un temps t à partir duquel on aura au moins $\Delta\omega t = \pi$. Cette remarque suffit pour conclure que la position $x(t)$ du bloc va, tôt ou tard, devenir totalement imprévisible. L'ampleur de l'imprécision s'observera d'autant plus rapidement que la fréquence f sera grande (expliquez pourquoi).

Est-ce à dire que nous n'avons rien fait de concrètement valable ? Nous allons voir qu'il n'en est rien, car les concepts qui ont été introduits vont s'avérer fort utiles. Voilà la preuve qu'on peut avancer en sciences même si on est incapable de faire des prédictions fiables !

2.6   Synthèse du chapitre 2

Selon le ***modèle de Hooke***, la grandeur de la force F exercée par un ressort est $F = k\,|\ell - \ell_0|$ où k est la ***constante de rappel***, ℓ est la longueur totale du ressort et ℓ_0 la ***longueur du ressort sans élongation***. Lorsqu'un bloc de masse m est déposé sur un plan lisse incliné d'un angle θ et qu'on l'attache à un ressort, l'équation de la position du bloc est

$$x(t) = A\cos(\omega t + \varphi)$$

où la ***période*** T, la ***fréquence*** f et la ***vitesse angulaire*** v valent :

$$T = 2\pi/\omega \quad f = 1/T \quad \omega = \sqrt{k/m}$$

La ***position*** $x = 0$ est définie par rapport à la ***position d'équilibre*** $\ell_0 + \Delta\ell$ où

$$\Delta\ell = m\,g\sin\theta/k$$

La ***vitesse*** et l'***accélération*** du bloc sont obtenues par :

$$v_x(t) = \dot{x}(t) \quad a_x = \ddot{x}(t)$$

La connaissance des conditions initiales $x(t_0) = x_0$ et $v(t_0) = v_0$ permet de déterminer l'***amplitude*** A et la ***phase initiale*** φ au moyen des équations :

$$A = \sqrt{x_0^2 + (v_0/\omega)^2} \quad \text{et} \quad \omega t_0 + \varphi = \tan^{-1}(-v_0/\omega x_0)$$

La valeur de la phase initiale φ est obtenue par la vérification simultanée des deux équations suivantes :

$$x(t_0) = x_0 = A\cos(\omega t_0 + \varphi)$$

$$v(t_0) = v_0 = -A\omega\sin(\omega t_0 + \varphi)$$

L'***énergie totale*** E du système bloc-ressort est constante en tout temps.

$$E = U + K = k\,A^2/2$$

où U et K sont respectivement l'***énergie potentielle*** et ***cinétique*** du bloc. Lorsque le bloc oscille ***horizontalement***, il s'ensuit que :

$$U = k\,x^2/2 \quad \text{et} \quad K = m\,v^2/2$$

2.7 Exercices

2.1 Un bloc de masse $m = 0,5$ kg est attaché à un ressort dont la constante de rappel est $k = 50$ N/m. À l'aide de ce montage, on réalise plusieurs expériences distinctes. Donnez l'équation du mouvement du bloc si les conditions initiales de chacune de ces expériences sont :

(a) $x_0 = -3$ m, $v_0 = -4$ m/s, $t_0 = 0$ s ;

(b) $x_0 = 4$ m, $v_0 = -3$ m/s, $t_0 = 1$ s ;

(c) $x_0 = -4$ m, $v_0 = 3$ m/s, $t_0 = 2$ s ;

(d) $x_0 = 3$ m, $v_0 = -4$ m/s, $t_0 = 3$ s ;

(e) $x_0 = 3$ m, $v_0 = 4$ m/s, $t_0 = 4$ s.

2.2 Un bloc de masse $m = 0,5$ kg est attaché à un ressort dont la constante de rappel est $k = 50$ N/m (fig. 2.10). Lorsque le ressort n'est pas étiré, sa longueur est $\ell_0 = 3$ m. À l'aide de cette masse et de ce ressort, on élabore différents montages sur un plan incliné d'un angle θ ; le signe « + » désigne *à droite de la position d'équilibre*.

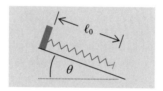

FIG. 2.10 Exercice 2.2.

Donnez l'équation du mouvement du bloc pour chacun des montages, si les valeurs de l'angle θ, de la vitesse initiale v_0 et de la longueur ℓ du ressort au temps initial t_0 sont les suivantes :

(a) $\theta = 30°$ $v_0 = -0,25$ m/s $\ell = 4,25$ m $t_0 = 0$ s ;

(b) $\theta = 45°$ $v_0 = 0,50$ m/s $\ell = 4,00$ m $t_0 = 1$ s ;

(c) $\theta = 60°$ $v_0 = -0,75$ m/s $\ell = 3,00$ m $t_0 = 2$ s ;

(d) $\theta = 90°$ $v_0 = 1,50$ m/s $\ell = 2,25$ m $t_0 = 3$ s.

2.3 Montrez que, pour toute valeur de la position x d'un bloc attaché à un ressort, la vitesse est

$$v_x^2 = \omega^2(A^2 - x^2)$$

2.4 Un bloc de masse $m = 60$ g est attaché à un ressort vertical. On étire le ressort de 8 cm de sa position d'équilibre et on le lâche à $t = 0$. Sa période est égale à $0,9$ s. Dans ce contexte, déterminez :

(a) La position x à l'instant $t = 6/5$ s ;

(b) La vitesse du bloc à 5 cm en haut de la position d'équilibre ;

(c) L'accélération du bloc à 6 cm en bas de la position d'équilibre.

2.5 Un bloc de 50 g est attaché à un ressort vertical dont la constante de rappel est $k = 4$ N/m pour être ensuite relâché à partir de la position correspondant à un allongement nul du ressort.

(a) Quel est l'allongement maximal du ressort ?

(b) Quel temps faut-il au bloc pour atteindre son point le plus bas ?

(c) Que vaut la vitesse maximale du bloc ?

(d) Que vaut l'accélération maximale du bloc ?

2.6 Un chariot de masse m est attaché à un ressort horizontal et oscille avec une amplitude A. Au moment précis où $x = A$, on modifie le système en plaçant un bloc de masse $m/2$ sur le chariot. Dans ce contexte, déterminez par quel facteur multiplicatif

(a) La valeur de l'amplitude du M.H.S est modifiée ;

(b) La valeur de la période du M.H.S est modifiée ;

(c) La valeur de la phase initiale du M.H.S est modifiée ;

(d) La valeur de l'énergie totale du M.H.S est modifiée.

2.7 Reprendre l'exercice 2.6 si la masse ajoutée est m/b avec $b > 0$.

2.8 Un bloc de $0,25$ kg est attaché à un ressort dont la constante de rappel est $k = 4$ N/m. Au temps $t = 0,15$ s, la vitesse et l'accélération du bloc sont respectivement les suivantes :

$$v_x = -0,174 \text{ m/s}; \quad a_x = -0,877 \text{ m/s}^2$$

Donnez alors l'équation du mouvement du bloc. Le signe « $-$ » désigne ici « *à gauche de la position d'équilibre* ».

2.9 Avec un bloc de masse m, la fréquence d'un système bloc-ressort est égale à $1,2$ Hz. Lorsqu'on y ajoute 50 grammes, la fréquence chute à $0,9$ Hz. Trouvez la valeur de la masse m et celle de la constante de rappel k.

2.10 La position d'un bloc attaché à un ressort horizontal dont la constante de rappel est égale à 12 N/m est la suivante :

$$x(t) = 0,2 \cos(4t - 0,8) \text{ m}$$

Dans ce contexte, calculez :

(a) La valeur de la masse m du bloc ;

(b) La valeur de l'énergie totale de ce système bloc-ressort ;

(c) Le premier instant $t > 0$ auquel l'énergie cinétique est égale à la moitié de l'énergie potentielle ;

(d) La valeur de l'accélération à $t = 1/10$ s.

2.11 Un bloc de 80 g oscille à l'extrémité d'un ressort horizontal dont la constante de rappel vaut $k = 32$ N/m. La position du bloc est donnée par la fonction $x(t) = 20 \cos(\omega t)$ cm. Dans ce contexte, calculez :

(a) L'énergie cinétique et l'énergie potentielle au temps $t = T/5$ s ;

(b) L'énergie cinétique et l'énergie potentielle en $x = A/2$;

(c) Les instants $t > 0$ auxquels les valeurs de K et de U sont égales ;

(d) La valeur de l'accélération à $t = 1/10$ s.

2.12 La position d'un bloc est la suivante :

$$x(t) = 0,2 \cos(12t + 0,2) \text{ m}$$

Dans ce contexte, calculez :

(a) Le premier instant $(t > 0)$ auquel $x = +0,08$ m avec $v_x > 0$;

(b) Le deuxième instant $(t > 0)$ auquel $x = -0,1$ m avec $v_x < 0$;

(c) Le premier instant $(t > 0)$ auquel $v_x = +2$ m/s avec $x > 0$;

(d) Le deuxième instant $(t > 0)$ auquel $v_x = -2$ m/s avec $x < 0$.

2.13 Un bloc oscille horizontalement selon le M.H.S suivant :

$$x(t) = 10 \cos(20\pi t + \pi/3) \text{ en cm}$$

À l'instant précis $t = 10$ s, un enfant dépose sur le bloc en mouvement, un autre bloc trois fois plus massif. Pour ne pas modifier la vitesse du bloc déjà en mouvement, il a bien pris soin d'empiler son bloc à la même vitesse (même grandeur et même direction) que celle qui anime l'autre bloc à cet instant. Déterminez la position et la vitesse du bloc 5 secondes après que l'enfant a ainsi modifié le système.

Chapitre 3

Propagation en milieu élastique

L es chapitres 1 et 2 nous ont permis de dégager les idées principales reliées aux phénomènes ondulatoires. Dans ce chapitre, nous allons approfondir ces idées en les justifiant plus rigoureusement. En particulier, nous devons mieux circonscrire le cadre d'utilisation dans lequel la fonction d'onde $y(x,t)$ a été présentée au chapitre 1 ; la fonction d'onde obtenue par $y(x,t) = f(x \pm ct)$, n'est pas inconditionnellement utilisable, certaines restrictions s'y appliquent et il est important de les connaître. Pour parvenir à identifier ces restrictions, nous considérerons le système physique d'une corde tendue que l'on déforme et relâche. Les paramètres qui apparaîtront en cours d'analyse sont, pour la plupart, mesurables à l'échelle macroscopique et, *a fortiori*, observables par l'étudiant. Pour cette raison, l'auteur a cru bon choisir le système qu'est la corde vibrante pour présenter les ondes à une dimension.

3.1 Analyse de la corde vibrante

Considérons un segment de corde homogène tendue. Initialement, le segment de corde horizontal est immobile et de longueur Δx (fig. 3.1). Si on déplace légèrement ce segment vers le haut et qu'on le relâche, un mouvement lui sera imprimé. Quelle est l'équation du mouvement de cette corde ? Que vaut la hauteur y de cette corde en fonction de la position x et du temps t, c'est-à-dire que vaut $y(x,t)$? La résolution de ce problème fait appel aux lois de Newton. En appliquant la deuxième loi ($\sum \mathbf{F} = m\,\mathbf{a}$) à l'élément de corde courbée, on obtient le système d'équations (3.1) et (3.2) :

$$\sum F_x = -F_1 \cos\theta + F_2 \cos\beta = \Delta m\, a_x \qquad (3.1)$$

$$\sum F_y = -F_1 \sin\theta + F_2 \sin\beta = \Delta m\, a_y \qquad (3.2)$$

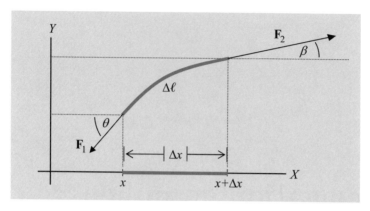

FIG. 3.1 Diagramme des forces s'exerçant sur un élément de masse Δm de la corde déformée. Le poids de la corde est négligé.

La **densité linéique** d'une corde homogène, qu'on note par μ, est constante, c'est-à-dire $\mu \neq \mu(x, t)$. Les unités de mesure de μ sont des kg/m. L'élément de masse Δm correspondant à la corde arquée (fig. 3.1) de longueur $\Delta \ell$ est :

$$\Delta m = \mu \Delta \ell \tag{3.3}$$

En (3.3), lorsque $\Delta x \to 0$, il s'ensuit que (*cf.* calcul différentiel) :

$$dm = \mu \, d\ell = \mu \sqrt{1 + (\partial y/\partial x)^2} \, dx \tag{3.4}$$

En considérant le développement en série de Taylor (*cf.* calcul différentiel) de la fonction radicale en (3.4), il s'ensuit :

$$\sqrt{1 + (\partial y/\partial x)^2} = 1 + (\partial y/\partial x)^2/2 - (\partial y/\partial x)^4/8 + \ldots \tag{3.5}$$

Si $\partial y/\partial x \ll 1$, alors les termes d'ordre supérieurs à un deviennent négligeables. Nous verrons en (3.18) que la condition en (3.6)

$$\partial y/\partial x \ll 1 \tag{3.6}$$

peut physiquement être réalisée. Cela dit, de (3.4), (3.5) et (3.6) on obtient le résultat en (3.7).

$$dm = \mu \, d\ell \approx \mu \, dx \tag{3.7}$$

L'équation (3.7) écrite en termes de différence finie donne (3.8) :

$$\Delta m \approx \mu \, \Delta x \tag{3.8}$$

De plus, supposons que la corde considérée répartisse uniformément la tension au moment de sa déformation. Cette situation entraîne :

$$F_1 = F_2 = F \tag{3.9}$$

Physiquement, la valeur de F réfère à la tension en newtons (N) s'exerçant dans la corde. En incorporant (3.8) et (3.9) dans (3.1) et (3.2), il s'ensuit :

$$\sum F_x = -F\cos\theta + F\cos\beta = \mu\,\Delta x\,a_x \qquad (3.10)$$

$$\sum F_y = -F\sin\theta + F\sin\beta = \mu\,\Delta x\,a_y \qquad (3.11)$$

Le système d'équations formé de (3.10) et (3.11) est insuffisamment contraint puisqu'il contient encore trop de variables inconnues. Pour réduire le nombre de variables, l'hypothèse (3.12) s'avère nécessaire :

Les angles de déflexion de la corde sont petits. $\qquad (3.12)$

En considérant le développement en série de Taylor de la fonction cosinus (*cf.* calcul différentiel), on obtient l'équation (3.13) :

$$\cos\theta = 1 - \theta^2/2! + \theta^4/4! - \theta^6/6! + \dots \qquad (3.13)$$

Si θ est petit ($\theta \ll 1$ rad) alors $\cos\theta \approx 1$. De cela, nous concluons que l'accélération a_x est négligeable à l'échelle macroscopique. Par un raisonnement similaire :

$$\tan\theta = \sin\theta/\cos\theta \approx \sin\theta \qquad (3.14)$$

Incorporons (3.14) dans (3.11).

$$F(\tan\beta - \tan\theta) = \mu\,\Delta x\,a_y \qquad (3.15)$$

Les fonctions $\tan\theta$ et $\tan\beta$ s'expriment par (fig. 3.1) :

$$\tan\theta = \partial y/\partial x \quad \text{évaluée en } x \qquad (3.16)$$

$$\tan\beta = \partial y/\partial x \quad \text{évaluée en } x + \Delta x \qquad (3.17)$$

Si les valeurs de θ et β sont petites ($\theta \ll 1$ rad et $\beta \ll 1$ rad) alors les valeurs de $\tan\theta$ et $\tan\beta$ le sont aussi (exercice laissé au lecteur). Il s'ensuit :

$$\partial y/\partial x \ll 1 \qquad (3.18)$$

L'équation (3.18) justifie la condition en (3.6). Posons maintenant

$$b(x,t) = \partial y/\partial x \qquad (3.19)$$

En tenant compte de (3.19), les égalités en (3.16) et (3.17) s'écrivent plus exactement de la façon suivante :

$$\tan\theta = b(x,t) \qquad (3.20)$$

$$\tan\beta = b(x + \Delta x, t) \qquad (3.21)$$

En incorporant (3.20) et (3.21) à (3.15), il s'ensuit que :

$$b(x + \Delta x, t) - b(x,t) = \frac{\mu}{F}\,\Delta x\,a_y \qquad (3.22)$$

Pour déterminer la hauteur y d'un point x précis, l'élément de longueur Δx doit tendre vers zéro.

$$\lim_{\Delta x \to 0} \frac{b(x + \Delta x, t) - b(x, t)}{\Delta x} = \lim_{\Delta x \to 0} \frac{\mu}{F} a_y \tag{3.23}$$

La limite $\Delta x \to 0$ appliquée au membre de gauche coïncide avec la définition de la dérivée partielle de la fonction $b(x, t)$ par rapport à la variable x. Or, la fonction $b(x, t)$ est déjà par définition une dérivée partielle (3.19). De (3.23), il s'ensuit que :

$$\frac{\partial^2 y(x, t)}{\partial x^2} = \frac{\mu}{F} \lim_{\Delta x \to 0} a_y \tag{3.24}$$

La limite $\Delta x \to 0$ appliquée à a_y réfère à l'accélération transversale du point matériel de la corde correspondant à la position x. Comme nous l'avons énoncé en (2.4), l'accélération $a_y(x, t)$ est donnée par :

$$a_y(x, t) = \frac{\partial^2 y(x, t)}{\partial t^2} \tag{3.25}$$

Il découle

$$\frac{\partial^2 y(x, t)}{\partial x^2} = \frac{\mu}{F} \frac{\partial^2 y(x, t)}{\partial t^2} \tag{3.26}$$

Puisque μ et F sont deux constantes positives, posons que :

$$c^2 = F/\mu \tag{3.27}$$

On peut vérifier que les unités de la constante c sont des mètres par seconde.

$$\frac{\partial^2 y(x, t)}{\partial x^2} = \frac{1}{c^2} \frac{\partial^2 y(x, t)}{\partial t^2} \tag{3.28}$$

La forme standard de (3.28) est

$$\frac{\partial^2 y}{\partial x^2} - \frac{1}{c^2} \frac{\partial^2 y}{\partial t^2} = 0 \tag{3.29}$$

L'équation (3.29) est une équation maîtresse de la théorie des ondes ; on la retrouve dans plusieurs disciplines. Pour cette raison on lui attribue, sans discernement, le nom d'*équation d'onde*. Il arrive aussi qu'on utilise l'appellation *d'équation de d'Alembert* puisque le physicien français Jean le Rond d'Alembert (1717-1783) a déduit cette équation (parallèlement à Leonhart Euler) à partir de l'analyse de la corde vibrante. L'équation (3.29) se rapporte à la discipline mathématique traitant des équations aux dérivées partielles. La résolution de ce type d'équation différentielle déborde largement le cadre du présent cours. Pour cette raison, nous nous contenterons d'en fournir la solution. Toutefois, nous vérifierons les solutions proposées à l'aide de l'équation (3.29). La difficulté principale que pose l'équation (3.29) est la suivante : la solution cherchée $y(x, t)$ dépend du type de conditions initiales imposées à la corde tendue. Malgré cela, toutes les solutions satisfont à la solution générale en (3.30).

$$y(x, t) = F(x - ct) + G(x + ct) \qquad (3.30)$$

L'équation en (3.30) n'a plus de mystère pour nous (*cf.* chapitre 1). En effet, puisque les lettres F et G réfèrent à des fonctions dépendant uniquement de la position x, c'est-à-dire que $F \equiv F(x)$ et $G \equiv G(x)$, nous savons que le terme $F(x - ct)$ correspond à la propagation d'impulsions se déplaçant vers la droite à la vitesse c, tandis que le terme $G(x + ct)$ correspond à la propagation d'impulsions se déplaçant vers la gauche à la vitesse c. La vitesse de propagation c d'une impulsion se déplaçant le long d'une corde découle de (3.27).

$$c = \sqrt{F/\mu} \qquad (3.31)$$

On peut vérifier que les unités de c sont celles d'une vitesse (exercice laissé au lecteur). Dans le cadre de la théorie des ondes, c porte aussi le nom de *célérité* de l'onde.

Suite à (3.30), les choses se corsent... Bien que le résultat suggère que les fonctions $F(x)$ et $G(x)$ peuvent être librement choisies, en réalité elles dépendent des conditions dans lesquelles la corde est initialement relâchée. En effet, pour déterminer le mouvement d'une corde particulière, les conditions dans lesquelles la dite corde est initialement relâchée doivent être précisées. Cela dit, on déforme une corde tendue. À l'instant $t = 0$ où la corde est relâchée, tous ses points matériels ont une vitesse nulle. Quel sera le mouvement de la corde ? La réponse à la question diffère selon que les extrémités de la corde sont fixes ou non.

Afin de rendre compte de la situation où les extrémités de la corde sont libres de se mouvoir, l'idée consiste à supposer que la corde est infiniment longue[1]. Dans ce cas, la forme que prend (3.30) porte le nom **solution de d'Alembert**. Il s'agit de la solution suivante :

$$y(x, t) = \frac{1}{2} f(x - ct) + \frac{1}{2} f(x + ct)$$

Le graphe de $f(x)$ coïncide avec le profil de la corde au moment où elle est relâchée et, en ce sens, il peut s'interpréter comme étant une photo de la corde à un instant précis. À titre d'exemple, si à l'instant $t = 0$, le profil de la corde est le suivant :

$$f(x) = e^{-x^2} \text{ cm}$$

Si tel est le cas, alors la hauteur y de la corde en x et l'instant t est la suivante :

$$y(x, t) = \frac{1}{2} e^{-(x - ct)^2} + \frac{1}{2} e^{-(x + ct)^2} \text{ cm}$$

---

[1] Les mots *infiniment longue* ont la signification suivante : tous les points de la corde ont la même liberté de se mouvoir ; en aucun moment l'impulsion rencontre un point d'attache.

Au moment d'écrire ces lignes, beaucoup de calculateurs symboliques permettent de suivre l'évolution du graphe de la fonction $y(x,t)$ lorsque le temps t change. Afin de bien cerner la dynamique dont procède la solution de d'Alembert, nous ne saurions trop recommander à l'étudiant de les utiliser pour décrire l'évolution temporelle de la fonction $y(x,t)$ précédemment obtenue.

Qu'arrive-t-il si la corde est de longueur L et que ses 2 extrémités sont fixées ? Typiquement, la situation se réalise lorsqu'on fait vibrer une corde de guitare. Dans ce cas, la corde est de longueur L et chaque extrémité doit demeurer immobile.

$$y(0,t) = 0 \quad \text{et} \quad y(L,t) = 0 \quad \forall t \tag{3.32}$$

L'ajout des conditions aux frontières (3.32) modifie grandement la solution. La situation donne lieu à la solution appelée ***solution avec conditions aux frontières***. Dans ce cas, la hauteur y de la corde à la position x et au temps t est la suivante :

$$y(x,t) = \sum_{n=1}^{\infty} \big(A_n \cos(\omega_n t) + B_n \sin(\omega_n t)\big) \sin(k_n x)$$

On peut démontrer que si à l'instant $t = 0$ tous les points matériels de la corde sont relâchée avec une vitesse nulle, alors la solution prend la forme suivante :

$$y(x,t) = \sum_{n=1}^{\infty} A_n \cos(\omega_n t) \sin(k_n x) \tag{3.33}$$

On remarque que la solution $y(x,t)$ s'exprime en termes d'une somme de composantes principales. C'est dans ce contexte que naît l'appellation de ***modes normaux*** d'une onde correspondant à des fréquences normales $f_n = \omega_n/2\pi$. Le sujet est abordé dans la section 3.5.

L'étudiant soucieux de comprendre comment s'effectue l'analyse rigoureuse de ces trois situations peut se référer aux ouvrages cités dans la bibliographie. Toutefois, mentionnons que ce type d'analyse déborde considérablement le propos principal de ce cours ; on l'a inclus pour satisfaire la curiosité de certains étudiants.

En résumé, nous cherchions à déterminer la fonction $y(x,t)$ donnant la hauteur de la corde à la position x et au temps t (fig. 3.1). L'utilisation des lois de Newton, auxquelles s'ajoute l'hypothèse des petits angles de déflexion, nous mène à l'équation différentielle (3.29), dont la solution générale est présentée en (3.30) et, selon les circonstances physique dans lesquelles la corde est déformée, d'autres solutions en découlent. Dans le cadre de ce cours, nous explorerons les solutions $y(x,t)$ ayant la forme proposée en (3.34).

$$y(x,t) = f(x \pm ct) \tag{3.34}$$

Dans ce qui suit, nous allons supposer que les impulsions se propagent soit vers la droite, soit vers la gauche sans nous préoccuper des véritables conditions particulières qui rend la situation possible. À ce sujet, rappelons que l'équation en (3.30) permet une telle approche. En effet, le terme $F(x - ct)$ correspond à la propagation d'impulsions se déplaçant à la vitesse c vers la droite et le terme $G(x + ct)$ correspond à la propagation d'impulsions se déplaçant à la vitesse c vers la gauche. En considérant qu'une des deux fonctions est nulle, on retrouve alors l'hypothèse formulée en (3.34).

À présent, il nous faut faire un choix pour la fonction $f(x)$ apparaissant en (3.34). En principe, cette fonction peut être quelconque. Mais s'il en est ainsi, comment arrêter notre choix ? Tous les ouvrages traitant des ondes admettent, comme représentant de cette fonction, soit la fonction sinus, soit la fonction cosinus. La justification de ce choix s'explique en partie par le théorème de Fourier. En effet, ce théorème stipule qu'une famille (infinie) de fonctions sinus et cosinus constitue une base de l'espace des fonctions (*cf.* équation différentielle). L'intérêt de ce théorème est alors le suivant : même si $f(x)$ est différente de $\cos x$ ou de $\sin x$, le développement de $f(x)$ en série de Fourier sera, quant à lui, formé d'une somme de cosinus et de sinus. Et comme (3.29) est une *équation différentielle linéaire*, les fonctions cosinus et sinus joueront, les unes après les autres, le rôle de la fonction $y(x, t)$. En clair, si toutes les fonctions $f(x)$ périodiques s'expriment par une combinaison linéaire de fonctions trigonométriques élémentaires sinus et cosinus, alors pourquoi ne pas choisir l'une ou l'autre de ces fonctions comme candidat pour f ? La remarque précédente a une importance théorique notable. Nous allons la combiner à l'approche développée dans le chapitre 1 en supposant que le mouvement de la corde en $x = 0$ est un mouvement harmonique simple. Cela dit, on peut écrire

$$y(0, t) = s(t) = A\cos(\omega t + \varphi)$$

Si on connaît le mouvement de la source, on peut déduire la fonction d'onde $y(x, t)$.

$$y(x, t) = s(t \pm x/c)$$

En supposant une propagation de l'onde vers la droite, il s'ensuit que :

$$y(x, t) = A\cos(\omega(t - x/c) + \varphi)$$

$$y(x, t) = A\cos(\omega t - \omega x/c + \varphi)$$

L'expression contient deux variables indépendantes : la variable temporelle t et la variable spatiale x. Pour connaître le comportement en un point de la corde, il suffit de fixer la position x, auquel cas, seule la variable temporelle t agit (*cf.* chapitre 1). Nous allons maintenant procéder à l'analyse des paramètres relevant exclusivement de la variable spatiale x. Pour ce faire, posons que $t = 0$.

$$y(x, 0) = A\cos(-\omega x/c + \varphi) = A\cos(\omega x/c - \varphi) \tag{3.35}$$

Le graphe (fig. 3.2) de la fonction (3.35) présente une photo de la corde à l'instant $t = 0$ s. Que vaut λ ? Cette question est identique à celle posée à propos

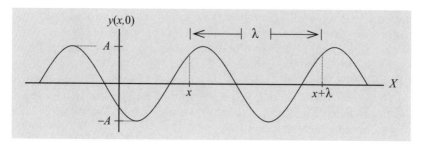

FIG. 3.2 Photo de la corde à $t = 0$ s. Cette photo est obtenue en considérant la fonction $y(x, 0) = A\cos(\omega x/c - \varphi)$. D'un point de vue spatial, la notion de cycle fait intervenir le concept de longueur d'onde. Sur ce graphique, l'hypothèse des petits angles de déflexion n'est pas respectée ; l'amplitude A devrait être plus petite.

de la période T en (2.13). Pour y répondre, nous devons résoudre l'équation suivante :

$$y(x, 0) = y(x + \lambda, 0)$$

De (3.35), il s'ensuit :

$$A\cos(-\omega x/c + \varphi) = A\cos(-\omega(x + \lambda)/c + \varphi)$$

Finalement, on obtient l'égalité (expliquez pourquoi)

$$\lambda = 2\pi c/\omega$$

Pour faire ressortir les liens entre λ, f et T, substituons la valeur $\omega = 2\pi f$. On obtient alors

$$\lambda = c/f = cT \tag{3.36}$$

Dans ce contexte, λ est appelé la **longueur d'onde**. Les unités de mesure de λ sont des mètres (m). En (3.36), il appert que la longueur d'onde n'est pas entièrement déterminée par la fréquence d'émission f de la source ; elle dépend aussi des caractéristiques du milieu puisque la vitesse c y apparaît aussi. S'il arrive en électromagnétisme qu'on fasse une correspondance directe entre λ et f (tab. 5.1) c'est qu'en ce domaine de la théorie des ondes, il existe une vitesse absolue c_0 pour la propagation d'une onde dans le milieu *vide*, c'est-à-dire où il y a absence de milieu matériel. Mais dans tous les autres domaines de la théorie des ondes, il est impensable qu'une impulsion puisse se propager en l'absence de matière ; concevoir une vague sans eau ou un son sans air est plutôt difficile... En conclusion, on peut dire que, dans la grande majorité des cas, λ dépend autant des caractéristiques du milieu (c) que de celles de la source (f). Nous reviendrons sur ce point dans les chapitres 4 et 5.

Le concept de longueur d'onde λ en introduit un autre. Pour y voir plus clair, rappelons la fonction d'onde obtenue.

$$y(x, t) = A\cos(\omega t - \omega x/c + \varphi) \tag{3.37}$$

En posant

$$k = \omega/c$$

il s'ensuit que :

$$k = 2\pi/\lambda = \omega/c \tag{3.38}$$

Dans ce contexte, k est appelé le **nombre d'onde**. Il correspond au nombre de longueurs λ contenues dans l'étalon de mesure 2π, ce qui est équivalent à dire qu'il indique combien de fois le cycle se répète durant un déplacement unitaire dans la direction de l'axe X. Les unités de mesure du nombre d'onde k sont l'inverse du mètre (m^{-1}). Les définitions des paramètres ω et k permettent de réécrire (3.37) simplement comme :

$$y(x,t) = A\cos(\omega t - kx + \varphi)$$

Un traitement équivalent, dans le cas où l'onde se propagerait vers la gauche, conduirait à

$$y(x,t) = A\cos(\omega t + kx + \varphi)$$

Dorénavant, la forme privilégiée des fonctions d'onde sera la suivante :

$$y(x,t) = A\cos(\omega t \pm kx + \varphi) \tag{3.39}$$

Il est à peu près impossible d'ouvrir un livre portant sur la théorie des ondes sans y rencontrer la fonction d'onde en (3.39). L'utilisation du sinus au lieu du cosinus est possible ; les deux fonctions étant identiques à une translation près de la phase initiale φ. Le lecteur est invité à vérifier que (3.39) est effectivement une solution à l'équation aux dérivées partielles (3.29). Après avoir tant décortiqué le problème, (3.39) et (3.29) méritent au moins de croiser le fer !

Exemple 3.1

Une onde se propage le long d'une corde à une vitesse de $0,8$ m/s en direction des X positifs. À $x = 0,1$ m, l'équation du M.H.S est

$$y = 0,05\cos(4t - 1)$$

Sachant que la densité linéique de la corde est $\mu = 4$ g/cm,

    (a) Déterminez la valeur de φ ;
    (b) Identifiez la fonction d'onde $y(x,t)$;
    (c) Identifiez la fréquence de la source ;
    (d) Calculez la longueur d'onde ;
    (e) Calculez la tension de la corde ;

(f) Déterminez un instant t pour lequel $y(1 \text{ m}, t) = A/2$.

Solution :

La fonction d'onde à considérer est :

$$y(x, t) = A \cos(\omega t - kx + \varphi)$$

Selon l'énoncé de départ, en $x = 0,1$ m cette fonction est de la forme :

$$y(0, 1; t) = 0,05 \cos(4t - 1)$$

En comparant $y(x, t)$ et $y(0, 1; t)$, on obtient :

$$A = 0,05 \text{ m} \quad \text{et} \quad \omega = 4 \text{ s}^{-1}$$

Par ailleurs, en fixant $x = 0,1$ m, il s'ensuit que :

$$-0,1k + \varphi = -1$$

En vertu de (3.38)

$$k = \omega/c = 4/0,8 = 5 \text{ m}^{-1}$$

d'où

$$\varphi = -0,5 \text{ rad}$$

Ainsi, la fonction d'onde est :

$$y(x, t) = 0,05 \cos(4t - 5x - 0,5)$$

$$f = \omega/2\pi = 2/\pi$$

$$\lambda = c/f = 0,8/(2/\pi) = 2\pi/5 \text{ m}$$

$$F = \mu c^2 = 0,4 \times 0,8^2 = 0,256 \text{ N}$$

L'équation $y(1\text{m}, t) = A/2$ conduit à

$$\begin{aligned} A\cos(4t - 5 - 0,5) &= A/2 \\ \cos(4t - 5,5) &= 1/2 \end{aligned}$$

Après avoir effectué le calcul, une valeur possible pour t est la suivante :

$$t \approx 1,6368 \text{ s}$$

3.2   Puissance et impédance d'une corde vibrante

Lorsqu'une source met en mouvement une corde, une partie de son énergie est transmise à la corde. La démarche qui suit vise à calculer la quantité d'énergie communiquée à la corde par unité de temps. En physique, la mesure de l'énergie fournie, transmise ou dissipée par unité de temps porte le nom de ***puissance***. Dans cet ouvrage, la puissance est notée par W ; ses unités de mesure sont des joules par seconde, soit des watts (W). Formellement, la puissance instantanée associée à une particule est donnée par le produit scalaire entre la force résultante $\mathbf{F}$ agissant sur la particule et sa vitesse $\mathbf{v}$. Cela dit :

$$W = \mathbf{F} \cdot \mathbf{v} \tag{3.40}$$

La définition (3.40) révèle que la valeur de W peut être positive, négative ou nulle ; son signe dépend du système physique étudié. La situation physique qui nous intéresse est la suivante : une source met en mouvement l'extrémité d'une corde. L'impulsion transmise à la corde se déplacera indéfiniment vers la droite sans jamais revenir vers la source. La source a donc un effet d'entraînement ; la corde étant contrainte de suivre le mouvement de va-et-vient du bras auquel elle est attachée. Dans ce contexte, quelle puissance la source transfère-t-elle

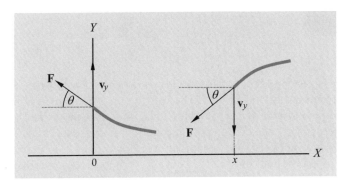

Fig. 3.3 Lorsque l'extrémité gauche de la corde descend ou monte, les vecteurs $\mathbf{F}$ et $\mathbf{v_y}$ appliqués sur l'extrémité de droite sont de même sens.

à la corde ? Plus globalement, quelle puissance l'extrémité gauche de la corde transmet-elle à son extrémité droite ? La figure 3.3 apporte un éclaircissement quant à la puissance W cherchée. On remarque que le produit scalaire $\mathbf{F} \cdot \mathbf{v}$ est positif, et *a fortiori* que la puissance transférée à la corde l'est aussi. Examinons les vecteurs $\mathbf{F}$ et $\mathbf{v}$ en $x = 0$.

$$\mathbf{F} = -F\cos\theta\,\mathbf{i} + F\sin\theta\,\mathbf{j} ; \quad \mathbf{v} = 0\,\mathbf{i} + v_y\,\mathbf{j}$$

$$\Rightarrow\ W = \mathbf{F} \cdot \mathbf{v} = F\sin\theta\,v_y$$

L'angle θ de déflexion de la corde est petit (3.12).

$$\sin\theta \approx \tan\theta = -\partial y/\partial x$$

L'ajout du signe $-$ devant le terme $\partial y / \partial x$ est nécessaire car le signe des fonctions $\sin\theta$ ou $\tan\theta$ est toujours contraire au signe de la pente de la tangente.

$$W = -F \, \frac{\partial y(x,t)}{\partial x} \, v_y(x,t) \tag{3.41}$$

$$\frac{\partial y(x,t)}{\partial x} = Ak\sin(\omega t - kx + \varphi); \quad v_y(x,t) = -A\omega\sin(\omega t - kx + \varphi) \tag{3.42}$$

En incorporant les résultats en (3.42) dans (3.41), on obtient :

$$\mathbf{F} \cdot \mathbf{v} = W(x,t) = FA^2 k\omega \sin^2(\omega t - kx + \varphi) \tag{3.43}$$

La puissance instantanée W obtenue en (3.43) dépend de la position x et du temps t. Pour obtenir une mesure plus pratique, examinons la quantité d'énergie transmise à la corde durant un cycle ; pour être plus exact, demandons-nous quelle puissance moyenne est communiquée à la corde au cours d'une période T ? La valeur moyenne d'une fonction (*cf.* probabilité et statistique) est :

$$\overline{W} = \frac{1}{T} \int\limits_{a}^{a+T} W(t) \, dt = \frac{1}{T} \int\limits_{a}^{a+T} FA^2 k\omega \sin^2(\omega t - kx + \varphi) \, dt \tag{3.44}$$

Après le calcul de l'intégrale (exercice laissé au lecteur), il découle :

$$\overline{W} = 2\pi^2 \sqrt{\mu F} A^2 f^2 \tag{3.45}$$

Dorénavant $\overline{W}$ *désignera toujours la puissance moyenne durant un cycle*. Le résultat obtenu en (3.45) mérite qu'on s'y attarde. *Primo*, il est intéressant de remarquer que l'expression de la puissance moyenne W transférée à la corde ne dépend plus de la position x où l'on a *sectionné* la corde (essayez de vous en convaincre par une argumentation physique). *Secundo*, les quatre paramètres apparaissant en (3.45) peuvent être partagés en deux groupes très significatifs : le premier groupe concerne les spécifications de la source (amplitude A et fréquence f) tandis que le second concerne les caractéristiques intrinsèques du milieu dans lequel l'onde se propage (densité μ et tension F de la corde). On peut illustrer l'effet de chacun des groupes de deux paramètres sur la valeur de $\overline{W}$: si on double l'amplitude A ou la fréquence f de la source, avec des valeurs fixes pour μ et F, alors la puissance moyenne transmise à la corde sera quadruplée ; de même, si on quadruple la densité μ ou la tension F de la corde, alors *en moyenne* la puissance additionnelle extraite de la source est doublée ; A et f étant maintenus constants.

Tertio, l'intérêt pratique de (3.45) apparaît en posant la question suivante : quelle quantité totale d'énergie E_{tot} a été transférée dans la corde si la source fonctionne depuis un laps de temps Δt ? Pour obtenir une *estimation* de la valeur totale d'énergie E_{tot}, il s'agit de penser à la règle :

$$E_{tot} \approx \overline{W} \, \Delta t \tag{3.46}$$

Ces remarques illustrent bien en quoi $\overline{W}$ s'avère une mesure intéressante dans le contexte de la corde vibrante. Notez que si Δt est un multiple entier de fois la période, c'est-à-dire si $\Delta t = nT$ alors le résultat (3.46) n'est plus approximatif mais exact. Dans la section qui suit, nous allons voir que la notion d'impédance Z est reliée à la puissance $\overline{W}$ par la formule suivante :

$$\overline{W} = ZA^2\omega^2/2 \tag{3.47}$$

Exemple 3.2

Une source S_1 met en mouvement une corde de densité $\mu_1 = 1$ kg/m et de tension $F_1 = 100$ N avec une amplitude A_1 à une fréquence f_1. Une autre source S_2, dont les propriétés de fonctionnement sont le double de celles de la source S_1, met en mouvement une corde dont les caractéristiques (tension et densité) sont le tiers de celles de l'autre.

(a) De combien la puissance transmise aux deux cordes diffère-t-elle ?

(b) Les sources S_1 et S_2 fonctionnent respectivement depuis 5 et 15 s. Quelle est l'énergie totale injectée dans chaque corde si $W_2 = 16$ watts ?

Solution :
En (a), il suffit de calculer le rapport W_1/W_2. En vertu du résultat obtenu en (3.45) sur la puissance moyenne, il s'ensuit que :

$$\frac{\overline{W}_1}{\overline{W}_2} = \frac{2\pi^2\sqrt{\mu_1 F_1}A_1^2 f_1^2}{2\pi^2\sqrt{\mu_2 F_2}A_2^2 f_2^2} = \sqrt{\frac{\mu_1}{\mu_2}}\sqrt{\frac{F_1}{F_2}}\left(\frac{A_1}{A_2}\right)^2\left(\frac{f_1}{f_2}\right)^2 = \sqrt{3}\sqrt{3}\left(\frac{1}{2}\right)^2\left(\frac{1}{2}\right)^2 = \frac{3}{16}$$

Du calcul précédent, on obtient $\overline{W}_1 = 3\overline{W}_2/16$. Ainsi, la source S_1 transmet moins de puissance à la corde que la source S_2. Nous verrons dans la prochaine section que ce rapport des puissances moyennes s'avère une mesure fort intéressante. Pour répondre à la portion (b) de la question, considérons le résultat obtenu en (3.46) portant sur l'approximation de l'énergie totale. De l'énoncé de départ, on obtient :

$$\overline{W}_1 = 3\overline{W}_2/16 = 3 \text{ W}$$

Les valeurs approximatives de l'énergie totale transmise sont les suivantes :

$$E_1 \approx \overline{W}_1\Delta t_1 = 3 \times 5 = 15 \text{ J}$$

$$E_2 \approx \overline{W}_2\Delta t_2 = 16 \times 15 = 240 \text{ J}$$

À présent, introduisons une mesure *de résistance* qu'un milieu offre au passage d'une impulsion. Dans la situation qui nous occupe, le milieu est la corde de tension F et la densité μ. Pour traduire la *résistance du milieu* à transmettre une impulsion, le concept d'***impédance***, qu'on note par Z, s'avère nécessaire. En physique, l'impédance Z peut se définir de façon générale par la formule :

$$Z = Cause/Effet$$

En mécanique, la *cause* est la force résultante $\mathbf{F}$ projetée dans la direction de la vitesse $\mathbf{v}$; cette vitesse $\mathbf{v}$ étant vue comme l'*effet* de la force résultante $\mathbf{F}$ projetée dans la direction du mouvement de la particule. Dans ce contexte, si on note par F_t la composante de force tangentielle à la trajectoire de la particule, il s'ensuit que :

$$Z = F_t/\|\mathbf{v}\|$$

En tenant compte de l'équation (*cf.* algèbre vectorielle),

$$F_t = \mathbf{F} \cdot (\mathbf{v}/\|\mathbf{v}\|)$$

il découle :

$$Z = \frac{F_t}{\|\mathbf{v}\|} = \frac{\mathbf{F} \cdot (\mathbf{v}/\|\mathbf{v}\|)}{\|\mathbf{v}\|} = \frac{\mathbf{F} \cdot \mathbf{v}}{\|\mathbf{v}\|^2}$$

En utilisant les résultats (3.42) et (3.43), dégageons l'expression qui exprime la résistance offerte par le milieu de droite au passage de l'impulsion provenant de la gauche.

$$Z = \frac{FA^2k\omega \sin^2(\omega t - kx + \varphi)}{A^2\omega^2 \sin^2(\omega t - kx + \varphi)}$$

En certains instants t les deux fonctions sinus seront simultanément nulles. La singularité $0/0$ ne devrait pas nous effrayer, car, en l'absence de cause, il est normal qu'il n'y ait pas d'effet... Il s'ensuit que :

$$Z = Fk/\omega \tag{3.48}$$

Plusieurs expressions équivalentes à (3.48) peuvent être obtenues (exercice laissé au lecteur). Voici les principales :

$$Z = F/c = \mu c = \sqrt{\mu F} \tag{3.49}$$

La dernière égalité en (3.49) est particulièrement intéressante, car elle confirme l'intuition physique selon laquelle plus la densité μ et la tension F de la corde sont élevées, plus l'impédance Z l'est, et plus il est difficile de faire passer une impulsion dans la corde.

Exemple 3.3

Une corde possède une impédance du double de celle que possède une autre corde. La longueur des cordes est identique et vaut 2 m, et la somme de leur masse est de 4 kg. La tension de chaque corde est de 100 N. Si on suppose que $\mu_1 > \mu_2$, alors déterminez la vitesse à laquelle se propagerait une impulsion dans chacune des cordes.

Solution :

Soit Z_1 l'impédance de la corde 1 et Z_2 l'impédance de la corde 2. En vertu de l'énoncé de départ et du résultat obtenu en (3.49) portant sur l'impédance, on obtient :

$$\frac{Z_1}{Z_2} = \frac{\sqrt{\mu_1 F_1}}{\sqrt{\mu_2 F_2}} = \frac{\sqrt{\mu_1 F}}{\sqrt{\mu_2 F}} = \frac{\sqrt{\mu_1}}{\sqrt{\mu_2}} = 2$$

Selon l'énoncé du problème :

$$m_1 + m_2 = 4; \quad L_1 = L_2 = 2$$

Des égalités précédentes, on obtient le système de deux équations.

$$\mu_1 = 4\mu_2; \quad \mu_1 + \mu_2 = 2$$

Après le calcul, on trouve :

$$\mu_1 = 8/5; \quad \mu_2 = 2/5 \text{ kg/m}$$

Or, comme

$$F_1 = F_2 = 100$$

les vitesses de propagation sont :

$$c_1 = \sqrt{\frac{F_1}{\mu_1}} = \sqrt{\frac{100}{8/5}} \approx 7,906 \text{ m/s}; \quad c_2 = \sqrt{\frac{F_2}{\mu_2}} = \sqrt{\frac{100}{2/5}} \approx 15,81 \text{ m/s}$$

3.3 Interface entre deux cordes vibrantes

Un problème typique de la théorie des ondes est celui du traitement d'un signal rencontrant une interface. Le mot *interface* désigne le lieu précis où un changement brusque de milieu se produit. La problématique peut être illustrée par l'exemple suivant : on émet un cri (onde sonore) à proximité d'une chaîne de montagnes. Comment se comporte ce signal sonore lorsqu'il les atteint ? Cette situation, bien connue des alpinistes, leur permet d'observer régulièrement le phénomène appelé *phénomène d'écho*. Cet effet s'explique simplement si on admet qu'au contact d'une paroi, le signal sonore est *réfléchi*, c'est-à-dire qu'il fera demi-tour pour atteindre notre oreille. Voilà une façon originale d'entendre de nouveau sa propre voix. Dans cet exemple, l'interface est la paroi de pierre. Malheureusement, bien qu'il illustre correctement l'effet d'une interface sur la trajectoire d'une onde, cet exemple est incomplet. Pour mieux comprendre l'effet réel d'une interface sur une onde, posons-nous la question suivante : qu'arrive-t-il au signal sonore si la paroi est maintenant recouverte d'une fine couche de neige ? L'expérience montre que le phénomène d'écho est alors moins perceptible. Pourquoi ? L'explication la plus logique consiste à dire qu'une partie du signal sonore a été transmise à la couche de neige (fig. 3.4). Que la neige réussisse à arracher au signal sonore incident une partie de son intensité rend le signal sonore réfléchi moins perceptible à l'oreille. Lorsque la paroi est en pierre, la partie du signal transmise à la pierre est négligeable ; le signal incident est alors presque complètement réfléchi, donc mieux perçu au retour. Les mots clés sont lancés : *signal incident*, *signal réfléchi* et *signal transmis*.

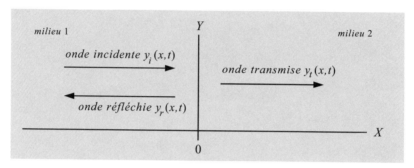

FIG. 3.4 Orientation de la propagation des signaux : incident, réfléchi et transmis. Dans le milieu 1, le signal incident interfère avec le signal réfléchi. Dans le milieu 2, seul le signal transmis se propage.

Ces trois concepts importants de la théorie des ondes relèvent de la présence d'une interface se trouvant sur la trajectoire d'une onde. L'objectif de cette section consiste à déterminer la *fonction d'onde réfléchie* et *transmise*, en supposant que la fonction d'onde incidente est connue. Pour introduire la notion d'interface, reprenons l'exemple de la corde vibrante qui nous est familier. Dans ce contexte, l'introduction d'une interface se fait en reliant deux cordes de densité différente μ_1 et μ_2. La jonction entre la corde de gauche et la corde de droite se situe en $x = 0$; il s'agit du lieu où un changement soudain de milieu se produit. En physique des ondes, ce lieu porte le nom d'***interface***. Supposons qu'une source, placée très loin vers la gauche, transmette un mouvement à la corde de densité μ_1, celle de droite étant de densité μ_2. L'onde ainsi produite est appelée *onde incidente*. Lorsque l'onde incidente atteint l'interface, il en résulte une *onde réfléchie* et une *onde transmise* (fig. 3.4). On note ces trois fonctions d'onde par les expressions suivantes :

$$y_i(x,t) \quad : \quad la\ \textbf{\textit{fonction d'onde incidente}} \tag{3.50}$$

$$y_r(x,t) \quad : \quad la\ \textbf{\textit{fonction d'onde réfléchie}} \tag{3.51}$$

$$y_t(x,t) \quad : \quad la\ \textbf{\textit{fonction d'onde transmise}} \tag{3.52}$$

Supposons que (3.50) soit de la forme

$$y_i(x,t) = A_i \cos(\omega_i t - k_i x + \varphi_i)$$

Supposons les paramètres A_i, φ_i, ω_i, k_i, μ_1 et μ_2 connus. Dans ce contexte, que

valent alors les fonctions d'onde réfléchie et d'onde transmise en (3.51) et (3.52)?
Pour répondre à la question, nous devons recourir aux résultats suivants :

- La tension F est la même dans les 2 cordes ;
- Les trois fonctions d'onde en jeu ont la même fréquence f ;
- Les fonctions $y_r(x,t)$ et $y_t(x,t)$ ont aussi la forme cosinus.

Les trois fonctions d'onde à considérer sont :

$$
\begin{aligned}
y_i(x,t) &= A_i \cos(\omega t - k_1 x + \varphi_i) \\
y_r(x,t) &= A_r \cos(\omega t + k_1 x + \varphi_i) \\
y_t(x,t) &= A_t \cos(\omega t - k_2 x + \varphi_i)
\end{aligned}
\tag{3.53}
$$

Voici une partie du problème résolue. À présent, déterminons les valeurs des amplitudes A_r et A_t en termes de tous les autres paramètres prétendument connus. La figure 3.4 révèle qu'il y a *superposition*, (en fait il s'agit d'*interférence ;* nous reviendrons sur ce concept important) des ondes incidente et réfléchie dans le milieu 1. Dans le milieu 2, l'onde transmise se propage seule. Désignons par

$y_1(x,t)$: la **fonction d'onde résultante dans le milieu 1**

$y_2(x,t)$: la **fonction d'onde résultante dans le milieu 2**

Il s'ensuit les équations suivantes :

$$
y_1(x,t) = A_i \cos(\omega t - k_1 x + \varphi_i) + A_r \cos(\omega t + k_1 x + \varphi_i)
\tag{3.54}
$$

$$
y_2(x,t) = A_t \cos(\omega t - k_2 x + \varphi_i)
\tag{3.55}
$$

Les équations (3.54) et (3.55) ne permettent pas de déterminer les valeurs cherchées. Pour résoudre complètement le problème, il est nécessaire de faire appel aux **conditions de continuité**. Pour des cordes reliées, ce principe s'énonce en deux temps. *Primo*, à l'interface $x = 0$, les cordes sont reliées en tout temps (3.56). *Secundo*, en vertu de la loi d'*action-réaction* de Newton, la force exercée par l'extrémité droite sur l'extrémité gauche est de sens opposé à la force exercée par l'extrémité gauche sur l'extrémité droite (3.57). En clair, en $x = 0$, il n'y a jamais de bris et la corde adopte des configurations *lisses*. On appelle **équations de continuité à l'interface** les égalités présentées en (3.56) et (3.57).

$$
y_1(0,t) = y_2(0,t)
\tag{3.56}
$$

$$
\frac{\partial y_1}{\partial x}\Big|_{x=0} = \frac{\partial y_2}{\partial x}\Big|_{x=0}
\tag{3.57}
$$

Développons les égalités dégagées.

$$
A_i \cos(\omega t + \varphi_i) + A_r \cos(\omega t + \varphi_i) = A_t \cos(\omega t + \varphi_i)
$$

$$A_i k_1 \sin(\omega t + \varphi_i) - A_r k_1 \sin(\omega t + \varphi_i) = A_t k_2 \sin(\omega t + \varphi_i)$$

Le système d'équations qui en découle est le suivant :

$$A_i + A_r = A_t; \quad A_i k_1 - A_r k_1 = A_t k_2$$

Après le calcul, on obtient les résultats suivants :

$$r = \frac{k_1 - k_2}{k_1 + k_2}; \qquad t = \frac{2k_1}{k_1 + k_2}$$

En rappelant que $Z = Fk/\omega$, il s'ensuit (exercice laissé à l'étudiant) :

$$r = \frac{Z_1 - Z_2}{Z_1 + Z_2}; \qquad t = \frac{2Z_1}{Z_1 + Z_2} \tag{3.58}$$

Subséquemment à (3.58), il est opportun de définir le **coefficient de réflexion en amplitude**, qu'on note r, et le **coefficient de transmission en amplitude**, dont le symbole est t, par les équations suivantes :

$$r = \frac{A_r}{A_i}; \qquad t = \frac{A_t}{A_i} \tag{3.59}$$

À partir de l'équation (3.58), il est simple de démontrer que

$$-1 \leq r \leq 1 \tag{3.60}$$

Physiquement, le résultat obtenu signifie ceci : si $r < 0$ l'impulsion réfléchie est alors renversée par rapport à l'onde incidente tandis que, si $r > 0$, l'impulsion réfléchie est du même sens que l'onde incidente. Nous étudierons plus en détail la conséquence du résultat en (3.60) à la section 3.4, qui traite de l'onde stationnaire. À partir de l'équation (3.58), on peut aussi démontrer que

$$0 \leq t \leq 2 \tag{3.61}$$

Une valeur $t > 1$ signifie ceci : l'impulsion transmise a une plus grande amplitude que l'onde incidente. Le résultat obtenu en (3.61) indique aussi que l'impulsion transmise est toujours du même sens que l'onde incidente.

Subséquemment, il devient naturel de se demander, puisque la puissance en (3.47) dépend de l'amplitude, quelle proportion de la puissance incidente $\overline{W}_i$ est transférée à l'onde réfléchie ou à l'onde transmise. Pour y répondre, définissons le **coefficient de réflexion en puissance** R, et le **coefficient de transmission en puissance** T.

$$R = \frac{\overline{W}_r}{\overline{W}_i}; \qquad T = \frac{\overline{W}_t}{\overline{W}_i} \tag{3.62}$$

Pour déterminer les valeurs R et T, rappelons le résultat en (3.47).

$$\overline{W} = ZA^2\omega^2/2 \tag{3.63}$$

Les puissances $\overline{W}_i$, $\overline{W}_r$ et $\overline{W}_t$ sont caractérisées par A_i, A_r, A_t, Z_1 et Z_2 ; la fréquence f étant la même. De (3.63), il s'ensuit que :

$$R = \frac{\overline{W}_r}{\overline{W}_i} = \frac{2Z_1 A_r^2\,\omega^2}{2Z_1 A_i^2\,\omega^2} = \left(\frac{A_r}{A_i}\right)^2 = r^2 = \frac{(Z_1 - Z_2)^2}{(Z_1 + Z_2)^2} \tag{3.64}$$

En résumé,

$$R = \frac{\overline{W}_r}{\overline{W}_i} = r^2 = \frac{(Z_1 - Z_2)^2}{(Z_1 + Z_2)^2} \tag{3.65}$$

Par une démarche similaire menant à (3.64), il découle que (exercice laissé au lecteur) :

$$T = \frac{\overline{W}_t}{\overline{W}_i} = \frac{Z_2}{Z_1}\,t^2 = \frac{4Z_1 Z_2}{(Z_1 + Z_2)^2} \tag{3.66}$$

En vertu du ***principe de conservation de l'énergie***, il s'ensuit que :

$$\overline{W}_i = \overline{W}_r + \overline{W}_t \tag{3.67}$$

L'équation (3.67) exprimée en termes des coefficients R et T, donne :

$$R + T = 1 \tag{3.68}$$

Nous voici rendus au terme de la section qui traite de l'interface entre 2 cordes.

Exemple 3.4

Deux cordes de densité μ_1 et μ_2 sont reliées en $x = 0$. L'onde incidente (milieu 1) se propage dans la corde de densité μ_1. La corde de droite, de densité $\mu_2 = 1,5$ g/cm, transporte 64% de la puissance moyenne incidente. La tension de la corde de gauche est de 135 N, la longueur d'onde dans le milieu 2 est de 1 m, la phase initiale de l'onde incidente est $\varphi_i = \pi/4$ et les densités sont telles que $\mu_1 < \mu_2$.

(a) Calculez les impédances Z_1 et Z_2 ;
(b) Déterminez les fonctions $y_i(x,t)$, $y_r(x,t)$ et $y_t(x,t)$ si $\overline{W}_t = 100$ watts ;
(c) Déterminez la hauteur de la corde à $x = -1$ au temps $t = 2$ s.

Solution :

Dans ce problème, la tension $F = 135$ N et $\mu_1 < \mu_2$ où $\mu_2 = 0,15$ kg/m.

$$Z_2 = \sqrt{\mu_2 F} = \sqrt{0,15 \times 135} = 4,5 \text{ kg/s}$$

$$T = \frac{\overline{W}_t}{\overline{W}_i} = \frac{4Z_1 Z_2}{(Z_1 + Z_2)^2} = \frac{4Z_1 \times 4,5}{(Z_1 + 4,5)^2} = 0,64$$

Après avoir fait le calcul, on obtient

$$Z_1 = 18 \text{ kg/s} \quad \text{ou} \quad Z_1 = 9/8 \text{ kg/s}$$

Comme $\mu_1 < \mu_2$, on doit aussi avoir $Z_1 < Z_2 = 4,5$ kg/s. Cela dit, nous obtenons

$$Z_1 = 9/8 \text{ kg/s}$$

Calculons les amplitudes A_i, A_r et A_t. La puissance transmise est

$$\overline{W}_t = Z_2 A_t^2 \omega^2 / 2$$

La fréquence f s'obtient par λ :

$$f = c_2/\lambda_2 = F/(Z_2\lambda_2) = 135/(4,5 \times 1) = 30 \text{ Hz}$$

Puisque $\overline{W}_t = 100$, il s'ensuit que :

$$A_t = \sqrt{\frac{\overline{W}_t}{2\pi^2 Z_2 f^2}} = \sqrt{\frac{100}{2\pi^2 \times 4,5 \times 30^2}} = \frac{2}{18\pi} \text{ m}$$

En vertu de (3.61), on obtient respectivement

$$A_i = \frac{Z_1 + Z_2}{2Z_1} A_t = \frac{((9/8) + (9/2))}{2 \times (9/8)} \frac{2}{18\pi} = \frac{5}{18\pi} \text{ m}$$

$$A_r = \frac{Z_1 - Z_2}{Z_1 + Z_2} A_i = \frac{9/8 - 9/2}{9/8 + 9/2} \frac{5}{18\pi} = -\frac{3}{18\pi} \text{ m}$$

La longueur d'onde λ_1 est la suivante :

$$\lambda_1 = \frac{c_1}{f} = \frac{F}{Z_1 f} = \frac{135}{(9/8) \times 30} = 4 \text{ m}$$

Si $\varphi_i = \pi/4$, les équations d'onde recherchées correspondent à :

$$y_i(x,t) = \frac{5}{18\pi} \cos(60\pi t - \frac{\pi}{2}x + \frac{\pi}{4}) \text{ m}$$

$$y_r(x,t) = -\frac{3}{18\pi} \cos(60\pi t + \frac{\pi}{2}x + \frac{\pi}{4}) \text{ m}$$

$$y_t(x,t) = \frac{2}{18\pi} \cos(60\pi t - 2\pi x + \frac{\pi}{4}) \text{ m}$$

En $x = -1$ m, nous sommes dans le milieu 1. La hauteur de la corde s'obtient alors par l'addition des ondes incidente et réfléchie.

$$y_1(x, t) = y_i(x, t) + y_r(x, t)$$

$$y_1(x, t) = \frac{5}{18\pi} \cos(60\pi t - \frac{\pi}{2} x + \frac{\pi}{4}) - \frac{3}{18\pi} \cos(60\pi t + \frac{\pi}{2} x + \frac{\pi}{4})$$

Finalement, en $x = -1$ et $t = 2$

$$y_1(-1; 2) = -\frac{2\sqrt{2}}{9\pi} \approx -0,1 \text{ m}$$

Notons qu'il y a plusieurs autres façons de résoudre les parties (a) et (b) de cet exemple. La façon proposée par l'auteur n'est peut-être pas la vôtre !

3.4   Onde stationnaire

Nous venons d'analyser la façon dont une onde incidente se comporte lorsqu'elle rencontre un autre milieu. Nous avons vu qu'il en résulte alors une onde réfléchie et une onde transmise. La détermination de ces deux fonctions d'onde fait appel soit aux coefficients en amplitude r et t, soit aux coefficients en puissance R et T, eux-mêmes déterminés par les impédances Z_1 et Z_2. Conséquemment, l'onde résultante dans le milieu 1 (fig. 3.4) s'obtient par la superposition de l'onde incidente et de l'onde réfléchie. Rappelons ce dernier résultat :

$$y_1(x, t) = A_i \cos(\omega t - k_1 x + \varphi_i) + A_r \cos(\omega t + k_1 x + \varphi_i) \qquad (3.69)$$

Dans cette section, nous utilisons (3.69) pour décrire une situation physique bien particulière. On peut se demander ce qui arrive à l'onde résultante (3.69) si la densité μ_2 est beaucoup plus grande que la densité μ_1 ? Cette question fait référence au cas concret où l'extrémité de la corde est attachée, par exemple, à un mur. Dans cette situation on peut se poser la question suivante : si une impulsion est émise dans la corde, comment l'impulsion sera-t-elle retournée ? Voyons cela de plus près.

Pour simuler la présence d'un mur, il suffit de poser $\mu_2 \to \infty$. Or, en vertu de (3.49), si on suppose que la densité $\mu_2 \to \infty$ alors $Z_2 \to \infty$. Cela dit, les résultats du calcul des limites (*cf.* calcul différentiel) sont donnés en (3.70).

$$\frac{A_t}{A_i} = \lim_{Z_2 \to \infty} \frac{2Z_1}{Z_1 + Z_2} = 0 \quad \text{et} \quad \frac{A_r}{A_i} = \lim_{Z_2 \to \infty} \frac{Z_1 - Z_2}{Z_1 + Z_2} = -1 \qquad (3.70)$$

On déduit que $A_t = 0$ et $A_r = -A_i$. La conclusion que l'on peut tirer de (3.70) est la suivante : lorsque $\mu_2 \to \infty$, la fonction d'onde transmise est identiquement

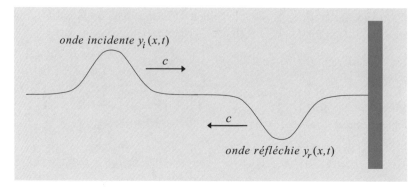

FIG. 3.5 À gauche, photo de l'impulsion avant qu'elle ne rencontre le mur. Lorsque $\mu_1 < \mu_2$, l'impulsion incidente subit un renversement (à droite). Certains ouvrages traduisent ce renversement par : $\varphi_r = \varphi_i + \pi$. On dit qu'il y a une réflexion dure.

nulle, tandis que les amplitudes $A_r = A_i$ sont les mêmes. En l'absence de forces dissipatives, ces résultats semblent correspondre à ceux que l'intuition pouvait suggérer. D'autre part, le résultat (3.60) stipule ceci : si $\mu_1 < \mu_2$, ce qui est assurément le cas lorsque $\mu_2 \to \infty$, alors l'impulsion réfléchie est déphasée de π par rapport à l'impulsion incidente, c'est-à-dire $\varphi_r = \varphi_i + \pi$. Que signifie exactement ce résultat, et comment l'interpréter dans le contexte d'une corde attachée à un mur ? Pour répondre à cette question, reconsidérons les fonctions d'onde réfléchie et d'onde incidente. Des remarques précédentes, on obtient :

$$y_i(x,t) = A\cos(\omega t - k_1 x + \varphi_i) \tag{3.71}$$

$$y_r(x,t) = -A\cos(\omega t + k_1 x + \varphi_i) \tag{3.72}$$

En comparant $y_i(x,t)$ et $y_r(x,t)$, on remarque qu'en $x = 0$ les fonctions sont identiques au signe près. Concrètement, si l'impulsion incidente est orientée vers le haut au moment de rencontrer l'interface, on obtient le résultat suivant : l'impulsion réfléchie sera la même mais inversée vers le bas. La figure 3.5 illustre qualitativement l'effet de *renversement* d'une impulsion incidente lorsqu'elle atteint un mur ($\mu_2 \to \infty$).

Pour comprendre davantage l'effet de la rencontre de l'onde incidente et de l'onde réfléchie dans cette situation physique particulière, déterminons la fonction d'onde résultante dans le milieu 1, c'est-à-dire déterminons :

$$y_1(x,t) = y_i(x,t) + y_r(x,t)$$

Conformément aux égalités en (3.71) et (3.72), il s'ensuit que :

$$y_1(x,t) = A\cos(\omega t - k_1 x + \varphi_i) - A\cos(\omega t + k_1 x + \varphi_i)$$

Puisque seul le milieu 1 est en cause, posons que :

$$y(x,t) = y_1(x,t), \quad k = k_1 \quad \text{et} \quad \varphi = \varphi_i \tag{3.73}$$

De (3.73), il s'ensuit que :

$$y(x,t) = A(\cos(\omega t - kx + \varphi) - \cos(\omega t + kx + \varphi))$$

Considérons l'identité trigonométrique en (3.74).

$$\cos(B) - \cos(C) = 2\sin\left(\frac{B+C}{2}\right)\sin\left(\frac{C-B}{2}\right) \qquad (3.74)$$

De (3.74), on obtient

$$y(x,t) = 2A\sin(kx)\sin(\omega t + \varphi) \qquad (3.75)$$

La fonction $y(x,t)$ en (3.75) donne la hauteur de la corde dans le milieu 1. On lui attribue le nom de fonction **d'onde stationnaire**. En (3.75), la partie spatiale kx s'est séparée de la partie temporelle ωt. Dans un tel cas, il existe des positions x indépendantes du temps t pour lesquelles on observera en tout temps un déplacement nul, c'est-à-dire des positions pour lesquelles $y(x,t) = 0$. Cette situation se réalise lorsque

$$2A\sin(kx) = 0 \qquad (3.76)$$

Comme nous l'avons vu à l'exemple 3.4 (c), les positions x à la gauche du mur ont une valeur négative. Malgré cela, il est ici permis de considérer la valeur de x comme positive pour désigner les points à la gauche du mur. Cela dit, pour $x \geq 0$, l'égalité (3.76) est vérifiée si :

$$kx = i\pi \quad \text{avec} \quad i = 0, 1, 2, 3 \ldots \qquad (3.77)$$

Les positions x de la corde demeurant immobiles sont nommées **nœuds** de l'onde stationnaire. On les notes par $(x_i)_N$. À partir de (3.77), il s'ensuit :

$$(x_i)_N = i\,\lambda/2 \quad i = 0, 1, 2, 3 \ldots \qquad (3.78)$$

L'idée essentielle contenue en (3.78) se formule comme suit : les points immobiles de la corde se répètent à toutes les demi-longueurs d'onde. En théorie des ondes, le concept de nœud fait référence au concept d'*interférence destructive*. Dans le contexte d'une corde attachée à un mur, le concept d'interférence destructive signifie que le résultat de la combinaison de l'impulsion incidente et de l'impulsion réfléchie, toutes deux d'amplitude A, peut produire une absence d'impulsion.

À l'instar de deux signaux pouvant s'annuler en se combinant, il est aussi possible que ces deux mêmes signaux puissent s'harmoniser parfaitement (comme

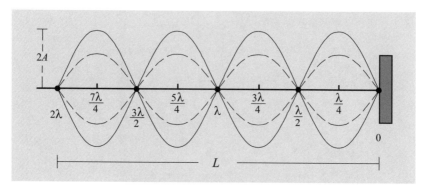

Fig. 3.6 Photo de la corde à quatre instants distincts. Les cordes en trait plein correspondent à des états maximaux de déflexions; aux ventres, on observe que $y_{max} = 2A$. Les cordes en pointillé correspondent à des états intermédiaires de déflexions. Notez qu'en tout temps, certains points de la corde demeurent immobiles; ce sont les nœuds. À noter : il y a aussi des instants pour lesquels la corde est totalement horizontale.

les amoureux des romans *Arlequin*). Comment se réalise cette combinaison idéale entre l'onde incidente et l'onde réfléchie ? Pour répondre à cette question, rappelons le résultat en (3.75).

$$y(x, t) = 2A \sin(kx) \sin(\omega t + \varphi)$$

À certains instants t précis, il existe des valeurs x pour lesquelles l'amplitude d'oscillation de la corde est maximale ($2A$), c'est-à-dire pour lesquelles

$$2A \sin(kx) = \pm 2A \tag{3.79}$$

L'égalité présentée en (3.79) est vérifiée si

$$kx = (2i - 1)\pi/2 \quad \text{avec} \quad i = 1, 2, 3 \ldots \tag{3.80}$$

On définit alors les **ventres** de l'onde stationnaire, notés par $(x_i)_V$ de la façon suivante :

$(x_i)_V$: *les positions x de la corde dont l'amplitude est maximale.*

De (3.80), il s'ensuit que (exercice laissé au lecteur) :

$$(x_i)_V = (2i - 1)\lambda/4 \quad i = 1, 2, 3 \ldots \tag{3.81}$$

L'idée essentielle contenue dans (3.81) est la suivante : les points de la corde où l'on peut observer $y_{max} = 2A$ se répètent toutes les demi-longueurs d'onde (expliquez pourquoi). Dans la théorie des ondes, le concept de ventre est le corollaire de l'*interférence constructive*. Dans le contexte d'une corde attachée à un mur, le concept d'interférence constructive signifie que le résultat de la combinaison de l'impulsion incidente et de l'impulsion réfléchie, toutes deux d'amplitude A, peut produire une impulsion de hauteur $2A$. La figure 3.6 illustre le graphe de la fonction d'onde stationnaire (3.75) à quatre instants précis. Cette figure résume toute la section 3.4. Preuve qu'une image vaut mille mots.

En principe, une onde stationnaire peut générer autant de nœuds et de ventres qu'on le souhaite ; il suffit de laisser le temps au signal réfléchi, se déplaçant à la vitesse c, de les produire. Rappelons qu'en théorie la corde est infiniment longue. Toutefois, en vertu de (3.78) et de (3.81), seul un nombre fini de nœuds et de ventres peut s'étaler sur une portion de corde de longueur L arbitraire. La motivation du choix de l'étalon de mesure L permettant l'observation des nœuds et des ventres sera présentée plus clairement dans la prochaine section. Nous verrons que ce choix permet de maintenir une unité de discours entre les thèmes d'onde stationnaire et de modes normaux ; cette unité est en fait si forte qu'il est facile de confondre par la suite ces deux concepts dont les origines sont différentes : dans le premier cas, la corde est infiniment longue et dans le second, la corde de longueur L a des extrémités fixes.

Finalement, soulignons que l'obtention de (3.75) repose sur l'hypothèse suivante (mieux vaut la rappeler avant qu'elle ne tombe dans l'oubli) : le signal réfléchi ne rencontre pas la source qui met en mouvement la corde.

Exemple 3.5

Après qu'une onde incidente a établi un contact avec un mur, le mouvement résultant de la corde est :

$$y(x,t) = 0,04\sin(2x)\sin(60t + \pi/3) \text{ m}$$

(a) Combien de nœuds peut-on observer sur une distance $L = 10$ m ?
(b) Combien de temps faut-il à l'onde réfléchie pour produire les nœuds ?
(c) Quelle est la distance entre chaque nœud ?
(d) Quelle est la vitesse de la corde à $x = 10$ m et $t = 2$ s ?
(e) Quelle est l'amplitude du signal incident ?

Solution :
Selon (3.78), la position des nœuds est calculée de la façon suivante :

$$(x_i)_N = i\lambda/2 \leq 10 \text{ m}$$

Conformément à l'équation d'onde stationnaire, on déduit :

$$\lambda = 2\pi/k = 2\pi/2 = \pi \text{ m}$$

$$i \leq 20/\pi \approx 6,36$$

Puisque i doit être une valeur entière alors $i \leq 6$. Sur une distance de 10 m, sept nœuds sont donc observables. La vitesse de propagation de l'onde réfléchie est calculée par les équations ci-dessous :

$$c = \omega/k = 60/2 = 30 \text{ m/s}$$

Dans le contexte déterminé par la question en (a), le premier nœud observé est situé en $(x_0)_N = 0$ et le dernier observé est situé en $(x_6)_N = 3\pi$. Ainsi, pour parcourir une distance $d = 3\pi$ mètres, l'onde réfléchie prendra un temps t calculé par la formule :

$$t = d/c = 3\pi/30 \approx 0,314 \text{ s}$$

En vertu de (3.78), la distance entre chaque nœud est calculée par :

$$(\Delta x)_N = \lambda/2 = \pi/2 \text{ m}$$

La vitesse de la corde est :

$$v_y(x,t) = \frac{\partial y(x,t)}{\partial t} = 2,4\sin(2x)\cos(60t + \pi/3)$$

Après le calcul, on obtient :

$$v_y(10;2) \approx -0,21 \text{ m/s}$$

Une valeur négative pour la vitesse indique que la corde descend. L'amplitude de l'onde incidente est :

$$A_i = 0,02 \text{ m}$$

3.5   Modes normaux d'une corde vibrante

Cette section traite de la situation où une corde de longueur L est fixée en ses deux extrémités (fig. 3.7). Si on déplace légèrement ce segment vers le haut et qu'on le relâche, un mouvement va alors s'imprimer. Quelle est l'équation du mouvement de cette corde ? Que vaut la hauteur y de cette corde en fonction $y(x,t)$? Jusqu'ici, la question est identique à celle posée au début de la section 3.1 et conséquemment, le raisonnement menant à l'équation d'onde (3.29) demeure valide. Toutefois, l'ajout des conditions aux frontières (3.82) modifie grandement la solution pour $y(x,t)$.

$$y(0,t) = 0 \quad \text{et} \quad y(L,t) = 0 \quad \forall t \tag{3.82}$$

En regard de (3.82), on peut vérifier que la solution (3.83) n'est plus adéquate.

$$y(x,t) = A\cos(\omega t \pm kx + \varphi) \tag{3.83}$$

Comme nous l'avons déjà mentionné, l'analyse de la situation requiert des connaissances mathématiques avancées (fonctions propres et théorème de Fourier). Dans le cadre de ce cours, l'auteur s'en tiendra donc à la présentation de la solution $y(x,t)$. Les étudiants friands de détails consulteront les références citées à la fin de l'ouvrage. Cela dit, voici le résultat cherché :

$$y(x,t) = \sum_{n=1}^{\infty} A_n \cos(n\omega_1 t) \sin(nk_1 x)$$

$$y(x,t) = A_1 \cos(\omega_1 t) \sin(k_1 x) + A_2 \cos(2\omega_1 t) \sin(2k_1 x) + \dots$$

Fait remarquable à noter, la fréquence de la fonction cosinus est un multiple entier de fois une fréquence angulaire élémentaire ω_1, tandis que le nombre d'onde de la fonction sinus est un multiple entier de fois un nombre d'onde élémentaire k_1. En notant par ω_n et k_n la fréquence angulaire et le nombre d'onde du n-ième terme de la série, on obtient :

$$f_n = nf_1; \quad \lambda_n = \lambda_1/n \quad n = 1,2,3\dots \tag{3.84}$$

On définit la **fréquence fondamentale**, notée f_1, d'un mouvement vibratoire comme la fréquence du premier terme de la solution $y(x,t)$. Toutefois, pour décrire le mouvement vibratoire d'une corde aux extrémités fixes qu'on pince puis qu'on relâche (pensez à une corde de guitare), l'équation indique qu'une somme infinie de termes est, en principe, nécessaire. Par contre, si le mouvement vibratoire fait apparaître un nombre entier n de ventres (*cf.* section 3.4) alors on peut montrer que seul le n-ième terme s'avère nécessaire pour décrire le mouvement de la corde. Dans ce cas particulier, il s'ensuit :

$$y_n(x,t) = A_n \cos(\omega_n t) \sin(k_n x) \tag{3.85}$$

Dans le contexte menant à (3.85), on dit qu'une corde qui oscille à une **fréquence normale** f_n produit une vibration en **mode normal** n ; la fréquence produisant le mode normal est un multiple entier n de fois la fréquence fondamentale f_1. C'est ce que signifie l'égalité en (3.84). Puisque les termes *fréquence normale* et *mode normal* sont intimement reliés, nous dirons simplement qu'à la fréquence f_1 correspond le mode 1 ($n = 1$), qu'à la fréquence f_2 correspond le mode 2 ($n = 2$), etc. La figure 3.7 illustre ce à quoi ressemble une corde lorsqu'elle vibre selon ses trois premiers modes normaux. On remarque que le nombre de nœuds et de ventres est tributaire du mode d'oscillation de la corde. En effet, en passant du mode n au mode $n+1$, la longueur d'onde s'est modifiée. En notant par λ_n la longueur d'onde correspondant au mode n de vibration, les nœuds et les ventres s'obtiennent respectivement par les équations ci-dessous (*cf.* section 3.4).

$$(x_i)_N = i\lambda_n/2 \quad i = 0,1,2,\dots n \tag{3.86}$$

$$(x_i)_V = (2i-1)\lambda_n/4 \quad i = 1,2,\dots n \tag{3.87}$$

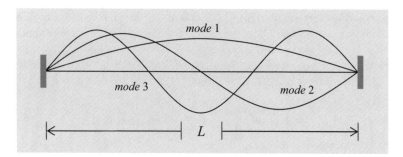

FIG. 3.7 Configurations d'une corde qui oscillerait respectivement suivant le mode 1, le mode 2 et le mode 3. À noter : en mode 1, il y a un ventre et deux nœuds ; en mode 2, il y a deux ventres et trois nœuds, etc. le mode coïncide avec le nombre de ventres. La vibration réelle de la corde s'obtient par la superposition infinie de modes normaux.

L'indice i n'admet plus un nombre infini de valeurs entières. En effet, lorsque la corde oscille dans le mode n, exactement $n+1$ nœuds et n ventres apparaissent le long de la corde de longueur L. Déterminons maintenant la longueur d'onde λ_1 et la fréquence f_1 correspondant au mode fondamental ($n = 1$). De (3.86) et de la figure 3.7, il s'ensuit que :

$$(x_0)_N = 0; \quad (x_1)_N = \lambda_1/2 = L$$

Finalement, on obtient :

$$\lambda_1 = 2L \tag{3.88}$$

Puisque

$$\lambda_1 = c/f_1$$

il découle que :

$$f_1 = c/2L$$

Subséquemment,

$$f_n = nf_1 = \frac{nc}{2L} = \frac{n}{2L}\sqrt{\frac{F}{\mu}} \tag{3.89}$$

Revenons à la solution présentée en (3.85) :

$$y_n(x,t) = A_n \sin(k_n x) \cos(\omega_n t) \tag{3.90}$$

Comparons (3.90) avec l'équation d'onde stationnaire en (3.75).

$$y(x,t) = 2A\sin(kx)\sin(\omega t + \varphi)$$

On y découvre de fortes ressemblances. En fait, en posant que :

$$\varphi = \pi/2$$

alors l'équation d'onde stationnaire devient conforme à la solution avec conditions aux frontières. En conclusion : dans certains cas, il est possible d'unifier par une même équation d'onde deux phénomènes vibratoires aux origines physiques pourtant distinctes. Nous complèterons cette section par un exemple illustrant les concepts de modes normaux et d'*onde stationnaire*.

Exemple 3.6

Une corde de guitare de 60 cm vibre dans sa troisième harmonique (mode 3) avec une hauteur maximale de 2 mm. La vitesse de propagation le long de la corde est de 400 m/s. Déterminez :

(a) La fonction d'onde $y(x,t)$ pour le mode 3 de vibration ;
(b) La vitesse de la corde à l'instant $t = 0$ s ;
(c) La fréquence fondamentale.

Solution :
La fonction d'onde à considérer est assurément de la forme suivante :

$$y(x,t) = A_n \sin(k_n x)\cos(\omega_n t)$$

Selon l'énoncé de départ, la hauteur maximale est 2 mm, on en déduit que :

$$A_n = A_3 = 2 \text{ mm}$$

La corde vibre dans le mode $n = 3$.

$$\lambda_n = \lambda_1/n = 2L/3 = 2 \times 0,6/3 = 0,4 \text{ m}$$

Selon l'énoncé, la vitesse $c = 400$ m/s. De cela, il s'ensuit que :

$$f_3 = c/\lambda_3 = 400/0,4 = 1000 \text{ Hz}$$

Le nombre d'onde à considérer est :

$$k_3 = 2\pi/\lambda_3 = 2\pi/0,4 = 5\pi$$

La fonction d'onde cherchée est :

$$y(x,t) = 2\sin(5\pi x)\cos(2000\pi t) \text{ mm}$$

La vitesse transversale de la corde est :

$$v_y(x,t) = \frac{\partial}{\partial t}y(x,t) = -4000\pi\sin(5\pi x)\sin(2000\pi t) \text{ mm/s}$$

$$v_y(x, 0 \text{ s}) = 0$$

Le dernier résultat signifie que tous les points de la corde sont immobiles. La fréquence fondamentale s'obtient en considérant la relation suivante :

$$f_1 = f_n/n = f_3/n = 1000/3 \text{ Hz}$$

La fonction d'onde pour le mode fondamental de vibration est la suivante :

$$y(x, t) = 6\sin(5\pi/3x)\cos(2000\pi/3t) \text{ mm}$$

3.6   Onde sonore

Un des objectifs du chapitre 3 était de présenter en détail les idées relatives au concept d'onde à une dimension. Le choix du support matériel qu'est la corde horizontale s'est avéré simple et efficace pour exposer le sujet. Toutefois, ce choix nous limite, car, dans une corde horizontale, l'impulsion est contrainte de se mouvoir uniquement dans la direction de l'axe des X positifs ou négatifs, toute autre direction étant impossible. L'analyse de la *corde horizontale* ne permet donc pas d'aborder le cas d'une impulsion se déplaçant **dans un plan** ou **dans l'espace** (*cf.* chapitre 1). À titre d'exemple, signalons que nous ne sommes pas encore en mesure d'expliquer formellement pourquoi un son est entendu simultanément par plusieurs personnes dispersées. Malheureusement, une meilleur compréhension des phénomènes ondulatoires est impossible si on ne tient pas compte des types de propagations d'une onde. Pour pallier cela, un système physique différent de la corde vibrante doit être considéré. L'auteur souhaite d'une part que le système physique choisi entretienne des liens solides avec les thèmes déjà abordés, et d'autre part qu'il serve aussi de tremplin à l'élucidation des concepts abstraits que nous rencontrerons au moment de l'étude de l'onde électromagnétique. Sous plusieurs rapports, l'étude de l'onde sonore nous permettra d'atteindre ces objectifs. D'une part, le son se propage dans un espace tridimensionnel et d'autre part, l'étude de l'onde sonore nous permettra de préciser davantage les paramètres essentiels qui caractérisent les thèmes abstraits abordés dans les chapitres 5, 6 et 7.

Bien que cela puisse paraître étonnant, l'étude des ondes sonores relève de la mécanique des fluides. En physique des ondes, un fluide est un support matériel à travers lequel une impulsion voyage. De façon générale, on peut dire qu'un son est émis dès qu'un fluide subit localement des compressions périodiques. Par exemple, dans le cas de l'oreille humaine, le fluide en jeu est l'air et il suffit d'en faire osciller les molécules à 440 Hz pour qu'on perçoive la note *la*. En un sens, il est permis de penser aux nombreuses analogies à faire avec la corde tendue qui transmet une impulsion. Nous reviendrons sur ce point en (3.98).

Pour aborder le problème lié à la propagation du son, nous supposerons dans le présent exemple que le fluide considéré est l'air à la surface de la terre et qu'il présente une pression d'équilibre p_0 ; celle-ci pouvant avoir, par exemple, la valeur de la pression atmosphérique. Si on perturbe localement un milieu, le voisinage de ce point subira des différences de pression qui s'étendront à tout l'environnement (*cf.* chapitre 1). Dans ce contexte, notons par :

p : la **pression** (N/m^2) du fluide en un point

ρ : la **masse volumique** (kg/m^3) du fluide

$\mathbf{v}$: la **vitesse** (m/s) du fluide

$\mathbf{g}$: l'**accélération** (m/s^2) gravitationnelle

La mécanique des fluides révèle que la dynamique de ce phénomène sera gouvernée par l'équation suivante :

$$\rho\,\mathbf{g} - \nabla p = \rho\,\partial\mathbf{v}/\partial t + \rho\,(\mathbf{v}\cdot\nabla)\mathbf{v} \tag{3.91}$$

L'effet du terme $\rho\,\mathbf{g}$ sur un mouvement purement horizontal est négligeable. Le terme $(\mathbf{v}\cdot\nabla)\mathbf{v}$, si cher à la mécanique des fluides, régit le transport du fluide. Il s'agit du terme d'accélération convective. Typiquement, cette accélération correspond à un déplacement systématique du milieu. Dans le cadre de ce cours, nous négligerons les phénomènes de transport matériel. L'équation (3.91) prendra donc la forme élémentaire suivante :

$$-\nabla p = \rho\,\partial\mathbf{v}/\partial t \tag{3.92}$$

Puisque l'occasion s'y prête, mentionnons ceci :

– ∇p *est un vecteur orienté vers l'accroissement maximal de pression*
– $-\nabla p$ *est un vecteur orienté vers l'accroissement minimal de pression*

L'équation (3.92) se lit donc ainsi : localement, le fluide accélère dans la direction de l'accroissement minimum de pression. Concrètement il est effectivement possible d'observer qu'un écoulement s'effectue de la haute vers la basse pression. L'équation en (3.92) explique donc qu'en cas de crevaison, l'air sortira du pneu...

À partir de (3.92), nous devons maintenant déterminer la fonction de position et de pression d'un *point matériel* de fluide au voisinage de son **point d'équilibre** x. Supposons que la vitesse $\mathbf{v}$ dépende uniquement de x et de t, c'est-à-dire que $\mathbf{v} = \mathbf{v}(x,t) \neq \mathbf{v}(x,y,z,t)$. En considérant la composante en $\mathbf{i}$ de l'équation vectorielle en (3.92), on obtient la forme suivante :

$$-\partial p(x,t)/\partial x = \rho\,\partial v(x,t)/\partial t \tag{3.93}$$

L'équation est équivalente à celle-ci :

$$\frac{\partial}{\partial x}p(x,t) = -\rho\frac{\partial^2}{\partial t^2}s(x,t) \tag{3.94}$$

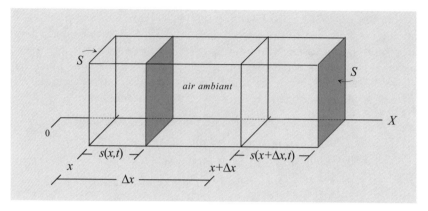

Fig. 3.8 L'air contenu entre les plans en blanc occupe un volume de référence $V = S\Delta x$ et présente initialement une pression d'équilibre p_0. En appliquant une différence de pression Δp sur le volume V, l'équilibre est rompu. La tranche d'air en x se retrouve alors en $s(x,t)$ tandis que celle en $x+\Delta x$ se retrouve en $s(x+\Delta x, t)$. La variation nette de volume est $\Delta V = S\Delta s$.

Dans ce contexte,

– $s(x,t)$ désigne la ***position du point matériel*** de fluide
– $p(x,t)$ désigne la ***pression appliquée au point matériel*** de fluide

Il peut sembler étrange de prétendre chercher une position $s(x,t)$ dépendant elle même de la position x. Clarifions cet élément qui peut mener à de fausses interprétations : $s(x,t)$ est la position du point matériel de fluide par rapport à son point d'équilibre x. En ce sens, la position $s(x,t)$ doit être pensée comme une position relative (fig. 3.8). Puisqu'il en est ainsi, il est indiqué d'écrire la pression $p(x,t)$ sous une forme relative en considérant p_0 comme étant la pression d'équilibre du système. Cela dit, considérons l'équation suivante :

$$p(x,t) = p_0 + \Delta p(x,t) \tag{3.95}$$

Le terme $\Delta p(x,t)$ est la ***différence de pression*** entre la pression effective et la pression d'équilibre p_0. Pour un milieu, une température et une altitude fixés, p_0 est une constante. En incorporant (3.95) dans (3.94), on obtient :

$$\frac{\partial}{\partial x}\Delta p(x,t) = -\rho\,\frac{\partial^2}{\partial t^2}s(x,t) \tag{3.96}$$

L'équation différentielle présente sous une seule forme la position $s(x,t)$ et la différence de pression $\Delta p(x,t)$. En fait, nous allons voir qu'il existe un lien entre ces deux fonctions. Toutefois, ce lien repose sur la notion de compressibilité d'un fluide. Pour compléter la démarche, il est nécessaire d'introduire quelques notions supplémentaires telles que l'élasticité. L'élasticité d'un fluide est mesurée par le ***module d'élasticité volumique***. On le note par B et il est défini de la façon suivante :

$$B = -\frac{dp}{(dV/V)} \tag{3.97}$$

On note qu'une augmentation de pression ($dp > 0$) occasionne une diminution de volume ($dV < 0$) alors qu'une chute de pression ($dp < 0$) occasionne une augmentation de volume ($dV > 0$). Bref, le module d'élasticité B est toujours positif. Pour un fluide donné, une grande valeur de B signifie que ce fluide est difficilement compressible, tandis qu'une faible valeur de B signifie qu'il est facilement compressible. Plus l'élasticité d'un milieu est faible, plus ce milieu tardera à communiquer la déformation à ses voisins. L'inverse est aussi vrai. Il est raisonnable de penser *a priori* que la vitesse du son dans un fluide dépend de B, car la propagation d'un son résulte des compressions successives des tranches du fluide. Cela donne donc à penser que B et c sont profondément reliés. Nous verrons bientôt que

$$c = \sqrt{B/\rho} \tag{3.98}$$

En acoustique, B et ρ sont les équivalents de la tension F et de la densité μ d'une corde. Les analogies possibles entre la corde vibrante et l'onde sonore ne s'arrêtent pas là. Plusieurs autres résultats obtenus dans le cadre de l'étude de la corde vibrante demeurent valides si on établit la correspondance appropriée. Comme nous venons de le mentionner, si on remplace respectivement F et μ par leurs paramètres équivalents en acoustique, soit B et ρ, alors la vitesse de propagation c s'obtient encore par (3.31). Nous verrons bientôt qu'il en est de même pour l'impédance Z, pour les coefficients r, t, R et T, pour l'équation d'onde stationnaire, pour les nœuds et les ventres, etc. En fait, ***ces correspondances sont beaucoup plus que de simples analogies***. L'auteur les relèvera donc au fur et à mesure qu'elles se présenteront dans le texte.

Le tableau 3.1 donne un aperçu sommaire des valeurs de B et de ρ dans différents milieux. Le résultat (3.98) peut donner à penser que plus ρ est faible, plus le son se déplacera rapidement. Attention ! Hors des limites de l'atmosphère terrestre, ρ_{air} est très petite, mais l'air y est si rare que l'onde sonore ne peut même plus se propager ! Ainsi si vous aimez le silence, allez sur la lune ! En (3.97), la quantité V représente un volume de référence sur lequel une différence de pression Δp sera appliquée. Considérons le volume délimité latéralement par les deux sections planes (en blanc sur la fig. 3.8) passant respectivement en x et $x + \Delta x$. Notons par S, l'aire de ces sections planes. Initialement, l'air présente une pression d'équilibre p_0. Choisissons le volume de référence V.

$$V = S\Delta x \tag{3.99}$$

À présent, supposons que le volume V subisse un accroissement de pression Δp. En vertu de (3.96), l'équilibre est rompu et les plans passant en x et en $x + \Delta x$ se déplaceront tout en changeant le volume V d'une quantité ΔV. Que vaut ΔV ? Comme $s(x, t)$ est la position du plan d'air par rapport à sa position d'équilibre

Milieux	Module d'élasticité (B) ; $(\mathrm{N/m^2})$	Masse volumique (ρ) ; $(\mathrm{kg/m^3})$	Célérité (c) ; $(\mathrm{m/s})$
Air sec à 20°C	$141{,}426 \times 10^3$	$1{,}2$	$343{,}3$
Air sec à 0°C	$141{,}895 \times 10^3$	$1{,}292$	$331{,}4$
Oxygène	$141{,}862 \times 10^3$	$1{,}33$	$326{,}6$
Hydrogène	$142{,}875 \times 10^3$	$8{,}38 \times 10^{-2}$	$1305{,}7$
Eau pure à 20°C	$2{,}1894 \times 10^9$	$998{,}2$	1481
Eau pure à 0°C	$1{,}9682 \times 10^9$	$999{,}9$	1403
Aluminium	$7{,}5 \times 10^{10}$	$2{,}7 \times 10^3$	5270
Fer	16×10^{10}	$7{,}8 \times 10^3$	4529
Plomb	$4{,}1 \times 10^{10}$	$11{,}3 \times 10^3$	1905

TAB. 3.1 Valeurs approximatives du module d'élasticité et de la masse volumique d'un milieu à une température fixe. Pour les gaz et les liquides, la vitesse de propagation c du son dans le fluide est obtenue au moyen de l'équation en (3.98). Dans le cas des solides, le résultat obtenu n'est pas rigoureusement exact.

en x, et que $s(x + \Delta x, t)$ est la position du plan d'air par rapport à sa position d'équilibre en $x + \Delta x$, il s'ensuit que :

$$\Delta V = S\left(s(x + \Delta x, t) - s(x, t)\right) \tag{3.100}$$

$$\Delta V = S\Delta s \tag{3.101}$$

En termes d'accroissement fini, le module d'élasticité s'écrit de la façon suivante :

$$B \approx -V\Delta p/\Delta V$$

$$\Delta p \approx -B\Delta V/V \tag{3.102}$$

En incorporant les équations (3.99) et (3.101) dans l'équation (3.102), il s'ensuit que :

$$\Delta p \approx -B\frac{\Delta V}{V} = -B\frac{S\Delta s}{S\Delta x}$$

$$\Delta p \approx -B\frac{\Delta s}{\Delta x} = -B\frac{s(x + \Delta x, t) - s(x, t)}{\Delta x}$$

Si $\Delta x \to 0$, alors on obtient :

$$\Delta p(x, t) = \lim_{\Delta x \to 0} -B\frac{s(x + \Delta x, t) - s(x, t)}{\Delta x}$$

$$\Delta p(x, t) = -B \lim_{\Delta x \to 0} \frac{s(x + \Delta x, t) - s(x, t)}{\Delta x}$$

Le résultat (3.103) établit le lien recherché entre $\Delta p(x,t)$ et $s(x,t)$.

$$\Delta p(x,t) = -B\frac{\partial s}{\partial x} \tag{3.103}$$

En incorporant l'équation (3.103) dans l'équation (3.96), il s'ensuit que :

$$\frac{\partial}{\partial x}\Big(-B\frac{\partial}{\partial x}s(x,t)\Big) = -\rho\frac{\partial^2}{\partial t^2}s(x,t)$$

$$\frac{\partial^2}{\partial x^2}s(x,t) = \frac{\rho}{B}\frac{\partial^2}{\partial t^2}s(x,t)$$

Puisque B et ρ sont positifs, posons que :

$$c^2 = B/\rho \tag{3.104}$$

De (3.104), il découle que

$$\frac{\partial^2 s}{\partial x^2} - \frac{1}{c^2}\frac{\partial^2 s}{\partial t^2} = 0 \tag{3.105}$$

Tout étudiant aura reconnu l'équation d'onde dont la vitesse de propagation est la suivante :

$$c = \sqrt{B/\rho} \tag{3.106}$$

Le lecteur peut vérifier que les unités de mesure de c sont des m/s. Si le son se propage vers la droite, la solution retenue sera la suivante :

$$s(x,t) = A\cos(\omega t \pm kx + \varphi) \tag{3.107}$$

Le terme A représente l'amplitude d'oscillation des molécules. Conformément à (3.103), il s'ensuit que :

$$\Delta p(x,t) = \pm BAk\sin(\omega t \pm kx + \varphi) \tag{3.108}$$

La quantité $\Delta p(x,t)$ représente la variation de la pression que subit la particule en x à l'instant t. La constante multiplicative apparaissant devant la fonction sinus correspond à l'amplitude de pression ; c'est la valeur maximale de pression relative observée quand la particule de fluide oscille. Ainsi, en notant par Δp l'*amplitude de pression relative*, il s'ensuit que :

$$\Delta p = BAk \tag{3.109}$$

Il est possible d'écrire l'équation en (3.109) sous une forme plus significative (exercice laissé au lecteur) telle que :

$$\Delta p = ZA\omega \tag{3.110}$$

Il s'ensuit que :

$$\Delta p(x,t) = \pm\Delta p \sin(\omega t \pm kx + \varphi) \tag{3.111}$$

En général, il est difficile de mesurer l'amplitude A des molécules d'air. À titre d'exemple, demandons-nous quel est l'ordre de grandeur de A pour un son émis par une voix humaine ? Pour répondre à cette question, plaçons-nous dans des conditions atmosphériques *normales* c'est-à-dire considérons de l'air sec à la surface de la terre, à une température au voisinage de 20°C et à une pression normale $p_0 \approx 101,33\times10^3$ Pa. À moins d'avis contraires, les valeurs de références couramment utilisées dans cet ouvrage sont fixes.

$$\rho_{air} = 1,2 \text{ kg/m}^3; \quad c_{air} = 340 \text{ m/s} \tag{3.112}$$

$$\rho_{eau} = 1000 \text{ kg/m}^3; \quad c_{eau} = 1400 \text{ m/s} \tag{3.113}$$

Si les conditions expérimentales étaient *anormales*, il faudrait alors se rappeler que le tableau 3.1 contient les informations permettant le calcul de c en (3.106). En soumettant l'oreille humaine à des différences de pression, l'expérimentation révèle que le seuil d'audibilité d'un son, symbolisé par Δp_{min}, et le seuil de la douleur, symbolisé par Δp_{max}, sont approximativement les suivants :

$$\Delta p_{min} \approx 3 \times 10^{-5} \text{ Pa} \quad \text{et} \quad \Delta p_{max} \approx 28 \text{ Pa} \tag{3.114}$$

En termes de variation de pression, la plage des sons audibles est donc :

$$3 \times 10^{-5} \text{ Pa} < \Delta p < 28 \text{ Pa}$$

Il nous faut maintenant fixer la fréquence d'émission de la source. L'étendue des fréquences perceptibles par l'oreille humaine est approximativement celle-ci :

$$20 \text{ Hz} < f < 20 \times 10^3 \text{ Hz} \tag{3.115}$$

Soulignons que, dans le cas d'animaux tels que la chauve-souris, la chouette, le dauphin, la baleine et plusieurs autres, l'intervalle en (3.115) diffère considérablement. Mentionnons qu'un dauphin émet typiquement des sons d'une fréquence de 1×10^5 Hz. Les déflexions maximale et minimale $A_{\max}$ et $A_{\min}$ d'un son dont la fréquence est 1000 Hz, sont respectivement :

$$A_{\max} = \Delta p_{\max}/(\omega Z_{\text{air}}) \approx 11 \times 10^{-6} \text{ m}$$

$$A_{\min} = \Delta p_{\min}/(\omega Z_{\text{air}}) \approx 12 \times 10^{-12} \text{ m}$$

Ces résultats montrent hors de tout doute que l'oreille est un récepteur très sophistiqué. Reconsidérons la fonction d'onde en (3.107) :

$$s(x,t) = A \cos(\omega t - kx + \varphi)$$

Qu'arrive-t-il si l'onde sonore traverse un autre milieu, c'est-à-dire si elle frappe une interface ? Tout étudiant sait qu'il en résulte alors une *onde réfléchie* et une *onde transmise*. Que valent les fonctions $s_r(x,t)$ et $s_t(x,t)$ si $s_i(x,t)$ est connue ? Cette question est identique à celle posée dans la section 3.3 qui traite des interfaces. Qui plus est, la réponse l'est aussi !

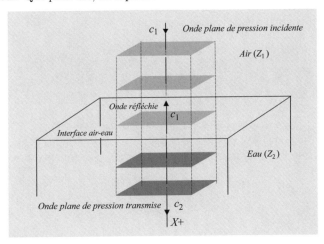

FIG. 3.9 Propagation tridimensionnelle (ondes planes) au moment de la rencontre de l'interface air-eau à incidence normale. Malgré ce nouveau contexte, les amplitudes A_r et A_t des ondes réfléchie et transmise sont reliées par les égalités (3.58).

En effet, si la fonction d'onde ***incidente*** est :

$$s_i(x,t) = A_i \cos(\omega t - k_1 x + \varphi_i)$$

alors les fonctions d'onde ***réfléchie*** et d'onde ***transmise*** sont :

$$s_r(x,t) = A_r \cos(\omega t + k_1 x + \varphi_i); \quad s_t(x,t) = A_t \cos(\omega t - k_2 x + \varphi_i)$$

De plus, en notant par :

$$s_1(x,t) \; : \textbf{\textit{l'onde résultante dans le milieu 1}}$$

$$s_2(x,t) \; : \textbf{\textit{l'onde résultante dans le milieu 2}}$$

il s'ensuit que :

$$s_1(x,t) = A_i \cos(\omega t - k_1 x + \varphi_i) + A_r \cos(\omega t + k_1 x + \varphi_i)$$

$$s_2(x,t) = A_t \cos(\omega t - k_2 x + \varphi_i)$$

La figure 3.9 illustre le passage d'un son émis de l'air à l'eau à *incidence normale*. Malgré sa propagation unidirectionnelle selon l'axe des X positifs, l'aspect tridimensionnel de l'onde est notable. Dans le présent cas, le milieu d'incidence est l'air ambiant d'impédance Z_1 et le milieu de transmission est l'eau d'impédance Z_2. En utilisant les conditions de continuité en (3.116),

$$s_1(0,t) = s_2(0,t); \quad \frac{\partial \Delta p_1}{\partial x}\Big|_{x=0} = \frac{\partial \Delta p_2}{\partial x}\Big|_{x=0} \tag{3.116}$$

on peut démontrer que *les résultats allant de (3.58) à (3.68) demeurent tous valides*. Rappelons que les *coefficients en amplitude* r, t sont respectivement définis par les expressions suivantes :

$$r = \frac{A_r}{A_i} = \frac{Z_1 - Z_2}{Z_1 + Z_2}; \quad t = \frac{A_t}{A_i} = \frac{2Z_1}{Z_1 + Z_2} \tag{3.117}$$

Dans le même ordre d'idées, les *coefficients en puissance* R et T demeurent définis conformément aux égalités en (3.65) et en (3.66). Nous verrons bientôt qu'en acoustique l'*impédance* Z s'obtient par l'équation suivante :

$$Z = \sqrt{B\rho} = \rho c \tag{3.118}$$

Exemple 3.7

Un son de 500 Hz se déplace dans l'air vers l'axe des X positifs. Si l'amplitude de l'onde de déplacement est de 4 nm et $\varphi = 0$ écrivez :

    (a) La fonction d'onde de déplacement des particules d'air ;

    (b) La fonction d'onde de vitesse des particules d'air ;

    (c) La fonction d'onde de différence de pression.

Solution :

De l'énoncé et de la convention (3.112), on obtient :

$$A = 4 \text{ nm} = 4 \times 10^{-9} \text{ m}; \quad \omega = 1000\pi; \quad \rho = 1,2 \text{ kg/m}^3; \quad c = 340 \text{ m/s}$$

À partir de ces données, on obtient les valeurs suivantes :

$$\lambda = c/f = 17/25 \text{ m}; \quad k = 2\pi/\lambda = 50\pi/17 \text{ m}^{-1}$$

En vertu de (3.107), il s'ensuit :

$$s(x,t) = 4 \times 10^{-9} \cos(1000\pi t - 50\pi x/17) \text{ m}$$

Du résultat ci-dessus, on obtient :

$$v(x,t) = \partial s/\partial t = -4\pi \times 10^{-6} \sin(1000\pi t - 50\pi x/17) \text{ m/s}$$

De (3.103), découle la réponse suivante :

$$\Delta p(x,t) = \Delta p \sin(1000\pi t - 50\pi x/17) \text{ Pa}$$

Conformément à (3.110), calculons la valeur de l'amplitude Δp.

$$\Delta p = -\omega\rho c A = -\frac{51\pi}{31250} \approx -0,0051270 \text{ Pa}$$

Il découle

$$\Delta p(x,t) = -\frac{51\pi}{31250} \sin(1000\pi t - 50\pi x/17) \text{ Pa}$$

Exemple 3.8

Un son est émis dans l'air avoisinant les 20°C avec une amplitude de pression de 10 Pa. Le son rencontre une couche d'air à 0°C. Calculez :

(a) Les amplitudes de pression de l'onde réfléchie et de l'onde transmise ;

(b) Calculez les coefficients en puissance R et T.

Solution :
Les amplitudes A et Δp sont reliées par l'égalité suivante :

$$\Delta p = -\omega\rho c A = -Z\omega A$$

En appliquant l'égalité ci-dessus aux amplitudes de pression Δp_i, Δp_r et Δp_t on obtient respectivement les égalités suivantes :

$$\Delta p_i = -Z_1\omega A_i; \quad \Delta p_r = -Z_1\omega A_r; \quad \Delta p_t = -Z_2\omega A_t$$

Le rapport $\Delta p_r/\Delta p_i$ s'exprime de la façon suivante :

$$\frac{\Delta p_r}{\Delta p_i} = \frac{-Z_1\omega A_r}{-Z_1\omega A_i} = \frac{A_r}{A_i} = r$$

Utilisons les résultats en (3.58) et (3.59).

$$\Delta p_r = \frac{Z_1 - Z_2}{Z_1 + Z_2}\Delta p_i$$

Une démarche similaire permet d'obtenir l'égalité suivante :

$$\Delta p_t = \frac{2Z_2}{Z_1 + Z_2} \Delta p_i$$

La valeur de Z_1 s'obtient en considérant les conditions normales.

$$Z_1 = \rho_1 c_1 = 1, 2 \times 340 \text{ m/s} = 408 \text{ kg/(m}^2\text{s)}$$

Pour calculer la valeur de Z_2, on doit se référer au tableau 3.1. Cela dit, on déduit que :

$$Z_2 = \rho_2 c_2 = 1, 292 \times 331, 4 \text{ m/s} \approx 428, 1688 \text{ kg/(m}^2\text{s)}$$

Après avoir fait le calcul, on obtient les valeurs suivantes :

$$\Delta p_r \approx -0, 02412 \times 10 \approx -0, 2412 \text{ Pa}; \quad \Delta p_t \approx 1, 02412 \times 10 \approx 10, 2412 \text{ Pa}$$

Selon (3.65) et (3.66), les ratios en puissance s'obtiennent de la façon suivante :

$$R = \frac{\overline{W}_r}{\overline{W}_i} = \frac{(Z_2 - Z_1)^2}{(Z_2 + Z_1)^2} \approx 0, 0005818 \quad \text{et} \quad T = \frac{\overline{W}_t}{\overline{W}_i} = 1 - R \approx 0, 9994182$$

Dans la section qui suit, nous allons déterminer la façon de calculer la puissance $\overline{W}$ transportée par une onde sonore.

3.7   Intensité de l'onde sonore

En principe, un son émis dans l'air voyage dans toutes les directions. Dans un contexte de propagation omnidirectionnelle (*cf.* chapitre 1), l'intensité I perçue est la suivante :

$$I_{sphère} = \overline{W}/(4\pi r^2)$$

Que vaut l'intensité transportée par un front d'onde plane ? La définition en (3.40) appliquée au contexte de l'onde sonore (expliquez pourquoi) conduit à l'égalité suivante :

$$W(t) = \mathbf{F} \cdot \mathbf{v} = F\, v_x \tag{3.119}$$

En (3.119), F est la force résultante agissant sur une section plane du fluide. Ce plan de molécules oscille avec une vitesse $v_x(x, t)$. Si S est l'aire de la section plane subissant la différence de pression Δp, alors F est relié à Δp de la façon suivante :

$$F = S\, \Delta p(x, t) \tag{3.120}$$

Des équations en (3.119) et en (3.120), il résulte que :

$$W(t) = S(-\omega\, \rho\, c\, A\, \sin(\omega t - kx + \varphi))(-A\omega \sin(\omega t - kx + \varphi))$$

$$W(t) = S\, A^2 \omega^2 \rho\, c\, \sin^2(\omega t - kx + \varphi)$$

Par un cheminement similaire menant à (3.45), on montre que le résultat est (exercice laissé au lecteur) :

$$W_{\text{moy}} \equiv \overline{W} = S\, \sqrt{B\rho}\, A^2\, \omega^2/2 \qquad (3.121)$$

Il est intéressant de comparer les résultats obtenus en (3.121) et (3.45). En (3.121), l'impédance du milieu est (exercice laissé au lecteur)

$$Z = \sqrt{B\rho}$$

Contrairement à l'expression (3.45), l'expression en (3.121) révèle que W dépend de l'aire S de la section plane. Or, la puissance transportée par unité de surface (W/m^2) coïncide précisément avec la définition de l'intensité d'une onde. Dans le présent contexte, l'intensité moyenne est définie par :

$$I_{\text{moy}} \equiv I = \overline{W}/S \qquad (3.122)$$

De la définition en (3.122) on peut démontrer (exercice laissé au lecteur) les résultats de l'encadré en (3.123).

$$I_{\text{plane}} = \frac{\Delta p^2}{2Z} \qquad (3.123)$$

Quel est l'ordre de grandeur des intensités perceptibles par l'oreille humaine ? À l'aide des résultats expérimentaux en (3.114), on peut établir l'intervalle qui recouvre l'ensemble des intensités perceptibles par l'oreille humaine sous la forme suivante :

$$1 \times 10^{-12}\ \text{W/m}^2 < I < 1\ \text{W/m}^2 \qquad (3.124)$$

La valeur minimale perceptible par l'oreille humaine est $I_0 = 1 \times 10^{-12}\ \text{W/m}^2$. Divisons par I_0 chacun des termes de l'inégalité en (3.124) et considérons le rapport I/I_0 comme un facteur d'audibilité. L'étendue du rapport I/I_0 est très large (expliquez pourquoi). Pour la rétrécir, effectuons un changement d'échelle en appliquant la fonction logarithme à ce rapport ; cette « cure d'amincissement » est infaillible. Cela dit, dans le cadre de l'audition humaine, la nouvelle échelle de mesure à considérer est la suivante :

$$IL = 10 \log(I/I_0)$$

La valeur de IL indique le **niveau d'intensité** sonore (les lettres IL réfèrent à l'appellation anglaise : *intensity level*). Pour souligner l'invention d'Alexandre Graham Bell, on inventa l'unité de mesure **décibel**. L'unité de mesure de IL est donc le décibel (dB). Voici une forme équivalente pour la mesure du niveau d'intensité sonore IL.

$$IL = 10 \log(I) + 120 \qquad (3.125)$$

Sources	Niveau (dB)
Seuil d'audibilité	0
Bruissement de feuilles	10
Chuchotement	20
Bibliothèque normale	30
Conversation normale	40
Musique douce	50
Conversation vive	60
Rue bruyante	80
Orchestre symphonique	90
Marteau piqueur à 2m	100
Réacteur d'avion à 10 m	110
Seuil de la douleur	120
Spectacle de Métallica	130

Tab. 3.2 Catalogue des sons audibles par l'oreille humaine. L'échelle logarithmique parvient à regrouper en peu de classes l'ensemble des phénomènes sonores.

La mesure en (3.125) permet de cerner et de classifier la gamme des sons audibles par l'oreille humaine. Le tableau 3.2 recense divers phénomènes sonores exprimés en décibels.

Exemple 3.9

Un observateur, situé à 5 mètres d'une source sonore omnidirectionnelle, mesure une intensité sonore de 40 dB. Si le milieu ambiant est l'air, calculez :

- (a) La puissance d'émission de la source ;
- (b) Le niveau d'intensité IL (dB) à 10 mètres de la source ;
- (c) La vitesse $v_{\max}$ des particules d'air à 10 mètres de la source.

Solution :

On cherche $\overline{W}$. Parce que le modèle sphérique est approprié (expliquez pourquoi), il s'ensuit que :

$$I_{\text{sphère}} = \overline{W}/(4\pi r^2)$$

L'intensité I s'obtient en considérant $IL = 40$ dB. Or,

$$IL = 10\log(I) + 120 = 40 \text{ dB}$$

Après avoir fait le calcul, on obtient :

$$I = 1 \times 10^{-8} \text{ W/m}^2$$

L'intensité trouvée est celle détectée par l'observateur à $r = 5$ m. Il s'ensuit :

$$W = 4\pi r^2 \times I_{\text{sphère}} = 4\pi \times 5^2 \times 1 \times 10^{-8} = \pi \times 10^{-6} \text{ W}$$

Il s'agit de la puissance d'émission de la source. Comme la puissance est conservée à tout instant, si $r = 10$ m, il en résulte :

$$I_{\text{sphère}} = W/(4\pi r^2) = \pi \times 10^{-6}/(4\pi \times 10^2) = 2,5 \times 10^{-9} \text{ W/m}^2$$

$$I_{\text{sphère}} = 2,5 \times 10^{-9} \text{ W/m}^2$$

Pour convertir cette intensité en décibels, (3.125) s'avère pertinent :

$$IL = 10\log(I) + 120 = 10\log(2,5 \times 10^{-9}) + 120$$

$$IL \approx 33,98 \text{ dB}$$

À 10 mètres de la source, considérons que l'onde est plane. En vertu de (3.107), la vitesse maximale des particules est

$$v_{\text{max}} = A\omega$$

Or, en vertu du résultat en (3.122), on obtient :

$$I_{\text{plane}} = \rho c(A\omega)^2/2 = \rho c(v_{\text{max}})^2/2 = 2,5 \times 10^{-9} \text{ W/m}^2$$

Après avoir fait le calcul, on obtient :

$$v_{\text{max}} \approx 3,5 \times 10^{-6} \text{ m/s}$$

3.8   Interférence sonore

Lors de l'étude de la corde vibrante, nous avons vu que la rencontre d'impulsions qui se déplacent en sens opposé produit, en certains points x, des nœuds et des ventres. Il est alors légitime de se demander si une situation analogue est possible en acoustique. La question à poser est la suivante : qu'est ce que l'oreille entend quand deux impulsions sonores se rencontrent ? L'étude de ce phénomène va nous permettre d'identifier les manifestations du phénomène d'interférence perceptible par l'oreille humaine. Voyons cela de plus près.

Considérons deux sources sonores S_1 et S_2 émettant à des fréquences f_1 et f_2, chacune d'elle agitant localement les molécules d'air avec la même amplitude A. Disposons les sources l'une en face de l'autre sur l'axe des X ; le son émis par S_1 se propage vers la droite tandis que le son émis par S_2 se déplace vers la gauche (fig. 3.10). Un détecteur situé au point O enregistrera le son résultant de la rencontre de ces deux ondes sonores. Il s'agit là d'une situation type qui donne lieu au phénomène d'interférence. Cela n'est pas sans rappeler les notions de nœud et de ventre (*cf.* section 3.4). Le mouvement des molécules d'air contenues dans le plan passant par le point O est déterminé par la somme des fonctions d'onde évaluées en ce point, c'est-à-dire de la façon suivante :

$$s(x_1, x_2, t) = s_1(x_1, t) + s_2(x_2, t) \tag{3.126}$$

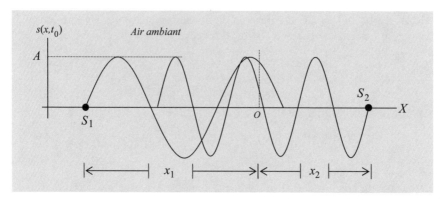

FIG. 3.10 Graphes des fonctions d'ondes sonores $s_1(x, t_0)$ et $s_2(x, t_0)$. Dans le plan passant par le point O, l'air subit deux perturbations : l'une est causée par S_1, l'autre par S_2. Le son net entendu en ce point résulte de la superposition de $s_1(x, t_0)$ et de $s_2(x, t_0)$. Le déplacement de la tranche d'air au point O s'effectue dans le sens de l'axe des X ; cet aspect du mouvement n'est pas traduit de la sorte sur la figure.

Les fonctions d'onde en jeu sont :

$$s_1(x_1, t) = A_1 \cos(\omega_1 t - k_1 x_1 + \varphi)$$

$$s_2(x_2, t) = A_2 \cos(\omega_2 t + k_2 x_2 + \varphi)$$

La somme en (3.126) présente deux cas d'intérêt : $f_1 = f_2$ ou $f_1 \neq f_2$. La façon la plus simple de produire le cas $f_1 = f_2$ consiste à supposer que la source S_2 est un mur réfléchissant l'onde sonore émise par S_1. En effet, tout étudiant sait que la fréquence n'est pas modifiée par la rencontre d'une interface... Cela dit, il en résulte que :

$$f_1 = f_2 \quad \text{et} \quad A_2 = -A_1$$

Une onde sonore qui remplit ces deux conditions est une ***onde sonore stationnaire*** (*cf.* section 3.4). L'onde sonore stationnaire est caractérisée par la fonction en (3.75) possédant des nœuds et des ventres. Comme ces équations ont déjà fait l'objet d'une discussion détaillée, nous ne les répéterons pas ici. Il suffit de savoir qu'il est également possible de produire un tel type d'ondes dans le contexte de l'acoustique.

Le deuxième cas présente une nouveauté par rapport au premier. En effet, dans une telle circonstance les sources S_1 et S_2 émettent à des fréquences différentes ($f_1 \neq f_2$). Dans cette situation, on peut démontrer que la somme (3.126) prend la forme suivante :

$$s(t) = 2A \cos(\frac{\Delta \omega}{2} t) \cos((\omega_1 + \frac{\Delta \omega}{2}) t + \Delta \psi) \qquad (3.127)$$

Le terme $\Delta \psi$ dépend uniquement des positions x_1 et x_2. Supposons des fréquences f_1 et f_2 grandes, mais suffisamment près l'une de l'autre. Dans ce contexte, le terme $\Delta\omega$ est petit vis-à-vis du terme ω_1. Par exemple, si $f_1 = 500$ Hz et $f_2 = 510$ Hz alors, il s'ensuit que :

$$\omega_1 = 1000\pi \quad \text{et} \quad \omega_2 = 1020\pi \quad \text{et} \quad \Delta\omega = 20\pi \tag{3.128}$$

D'après les résultats obtenus en (3.128), on remarque que la première fonction cosinus en (3.127) oscille beaucoup moins rapidement que celle à sa droite. En fait, les choses se passent comme si le terme suivant :

$$A(t) = 2A\cos(\frac{\Delta\omega}{2}t) \tag{3.129}$$

est l'enveloppe à l'intérieur de laquelle la fonction énoncée en (3.127) oscillait (fig. 3.11). Le graphe de $s(t)$ passe souvent par zéro. Chaque fois que $s(t) = 0$, une coupure sonore se manifeste. Physiquement, cela se traduit par un bref silence. Toutefois, parmi les nombreux silences, certains donneront l'impression de perdurer : il s'agit des instants t pour lesquels $A(t) = 0$.

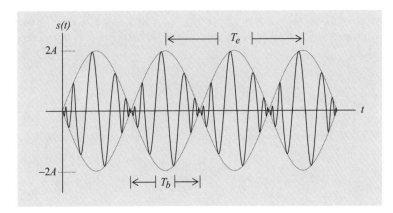

FIG. 3.11 Émission de deux sons à des fréquences f_1 et f_2 différentes, grandes mais près l'une de l'autre. La courbe en pointillé est le graphe de l'enveloppe de la fonction d'onde $s(t)$, celle en noire étant le graphe de $s(t)$. Peu importe l'endroit où l'observateur se situe sur l'axe des X, l'effet de la superposition de deux sons de fréquences différentes se traduit par une sensation auditive de battement sonore.

En effet, au voisinage de ces instants on remarque que l'intensité sonore s'atténue progressivement, s'annule et reprend graduellement de l'ampleur ; l'oreille humaine dispose donc d'un bon laps de temps pour percevoir le silence ainsi produit. De plus, les instants où $A(t) = 0$ sont beaucoup plus espacés, ce qui permet à l'oreille de mieux les distinguer. Les autres silences, de très courte durée et inattendus, seront en pratique imperceptibles par l'oreille humaine. En clair, les instants où $A(t) = 0$ seront perceptibles par l'oreille, tandis que les autres où $s(t) = 0$ ne le seront pas. Le laps de temps T_b séparant deux instants où $A(t) = 0$ est appelé *période de battement* sonore. Par extension, la *fréquence de battement* sonore, qu'on note f_b, permet le calcul du nombre de silences perceptibles par seconde. Pour déterminer la valeur de T_b et f_b,

remarquons (fig. 3.11) que :
$$T_b = T_e/2$$

De façon équivalente, on a :

$$f_b = 2f_e \quad \text{où} \quad f_e = \omega_e/2\pi \tag{3.130}$$

La fréquence f_e s'obtient en considérant la fonction $A(t)$ énoncée en (3.129).

$$\omega_e = \Delta\omega/2 = 2\pi(f_2 - f_1)/2 \tag{3.131}$$

En incorporant les termes de (3.130) à l'équation en (3.131), il s'ensuit que :

$$f_e = (f_2 - f_1)/2$$

Dans ce cas, on a donc :

$$f_b = f_2 - f_1 \quad \text{ou} \quad T_b = 1/(f_2 - f_1)$$

Nous avons implicitement supposé que $f_2 > f_1$. Le cas où $f_1 > f_2$ présente une dynamique identique. Cela dit, la fréquence de battement sonore est obtenue par (3.132) :

$$f_b = |f_2 - f_1| \tag{3.132}$$

L'intervalle des fréquences de battement perceptible par l'oreille est la suivante :

$$0 \text{ Hz} < f_b < 7 \text{ Hz}$$

3.9   Effet Doppler sonore

Cet effet se produit lorsqu'une source ou un observateur sont en mouvement l'un par rapport à l'autre. Dans une telle situation, nous allons voir que l'observateur O perçoit une fréquence f_o différente de la fréquence f_s émise par la source S. Dans ce contexte quel est le lien entre la fréquence f_o et f_s ?

Supposons qu'un observateur O se déplace à une vitesse v_o vers la gauche, la source S est pour l'instant immobile. À la figure 3.12, chaque cercle correspond à un front d'onde émis à intervalle régulier d'une période T_s. La distance séparant

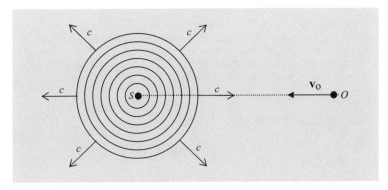

FIG. 3.12 Fronts d'onde circulaire émis par la source S à toutes les périodes T_s. Si la source est immobile, les cercles sont parfaitement centrés en S et séparés d'une distance correspondant à la longueur d'onde λ_s. Toutefois, si l'observateur O se dirige vers la source, le délai pour franchir la distance λ_s est plus court que T_s ; il convient alors de parler de la période T_o associée à l'onde perçue par l'observateur O. Subséquemment, la distinction des fréquences f_s et f_o s'avère essentielle.

deux cercles est donc la longueur d'onde λ_s, c'est-à-dire :

$$\lambda_s = c\, T_s = c/f_s \tag{3.133}$$

Du point de vue de l'observateur, les choses sont différentes. En effet, comme celui-ci se dirige vers la source S à la vitesse v_o, tous les fronts d'onde qui se déplacent vers lui à la vitesse c atteignent l'observateur à la vitesse $c+v_o$. Ainsi, le temps qu'il prendra pour franchir la distance λ_s correspond à la période T_o. Il s'ensuit que :

$$\lambda_s = (c + v_o)\, T_o = (c + v_o)/f_o \tag{3.134}$$

En éliminant λ_s de (3.133) et (3.134), on conclut que :

$$f_o = (c + v_o)f_s/c \tag{3.135}$$

De la même façon, un observateur se déplaçant vers la droite percevra une fréquence f_o donnée par l'équation suivante :

$$f_o = (c - v_o)f_s/c \tag{3.136}$$

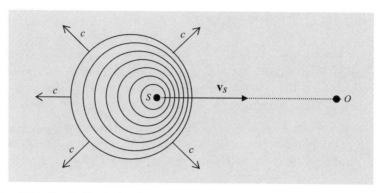

FIG. 3.13 Fronts d'onde circulaire émis à toutes les périodes T_s par une source S se dirigeant vers l'observateur. La distance séparant les cercles n'est pas régulière. Les fronts d'onde parvenant à l'observateur se caractérisent par une longueur d'onde $\lambda_o < \lambda_s$ puisqu'ils sont reçus à une période $T_o < T_s$. La distinction entre les fréquences f_s et f_o s'avère donc importante.

En réunissant (3.135) et (3.136), il s'ensuit que :

$$f_o = (c \pm v_o)f_s/c \tag{3.137}$$

Avant d'aborder le cas d'une source S animée d'une vitesse v_s, mentionnons que *la vitesse de propagation d'une onde n'est pas influencée par le mouvement de la source*. Pour justifier cela, il suffit de rappeler que ce sont les propriétés élastiques du milieu qui déterminent entièrement la vitesse de propagation d'une onde et non la source qui la produit. On peut aussi s'en convaincre en faisant un raisonnement par l'absurde. Ainsi, supposons que la vitesse de propagation c d'une onde s'additionne à la vitesse v_s de la source. Comment expliquer alors qu'un avion puisse aller plus vite que le son qu'il produit ? Cela dit, nous admettrons que la vitesse de propagation d'une onde est indépendante de la vitesse de la source v_s.

Pour que la vitesse de propagation du son puisse être plus grande que la vitesse de la source, *il faut que le milieu lui-même soit animé d'une vitesse* $\mathbf{v}_m$. Par exemple, si un vent soufflait à la vitesse v_m en direction de l'onde émise, alors la vitesse de propagation effective serait $c + v_m$. La vitesse de propagation serait de $c - v_m$ si le vent soufflait en sens opposé.

À la figure (fig. 3.13), l'observateur O est cette fois-ci immobile et la source se déplace vers lui à une vitesse v_s, les fronts d'onde étant encore émis à intervalle régulier d'une période T_s. Contrairement à ce qui se passe dans le cas d'une source immobile, la distance séparant les cercles n'est plus régulière puisque la source a bougé entre l'émission de deux fronts d'onde. Dans la région des cercles perpendiculaires au vecteur $\mathbf{v}_s$, les fronts d'onde se sont éloignés à l'arrière et se sont comprimés à l'avant. Examinons ceux comprimés à l'avant. De quelle distance ces fronts se sont-ils rapprochés ? Pour une source au repos (fig. 3.12), la distance entre deux cercles est λ_s. Durant une période T_s, une source animée d'une vitesse v_s franchira donc simultanément à la propagation du front d'onde une distance $d_s = v_s T_s$. En conclusion, si la source se dirige vers l'observateur O, la distance séparant les points des cercles perpendiculaires à $\mathbf{v}_s$ est la suivante :

$$\lambda_o = \lambda_s - v_s\, T_s \tag{3.138}$$

La longueur d'onde λ_o perçue par l'observateur sera donc plus petite ou, de façon équivalente, la fréquence f_o sera plus grande si la source se déplace vers lui. De l'équation en (3.138), il découle que (exercice laissé au lecteur) :

$$f_o = c f_s/(c - v_s)$$

De façon similaire, si la source s'éloigne de l'observateur O, il en résulte que :

$$f_o = c f_s/(c + v_s)$$

En réunissant ces deux cas, il s'ensuit que :

$$f_o = c f_s/(c \pm v_s) \tag{3.139}$$

En vertu de (3.137) et de (3.139), la fréquence f_o perçue dans le cas de mouvements simultanés est la suivante :

$$f_o = \frac{(c \pm v_o)}{(c \pm v_s)}\, f_s \tag{3.140}$$

Le résultat (3.140) contient quatre cas possibles. Pour déterminer le bon signe à retenir au numérateur et au dénominateur, il suffit de se rappeler qu'un rapprochement occasionne une augmentation de la fréquence et qu'un éloignement occasionne une diminution de la fréquence. La discussion qui suit a pour but d'expliquer le principe de fonctionnement des radars. Pour faciliter l'explication, supposons que le son soit émis par une chauve-souris se dirigeant vers un mur. Soulignons que le mur joue ici le rôle d'une barrière

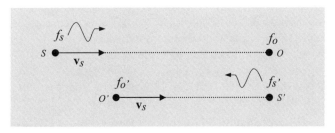

FIG. 3.14 Aller et retour d'une onde sonore : l'observateur O reçoit le son émis par S qui se déplace à la vitesse $v = v_s$. Après réflexion sur le mur, l'onde fait demi-tour et se redirige vers la source S ; l'observateur O devient la source S' et la source S devient l'observateur O'. Quelle fréquence $f_{o'}$ percevra l'observateur O' ?

réfléchissante, c'est-à-dire qu'il permet au son d'être réfléchi et redirigé vers la source S. Après avoir été ainsi réfléchi, le son atteint à nouveau la chauve-souris. Est-ce que le son réentendu par la chauve-souris a la même fréquence que celui qu'elle a émis ? Qu'arrive-t-il si l'observateur O renvoie, vers une source S en mouvement, le signal en y interposant une barrière réfléchissante ? En considérant que l'observateur O devient alors la source S' et que la source S devient l'observateur O' (fig. 3.14), on constate que la réponse à cette question découle de (3.140).

Calculons $f_{o'}$. Supposons que la source se dirige vers l'observateur O immobile avec une vitesse v_s. Cela dit, en vertu de (3.140) il s'ensuit que :

$$f_o = cf_s/(c - v_s) \qquad (3.141)$$

À ce stade, l'observateur devient la source S' immobile émettant une onde à une fréquence $f_{s'}$. Selon ce raisonnement, la source S devient l'observateur O' s'approchant de S' avec une vitesse $v_{o'} = v_s$. En vertu de (3.140), la fréquence $f_{o'}$ est

$$f_{o'} = (c + v_{o'})f_{s'}/c = (c + v_s)f_{s'}/c \qquad (3.142)$$

Or, la fréquence n'est pas modifiée quand elle rencontre une interface.

$$f_{s'} = f_o$$

De (3.141) et (3.142), on obtient les équations suivantes :

$$f_{o'} = (c + v_s)f_{s'}/c = (c + v_s)f_o/c$$

$$f_{o'} = (c + v_s)f_s/(c - v_s) \qquad (3.143)$$

En (3.143), il est clair que O' réfère à la fréquence du son réentendu. Remplaçons donc O' par O. Cela dit, (3.143) prend la forme suivante :

$$f_o = \frac{(c + v_s)}{(c - v_s)} \, f_s \qquad (3.144)$$

Nous ne traiterons pas tous les cas pour lesquels l'effet Doppler en (3.144) est modifié suite à une réflexion. On pourrait par exemple se demander ce qui arrive quand l'observateur O est en mouvement et que la source S est immobile ou bien ce qui se produit lorsque O et S sont en mouvement, etc. Ces exercices sont laissés au lecteur. Soulignons simplement que la démarche menant à (3.144) est similaire dans tous les cas. En ce sens, (3.144) est une formule qui témoigne d'une situation beaucoup plus générale. Pour cette raison, l'auteur croit qu'elle ne mérite pas d'être encadrée.

On peut généraliser le résultat obtenu en (3.140) au cas d'une source et d'un observateur se déplaçant dans des directions quelconques. Il est simple d'obtenir la forme générale de l'équation en (3.140) dans la mesure où l'on se rend compte qu'un observateur O qui décrit un cercle autour d'une source immobile S perçoit une fréquence identique à celle de la source (expliquez pourquoi). Il est facile de

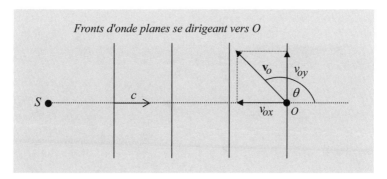

FIG. 3.15 Fronts d'onde plane parvenant à l'observateur O. Seule la composante de vitesse v_{ox} concourante à S influence la fréquence f_o. L'observateur percevra une fréquence f_o d'autant plus régulière que la source S est éloignée et que la vitesse v_o est petite. Dans cette situation, la perception de la fréquence f_o est locale; une modification trop rapide de la position relative de l'observateur O amènera une variation subite d'angle, auquel cas la fréquence f_o devient instable.

s'en convaincre à l'aide de la figure 3.12. De la même façon, un observateur O immobile écoutant le son émis par une source en rotation circulaire autour de lui percevra une fréquence identique à celle de la source (expliquez pourquoi). Cette fois, on peut s'en convaincre à l'aide de la figure 3.13. Globalement, ces deux situations se résument ainsi : si $\mathbf{r}_{so}$ est le vecteur position menant de S à O, alors les composantes des vitesses perpendiculaires à ce vecteur ne produiront pas d'effet Doppler. Voyons cela de plus près.

Considérons des fronts d'onde qui atteignent un observateur animé d'une vitesse $\mathbf{v}_o$; la source S est immobile (fig. 3.15). Localement, les arcs circulaires s'apparentent à des plans, cela est d'autant plus vrai que la source S est éloignée de O. Dans un tel contexte, la composante de vitesse v_{oy} ne modifie pas la fréquence f_o ; seule la composante v_{ox} participe à l'effet Doppler. Cela dit, de (3.135) il découle l'expression suivante :

$$f_o = (c - v_o \cos\theta) f_s / c = (c - \mathbf{v}_o \cdot \mathbf{u}_{so}) f_s / c \qquad (3.145)$$

Le vecteur $\mathbf{u}_{so}$ est unitaire et parallèle au vecteur $\mathbf{r}_{so}$. Considérons l'autre cas. Nous avons vu en (3.138) qu'un vecteur vitesse $\mathbf{v}_s$ concourant à O donne une longueur d'onde perçue $\lambda_o = \lambda_s \pm v_s T_s$. Mais qu'arrive-t-il lorsque $\mathbf{v}_s$ n'est plus concourant à O ? Pour déterminer de quelle distance les fronts d'onde sont comprimés dans la direction de O, il suffit de projeter le vecteur $\mathbf{v}_s$ dans la direction $\mathbf{r}_{so}$. La figure 3.16 illustre cette situation. La valeur de la longueur d'onde λ_s réellement perçue par l'observateur est obtenue quand on considère la composante du vecteur vitesse $\mathbf{v}_s$ pointant vers O. Il s'ensuit :

$$\lambda_o = \lambda_s - v_s \cos(\beta) T_s$$

Au moyen d'une démarche similaire à celle qui nous avait mené à (3.145), on

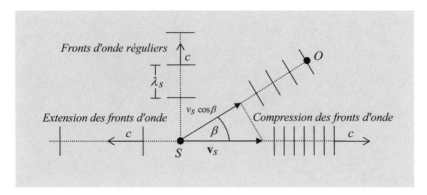

FIG. 3.16 Regard local de la propagation omnidirectionnelle de l'onde sphérique en différents points du plan contentant la source S et l'observateur O; localement les fronts d'onde sphérique s'apparentent à des fronts d'onde plane. Plus le vecteur $\mathbf{v}_s$ est dirigé vers O, plus les fronts d'onde reçus par O seront comprimés. Ainsi, la longueur d'onde λ_s émise dans la direction de l'observateur O dépend de la projection du vecteur $\mathbf{v}_s$ dans la direction du vecteur $\mathbf{r}_{so}$.

obtient l'équation suivante :

$$f_o = c f_s / (c - v_s \cos \beta) = c f_s / (c - \mathbf{v}_s \cdot \mathbf{u}_{so}) \tag{3.146}$$

En réunissant les résultats en (3.145) et en (3.146), il s'ensuit que :

$$f_o = (c - v_o \cos \theta) f_s / (c - v_s \cos \beta) = (c - \mathbf{v}_o \cdot \mathbf{u}_{so}) f_s / (c - \mathbf{v}_s \cdot \mathbf{u}_{so})$$

L'analyse précédente montre que nous nous intéressons principalement à la propagation de l'onde le long de la ligne d'action SO (3.17). Cela dit, la formule générale de l'effet Doppler est la suivante :

$$f_o = \frac{(c - \mathbf{v}_o \cdot \mathbf{u}_{so})}{(c - \mathbf{v}_s \cdot \mathbf{u}_{so})} f_s \tag{3.147}$$

FIG. 3.17 Le schéma Doppler sonore généralisé contient les vitesses v_s et v_o.

Exemple 3.10

Une chauve-souris volant dans un endroit clos se guide au moyen d'impulsions ultrasoniques de 39 KHz. Lorsqu'elle se dirige vers un mur, sa vitesse vaut $1/40$ de la vitesse de propagation de l'onde sonore. Évaluez la fréquence perçue par la chauve-souris après rebond du son sur le mur. Quelle fréquence de battement perçoit-elle ?

Solution :
Dans le cas présent, il est pertinent d'utiliser la formule en (3.144). Selon les données du problème, la vitesse et la fréquence d'émission de la chauve-souris valent respectivement :

$$v_s = c/40, \quad f_s = 39 \text{ KHz}$$

$$f_o = (c + v_s)f_s/(c - v_s) = (c + c/40)f_s/(c - c/40)$$

$$f_o = 41 f_s/39 = 41 \text{ KHz}$$

et la fréquence de battement est

$$f_b = |f_2 - f_1| = |39 - 41| = 2 \text{ KHz}$$

Exemple 3.11

Deux cyclistes vont en sens opposé à des vitesses constantes. Le premier roule à une vitesse de 10 m/s alors que le second roule à 15 m/s. Ils longent chacun un côté de rue dont la largeur est 40 m. Le cycliste le plus rapide émet un signal de 1000 Hz. Si on suppose qu'à $t = 0$ les cyclistes se croisent, quelle fréquence le cycliste le plus lent perçoit-il 2 secondes plus tard ?

Solution :
La situation où $t = 0$ est représentée à la figure 3.18.

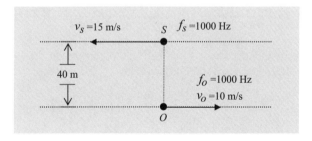

FIG. 3.18 Position des cyclistes à l'instant $t = 0$ s.

Déterminons les vecteurs vitesses pour chaque cycliste.

$$\mathbf{v}_s = [-15; 0] \text{ m/s}; \quad \mathbf{v}_o = [10; 0] \text{ m/s}$$

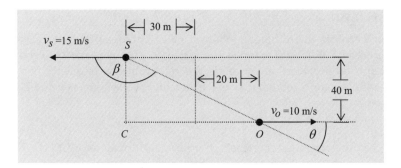

FIG. 3.19 Position des cyclistes à l'instant $t = 2$ s.

À l'instant $t = 0$ s, les deux cyclistes sont situés sur la droite verticale passant par O. Choisissons ce point comme origine. Déterminons la position des cyclistes à l'instant t.

$$\mathbf{r}_s = [-15t; 40] \text{ m}; \quad \mathbf{r}_o = [10t; 0] \text{ m}$$

Déterminons la position la position relative de la source S par rapport à l'observateur O.

$$\mathbf{r}_{so} = \mathbf{r}_o - \mathbf{r}_s = [10t; 0] - [-15t; 40]$$

$$\mathbf{r}_{so} = [25t; -40] \text{ m}$$

Calculons le vecteur unitaire $\mathbf{u}_{so}$.

$$\mathbf{u}_{so} = \frac{1}{\|\mathbf{r}_{so}\|} \mathbf{r}_{so} = \frac{1}{\sqrt{625t^2 + 1600}} [25t; -40]$$

$$\mathbf{u}_{so} = \left[\frac{25t}{\sqrt{625t^2 + 1600}}; \frac{-40}{\sqrt{625t^2 + 1600}} \right] \text{ m}$$

Utilisons les résultats afin de calculer la fréquence observée à l'instant t.

$$f_o = \frac{(c - \mathbf{v}_o \cdot \mathbf{u}_{so})}{(c - \mathbf{v}_s \cdot \mathbf{u}_{so})} f_s = \frac{(c - 50t/\sqrt{(25t^2 + 64)})}{(c + 75t/\sqrt{(25t^2 + 64)})} f_s$$

La vitesse de propagation est $c = 340$ m/s. La fréquence du son émis par la source est $f_s = 1000$ Hz. Évaluons la fréquence f_o à $t = 2$ s.

$$f_o = \frac{(340 - 100/\sqrt{(100 + 64)})}{(340 + 150/\sqrt{(100 + 64)})} \times 1000 \text{ Hz} \approx 944,495 \text{ Hz}$$

3.10   Effet Doppler électromagnétique

L'effet Doppler est une manifestation du caractère ondulatoire du son. Or, nous verrons au chapitre 5 que le comportement de la lumière peut aussi être décrit par un modèle ondulatoire. Est-ce à dire qu'un signal lumineux émis à une fréquence f_s peut être perçu à une fréquence f_o qui diffère de f_s? Est-ce à dire qu'une lumière bleue puisse être perçue jaune à cause du mouvement du déplacement relatif de la source S et de l'observateur O? La réponse est oui. Mais contrairement au phénomène Doppler sonore qui est aisément ressenti par l'oreille, pour que l'effet Doppler lumineux puisse être perçu par l'œil, la source S et l'observateur O doivent se déplacer à une ***vitesse relative*** v de l'ordre de la vitesse de propagation de la lumière dans le vide, c'est-à-dire comparable à $c_0 = 3 \times 10^8$ m/s, ce qui n'est pas peu dire. Toutefois, des instruments de mesure précis parviennent à mettre l'effet Doppler lumineux en évidence. De plus, soulignons que l'effet Doppler se manifeste pour toutes les ondes du spectre électromagnétique (tab. 5.1), que celles-ci soient visibles ou non. Cela dit, si f_s est la fréquence d'émission de la source S alors la fréquence f_o perçue par l'observateur O est la suivante :

$$f_o = \frac{\sqrt{c_0^2 - v_{os}^2}}{c_0 - \mathbf{v}_{os} \cdot \mathbf{u}_{so}} \, f_s \qquad (3.148)$$

En (3.148), le vecteur $\mathbf{v}_{os}$ réfère à la vitesse relative de la source S par rapport à l'observateur O, c'est-à-dire que $\mathbf{v}_{os} = \mathbf{v}_s - \mathbf{v}_o$ (fig. 3.20). La plupart des cas d'intérêt se présentent de la façon suivante : la source est en mouvement et l'observateur immobile, auquel cas $\mathbf{v}_{os} = \mathbf{v}_s - \mathbf{0} = \mathbf{v}_s$, ou la source est immobile et l'observateur en mouvement, auquel cas $\mathbf{v}_{os} = \mathbf{0} - \mathbf{v}_o = -\mathbf{v}_o$. Toutefois, insistons sur le fait que dans ces deux cas le vecteur $\mathbf{v}_{os}$ indique le mouvement relatif de S par rapport à O et non pas l'inverse.

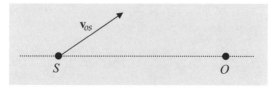

Fig. 3.20 Dans de cadre de l'effet Doppler électromagnétique, seul le vecteur vitesse relative $\mathbf{v}_{os}$ de S par rapport à O intervient.

3.11   Synthèse du chapitre 3

Un milieu unidimensionnel perturbé localement selon un MHS présente la fonction d'onde suivante :

$$y(x,t) = A\cos(\omega t \pm kx + \varphi)$$

La **vitesse de propagation** c de l'onde est déterminée par les propriétés élastiques de la corde de **tension** F, de **densité linéique** μ ou d'**impédance** Z. La **longueur d'onde** λ est reliée à la **fréquence** f de la source ainsi qu'aux propriétés du milieu.

$$c = \sqrt{F/\mu}; \quad Z = \sqrt{\mu F}; \quad \lambda = c/f$$

Subséquemment, nous avons introduit la **fréquence angulaire** ω et le **nombre d'onde** k. Durant une période T, la **puissance moyenne** communiquée à la corde est $\overline{W}$ et l'**énergie totale** y étant emmagasinée est E_{tot}. Ces quantités sont définies de la façon suivante :

$$k = 2\pi/\lambda; \quad \omega = 2\pi f; \quad \overline{W} = ZA^2\omega^2/2; \quad E_{tot} \approx \overline{W}\Delta t$$

Deux cordes de densité μ_1 et μ_2 reliées en $x = 0$ présentent les fonctions d'**onde incidente**, **réfléchie** et **transmise** qui prennent les formes suivantes :

$$y_i(x,t) = A_i\cos(\omega t \pm k_1 x + \varphi_i)$$

$$y_r(x,t) = A_r\cos(\omega t \mp k_1 x + \varphi_r)$$

$$y_t(x,t) = A_t\cos(\omega t \pm k_2 x + \varphi_t)$$

En connaissant les **rapports en amplitude** r et t :

$$r = \frac{A_r}{A_i} = \frac{Z_1 - Z_2}{Z_1 + Z_2}; \quad t = \frac{A_t}{A_i} = \frac{2Z_1}{Z_1 + Z_2}$$

ou les **rapports en puissance** R et T :

$$R = \frac{\overline{W}_r}{\overline{W}_i} = \frac{(Z_1 - Z_2)^2}{(Z_1 + Z_2)^2}; \quad T = \frac{\overline{W}_t}{\overline{W}_i} = \frac{4Z_1 Z_2}{(Z_1 + Z_2)^2}$$

on peut respectivement calculer A_r, A_t, $\overline{W}_r$ et $\overline{W}_t$. Les coefficients R et T sont reliés aux coefficients r et t de la façon suivante :

$$R = r^2; \quad T = Z_2 t^2/Z_1; \quad R + T = 1$$

Si on pose $\mu_2 \to \infty$, alors on obtient l'**équation d'onde stationnaire** ci-dessous qui possède des **nœuds** et des **ventres** qu'on note par $(x_i)_N$ et $(x_i)_V$.

$$y(x,t) = 2A\sin(kx)\sin(\omega t + \varphi); \quad (x_i)_N = i\lambda/2; \quad (x_i)_V = (2i-1)\lambda/4$$

Si on pose $\varphi = \pi/2$, les résultats portant sur l'onde stationnaire se transposent au cas d'une corde vibrante dont le **mode** de vibration normal est n et dont la fréquence est :

$$f_n = n\,f_1 \quad \text{où} \quad f_1 = c/2L$$

En **acoustique**, les fonctions **d'onde plane** à considérer sont les suivantes :

$$s(x,t) = A\cos(\omega t \pm kx + \varphi)$$

$$\Delta p(x,t) = -B\frac{\partial s}{\partial x} \;; \quad \Delta p(x,t) = \pm\Delta p\,\sin(\omega t \pm kx + \varphi)$$

À l'exception de la puissance $\overline{W}$, toutes les relations précédentes demeurent valides si on remplace la tension F par le **module d'élasticité** B, la densité linéique μ par la **masse volumique** ρ, les fonctions d'onde de positions de la corde $y_i(x,t)$, $y_r(x,t)$ et $y_t(x,t)$ par les **fonctions d'onde de positions d'une section plane** de fluide $s_i(x,t)$, $s_r(x,t)$ et $s_t(x,t)$. L'**intensité** I (W/m^2) et le **niveau d'intensité** IL (dB) sonores sont les suivants :

$$I_{\text{plane}} = \Delta p^2/(2Z); \quad \Delta p = ZA\omega; \quad Z = B/c; \quad IL = 10\log(I) + 120.$$

Dans des conditions normales :

$$\rho_{\text{air}} = 1,2 \text{ kg/m}^3; \quad c_{\text{air}} = 340 \text{ m/s}; ; \quad \rho_{\text{eau}} = 1000 \text{ kg/m}^3; \quad c_{\text{eau}} = 1400 \text{ m/s}$$

La **fréquence de battement** de deux sons superposés et la fonction d'onde de battement sont respectivement les suivantes :

$$f_b = |\,f_2 - f_1\,|; \quad s(t) = 2A\cos((\Delta\omega/2)t)\cos((\omega_1 + \Delta\omega/2)t)$$

L'effet **Doppler** se manifeste lorsqu'une **source** S ou un **observateur** O sont respectivement animés des vitesses $\mathbf{v}_s$ et $\mathbf{v}_o$ (fig. 3.21). Le lien entre la fréquence f_o perçue et la fréquence f_s de la source est la suivante :

$$f_o = \frac{(c - \mathbf{v}_o \cdot \mathbf{u}_{so})}{(c - \mathbf{v}_s \cdot \mathbf{u}_{so})}\,f_s; \quad f_o = \frac{\sqrt{c_0^2 - v_{os}^2}}{c_0 - \mathbf{v}_{os} \cdot \mathbf{u}_{so}}\,f_s$$

Si le signal provient du spectre électromagnétique, notez alors que la vitesse relative de la source S par rapport à l'observateur O est $\mathbf{v}_{os} = \mathbf{v}_s - \mathbf{v}_o$.

FIG. 3.21 Schéma Doppler généralisé.

3.12   Exercices

3.1 Le présent exercice vise à présenter la solution dite *de d'Alembert* afin d'expliquer le rôle qu'elle joue dans le cadre de la mécanique ondulatoire. Lors de l'étude du mouvement de la corde tendue, nous avons dégagé une équation maîtresse de la théorie des ondes. Il s'agit de l'*équation d'onde* aussi dite *équation de d'Alembert*.

$$\frac{\partial^2 y}{\partial x^2} - \frac{1}{c^2}\frac{\partial^2 y}{\partial t^2} = 0$$

Nous avons vu que la *solution générale* à l'équation d'onde est :

$$y(x,t) = F(x - ct) + G(x + ct)$$

Pour déterminer le mouvement d'une corde particulière, les conditions dans lesquelles ladite corde est initialement relâchée doivent être précisées. Cela dit, on déforme une corde tendue. À l'instant $t = 0$ où la corde est relâchée, tous ses points matériels ont une vitesse nulle. Quel sera le mouvement de la corde ? La réponse à la question porte le nom *solution de d'Alembert*. Il s'agit de la solution suivante :

$$y(x,t) = \frac{1}{2}f(x - ct) + \frac{1}{2}f(x + ct)$$

La lettre f réfère à une fonction qui dépend uniquement de la position x. Le graphe de $f(x)$ coïncide avec le profil de la corde au moment où elle est relâchée et, en ce sens, il peut s'interpréter comme étant une photo de la corde à un instant précis. À l'instant $t = 0$, supposons que le profil de la corde soit le suivant :

$$f(x) = \frac{4}{1 + x^2} \text{ cm}$$

Dans ce contexte :

  (a) Déterminez la solution de d'Alembert ;
  (b) Vérifiez que la solution obtenue en (a) satisfait à l'équation d'onde ;

La hauteur y de la corde est exprimée en cm et la position x est exprimée en m. Supposons que la vitesse de propagation est $c = 3$ m/s.

  (c) Dessinez le profil de $y(x,t)$ correspondant à $t = 0$ s ;
  (d) Dessinez le profil de $y(x,t)$ correspondant à $t = 1/5$ s ;
  (e) Dessinez le profil de $y(x,t)$ correspondant à $t = 1/2$ s ;
  (f) Dessinez le profil de $y(x,t)$ correspondant à $t = 1$ s ;
  (g) En $x = 0$, dites à quel instant t la corde n'est, ni concave vers le haut, ni concave vers le bas ;
  (h) Dites pour quel x et en quel t la vitesse de la corde est maximale ;
  (i) Calculez la grandeur de la vitesse maximale.

3.2 Reprenez l'exercice 3.1 dans le cas où le profil de la corde correspondant à l'instant $t = 0$ est le suivant :

$$f(x) = \cos(x)$$

3.3 À l'instant $t = 0$, supposons que le profil de la corde soit le suivant :

$$f(x) = 4/(1 + x^2)$$

La hauteur y de la corde est exprimée en cm et la position x est exprimée en m. Lors de l'analyse du mouvement de la corde tendue, nous avons dû formuler l'hypothèse selon laquelle la corde fléchissait peu durant ses déplacements. On retrouve l'hypothèse en question en (3.12).

   (a) Est-ce que le profil $f(x)$ respecte l'hypothèse mentionnée ?

   (b) Qu'arrive-t-il si l'hypothèse n'est pas respectée ?

3.4 Une corde tendue sert de véhicule à la propagation de deux impulsions. À $t = 0$, les profils correspondant à chacune des impulsions sont les suivants :

$$f_d(x) = e^{-x^2} \text{ cm}; \quad f_g(x) = e^{-x^2} \text{ cm}$$

L'impulsion se déplaçant vers la droite porte l'étiquette d, et celle se déplaçant vers la gauche porte l'étiquette g. La tension de la corde est 1 N et sa densité est 1/9 kg/m. La position x est exprimée en m. Dans ce contexte :

   (a) Dessinez le profil de la corde aux instants $t = 0$ s et $t = 1/2$ s ;

   (b) En $x = 0$ m, calculez l'instant t où la corde n'est plus concave ;

   (c) À $t = 1$ s, déterminez les points x où l'accélération de la corde est nulle ;

   (d) En $x = 1$ m, calculez la grandeur de la vitesse maximale.

3.5 Considérez la fonction d'onde suivante :

$$y(x, t) = A \cos(\omega t - kx + \varphi)$$

   (a) Montrez que cette fonction satisfait à l'équation d'onde en (3.29) ;

   (b) Déterminez la vitesse transversale maximale ;

   (c) Déterminez l'accélération maximale.

3.6 Une corde vibre selon

$$y(x, t) = 2 \cos(10\pi t - \pi x/2 + \pi/3) \text{ cm}$$

   (a) Calculez la fréquence, la longueur d'onde et la vitesse de propagation ;

   (b) Calculez la tension de la corde si sa densité est de 100 g/m ;

   (c) Calculez la puissance moyenne fournie à la corde ;

   (d) Déterminez la vitesse maximale atteinte par la corde ;

   (e) Déterminez l'accélération maximale atteinte par la corde.

3.7 Considérez la fonction d'onde ci-dessous. La hauteur y de la corde est exprimée en cm et la position x est exprimée en m.

$$y(x,t) = \cos(20\pi t - 4x + \pi/4)$$

(a) Expliquez la signification de la dérivée partielle $\partial y(x,t)/\partial x$;
(b) Dites si $y(x,t)$ respecte l'hypothèse des petits angles de déflexion;
(c) Formulez un critère permettant de vérifier si les angles sont petits.

3.8 Une source fait vibrer une corde à une fréquence de 100 Hz. L'onde produite se propage à 50 m/s vers la droite le long d'une corde dont la densité est de 5 g/cm. À l'instant $t = 0$ s et en $x = 25$ m, on a les informations suivantes :

$$y(25 \text{ m}, 0 \text{ s}) = 10 \text{ cm}; \quad v_y(25 \text{ m}, 0 \text{ s}) = 5 \text{ m/s}$$

(a) Déterminez la fonction d'onde $y(x,t)$;
(b) Calculez la hauteur et la vitesse de la corde en $x = 2$ m à l'instant $t = 3$ s;
(c) Calculez la tension dans la corde;
(d) Calculez l'énergie totale transmise dans la corde après 20 secondes.

3.9 En $x = 0$, une source fait vibrer une corde à 100 Hz conformément à un mouvement harmonique simple. La tension de la corde est 100 N et sa densité de 500 g/m. À $t = 1$ s, le bras de la source est à la hauteur $y = 2$ cm et a une vitesse de 5 m/s vers le haut. Trouvez la fonction d'onde $y(x,t)$.

3.10 Une source fait vibrer une corde selon

$$y(x,t) = 30\cos(40\pi t - 4\pi x + \pi/6) \ \mu\text{m}$$

On arrête la source pour modifier la tension de la corde. Des tests permettent de vérifier qu'en quadruplant la tension, la densité de la corde est 4 fois plus petite. Une fois la tension quadruplée, on redémarre la source dans des conditions identiques (mêmes conditions initiales et même fréquence) à celles du premier montage. Déterminez la hauteur $y(x,t)$ de la corde pour le nouveau montage.

3.11 En $x = 0$, le déplacement d'une corde de densité $\mu = 2$ kg/m est donné par la fonction suivante :

$$s(t) = 2\sin(10\pi t + \pi/3) \text{ cm}$$

Si la longueur d'onde vaut 10 cm, calculez :

(a) La puissance moyenne transmise à la corde durant une période;
(b) L'énergie totale emmagasinée si $\Delta t = 15$ minutes.

3.12 On souhaite produire une onde d'une amplitude de 4 cm, dans une corde de densité de 2 kg/m ayant une tension de 100 N. Si la longueur d'onde espérée est de 40 cm, quelle puissance moyenne la source doit-elle fournir à la corde pour produire une telle vibration.

3.13 L'extrémité droite d'une corde de densité 1 kg/m est attachée à un mur, tandis que l'autre extrémité libre est mise en vibration par une source. On remarque alors que la hauteur de la corde est exprimée par la fonction suivante :

$$y(x,t) = 10 \, \sin(5\pi x)\sin(20\pi t + \pi/4) \text{ mm}$$

Sans arrêter la source et sans modifier la tension dans la corde, on détache l'extrémité droite de la corde fixée au mur et on la relie à une autre corde dont la densité est 250 g/m. Déterminez l'expression de la vitesse pour la corde à droite de l'interface.

3.14 Effectuez le calcul de l'intégrale permettant le passage de (3.44) à (3.45), et montrez que la puissance moyenne transmise à la corde durant une période peut être réécrite comme

$$\overline{W} = 2\pi^2 \sqrt{\mu F} A^2 f^2$$

3.15 Deux sources S_1 et S_2 oscillent indépendamment depuis deux secondes. L'amplitude du M.H.S de la source S_1 est de 2 cm et la puissance moyenne qu'elle fournit à la corde 1 est deux fois supérieure à celle fournie par la source S_2. Si la valeur de l'énergie totale fournie par les 2 sources totalise 105 J,

   (a) Que vaut le rapport $(E_1)_{tot}/(E_2)_{tot}$?
   (b) Quelles sont les valeurs de $(E_1)_{tot}$ et de $(E_2)_{tot}$?

Si $A_1 = A_2/3$, $f_1 = f_2/4$, $\mu_1 = \mu_2/8$, $F_1 = 120$ N et $Z_2 = 15$ kg/s, alors

   (c) Quelle sont les fonctions d'onde $y_1(x,t)$ et $y_2(x,t)$?

3.16 Deux cordes de densité linéique $\mu_1 = 10$ g/cm et $\mu_2 = 20$g/cm sont reliées en $x = 0$. La corde du milieu 1 vibre à 25 Hz et sa tension est de 64 N. Sachant que l'amplitude de l'onde incidente est de 40 cm et que sa phase initiale est de $\pi/3$:

   (a) Déterminez les fonctions d'onde réfléchie et d'onde transmise ;
   (b) À $x = -1$ m dites dans quel milieu se trouve la corde ;
   (c) À $x = -1$ m et $t = 5$ s, déterminez la hauteur et la vitesse de la corde.

3.17 Deux cordes sont reliées en $x = 0$. La corde de droite, dont la tension est de 100 N, vibre à 400 Hz et son impédance est $Z_2 = 10$ kg/s. L'onde incidente (milieu 1) se propage vers la droite à vitesse de 100 m/s; son amplitude vaut 5 cm et sa phase initiale $\varphi_i = \pi/6$.

   (a) Trouvez les fonctions d'onde $y_i(x,t)$, $y_r(x,t)$ et $y_t(x,t)$;
   (b) Calculez la hauteur de la corde à $t = 2$ s et $x = -5$ m ;
   (c) Calculez les puissances moyennes W_i, W_r, et W_t.

3.18 Montrez que la valeur du coefficient en puissance T peut s'écrire de la façon suivante :

$$T = \frac{Z_2}{Z_1} t^2 = \frac{4Z_1 Z_2}{(Z_1 + Z_2)^2}$$

3.19 Effectuez le calcul des limites en (3.70).

3.20 Une source de 200 Hz fournit à la corde du milieu 1 (milieu de gauche) une puissance moyenne de 100 watts. La moitié de cette puissance est réfléchie à la jonction $x = 0$ des deux cordes. La corde du milieu 2 (milieu de droite) est plus dense que la corde du milieu 1. La tension est de 32 N et la densité $\mu_1 = 500$ g/m. La phase initiale de l'onde transmise est $\varphi_t = \pi/8$.

(a) Trouvez les fonctions d'onde $y_i(x, t)$, $y_r(x, t)$ et $y_t(x, t)$;
(b) Dites dans quel milieu se trouve la corde à $x = 1$ m ;
(c) Calculez la hauteur et la vitesse de la corde à $t = 2$ s et $x = 1$ m ;
(d) Calculez la hauteur et la vitesse de la corde à $t = 2$ s et $x = -1$ m.

3.21 Une source fonctionne depuis 15 minutes à une fréquence de 120 Hz. Elle communique à une corde de densité 400 g/m des impulsions sinusoïdales dont l'amplitude est 1 cm. Durant ce temps, la source a transmis à la corde 1000 J. Quelle longueur minimale de corde doit-on avoir pour que cette énergie puisse s'y étaler sans obstacle ?

3.22 Deux cordes vibrent respectivement selon

$$y_1(x, t) = 2\cos(10\pi t - x + \pi/4) \text{ cm}; \quad y_2(x, t) = 4\cos(15\pi t - 2x + \pi/3) \text{ cm}$$

Pour la position $x = 0$ m, déterminez :

(a) Le premier instant $t > 0$ auquel les cordes ont la même hauteur ;
(b) La hauteur correspondant à l'instant obtenu en (a) ;
(c) Le premier instant $t > 0$ auquel les cordes ont la même vitesse ;
(d) La vitesse correspondant à l'instant obtenu en (c) ;

3.23 Deux ondes se propagent le long d'une même corde selon

$$y_1(x, t) = 0,005\cos(100\pi t - 2x + \pi/4); \quad y_2(x, t) = 0,005\cos(100\pi t + 2x + 5\pi/4)$$

(a) Quelle est la fonction de l'onde résultante ?
(b) Quel nom donne-t-on à la fonction d'onde obtenue en (a) ?

3.24 Une impulsion incidente frappe un mur. Après que l'onde incidente a été réfléchie, on observe une distance internœuds de 20 cm. La tension de la corde est de 35 N, sa densité linéique de 7 g/m. Les conditions initiales du mouvement vibratoire sont les suivantes :

$$y(2,5 \text{ m}, 0 \text{ s}) = 1 \text{ mm}; \quad v_y(2,5 \text{ m}, 0 \text{ s}) = 50 \text{ cm/s}$$

Déterminez la fonction d'onde $y(x, t)$.

3.25 Deux cordes sont reliées en $x = 0$. La corde de gauche, d'impédance $Z = 18$ kg/s, est plus dense que celle de droite ($\mu_1 > \mu_2$). La hauteur de la corde de droite est donnée par la fonction suivante :

$$y(x,t) = \frac{8}{72\pi} \cos(60\pi t - 2\pi x + \pi/4) \text{ m}$$

Si l'amplitude de l'onde réfléchie est $A_r = 3/(72\pi)$ m, déterminez

(a) La hauteur de la corde de gauche en fonction de x et de t ;

(b) La fraction de la puissance incidente transmise à la corde de droite.

3.26 Deux cordes sont reliées en $x = 0$. La corde de droite vibre à 40 Hz. La densité μ_1 de la corde de gauche est telle que $\mu_1 = 3\mu_2$. L'amplitude de l'onde incidente est 5 cm et sa vitesse de propagation est de 100 m/s. La phase initiale de l'onde incidente est $\pi/3$. Calculez l'accélération de la corde en $x = -4$ m à $t = 1/80$ s.

3.27 L'impédance d'une corde est le double de celle d'une autre. En $x = 0$, on relie les deux cordes en mettant à gauche celle dont la densité est plus faible. Une source située très loin vers la gauche fait vibrer la corde à une fréquence de 100 Hz. La phase initiale de l'onde transmise vaut $\pi/3$ et l'amplitude de l'onde réfléchie est $A_r = -3/(72\pi)$ m. Dans ce contexte, déterminez

(a) La vitesse de la corde en $x = -1$ m à $t = 3$ s en fonction de k_1 ;

(b) La fraction de la puissance incidente qui est transmise.

3.28 À l'instant précis où une impulsion atteint un mur, il y a 5 minutes qu'une source fait vibrer une corde à une fréquence de 50 Hz, dont la longueur d'onde est de 2 m. Combien de nœuds pourra-t-on observer 15 secondes après que le signal a été réfléchi ?

3.29 Lorsqu'une corde vibrante augmente son mode normal de deux, ses fréquences passent de 720 Hz à 960 Hz. La tension est 20 N et $\mu = 10$ g/m.

(a) Calculez la fréquence fondamentale de vibration ;

(b) Trouvez la longueur de la corde ;

(c) Donnez la position des nœuds et des ventres en mode 3 ; esquissez-les ;

(d) Donnez la fonction d'onde en mode 3.

3.30 Une corde vibre dans un de ses modes normaux. Lorsque la vibration atteint le mode précédent, la distance entre les nœuds passe de 18 cm à 21 cm.

(a) Quels modes génèrent ces deux configurations ?

(b) Quelle est la longueur de la corde ?

(c) Quelle est la fréquence fondamentale si $F = 30$ N et $\mu = 5$ g/m ?

(d) Quelle est la position des nœuds et des ventres en mode 5 ?

(e) Quelle est la fonction d'onde en mode 5 ?

3.31 L'onde se propageant dans une corde est régie par l'équation

$$y(x,t) = \sin(2x)\sin(100\pi t + \pi/4) \text{ cm}$$

(a) Nommez ce type de fonction d'onde ;

(b) Donnez la fréquence, la longueur d'onde et la vitesse de propagation ;

(c) Trouvez le nombre de nœuds sur l'intervalle $0 \text{ m} \le x \le 4 \text{ m}$;

(d) Donnez les positions où l'amplitude est maximale sur $0 \text{ m} \le x \le 4 \text{ m}$;

(e) Déterminez l'expression de la vitesse de la corde en $x = \pi$;

(f) Calculez la vitesse de la corde en $x = 4$ m à l'instant $t = 2$ s.

3.32 Une corde de masse m et de longueur L est tendue à ses deux extrémités fixes. Comment modifier la tension F de la corde si l'on souhaite en doubler la fréquence fondamentale ?

3.33 De combien variera la fréquence fondamentale d'une corde, si l'on double sa masse, triple sa longueur et quadruple sa tension ?

3.34 On frappe l'une des extrémités d'un cylindre métallique plein de longueur L. Un observateur qui se trouve à l'autre extrémité entend deux sons : l'un provenant de l'onde propagée dans le tuyau et l'autre provenant de l'onde propagée dans l'air. Si c_a et c_m désignent les vitesses de propagation du son dans l'air et dans le métal :

(a) Exprimez le délai Δt séparant les deux sons en terme de L, c_a et c_m ;

(b) Estimez L pour $\Delta t = 1$ s si le métal est du fer.

3.35 Un son de 500 Hz se propage dans l'air dans la direction de l'axe des X positifs. Si l'amplitude de l'onde de déplacement est de 4 nm :

(a) Écrivez la fonction d'onde de déplacement des particules d'air ;

(b) Écrivez la fonction d'onde de vitesse des particules d'air ;

(c) Écrivez la fonction d'onde de différence de pression.

3.36 Le passage de véhicules motorisés sur une autoroute génère un niveau d'intensité sonore de 120 dB durant les pires heures d'achalandage. Après plusieurs plaintes des habitants du voisinage, on décide donc de construire un mur pour réduire le niveau d'intensité sonore. Le matériau utilisé pour la construction du mur a une impédance acoustique $Z = 137 \times 10^3 \text{ kg/(m}^2\text{s)}$. Quel niveau d'intensité sonore en dB devrait maintenant percevoir une personne protégée par ce mur ?

3.37 Un nombre n de machines identiques fonctionnent dans une usine. Lorsqu'une seule d'elles fonctionne, le niveau de bruit diminue de 14 dB. Si toutes les machines sont à la même distance du récepteur, quel est le nombre n de machines qui fonctionnent ?

3.38 Une onde sonore plane a une amplitude de pression de $+9$ Pa. L'onde se propage dans un milieu inconnu vers l'axe des X positifs. L'onde sonore rencontre un autre milieu d'impédance deux fois plus grande.

$$B_1 = 200 \times 10^3 \ \frac{\text{N}}{\text{m}^2}; \quad \rho_2 = 8,1 \ \frac{\text{kg}}{\text{m}^3}; \quad I_i = 100 \ \frac{\text{mW}}{\text{m}^2}; \quad f = 100 \text{ Hz}$$

Dans ce contexte, déterminez :

   (a) Les amplitudes de pression de l'onde réfléchie et de l'onde transmise ;
   (b) L'intensité sonore de l'onde réfléchie et de l'onde transmise ;
   (c) Les valeurs de W_i, W_r et W_t pour une section plane de 160 cm^2 ;
   (d) Les valeur des impédances Z_1 et Z_2 ;
   (e) Les fonctions $s_i(x,t)$, $s_r(x,t)$ et $s_t(x,t)$;
   (f) Les fonctions d'onde de pression $\Delta p_i(x,t)$, $\Delta p_r(x,t)$ et $\Delta p_t(x,t)$.

3.39 Une sonar émet dans l'eau pure. La superficie du récepteur qui capte le signal de retour est de 10 cm^2. Au voisinage du fond du lac, l'amplitude de pression du signal vaut 2 Pa. La matière constituant le fond est telle que $\rho_f = 400$ kg/m^3 et $B_f = 200 \times 10^8$ N/m^2.

   (a) Déterminez l'intensité du signal sonore réfléchi ;
   (b) Déterminez l'ordre de grandeur de la puissance captée par le récepteur.

3.40 Une personne travaillant dans la construction veut utiliser un casque protecteur pour diminuer le niveau d'intensité sonore (fig. 3.22).

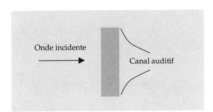

Onde incidente

Canal auditif

FIG. 3.22 Matériau coupe-son placé devant le canal auditif.

En supposant que l'environnement de travail expose la personne à des sons de 90 dB, déterminez la valeur d'impédance du matériau qui permet de réduire le niveau d'intensité sonore à 70 dB dans le canal auditif.

3.41 Un son de 1000 Hz ayant un niveau d'intensité de 120 dB est émis dans l'air au voisinage d'un plan d'eau sous une forme sinusoïdale.

   (a) Déterminez les fonctions de déplacement $s(x,t)$ pour l'air et pour l'eau.
   (b) Déterminez les fonctions de pression $\Delta p(x,t)$ pour l'air et pour l'eau.
   (c) Déterminez la vitesse maximale des particules d'eau.

3.42 Dépendamment du milieu aquatique à explorer, le sonar S illustré dans la figure 3.23 peut être réglé pour émettre : soit à 8°, soit à 20° ou soit à 60°. En plus d'être munis d'un émetteur, le sonar est doté d'un récepteur pouvant capter le signal qui est réfléchi par le fond marin.

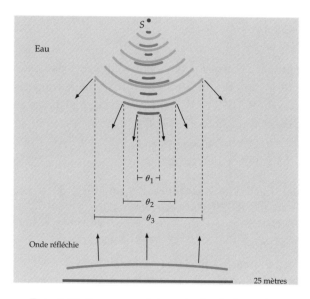

FIG. **3.23** Sonar servant à scruter les fonds marins.

Mais quel que soit l'angle d'émission utilisé, les pulsations acoustiques émises par le sonar transportent une puissance moyenne de 1500 watts. Désignons respectivement par Z_{eau} et Z_{fond} les impédances de l'eau et du matériau constituant le fond. Là où se trouve le sonar, le fond marin relativement plat est à 25 m et il est constitué d'une roche très dense. Dans ce contexte :

(a) Quelle est la valeur la plus raisonnable pour le coefficient R ?

(b) Quelle est la valeur la plus raisonnable pour le coefficient T ?

(c) Afin de pouvoir détecter le signal réfléchi par le fond marin, à quelle intensité le récepteur doit-il être sensible ?

Le sonar dépasse le cap rocheux constituant le fond marin. Afin de bien scruter le *nouveau fond* plat à 25 m, il s'avère nécessaire de régler à 20° l'angle d'émission du sonar. La valeur d'impédance de l'eau est $Z_{\text{eau}} = 14 \times 10^5$ kg/(m²s) et celle du fond marin est $Z_{\text{fond}} = 42 \times 10^5$ kg/(m²s). Dans ce contexte, calculez :

(d) La puissance du signal incident au voisinage du fond marin ;

(e) La puissance du signal réfléchi au voisinage du fond marin ;

(f) La puissance du signal transférée au fond marin ;

(g) La valeur de l'intensité à laquelle le récepteur doit être sensible pour détecter le signal qui est réfléchi par le fond marin.

3.43 Lorsque l'intensité d'une onde sonore est atténuée de moitié, de combien diminue le niveau d'intensité IL ?

3.44 À 5 m d'une source omnidirectionnelle S, on mesure un niveau d'intensité sonore IL de 40 dB. Si le milieu ambiant est l'air :

(a) Calculez la puissance d'émission de la source ;
(b) Calculez le niveau d'intensité IL à 10 mètres de la source ;
(c) Calculez la vitesse v_{max} des particules d'air à 10 mètres de la source.

3.45 Une source omnidirectionnelle localisée au point $S = (1; 4; 5)$ m émet des signaux sonores d'une puissance moyenne de 5π watts. L'intensité des signaux sonore atteignant un point B est $1/8820$ W/m^2 et en ce point, l'onde est orientée par le vecteur propagation $\mathbf{k} = [2; 3; 6]$ m^{-1}. Dans ce contexte, déterminez :

(a) La fréquence du son émis par la source ;
(b) Les coordonnées $(x_B; y_B; z_B)$ du point B.

Un observateur situé à l'origine $O = (0; 0; 0)$ voudrait décrire le mouvement vibratoire des molécules d'air sous la forme du modèle de l'onde plane. Dans ce contexte, déterminez :

(c) La fonction d'onde plane au voisinage du point B.

3.46 Un ingénieur veut estimer la puissance d'émission W d'une source sonore S omnidirectionnelle. Pour ce faire, il utilise un appareil permettant d'évaluer la différence de pression maximale produite par le passage de l'onde sonore. Au point de l'espace de coordonnées $B = (10; 14; 35)$ m, le vecteur propagation est $\mathbf{k} = [1; 4; 8]$ m^{-1} et l'appareil y enregistre une différence de pression maximale de $\sqrt{255}/18$ Pa. En éloignant l'appareil de 16 m de la source S, l'appareil enregistre alors une différence de pression maximale de $\sqrt{255}/26$ Pa. La propagation du son se fait dans des conditions atmosphériques normales. Dans ce contexte, déterminez :

(a) La puissance moyenne d'émission et la distance de la source S au point B ;
(b) Les coordonnées $(x_S; y_S; z_S)$ de position de la source S.

Un observateur situé à l'origine $O = (0; 0; 0)$ voudrait décrire le mouvement vibratoire des molécules d'air sous la forme du modèle de l'onde plane. Dans ce contexte, déterminez :

(c) La fonction d'onde plane au voisinage du point B.

3.47 Une étoile émet avec une longueur d'onde de 475 nm. Lorsqu'on l'observe de la terre, on perçoit une longueur d'onde de 700 nm.

(a) Est-ce que l'étoile s'éloigne ou s'approche de la terre ?
(b) Quelle est la vitesse de l'étoile ?

3.48 Reprenez l'exercice 3.42 dans le cas où le sonar émet ses signaux à $8°$.

3.49 Un sonar émettant à 1080 Hz se déplace vers la droite à une vitesse de 33 m/s par rapport au sol. À sa droite, une surface réfléchissante se déplace vers la gauche à une vitesse de 66 m/s par rapport au sol. Calculez la fréquence perçue par la source après la réflexion du signal.

3.50 On dispose d'un coupe-son pouvant diminuer l'intensité d'un son. Son impédance acoustique vaut $Z_s = 1000$ kg/(m²s). Pour en améliorer le pouvoir insonorisant, on pense appliquer un autre matériau sur sa surface (Fig.3.24).

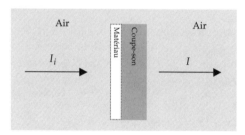

FIG. **3.24** Ajout d'un matériau sur la surface d'un coupe-son.

Selon sa densité, le matériau ajouté offre une impédance acoustique Z_m variable.

$$20 \, \frac{\text{kg}}{\text{m}^2\text{s}} \leq Z_m \leq 2000 \, \frac{\text{kg}}{\text{m}^2\text{s}}$$

En considérant la situation illustrée dans la figure 3.24, déterminez :

(a) L'expression reliant les intensités I_i et I. Exprimez votre réponse en fonction des impédances Z_a, Z_m et Z_s.

Pour un auditeur situé à droite du coupe-son, déterminez :

(b) La valeur Z_m qui réduit de moitié l'intensité sonore incidente ;

(c) La valeur Z_m qui réduit le niveau d'intensité IL sonore incident de 3 dB.

Supposons que l'impédance du matériau est $Z_m = 252$ kg/(m²s). On émet un son dont le niveau d'intensité sonore $\text{IL}_i = 100$ dB. Les intensités I_{avant} et $I_{\text{après}}$ réfèrent au son perçu par un auditeur situé à droite du coupe-son.

(d) Calculez l'intensité sonore I_{avant} avant l'ajout du matériau ;

(e) Calculez l'intensité sonore $I_{\text{après}}$ après l'ajout du matériau ;

(f) Calculez la diminution relative de l'intensité sonore.

3.51 Deux voitures A et B se déplacent à des vitesses respectives v_A et v_B. Le conducteur A perçoit le son en provenance de l'auto B à 1900 Hz, tandis que le conducteur B perçoit le son en provenance de l'auto A à une fréquence de 1200 Hz. Si les moteurs produisent des sons de fréquence $f_A = 900$ Hz et $f_B = 1200$ Hz, calculez :

(a) La vitesse à laquelle roule chaque automobiliste ;

(b) La fréquence de battement perçue par chaque conducteur.

3.52 Un sonar de 500 Hz est utilisé pour déterminer la vitesse d'approche d'un avion. On mesure une fréquence de battement de 250 Hz entre l'onde émise par le sonar et l'onde captée par le sonar. En supposant que le vecteur vitesse de l'avion demeure concourant au sonar, calculez la vitesse de l'avion.

3.53 Un observatoire d'astronomie enregistre une tache de lumière violette se déplaçant à une vitesse $0,4c$. Fait troublant, il s'agit d'une comète se dirigeant vers la terre. Pour évaluer la distance séparant la comète de la terre, un signal électromagnétique est émis de l'observatoire vers la comète ; le temps d'aller-retour enregistré est 60 s. Dans ce contexte, déterminez :

  (a) La couleur réelle de la comète (tab. 4.1) ;
  (b) La distance de la comète à l'instant où le signal de retour est capté ;
  (c) Dans combien de temps l'impact aura lieu.

3.54 Une voiture de sport dépasse un coureur à l'entraînement. Avant de se faire dépasser, le coureur perçoit une fréquence de 300 Hz. Lorsque la voiture a dépassé le coureur, celui-ci perçoit une fréquence de 220 Hz. Sachant que la vitesse du coureur est de 2 m/s, déterminez la vitesse de la voiture et la fréquence d'émission du moteur. Lorsque les mesures de fréquence sont prises, le coureur et l'auto sont sur une même ligne d'action.

3.55 Un policier émet un signal d'une fréquence de 500 GHz en direction d'un automobiliste (tab. 5.1). Deux cents nano-secondes plus tard, le radar indique une différence de fréquence $\Delta f = 100 \times 10^3$ Hz supérieure au signal initial.

  (a) Est-ce que l'automobiliste s'éloigne ou s'approche du policier ?
  (b) Si la limite de vitesse est de 120 km/h, y a-t-il matière à contravention ?
  (c) À partir de quel Δf y a-t-il matière à contravention ?
  (d) Quelle distance sépare le policier de l'automobile en temps réel ?
  (e) Après combien de temps l'auto rejoindra-t-elle le policier ?

3.56 Bien assis dans les gradins du circuit automobile *Gilles Villeneuve* de Montréal, vous assistez à une course de formule 1. Sur la portion rectiligne de piste que vous voyez, l'auto passe devant vous à une distance d (fig. 3.25). Vous estimez que la vitesse du bolide de Jacques Villeneuve est la suivante :

$$v_s(t) = \frac{100}{(1 + t^2)} \text{ m/s}$$

En considérant que l'auto est devant vous à l'instant $t = 0$ s, alors :

  (a) Déterminez l'expression du rapport f_o/f_s en fonction de t, d et c ;
  (b) Tracez le graphe du rapport f_o/f_s pour $c = 340$ m/s et $d = 10$ m ;
  (c) Calculez l'instant t auquel la fréquence f_o sera la plus grande ;
  (d) Calculez l'instant t auquel la fréquence f_o sera la plus petite ;
  (e) Calculez la fréquence perçue lorsque $t \to \infty$.

3.57 Un fan nostalgique assite de nouveau à une course automobile au circuit *Gilles Villeneuve*. Ayant choisi le même siège O que lors des courses précédentes, l'auto passe encore devant lui à une distance d (fig. 3.25).

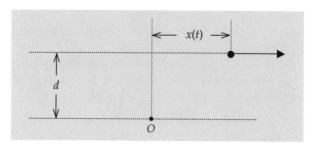

FIG. **3.25** Position du spectateur O par rapport à la portion rectiligne du circuit.

Pour le secteur de piste rectiligne se trouvant devant lui, un calcul simple l'amène à penser que la position $x(t)$ de l'automobile est donnée par la fonction suivante :

$$x(t) = 5t^2 + 50t \text{ m}$$

En supposant $d = 40$ m, déterminez :

(a) La vitesse $v_x(t)$ de l'automobile en fonction du temps t ;

(b) Le rapport f_o/f_s en fonction du temps t au point O ;

(c) Le graphe du rapport f_o/f_s pour l'intervalle $-5\,\text{s} \leq t \leq 5\,\text{s}$;

(d) La valeur maximale du rapport f_o/f_s pour l'intervalle $-5\,\text{s} \leq t \leq 5\,\text{s}$;

(e) La position de l'auto lorsque la fréquence perçue par le spectateur O est maximale.

3.58 Un signal électromagnétique est émis à la fréquence f_s d'un radar de police vers un automobiliste dont la vitesse est $v_o = v$. Après rebond sur la voiture, une différence de fréquence Δf est enregistrée par le radar. Dans ce contexte, démontrez que la vitesse v de l'automobiliste s'exprime par la relation suivante :

$$v = \frac{|\Delta f|}{2f_s + \Delta f}\,c$$

Chapitre 4

Optique géométrique

L'objet physique qu'est la « lumière » est probablement celui sur lequel les physiciens se sont le plus questionnés au cours de l'histoire des sciences. La quantité de théories, d'idées, de modèles et de questions qu'il a pu faire naître chez les scientifiques est considérable. Voici sous forme de questions quelques-unes de ces réflexions : Est-ce que la lumière constitue de la matière ? Si oui, comment y appliquer les lois de Newton ? Serait-ce plutôt une onde ? Si oui, quel est le support matériel lui permettant de se propager ? Pourrait-elle se manifester tant sous la forme d'une onde que sous la forme de matière ? Et si oui, comment une telle dualité peut-elle coexister au sein d'un même objet physique ? La chaîne d'interrogations concernant les propriétés de la lumière est tous azimuts et sans fin. L'objet de ce chapitre n'est certainement pas d'étourdir l'étudiant avec de telles questions, dont certaines, d'ailleurs, demeurent sans réponse. Bien au contraire, la multitude d'idées que soulève le questionnement de l'objet lumière va plutôt nous permettre d'enrichir les thèmes abordés dans les chapitres précédents. Voici en détail les divers points dont traite le chapitre 4.

La section 4.1 présente les différents types de milieux dans lesquels nous étudierons la propagation de la lumière. L'introduction de chaque nouveau concept fera l'objet d'une définition précise. Même si cette section est essentiellement de nature terminologique, elle n'en demeure pas moins importante. Dans la section 4.2, nous énonçons le principe de *moindre action* de Fermat servant à déterminer la trajectoire qu'emprunte une lumière émise d'une source ponctuelle S. Ce principe nous permettra de dégager deux lois qui ont cours lorsqu'un faisceau lumineux rencontre une interface plane transparente. Dans les sections 4.3 à 4.7, nous présentons les lois de l'optique dans le cadre d'interfaces transparentes possédant une courbure sphérique. Dans ces sections nous étudions comment des dispositifs optiques, tels que les dioptres, les lentilles et les miroirs, produisent une image.

Il est peut-être difficile de prime abord d'établir des liens entre un faisceau

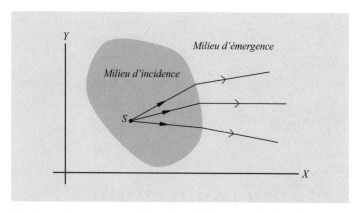

Fig. 4.1 Lorsqu'une source omnidirectionnelle émet, une infinité de faisceaux sont appelés à franchir l'interface. Dans le cadre de l'optique géométrique, une interface est le lieu de séparation entre le milieu d'incidence et le milieu d'émergence.

lumineux et une corde vibrante ; ces deux objets physiques partagent pourtant plusieurs propriétés, surtout lorsqu'ils sont analysés d'un point de vue ondulatoire. À cet égard, le lecteur attentif pourra effectivement constater que la plupart des thèmes explorés dans le chapitre 3 se retrouvent aussi dans le chapitre 4 ; et si certains mots-clés du chapitre 3 réapparaissent régulièrement dans le chapitre 4, ce n'est pas par hasard, mais bien par nécessité.

4.1   Types de milieux

Le but de cette section est de fixer la terminologie propre aux phénomènes lumineux. La figure 4.1 nous servira de point de départ pour énoncer les définitions nécessaires à leur étude.

Considérons une source ponctuelle S dans un milieu transparent dont l'étendue est finie. Le milieu dans lequel la source baigne est appelé *milieu d'incidence* et les faisceaux lumineux qui y sont émis sont appelés *faisceaux incidents*. Le milieu extérieur à l'interface est appelé *milieu d'émergence* et les faisceaux lumineux qui y sont transmis sont appelés *faisceaux émergents*. Dans certaines situations les faisceaux incidents pourraient très bien ne pas franchir l'interface. Il s'agit là d'une situation exceptionnelle où le milieu d'incidence et le milieu d'émergence sont les mêmes. La situation survient lorsque l'interface est un miroir ou, comme nous le verrons dans la section 4.2, lorsqu'il y a une *réflexion totale interne*. À présent, nous donnons deux définitions reliées aux propriétés des milieux, qu'ils soient d'incidence ou d'émergence.

On dit qu'un *milieu est homogène* si la structure de la matière le composant est régulière et uniforme, c'est-à-dire identique en tous ses points. En pratique, l'homogénéité d'un milieu va de pair avec une densité constante. Aussi, on dit

Milieu	n
Air	1,0003
Hélium	1,00003
Hydrogène	1,0001
Eau	1,333
Éthanol	1,361
Verre	1,501
Diamant	2,419

TAB. 4.2 Indices de réfraction de certaines substances mesurés à 20°C et à une fréquence $f = 509,1$ THz (jaune) provenant d'une ampoule au sodium.

les trois premiers gaz du tableau 4.2 sont considérés comme le vide, c'est-à-dire que $n_{air} \approx n_0 = 1$. Des substances chimiquement pures comme l'eau, ont un indice n relativement stable à moins qu'on y ajoute des impuretés. Un matériau comme le verre est toutefois contraint à voir son indice n varier selon sa composition chimique ; un verre teinté possède un indice n pouvant passablement différer de celui d'un verre cristallin. À moins d'avis contraire, nous utiliserons la valeur $n_{verre} = 1,5$. Dans le chapitre 7, nous verrons quelle méthode expérimentale permet de déterminer avec précision la valeur de l'indice de réfraction d'un matériau donné. Finalement, la légende du tableau 4.2 indique que la température est susceptible d'influencer la valeur de l'indice de réfraction d'un matériau. L'exemple qui suit devrait permettre d'illustrer les résultats (4.1) et (4.5).

Exemple 4.1

Un faisceau lumineux se déplaçant dans l'air avec une longueur d'onde de 532 nm passe de l'eau au verre.

    (a) Déterminez la longueur d'onde du signal dans l'eau ;

    (b) Calculez la vitesse de propagation dans l'eau ;

    (c) Déterminez la longueur d'onde du signal dans le verre ;

    (d) Calculez la vitesse de propagation dans le verre.

Solution :

Dans cet exemple, le premier milieu d'incidence est l'air et le milieu d'émergence correspondant est l'eau. En utilisant les données du tableau 4.2 et l'équation en (4.5), il s'ensuit que :

$$\lambda_t = \frac{n_i}{n_t}\lambda_i = \frac{1}{1,33} 532 \times 10^{-9} = 400 \text{ nm}$$

L'utilisation de l'équation (4.1) permet d'obtenir

$$c_t = \frac{c_0}{n_t} = \frac{3 \times 10^8}{1,33} = 2,255 \times 10^8 \text{ m/s}$$

Le deuxième milieu d'incidence est l'eau et le milieu d'émergence correspondant est le verre. En utilisant les données du tableau 4.2 et l'équation en (4.5), il s'ensuit que :

$$\lambda_t = \frac{n_i}{n_t} \lambda_i = \frac{1,33}{1,5} \, 400 \times 10^{-9} \approx 354,67 \text{ nm}$$

L'utilisation de l'équation (4.1) permet d'obtenir

$$c_t = \frac{c_0}{n_t} = \frac{3 \times 10^8}{1,5} = 2 \times 10^8 \text{ m/s}$$

À présent, nous allons étudier les types de trajectoires qu'empruntent les faisceaux lorsqu'ils frappent une interface plane.

4.2   Interface plane

Le but de la section 4.1 était d'énoncer les définitions nécessaires à l'étude plus rigoureuse de l'optique. L'auteur doit ici se confesser : la figure 4.1 est susceptible d'être fortement mensongère. En effet, cette figure laisse penser que les faisceaux lumineux incidents et émergents voyagent de façon rectiligne. Au nom de quel principe cela est-il vrai ? La réponse est simple : pour l'instant, aucun. Parfois les enseignants doivent se comporter comme les romanciers : par le biais de la fiction, ils mentent pour mieux faire ressortir le réel. Si les faisceaux lumineux ne voyagent pas de façon rectiligne, alors quelle est la géométrie de leurs trajectoires ?

Dans cette section, nous nous proposons d'apporter une réponse à cette interrogation en utilisant un principe remarquable de la physique : il s'agit du **principe de moindre action**. Pierre de Fermat (1601-1665) fut le premier à poser, en 1657, dans le cadre de l'optique géométrique, les jalons de ce principe. On sait aujourd'hui que sa formulation du principe n'était pas suffisamment précise, mais elle contenait l'essentiel d'un principe qui fut validé 200 ans plus tard. Son postulat était le suivant :

Postulat 4.1 *Parmi tous les trajets possibles menant d'un point S à un point O, la lumière emprunte celui dont le **temps** de parcours est minimal.*

L'énoncé (4.1) porte aujourd'hui le nom de **principe de Fermat**. La traduction formelle du principe (4.1) déborde largement le cadre du présent cours, car il relève de la discipline mathématique traitant du *calcul des variations*. Heureusement, à partir du postulat (4.1) nous pouvons démontrer le corollaire (4.2) qui nous sera d'un grand secours.

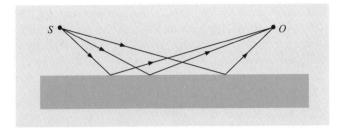

FIG. 4.3 Famille de faisceaux réfléchis à l'interface en allant de S à O. En vertu de (4.2), les portions de trajets doivent être rectilignes, le milieu incident étant homogène et isotrope. Seule la trajectoire dont le temps de parcours est minimal sera empruntée.

Corollaire 4.2 *Si une source lumineuse ponctuelle S émet dans un milieu homogène et isotrope, alors le trajet minimisant le temps de parcours est rectiligne.*

Pour amorcer l'étude de l'optique géométrique, nous allons baser notre raisonnement sur le corollaire (4.2). Les milieux considérés seront donc tous homogènes et isotropes. Pour une source ponctuelle S omnidirectionnelle, une infinité de faisceaux lumineux peuvent atteindre, en théorie, le point O par réflexion sur l'interface plane (fig. 4.3). Mais le principe de Fermat révèle que cette infinité de trajets allant de S à O n'est que virtuelle ; en réalité seule la trajectoire dont le temps de parcours est minimal sera empruntée. La figure 4.3 illustre trois trajectoires possibles. Pour identifier laquelle des trajectoires va être empruntée par la lumière, nous devons utiliser les outils de calcul relatifs à l'optimisation (*cf.* calcul différentiel). À l'aide de la figure 4.4, évaluons le temps de parcours d'une trajectoire quelconque.

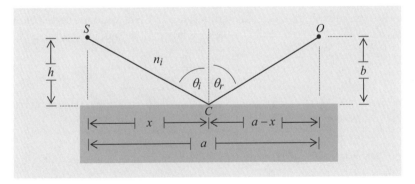

FIG. 4.4 Extraction d'un faisceau type subissant une réflexion à l'interface plane. Les coordonnées du point C de contact étant arbitraires, la position x doit donc être vue ici comme une variable.

La figure 4.4 fait intervenir deux nouveaux paramètres soient *l'angle d'inci-dence*, noté θ_i, et *l'angle de réflexion*, noté θ_r. Ces deux angles sont mesurés par rapport à la droite perpendiculaire à l'interface. Nous allons voir en quoi l'introduction de ces deux angles s'avère pertinente. Cela dit, on calcule t_{SO} le temps total de parcours pour aller de S à O par réflexion sur l'interface par la somme :

$$t_{SO} = t_{SC} + t_{CO} \tag{4.6}$$

La figure 4.4 indique que le trajet SO est la somme de la longueur des segments SC et CO. Tout au long de son trajet, le faisceau lumineux demeure dans le milieu d'incidence dont l'indice de réfraction est n_i. En vertu de (4.1), cet indice est constant ; la vitesse de propagation c_i de la lumière (4.1) l'est donc aussi. Cela dit, relions la longueur des segments SC et CO aux temps t_{SC} et t_{CO} selon :

$$SC = c_i\, t_{SC} \quad \text{et} \quad CO = c_i\, t_{CO} \tag{4.7}$$

À partir de (4.7), on peut réécrire (4.6) de la façon suivante :

$$t_{SO} = SC/c_i + CO/c_i$$

Selon la définition de l'indice de réfraction en (4.1), le temps de parcours est :

$$t_{SO} = \frac{n_i}{c_0}SC + \frac{n_i}{c_0}CO \tag{4.8}$$

La longueur des segments (fig. 4.4) de droite SC et CO sont :

$$SC = \sqrt{x^2 + h^2} \quad \text{et} \quad CO = \sqrt{(a - x)^2 + b^2} \tag{4.9}$$

En incorporant (4.9) dans (4.8), on tire :

$$t_{SO} = \frac{n_i}{c_0}\sqrt{x^2 + h^2} + \frac{n_i}{c_0}\sqrt{(a - x)^2 + b^2} \tag{4.10}$$

Seule la position x est susceptible de modifier la durée (4.10) du parcours. Toutefois, la condition $dt/dx = 0$ doit être satisfaite pour qu'il s'agisse d'un temps de parcours minimal (*cf.* calcul différentiel). Si on applique cette condition au temps t_{SO} en (4.10), on obtient (exercice laissé au lecteur) l'égalité en (4.11) :

$$\frac{x}{\sqrt{x^2 + h^2}} = \frac{a - x}{\sqrt{(a - x)^2 + b^2}} \tag{4.11}$$

Les rapports en (4.11) s'expriment en termes de fonctions trigonométriques (fig. 4.4), c'est-à-dire

$$\sin \theta_i = \sin \theta_r \tag{4.12}$$

Comme les angles θ_i et θ_r sont tous deux restreints à l'intervalle $[0; \pi/2]$, l'égalité (4.12) se réduit alors à :

$$\theta_i = \theta_r \tag{4.13}$$

Le résultat (4.13) porte l'appellation de ***loi de la réflexion***. L'idée essentielle que sous-entend (4.13) est la suivante : parmi tous les faisceaux lumineux allant de la source S au point O par réflexion à l'interface, celui dont l'angle d'incidence θ_i égale l'angle de réflexion θ_r est de temps de parcours minimal. Pour justifier que l'égalité (4.13) occasionne un temps de parcours minimal, il suffit d'utiliser la condition sur les minimums, c'est-à-dire $d^2 t_{SO}/dx^2 > 0$. En vertu de (4.10), le calcul de la dérivée seconde (exercice laissé au lecteur) est :

$$\frac{d^2 t_{SO}}{dx^2} = \frac{n_i}{c_0} \frac{h^2}{\sqrt{(x^2 + h^2)^3}} + \frac{n_i}{c_0} \frac{b^2}{\sqrt{((a - x)^2 + b^2)^3}} \tag{4.14}$$

En (4.14), on aura toujours $d^2 t/dx^2 > 0$ peu importe la valeur de x. Cela force (4.14) à être une condition de temps minimale (CQFD).

Jusqu'à présent nous avons considéré uniquement la partie du faisceau lumineux réfléchie sur l'interface plane (fig. 4.3). En réalité, lorsque l'interface est transparente, l'ensemble des faisceaux lumineux a aussi la possibilité d'être transmis (fig. 4.5). La problématique en cause est similaire à celle de la réflexion que nous venons d'analyser. En effet, en présence d'une source S omnidirectionnelle, une infinité de faisceaux lumineux sont transmis dans le milieu transparent. En traversant l'interface plane dont l'indice de réfraction n_t est différent de l'indice de réfraction n_i, laquelle des trajectoires le faisceau lumineux va-t-il emprunter ? L'utilisation du principe de Fermat permet de trouver la trajectoire de temps minimal.

La figure 4.6 fait intervenir ***l'angle de transmission***, noté θ_t. Similairement aux angles θ_i et θ_r, l'angle θ_t est défini par rapport à la droite perpendiculaire à l'interface. Pour déterminer la trajectoire empruntée par la lumière, la démarche à suivre est similaire à celle utilisée dans le cas précédent (exercice laissé au lecteur). L'étudiant peut se référer aux étapes allant de (4.6) à (4.14). Cela dit, la condition d'optimalité (exercice laissé au lecteur) pour le faisceau transmis

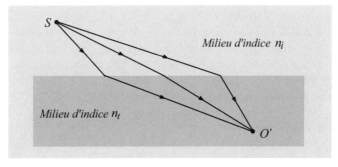

Fig. 4.5 Famille de faisceaux transmis allant de S à O'. En vertu de (4.2), les portions de trajets sont rectilignes, le milieu d'émergence étant homogène et isotrope. Seule la trajectoire dont le temps de parcours est minimal sera empruntée.

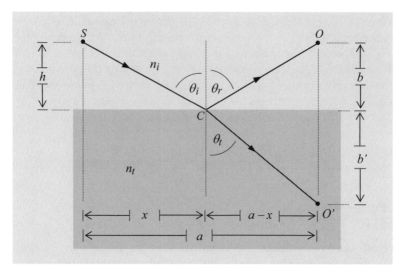

FIG. 4.6 Représentation globale du comportement de la lumière lorsqu'elle frappe une interface plane transparente ; une partie du faisceau est réfléchie et l'autre est transmise. Un faisceau type subissant une transmission a été extrait de la famille de faisceaux possibles.

est la suivante :

$$n_i \sin \theta_i = n_t \sin \theta_t \tag{4.15}$$

Le résultat (4.15) porte l'appellation de **_loi de la réfraction_**. Dans certains ouvrages de physique, il arrive aussi de voir le nom de **_loi de Snell-Descartes_** puisque, historiquement Willebrord Snell (1591-1626) et René Descartes (1596-1650), inspirés par de nombreuses expérimentations sur la lumière, ont formulé ce modèle. L'approche de Pierre de Fermat (1601-1665) fut en un certain sens innovatrice, car, à partir de considérations _a priori_ (postulat de moindre action), il est possible de fournir une description des trajectoires lumineuses tout en expliquant le fondement de ce comportement. Ainsi, en plus de parvenir à l'équation descriptive (4.15), ce type d'approche a le mérite d'aborder les phénomènes physiques sous l'angle suivant : « Pourquoi les choses fonctionnent-elles ainsi » ? Même si une approche purement expérimentale permet de déduire _a posteriori_ (4.15), soulignons qu'elle laisse généralement en suspens la question suivante : « Pourquoi les choses fonctionnent-t-elles ainsi ? ». Cet exemple simple révèle à quel point les préoccupations théoriques occupent une place primordiale dans le cadre du développement de la science. En reléguant la science à l'expérimentation seule, nous avons peu de raisons, sinon des raisons métaphysiques, de penser qu'un principe de moindre action gouverne les phénomènes. Il est d'ailleurs fort révélateur que Jean le Rond d'Alembert (1717-1783), Joseph Louis Lagrange (1736-1813) et William Rowan Hamilton (1805-

1865) aient fondé la mécanique classique sur le principe de moindre action sans recours expérimentaux et sans faire appel aux lois de Newton jusque là en vigueur. On peut démontrer aujourd'hui que la mécanique newtonienne est un cas particulier du principe de moindre action !

Le principe de moindre action est riche, car il indique une direction vers laquelle tout système physique tend ; le troisième principe de la thermodynamique, selon lequel l'entropie d'un système tend toujours à augmenter (*cf.* thermodynamique), est une autre manifestation de ce principe. Bien que nous n'ayons plus de temps à consacrer au principe de moindre action dans le cadre de ce cours, il vaut malgré tout la peine de souligner qu'il englobe plusieurs disciplines de la physique, et en ce sens, il n'est certainement pas exagéré de dire qu'il constitue un principe fondamental de la physique. Il est toutefois passablement difficile d'expliquer pourquoi les phénomènes physiques lui obéissent (exercice laissé au lecteur...). Une chose est sûre, le monde qui nous entoure ne serait pas ce qu'il est actuellement si la nature n'était pas gouvernée par le principe de moindre action. Trêve de digressions historiques et philosophiques, revenons à notre propos principal.

À présent, donnons l'interprétation géométrique du résultat (4.15), c'est-à-dire examinons de plus près les types de réfractions. Pour ce faire, considérons (4.15) sous la forme suivante :

$$\sin \theta_t = \frac{n_i}{n_t} \sin \theta_i \tag{4.16}$$

Deux situations sont possibles : $n_i < n_t$ ou $n_i > n_t$. Considérons le cas $n_i < n_t$, c'est-à-dire $n_i/n_t < 1$. Supposons qu'un faisceau lumineux passe de l'air vers l'eau avec un angle $\theta_i \in (0; \pi/2)$. Cela dit, il s'ensuit que :

$$\frac{n_i}{n_t} < 1 \quad \text{et} \quad \sin \theta_i < 1 \tag{4.17}$$

Le membre de droite de l'égalité (4.16) contient donc deux termes inférieurs à un. Or, le résultat du produit de deux nombres plus petits que un, est inférieur à chacun de ces deux nombres. Cela permet de réécrire (4.16).

$$\sin \theta_t < \sin \theta_i \tag{4.18}$$

La fonction sinus est croissante sur $(0; \pi/2)$; il s'ensuit que $\theta_t < \theta_i$ (fig. 4.7). En résumé, pour $\theta_i \in [0; \pi/2)$ si $n_i < n_t$ alors $\theta_t \leq \theta_i$. La figure 4.7 donne la représentation géométrique relative au cas $n_i < n_t$.

À présent, traitons la situation $n_i > n_t$. Supposons qu'une pièce de dix sous miroite au fond d'une piscine (fig. 4.8). Pour un observateur situé à l'extérieur de la piscine, la pièce de dix sous brillante constitue une source lumineuse. Il est opportun de mentionner que tout objet reflétant la lumière ambiante peut être considéré comme une source S omnidirectionnelle. Par un raisonnement similaire à celui menant à (4.18), on montre que (exercice laissé au lecteur) :

$$\text{si } n_i > n_t \quad \text{alors} \quad \theta_i \leq \theta_t \leq 90° \tag{4.19}$$

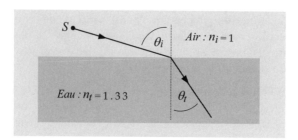

FIG. 4.7 Faisceau lumineux allant de l'air vers l'eau ($n_i < n_t$). Comparativement au faisceau incident, le faisceau émergent tend à se rapprocher davantage de la droite perpendiculaire à l'interface. Cela se traduit par l'inégalité $\theta_t \leq \theta_i$. Lorsque $\theta_i = 0$, le faisceau arrive à ***incidence normale***. Dans ce cas, et seulement dans ce cas, le faisceau lumineux n'est pas dévié à l'interface ($t = 0$).

La conséquence physique la plus importante qu'on déduit de (4.19) est la suivante : lorsque le milieu d'incidence possède un indice de réfraction plus élevé que celui du milieu d'émergence ($n_i > n_t$), il existe un angle à partir duquel le faisceau émergent va longer la surface plane de l'interface (fig. 4.8). Cet angle est appelé l'***angle critique*** ; on le note θ_c. La valeur de l'angle critique θ_c s'obtient aisément en posant $\theta_t = \pi/2$ dans (4.16). Cela dit, on obtient :

$$\theta_c = \sin^{-1}(n_t/n_i) \tag{4.20}$$

Les mots *angle critique* ont le sens suivant : tout faisceau incident admettant un angle d'incidence $\theta_i > \theta_c$ subira une ***réflexion totale*** à l'interface. La

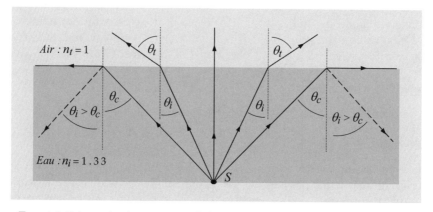

FIG. 4.8 Faisceau lumineux passant de l'eau vers l'air ($n_i > n_t$). Comparativement aux faisceaux incidents, les faisceaux émergents s'éloignent davantage de la droite perpendiculaire à l'interface. Cela est traduit par $\theta_t \geq \theta_i$. La situation illustrée en 4.8 diffère de celle présentée à la figure 4.7; si $\theta_i > \theta_c$, alors une famille de faisceaux lumineux incidents ne franchiront pas l'interface eau-air.

symétrie des trajectoires permet de constater qu'une réflexion totale à la face supérieure de l'interface plane donne alors lieu à une réflexion totale à la face inférieure, qui donne lieu à une réflexion totale à la face supérieure, et ainsi de suite. Soulignons qu'il s'agit là du principe de base permettant de conduire un signal électromagnétique à travers une fibre optique. La figure 4.8 laisse aussi entrevoir qu'il est possible qu'un observateur extérieur puisse ne pas voir le dix sous scintillant au fond de la piscine. En effet, en recouvrant d'une toile opaque la portion de surface d'eau pour laquelle l'angle $\theta_i < \theta_c$, les faisceaux lumineux ne peuvent plus être transmis : ou la toile les bloque ou ils subissent une réflexion totale. Ajoutons que la portion de surface à considérer pour produire cet effet est celle d'un disque circulaire (expliquez pourquoi).

Exemple 4.2

De l'eau flotte sur une pellicule transparente dont l'indice de réfraction est $n = 2$. La pellicule est étendue sur une plaque en verre (fig. 4.9).

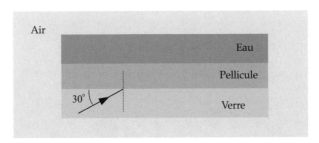

FIG. 4.9 Exemple 4.2.

Un signal se propage dans le verre avec une longueur d'onde de 600 nm. Dans ce contexte, déterminez :

(a) Les angles auxquels la lumière traversera les interfaces ;
(b) Si le faisceau va ressortir dans l'air ;
(c) La longueur d'onde du signal dans chacun des milieux.

Solution :
Dans cet exemple, le premier milieu d'incidence est le verre et le premier milieu d'émergence est la pellicule. Dans des circonstances où il y a plusieurs milieux, il est préférable de numéroter les indices de réfraction et les angles. La relation entre les milieux 1 et 2 est donnée dans l'équation suivante :

$$n_1 \sin \theta_1 = n_2 \sin \theta_2$$

Ici, $n_1 = 1,5$, $n_2 = 2$ et $\theta_1 = 60°$. On peut déterminer la valeur d'angle θ_2 par

$$\theta_2 = \sin^{-1}(n_1/n_2 \, \sin \theta_1) \approx \sin^{-1}(1,5/2 \, \sin 60°) \approx 40,51°$$

Pour les milieux 2 et 3, la relation est :

$$n_2 \sin \theta_2 = n_3 \sin \theta_3$$

Avec $n_2 = 2$, $n_3 = 1,33$ et $\theta_2 = 40,5°$, on obtient :

$$\theta_3 = \sin^{-1}(n_2/n_3 \sin\theta_2) \approx \sin^{-1}(2/1,33 \sin 40,50°) \approx 77,61°$$

Pour vérifier si le faisceau ressort dans l'air, calculons l'angle critique (4.20) :

$$\theta_c = \sin^{-1}(n_t/n_i)$$

Dans notre cas, on obtient :

$$n_i = n_3 = 1,33 \quad \text{et} \quad n_t = n_4 = 1$$

Il s'ensuit que :

$$\theta_c = \sin^{-1}(1/1,33) \approx 48,75°$$

Le faisceau lumineux ne traversera pas l'interface eau-air car

$$\theta_i = \theta_3 = 77,61° > \theta_c = 48,75°$$

Il y a donc une réflexion totale à l'interface eau-air. La figure 4.10 illustre la trajectoire de la lumière.

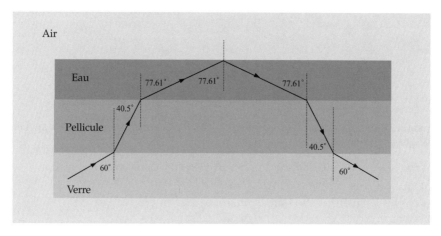

FIG. 4.10 Exemple 4.2.

Le calcul des longueurs d'onde dans chacun des milieux se fait en vertu de (4.5). Dans le verre, la lumière possède une longueur d'onde de 600 nm ; dans la pellicule la longueur d'onde est :

$$\lambda_2 = \frac{n_1}{n_2}\lambda_1 = \frac{1,5}{2} 600 \times 10^{-9} = 450 \text{ nm}$$

Dans l'eau, la longueur d'onde est :

$$\lambda_3 = \frac{n_2}{n_3}\lambda_2 = \frac{2}{1,33} 450 \times 10^{-9} \approx 676,7 \text{ nm}$$

Il est intéressant de noter que la loi de la réfraction permet de relier l'angle d'entrée à l'angle de sortie. En effet, l'utilisation répétée de (4.15) conduit à l'équation suivante :

$$n_1 \sin \theta_1 = n_2 \sin \theta_2 = n_3 \sin \theta_3 = n_4 \sin \theta_4$$

Subséquemment, on obtient :

$$n_1 \sin \theta_1 = n_4 \sin \theta_4$$

4.3   Systèmes optiques

Le but de la section 4.2 était d'étudier la géométrie des trajectoires lumineuses tant à l'extérieur qu'à l'intérieur d'une interface plane transparente. Cette étude nous a permis de comprendre l'origine des lois de la réflexion et de la réfraction. Dans les sections qui suivent, nous allons étudier le comportement de faisceaux lumineux traversant une interface incurvée. Par ordre chronologique, les quatre types de composantes optiques étudiées sont :

- le *dioptre sphérique*
- la *lentille sphérique épaisse*
- la *lentille sphérique mince*
- le *miroir sphérique*

La combinaison d'un ou de plusieurs types d'interfaces est appelée ***système optique***. Le rôle principal d'un système optique consiste à produire une image à partir d'un objet. On en attend certainement pas moins d'un appareil photo. Globalement, la problématique se présente ainsi : un objet est disposé devant un système optique ; quelle image va-t-il en former ? Cette question met en relief l'importance des mots *objet* et *image*. Qu'est-ce qu'un objet et qu'est-ce qu'une image en optique ? Les définitions (4.1) et (4.2) apportent une réponse à ces questions.

Définition 4.1 *Un **objet** est le lieu de concours des faisceaux incidents.*

Définition 4.2 *Une **image** est le lieu de concours des faisceaux émergents.*

Il y a 2 types d'objets et d'images. Les définitions (4.3) et (4.4) les distinguent.

Définition 4.3 *L'objet est réel s'il est du côté incident, sinon l'objet est virtuel.*

Définition 4.4 *L'image est réelle si elle est du côté émergent, sinon l'image est virtuelle.*

Les figures 4.11 à 4.14 illustrent la signification géométrique des mots *objet réel*, *objet virtuel*, *image réelle* et *image virtuelle*. La combinaison de ces deux types d'objets et d'images donne lieu à quatre situations. Les systèmes optiques considérés dans les figures 4.11 à 4.14 doivent être vus comme une *boîte noire* ; il n'est guère pertinent de savoir pour l'instant si ce système est composé de dioptres, de lentilles ou de miroirs.

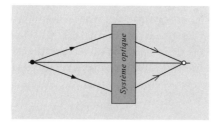

Fig. 4.11 Production d'une image réelle à partir d'un objet réel.

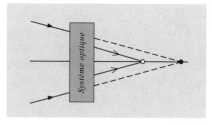

Fig. 4.12 Production d'une image réelle à partir d'un objet virtuel.

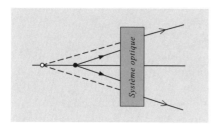

Fig. 4.13 Production d'une image virtuelle à partir d'un objet réel.

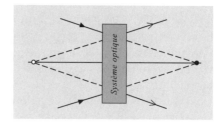

Fig. 4.14 Production d'une image virtuelle à partir d'un objet virtuel.

À ce stade de la discussion, l'important est de reconnaître quelles situations, en termes de types d'objets et d'images, peuvent survenir. Sur ces figures, la flèche en noir désigne les faisceaux incidents, et la flèche en blanc désigne les faisceaux émergents. Dans un même ordre d'idées, le point « • » indique le lieu où se trouve l'objet, et le point vide « ○ » indique le lieu où se forme l'image. À l'aide des définitions (4.1) à (4.4), il serait intéressant que l'étudiant puisse se convaincre de l'exactitude des légendes sous chacune des figures. Dans les figures 4.11 à 4.14, la ligne horizontale indique le lieu de symétrie du système optique ; autour de cet axe, tout est identique. Cette symétrie permet, entre autres, de représenter un système optique à l'aide d'une simple coupe transversale sans perdre les informations relatives à son aspect tridimensionnel. L'axe de symétrie porte le nom **d'axe optique**. Les positions *objet* et *image* sont mesurées sur cet axe. En général un système optique doit produire une image dont la taille est modifiée par rapport à celle de l'objet.

Jusqu'à présent les objets ont été réduits à un point lumineux (source ponctuelle). En réalité, un objet se compose d'un très grand nombre de sources ponctuelles. Considérons les points sources de l'objet contenus dans le plan vertical, c'est-à-dire perpendiculaire à l'axe optique (fig. 4.15). Dans ce contexte, la capacité d'un système optique à agrandir ou à réduire la taille verticale d'un objet est appelée le **grandissement transversal**. Cette quantité, sans unité, est notée g_t et elle est définie de la façon suivante :

$$g_t = h_i/h_o \qquad (4.21)$$

Le rapport en (4.21) peut être positif, négatif, supérieur ou inférieur à un. En optique géométrique, chacun de ces cas possède un sens physique bien précis.

$g_t < 0$: l'image est **inversée** par rapport à l'objet.

$g_t > 0$: l'image est du **même sens** que l'objet.

$|g_t| < 1$: l'image **réduit** la taille de l'objet.

$|g_t| > 1$: l'image **agrandit** la taille de l'objet.

À titre d'exemple, considérons la figure 4.15 où $g_t < 0$ et $|g_t| > 1$. La valeur du grandissement transversal g_t d'un système optique dépend de chacune des composantes le constituant. Toutefois, la connaissance du grandissement

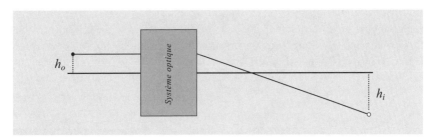

FIG. 4.15 Coupe transversale d'un objet réel de hauteur h_o situé devant un système optique. L'image réelle produite est de hauteur h_i. Le rapport h_i/h_o donne le facteur de grandissement transversal ; en termes d'image, ce rapport mesure la capacité d'un système optique à grossir ou à rapetisser verticalement un objet.

transversal de chaque composante d'un système optique permet de calculer la valeur de son grandissement total selon la formule suivante :

$$g_t = g_{t_1} \times g_{t_2} \times g_{t_3} \times \ldots \ldots \times g_{t_n} \qquad (4.22)$$

En (4.22), g_{t_i} désigne le grandissement transversal de la i-ème composante constituant le système optique. Quelques exemples suffiront à justifier pourquoi le grandissement g_t d'un système optique est obtenu par le produit des grandissements partiels. Concrètement, le grandissement transversal est une mesure utilisée dans le contexte d'images devant être projetées sur un écran. Par exemple, à partir d'une bougie placée devant un système optique composé de deux éléments, on pourrait vouloir produire sur un écran une image de même sens et 10 fois plus grande que la bougie. Dans ce contexte, le résultat (4.22) est intéressant, car il permet d'exprimer ce fait par une condition algébrique s'écrivant sous la forme $g_t = g_{t_1} \times g_{t_2} = +10$. En pratique, nous allons voir que le grandissement dépend des positions objets et images.

4.4   Dioptres sphériques

Un matériau transparent porte le nom de ***dioptre sphérique*** s'il a une surface incurvée de façon sphérique et s'il a une étendue très grande suivant son axe optique. Il y a deux types de dioptres : le ***dioptre convexe*** et le ***dioptre concave***. La différence entre chacun de ces dioptres (fig. 4.16 et 4.17) est reliée à la courbure de sa face principale. Les termes *convexe* et *concave* ne peuvent pas être définis de façon absolue. Par exemple, lorsque l'objet réel est situé à l'extérieur du dioptre (fig. 4.16), la surface apparaît incurvée vers l'avant. Si cet objet réel était situé à l'intérieur du même dioptre, la surface y apparaîtrait incurvée vers l'arrière. Ainsi, pour éviter toute ambiguïté nous adopterons la convention suivante : la surface d'une composante optique sera dite ***convexe*** ou ***concave*** par rapport à ***un objet réel situé à l'extérieur de la composante optique***. Si un signal lumineux est émis par un objet, quelle image de cet objet un dioptre va-t-il produire ? Pour répondre à cette question, considérons un dioptre convexe et un objet réel (fig. 4.18). Nous verrons que ce choix particulier de dioptre et d'objet se fait tout en préservant le caractère général de l'équation obtenue. L'objectif consiste à établir le lien entre la position objet s_o et la position image s_i. Qu'avons-nous à notre disposition pour établir ce lien ? Tout

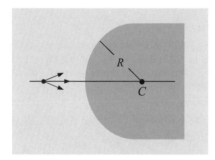

FIG. 4.16 Objet réel devant un dioptre convexe.

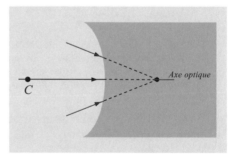

FIG. 4.17 Objet virtuel présenté à un dioptre concave.

étudiant sait que les trajectoires allant du point O au point I en passant par le point A (fig. 4.18) sont toutes deux rectilignes. De plus, bien que l'interface soit incurvée, il n'en demeure pas moins que le point A du dioptre est localement assimilable à une interface plane. Puisque tel est le cas, la loi de la réfraction est donc valide ! Cela dit, l'équation de départ sur laquelle nous allons appuyer notre raisonnement est la suivante :

$$n_i \sin \theta_i = n_t \sin \theta_t \tag{4.23}$$

À partir de (4.23) on peut déduire l'expression exacte reliant les positions s_o et s_i. Toutefois, le résultat est peu pratique à utiliser. Un résultat beaucoup plus simple peut être obtenu en considérant l'hypothèse selon laquelle les angles θ_i et θ_t sont petits. Admettons cette hypothèse. En considérant le développement en série de Taylor de la fonction sinus (*cf.* calcul différentiel), il s'ensuit que :

$$\sin \theta = \theta - \theta^3/3! + \theta^5/5! + \dots \tag{4.24}$$

En (4.24), si θ est petit alors $\sin \theta \approx \theta$. De (4.23) et (4.24), il s'ensuit que :

$$n_i \theta_i \approx n_t \theta_t \tag{4.25}$$

Les angles θ_i, θ_t, δ, β et α sont reliés entre eux (fig. 4.18) par les équations

$$\theta_i = \delta + \alpha \tag{4.26}$$

$$\delta = \theta_t + \beta \tag{4.27}$$

L'inspection de (4.26) et de (4.27) révèle que les angles α, β et δ sont aussi petits. En incorporant (4.26) et (4.27) dans (4.25), on obtient

$$n_i \alpha + n_t \beta = (n_t - n_i)\delta \tag{4.28}$$

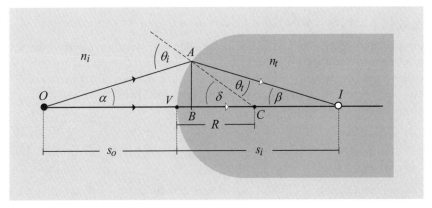

FIG. 4.18 Objet réel O devant un dioptre convexe. Comme dans le cas de l'interface plane, une trajectoire type a été extraite de la famille de faisceaux partant de O et se rendant à I par transmission. Le point C est le ***centre de courbure*** du dioptre et R son rayon. Le point V est le ***sommet*** du dioptre. La distance entre le point O et le sommet V est la ***distance objet*** s_o. La distance entre le sommet V et le point I est la ***distance image*** s_i.

Les angles α , β et δ sont reliés (fig. 4.18) à la fonction tangente.

$$\tan\alpha = AB/OB \approx AB/s_o \approx \alpha \qquad (4.29)$$

$$\tan\beta = AB/BI \approx AB/s_i \approx \beta \qquad (4.30)$$

$$\tan\delta = AB/BC \approx AB/R \approx \delta \qquad (4.31)$$

Les approximations en (4.29), en (4.30) et en (4.31) sont possibles étant donné la petitesse des angles. En incorporant les résultats allant de (4.29) à (4.31) dans (4.28), on tire :

$$\frac{n_i}{s_o} + \frac{n_t}{s_i} = \frac{(n_t - n_i)}{R} \qquad (4.32)$$

L'égalité en (4.32) est dite **équation des dioptres sphériques**. Rappelons que (4.32) est une équation approximative puisqu'elle repose sur l'hypothèse des petits angles θ_i. La démarche menant à (4.32) est-elle particulière à un objet réel et à un dioptre convexe ? Qu'arrive-t-il si l'objet est virtuel et le dioptre concave ? Quelle que soit la situation envisagée, l'équation des dioptres (4.32) demeure valide pourvu que les paramètres s_o, s_i et R respectent les conventions de signes (4.33) à (4.38). L'auteur omet la démonstration passablement technique de cette dernière proposition.

$$La\ position\ objet\ s_o > 0 \quad \Leftrightarrow \quad l'objet\ est\ réel. \qquad (4.33)$$

$$La\ position\ objet\ s_o < 0 \quad \Leftrightarrow \quad l'objet\ est\ virtuel. \qquad (4.34)$$

$$La\ position\ image\ s_i > 0 \quad \Leftrightarrow \quad l'image\ est\ réelle. \qquad (4.35)$$

$$La\ position\ image\ s_i < 0 \quad \Leftrightarrow \quad l'image\ est\ virtuelle. \qquad (4.36)$$

$$Le\ rayon\ de\ courbure\ R > 0 \quad \Leftrightarrow \quad C\ est\ du\ côté\ émergent. \qquad (4.37)$$

$$Le\ rayon\ de\ courbure\ R < 0 \quad \Leftrightarrow \quad C\ n'est\ pas\ du\ côté\ émergent. \qquad (4.38)$$

Bien qu'elle soit introduite dans le contexte de l'analyse d'un dioptre sphérique, les conventions seront aussi valides pour toutes les autres composantes optiques : lentilles épaisses, lentilles minces et miroirs. En considérant l'hypothèse des petits angles, on peut démontrer que le grandissement transversal pour un dioptre sphérique est donné par l'équation suivante :

$$g_t = -\frac{n_i\, s_i}{n_t\, s_o} \qquad (4.39)$$

La démonstration de (4.39) s'inspire d'une démarche similaire à celle mise en oeuvre pour obtenir le résultat (4.32).

Exemple 4.3

Des faisceaux incidents se déplaçant dans l'air vers la droite, se dirigent vers un dioptre convexe en verre de rayon de courbure $|R| = 15$ cm. Pour chacune des situations indiquées, trouvez le type d'image que va former ce dioptre.

(a) Les faisceaux incidents forment un objet réel à 20 cm du dioptre ;

(b) Les faisceaux incidents forment un objet virtuel à 20 cm du dioptre.

Solution :

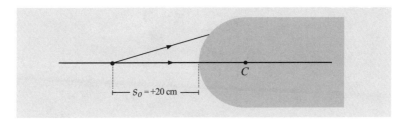

FIG. **4.19** Exemple 4.3.

En (a), la situation s'illustre comme suit (fig. 4.19). Le milieu d'incidence est l'air et le milieu d'émergence est le verre ($n_t = 1,5$). Puisque l'objet est réel, il s'ensuit que $s_o = +20$ cm. Le centre de courbure C étant du côté d'émergence alors $R = +15$ cm. Cela dit, de (4.32) il s'ensuit que :

$$1/20 + 1,5/s_i = (1,5 - 1)/15.$$

Après le calcul, on trouve $s_i = -90$ cm. L'image produite s'illustre ainsi (fig. 4.20). Le signe négatif indique ici qu'il s'agit d'une *image virtuelle*. Par conséquent, le point de rencontre des faisceaux émergents n'est pas du côté d'émergence (4.4). Dans ce cas, le lieu de formation de l'image s'obtient par la prolongation, vers la gauche, des faisceaux émergents (fig. 4.20). Le calcul du

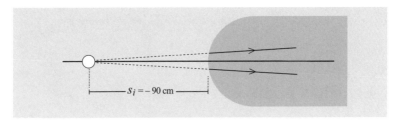

FIG. **4.20** Exemple 4.3.

grandissement transversal s'obtient par (4.39).

$$g_t = -n_i\, s_i/n_t\, s_o = -(1 \times -90)/(1,5 \times 20) = 3$$

L'image produite est donc trois fois plus grande que l'objet et de même sens. En (b), l'objet est virtuel. Dans ce cas, le point de rencontre des faisceaux incidents n'est pas du côté d'incidence (4.3). La situation est illustrée à la figure 4.21. Le milieu d'incidence est l'air et le milieu d'émergence est le verre. Puisque l'objet est virtuel, il s'ensuit que $s_o = -20$ cm. De (4.32), il découle :

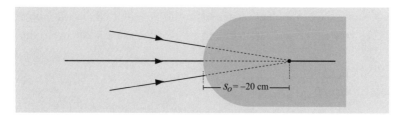

FIG. 4.21 Exemple 4.3.

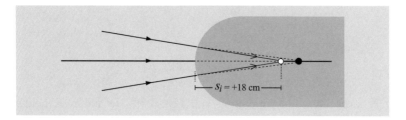

FIG. 4.22 Exemple 4.3.

$$-1/20 + 1,5/s_i = (1,5 - 1)/15$$

Après le calcul, $s_i = +18$ cm. L'image produite se représente ainsi (fig. 4.22).

L'*image est réelle*. Dans ce cas, le lieu de formation de l'image s'obtient par la prolongation vers la droite des faisceaux émergents (fig. 4.22). En vertu de (4.39), le grandissement transversal s'obtient par les égalités :

$$g_t = -n_i\,s_i/n_t\,s_o = -(1 \times 18)/(1,5 \times -20) = 0,6$$

L'image produite est donc plus petite que l'objet et de même sens.

4.5   Lentilles épaisses

Dans la présente section, nous présenterons les caractéristiques de la lentille épaisse. Une **lentille sphérique est dite épaisse** lorsque la distance d entre ses deux sommets V_1 et V_2 n'est pas négligeable par rapport à la valeur des rayons de courbure R_1 et R_2 (fig. 4.23). Les problèmes suggérés à la fin du chapitre respectent les conventions suivantes : l'indice 1 fait référence à la première face que rencontre le faisceau lumineux, tandis que l'indice 2 fait référence à la deuxième face que rencontre le faisceau. L'expression *lentille concave-convexe* réfère à une lentille dont la face gauche est concave et dont la face droite est convexe. Dans ce type d'expression, l'ordre de lecture prévaut. Pour éviter toute ambiguïté, les indices G et D désigneront respectivement la *gauche* et la *droite* de la lentille. Par exemple, $R_G = 25$ et $R_D = 100$ signifient que la face gauche de la lentille a un rayon de 25 et que la face droite de la lentille a un rayon de 100. Ces conventions sont importantes à retenir.

Cela dit, nous devons maintenant expliquer la manière dont un signal lumineux est transmis par une lentille épaisse. De façon surprenante, l'utilisation de la théorie portant sur la transmission d'un signal lumineux par un dioptre va nous permettre de répondre à cette question en deux étapes. En effet, une lentille épaisse peut être conçue comme une combinaison de dioptres successifs. À cet égard, les exemples qui suivent sont fort instructifs. Ils indiquent comment analyser un signal lumineux lorsque celui-ci rencontre plusieurs composantes optiques tout en apportant à l'étudiant une méthodologie qu'il pourra appliquer dans le cadre plus général des systèmes optiques. L'étudiant doit donc leur porter une attention particulière.

La résolution du prochain exemple a deux objectifs : montrer comment concevoir une lentille épaisse par l'intermédiaire de deux dioptres successifs pour pouvoir par la suite transposer la méthode au cas plus général des systèmes optiques. La théorie présentée sur les dioptres permet de résoudre l'exemple 4.4.

Exemple 4.4

Déterminez les caractéristiques de l'image formée par une lentille biconvexe en verre d'épaisseur $d = 30$ cm lorsqu'on lui présente un objet réel à 40 cm à gauche du sommet V_1. Les rayons sont les suivants : $|R_G| = 5$ cm et $|R_D| = 20$ cm.

Solution :

Conformément aux conventions établies (fig. 4.23), le contexte optique initial est le suivant (fig. 4.24).

Considérons la première composante optique rencontrée par le faisceau lumineux sous la forme d'un dioptre (fig. 4.25).

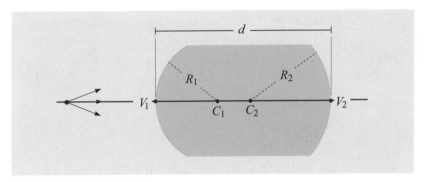

FIG. 4.23 Objet réel devant une lentille épaisse biconvexe. Les centres de courbure C_1 et C_2 correspondent respectivement aux faces d'entrée et de sortie de la lentille. La principale caractéristique des lentilles épaisses est la suivante : la distance d séparant les sommets V_1 et V_2 y est du même ordre de grandeur que les rayons de courbure R_1 et R_2.

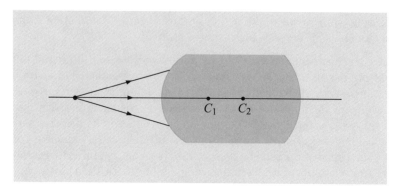

FIG. 4.24 Exemple 4.4.

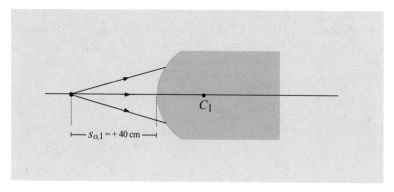

FIG. 4.25 Exemple 4.4.

L'utilisation des indices « $o, 1$ » et « $i, 1$ » pour identifier les positions objet et image s'avère pertinente quand il y plus d'une composante optique, c'est-à-dire :

– $s_{o,1}$ désigne la position de l'objet présenté à la première composante optique,
– $s_{i,1}$ désigne la position de l'image crée par la première composante optique,
– $s_{o,2}$ désigne la position de l'objet présenté à la deuxième composante optique,

et ainsi de suite. Le milieu d'incidence est l'air ($n_i = 1$) et le milieu d'émergence est le verre ($n_t = 1, 5$). Puisque l'objet est réel,

$$s_{o,1} = +40 \text{ cm}$$

Le centre de courbure C_1 étant du côté d'émergence, $R_1 = +5$ cm. De (4.32), on dégage l'information suivante :

$$1/40 + 1,5/s_{i,1} = (1, 5 - 1)/5$$

Après le calcul, on trouve

$$s_{i,1} = +20 \text{ cm}$$

Le signe positif indique qu'il s'agit d'une image réelle. L'image produite par la première face de la lentille est donc du côté d'émergence (fig. 4.26).

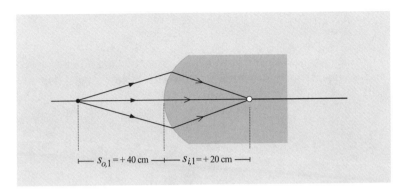

FIG. 4.26 Exemple 4.4.

Les faisceaux produisant l'image vont poursuivre leur trajectoire rectiligne, puis atteindre la face droite de la lentille, pour finalement ressortir dans l'air (fig. 4.27). Dans ce contexte, les faisceaux traversant la face gauche de la lentille

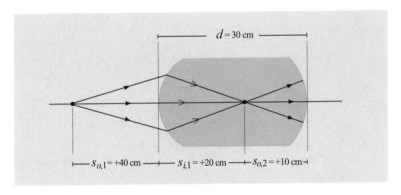

FIG. 4.27 Exemple 4.4.

deviennent, pour la face droite, de nouveaux faisceaux incidents traversant le verre. Pour la face droite de la lentille, le milieu d'incidence est le verre et le milieu d'émergence est l'air ($n_t = n_{air}$). Le point de rencontre des *nouveaux* faisceaux incidents est du côté du *nouveau* milieu d'incidence, soit le verre. En résumé, la première image produite doit être interprétée de la façon suivante : *l'image réelle produite par la face gauche de la lentille est interprétée, du point de vue de la face droite, comme un objet réel* situé à une distance

$$s_{o,2} = +10 \text{ cm}$$

du sommet V_2. Le centre C_2 n'est pas du côté d'émergence, $R_2 = -20$ cm. Cela dit, on obtient donc que :

$$1,5/10 + 1/s_{i,2} = (1 - 1,5)/(-20)$$

Après le calcul, on trouve

$$s_{i,2} = -8 \text{ cm}$$

Le signe négatif indique qu'il s'agit d'une image virtuelle. Le point de rencontre des faisceaux émergents n'est donc pas du côté d'émergence (fig. 4.28). Le

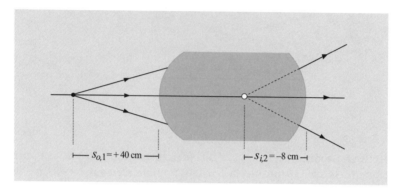

$$\vdash S_{o,1} = +40 \text{ cm} \dashv \qquad\qquad \vdash S_{i,2} = -8 \text{ cm} \dashv$$

FIG. 4.28 Exemple 4.4.

grandissement total est donc le suivant :

$$g_t = g_{t_1} \times g_{t_2} = \left(-\frac{n_{i,1}\, s_{i,1}}{n_{t,1}\, s_{o,1}} \right)\left(-\frac{n_{i,2}\, s_{i,2}}{n_{t,2}\, s_{o,2}} \right)$$

$$g_t = \left(-\frac{1 \times 20}{1,5 \times 40} \right)\left(-\frac{1,5 \times (-8)}{1 \times 10} \right) = -2/5$$

Le résultat $g_t = -2/5$ nous signale que l'image produite est inversée et plus petite que l'objet. La figure 4.28 illustre la transmission complète du signal lumineux incident.

Exemple 4.5

Une lentille concave-convexe de verre ($|\,R_G\,| = 5$ cm, $|\,R_D\,| = 10$ cm) a 30 cm d'épaisseur. Déterminez la position de l'image formée par cette lentille si on lui présente un objet réel à 40 cm à sa gauche.

Solution : L'énoncé permet de visualiser le montage principal (fig. 4.29). Cela dit, on dégage les données suivantes :

$$n_i = 1 \quad n_t = 1,5 \quad R_1 = -5 \text{ cm} \quad s_{o,1} = +40 \text{ cm}$$

En vertu de (4.32), il s'ensuit que $s_{i,1} = -12$ cm. Comme il s'agit d'une image virtuelle, celle-ci ne se situe pas du côté du milieu d'émergence. Cela dit, pour la face droite de la lentille, le calcul se poursuit en considérant que :

$$n_i = 1,5 \quad n_t = 1 \quad R_2 = -10 \text{ cm} \quad s_{o,2} = +42 \text{ cm}$$

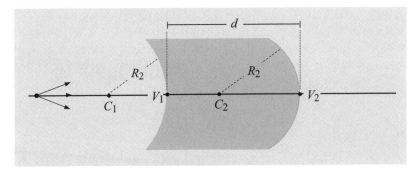

FIG. 4.29 Exemple 4.5.

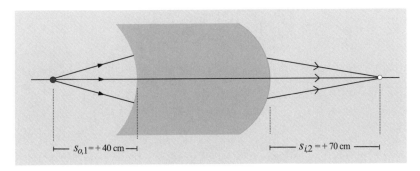

FIG. 4.30 Exemple 4.5.

De l'équation des dioptres (4.32), il s'ensuit que $s_{i,2} = +70$ cm. Comme l'image est réelle, l'image est située à 70 cm à droite du sommet V_2. La figure 4.30 illustre la transmission des faisceaux lumineux incidents par la lentille épaisse.

4.6 Lentilles minces

Pour des raisons de conception (coût, espacement restreint, légèreté, etc.), il est fréquent de devoir fabriquer des lentilles dont l'épaisseur d est négligeable vis-à-vis de la valeur des rayons de courbure R_1 et R_2. Par opposition à la lentille épaisse, *une lentille est dite mince* lorsque son épaisseur d est négligeable par rapport à la valeur des rayons de courbure R_1 et R_2. Typiquement, une lentille mince a une épaisseur d d'environ 5 mm et des rayons de courbure R_1 et R_2 d'environ 20 cm. Dans le cas des lentilles minces comme des lentilles épaisses, il est possible de déterminer la position image en utilisant successivement l'équation des dioptres. Toutefois, il est plus courant d'associer aux lentilles minces l'équation (4.40). La démonstration de (4.40) se fait en trois étapes. Tout d'abord on applique l'équation des dioptres à chaque face de la lentille épaisse (fig. 4.23). Cela nous conduit à deux équations. La mise en évidence du terme commun $s_{i,1}$ permet ensuite d'obtenir une autre équation qui relie $s_{o,1}$ et $s_{i,2}$ et dans laquelle l'épaisseur d apparaît. Finalement, si cette épaisseur d est négligeable, on obtient l'égalité suivante : (exercice laissé au lecteur)

$$\frac{1}{s_o} + \frac{1}{s_i} = \frac{1}{f} \qquad (4.40)$$

L'égalité (4.40) fait apparaître un nouveau terme : la **distance focale** f, dont la valeur s'obtient au moyen de l'équation qui suit :

$$\frac{1}{f} = (\frac{n_\ell}{n_a} - 1)\left(\frac{1}{R_1} - \frac{1}{R_2}\right) \qquad (4.41)$$

Le grandissement transversal g_t d'une lentille mince est le suivant :

$$g_t = -\frac{s_i}{s_o} \qquad (4.42)$$

En (4.41), n_ℓ et n_a désignent respectivement les indices de réfraction de la lentille et du milieu ambiant. Les conventions de signe en (4.40) et (4.41) sont identiques à celles employées dans le cas des lentilles épaisses. De plus, tout comme les lentilles épaisses, les lentilles minces peuvent être biconvexes, biconcaves, convexes-planes, convaves-convexes, etc. La figure (4.31) illustre les quatre types de lentilles mentionnés précédemment par des schémas simplifiés. La distance focale f d'une lentille mince biconvexe est toujours **positive** et celle

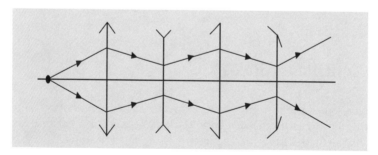

FIG. 4.31 Faisceaux lumineux traversant quatre lentilles minces possibles. Pour le système optique illustré, vérifiez les affirmations suivantes : la lentille biconvexe admet $R_1 > 0$ et $R_2 < 0$, la lentille biconcave admet $R_1 < 0$ et $R_2 > 0$, la lentille convexe-plane admet $R_1 > 0$ et $R_2 \to \infty$, et la lentille concave-convexe admet $R_1 < 0$ et $R_2 < 0$.

d'une lentille mince biconcave est toujours **négative**. En supposant que $n_\ell > n_a$, le lecteur peut vérifier ces affirmations à l'aide de l'équation (4.41). Pour se convaincre des propriétés de convergence de la lentille biconvexe, l'expérience la plus simple consiste à braquer une loupe vers le soleil. Les faisceaux lumineux en provenance du soleil (le soleil est vu ici comme une source ponctuelle très éloignée) arriveront quasi parallèlement à l'axe optique de la loupe (fig. 4.32). Les faisceaux convergeront alors vers le point focal image F_i en y produisant une *image* d'une intensité lumineuse suffisamment grande pour enflammer la feuille sur laquelle on la projette. Pour cette raison, les lentilles biconvexes portent aussi le nom de ***lentilles convergentes***. Notons que dans le présent contexte, le mot image a été mis en italique, car le calcul du grandissement transversal au moyen de l'équation (4.42) indique que l'image produite est alors de hauteur $h_i = 0$. Ce résultat est inexact pour un objet dont la taille h_o demeure appréciable, même si celui-ci est situé très loin.

Un raisonnement similaire permet d'expliquer pourquoi les lentilles biconcaves portent aussi le nom de ***lentilles divergentes*** (fig. 4.34 et fig. 4.35). Voyons comment s'interprète la distance focale f d'une composante optique. Pour ce faire, considérons une lentille mince biconvexe. Supposons qu'on présente à cette lentille un objet, réel ou virtuel, situé très loin, c'est-à-dire supposons que $s_o \rightarrow \pm\infty$. La conséquence géométrique découlant de l'hypothèse $s_o \rightarrow \pm\infty$ est la suivante : des faisceaux lumineux émis par un objet situé très loin parviennent à la lentille parallèlement à l'axe optique (fig. 4.32). Cela dit, en vertu de (4.40) et de (4.41), si $s_o \rightarrow \pm\infty$, il s'ensuit que :

$$\frac{1}{\pm\infty} + \frac{1}{s_i} = \frac{1}{f} \Rightarrow s_i = f_i = f$$

En bref, des faisceaux lumineux cheminant parallèlement à l'axe optique seront transmis de telle sorte qu'ils concourront vers le ***point focal image*** F_i, ce point étant à une distance $f_i = f$ de la lentille. La distance f_i est appelée la ***distance focale image*** (fig. 4.32). Dans le même ordre d'idées, on peut se demander où placer un objet pour que l'image se forme à l'infini. Ce cas consiste à supposer

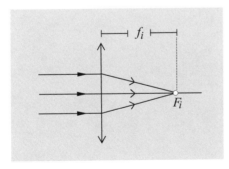

FIG. 4.32 Faisceaux parallèles parvenant à une lentille mince et passant par le foyer image F_i situé à une distance focale f de la lentille.

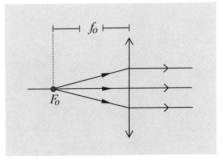

FIG. 4.33 Objet réel au foyer objet F_o situé à une distance focale f de la lentille. À la sortie les faisceaux sont horizontaux.

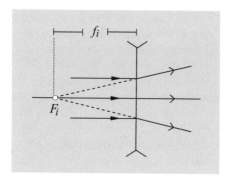

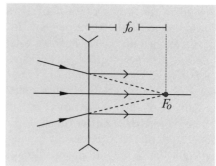

FIG. 4.34 Faisceaux parallèles parvenant à une lentille mince et passant par le foyer image F_i situé à une
distance focale f de la lentille.

FIG. 4.35 Objet virtuel au foyer
objet F_o situé à une distance focale f
de la lentille. À la sortie les faisceaux
sont horizontaux.

que $s_i \to \pm\infty$ dans l'équation (4.40). Similairement au cas précédent,

$$\frac{1}{s_o} + \frac{1}{\pm\infty} = \frac{1}{f} \Rightarrow s_o = f_o = f$$

En bref, une lentille peut produire une *image* très éloignée si on place un objet
au ***point focal objet*** F_o ; ce point étant à une distance $f_o = f$ de la lentille. La
distance f_o est appelée la ***distance focale objet*** (fig. 4.33). On peut résumer les
deux cas présentés ci-dessus par l'exemple suivant. En plaçant une bougie très
loin $(s_o \to +\infty)$ d'une lentille mince biconvexe, de distance focale $f = +20$ cm,
on obtient une *image* située à $s_i = f = +20$ cm de la lentille. Si on dispose la
bougie (objet réel) à une distance $s_o = f = +20$ cm de la lentille, on obtient
alors une position image $s_i = +\infty$.

Exemple 4.6

Une lentille biconcave de distance focale $|f| = 60$ mm est située à 120 mm à gauche d'une autre lentille mince convexe-plane en verre de rayon de courbure $|R_G| = 60$ mm. Déterminez la nature de l'image produite par ce système optique, si un autre système optique lui présente un objet réel à 180 mm à gauche de la lentille biconcave. La hauteur de l'objet est 10 mm.

Solution : D'après les données du problème, le signal lumineux produit par le système optique inconnu doit se déplacer vers la droite et produire une image réelle à 180 mm à gauche de la lentille biconcave ; cette image devient alors un objet réel (fig. 4.36) pour le système optique connu. Le signal lumineux

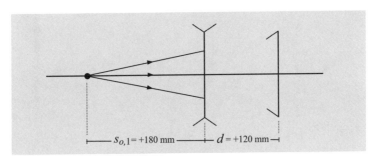

FIG. 4.36 Exemple 4.6.

atteint tout d'abord la lentille biconcave de distance focale f négative. Pour cette lentille, l'objet est réel, d'où $s_{o,1} = +180$ mm. En vertu de (4.40), la position image $s_{i,1}$ s'obtient de la façon suivante :

$$1/180 + 1/s_{i,1} = 1/(-60)$$

Après le calcul, on trouve $s_{i,1} = -45$ mm. L'image produite est donc virtuelle. Pour la lentille convexe-plane, l'image virtuelle sera interprétée comme un objet réel (expliquez pourquoi) localisé à la gauche de la lentille convexe-plane. Cela dit, $s_{o,2} = 45 + 120 = +165$ mm. La distance focale de la lentille est :

$$\frac{1}{f} = \left(\frac{1,5}{1} - 1\right)\left(\frac{1}{60} - \frac{1}{\infty}\right) = 1/120 \text{ mm}$$

Cela dit, la position image $s_{i,2}$ s'obtient par l'équation suivante :

$$1/165 + 1/s_{i,2} = 1/120$$

Après le calcul, on trouve $s_{i,2} = +440$ mm. L'image finale produite est réelle et le grandissement total est le suivant :

$$g_t = g_{t_1} \times g_{t_2} = (-s_{i,1}/s_{o,1}) \times (-s_{i,2}/s_{o,2}) = (-45/180) \times (440/165) = -2/3$$

Le résultat $g_t = -2/3$ indique une image finale inversée et plus petite que l'objet réel. Si la hauteur de l'objet est 10 mm, alors la hauteur de l'image est $20/3$ mm.

4.7   Miroirs sphériques

Il y a une composante optique, pourtant fort importante, dont nous n'avons pas encore discuté. Il s'agit du miroir. Dans le cadre de ce cours, nous étudierons principalement les miroirs dont la surface est incurvée selon une sphère, les miroirs plans étant un cas particulier où le rayon de la sphère tend vers l'infini. Il y a trois types de miroirs sphériques : le **miroir convexe**, le **miroir concave** et le **miroir plan**. Leur représentation schématique sont données dans les figures 4.37, 4.38 et 4.39.

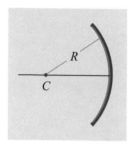

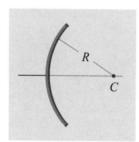

FIG. 4.37 Miroir concave.

FIG. 4.38 Miroir convexe.

FIG. 4.39 Miroir plan.

La particularité optique d'un miroir est de refléter tous les faisceaux lumineux incidents. Dans les figures 4.37, 4.38 et 4.39, les zones noires désignent la face ne laissant pas passer la lumière. Ainsi, puisque la lumière incidente à un miroir est totalement réfléchie, on en conclut que le milieu d'incidence et le milieu d'émergence sont les mêmes. Il s'agit là d'une différence notable entre les miroirs et les autres composantes optiques. L'utilisation de la loi de réflexion $\theta_i = \theta_r$ et de l'hypothèse de petitesse de l'angle θ_i permet de démontrer que les relations en (4.40) et en (4.42) demeurent valides pour les miroirs sphériques. La démarche permettant la démonstration est similaire à celle menant à (4.32) (exercice laissé au lecteur). Toutefois, une petite différence subsiste. Pour les miroirs, la distance focale f s'obtient selon l'égalité suivante :

$$f = R/2 \tag{4.43}$$

Ainsi, pour un miroir sphérique, l'équation (4.43) révèle que les distances focales f_i et f_o sont égales et situées à mi-chemin du centre de courbure C et du miroir, soit à une distance $R/2$ du sommet du miroir (fig. 4.40 et 4.41). Mentionnons en passant que les figures 4.40 et 4.41 illustrent aussi le **principe de réversibilité** des trajectoires optiques.

À ce stade, il est opportun d'indiquer comment localiser graphiquement le lieu de formation de l'image à l'aide des **faisceaux principaux**. Jusqu'à présent, nous avons vu qu'un faisceau émis parallèlement à l'axe optique passe par le

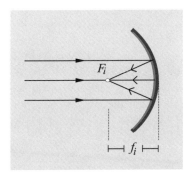

FIG. 4.40 Des faisceaux cheminant parallèlement à l'axe optique seront réfléchis à la focale image, située à la distance $f = R/2$ du sommet du miroir.

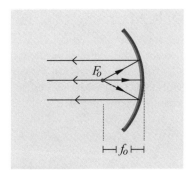

FIG. 4.41 Des faisceaux passant par la focale objet, située à la distance $f = R/2$ du sommet du miroir, sont réfléchis parallèlement à l'axe optique.

point focal image F_i. D'autre part, tout étudiant sait qu'un faisceau passant par le centre de courbure C sera réfléchi au miroir et repassera par le point C (expliquez pourquoi). Pour identifier graphiquement le lieu de formation de l'image, il suffit de tracer ces deux faisceaux principaux à partir d'un point de source de l'objet. La figure 4.42 en illustre le procédé. Il est clair que le même procédé peut être utilisé pour les dioptres et aussi, par extension, pour les lentilles épaisses. En ce qui a trait aux lentilles minces, il suffit de substituer le faisceau principal passant par le centre de courbure C, au faisceau principal passant par le centre O de la lentille; les faisceaux incidents orientés vers ce point O n'y sont pas déviés en traversant la lentille. En conclusion, voici un exemple faisant intervenir simultanément toutes les composantes optiques présentées depuis le début du chapitre 4.

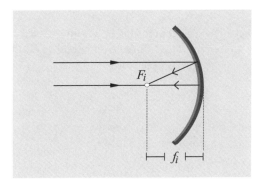

FIG. 4.42 Lieu de formation de l'image par le tracé de deux faisceaux principaux.

Exemple 4.7

Considérons une lentille concave-convexe de verre d'épaisseur $d = 50$ cm et de rayon de courbure $|R_G| = 25$ cm et $|R_D| = 100$ cm. À 10 cm à droite de cette lentille, on dispose un miroir concave de rayon $|R| = 55$ cm (fig. 4.43). Déterminez les caractéristiques de l'image formée par ce système optique si on lui présente un objet réel à 100 cm à gauche de la lentille.

Solution :

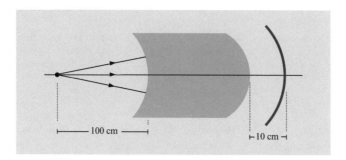

FIG. 4.43 Exemple 4.7.

Le montage optique initial à considérer est illustré à la figure 4.43. Le signal va passer à travers la lentille épaisse, être réfléchi par le miroir, repasser à travers la lentille et finalement ressortir dans l'air. Le signal lumineux rencontre donc cinq interfaces qu'il faudra traiter l'une après l'autre. La première interface rencontrée par les faisceaux lumineux est concave et elle est de verre. De l'équation (4.32) des dioptres, il s'ensuit que :

$$s_{i,1} = -50 \text{ cm}$$

L'image produite est située à gauche de la première face concave (expliquez pourquoi). Pour la deuxième face, l'image virtuelle produite sera interprétée comme un objet réel localisé à la position

$$s_{o,2} = 50 + 50 = +100 \text{ cm}$$

Les nouveaux milieux d'incidence et d'émergence sont respectivement le verre et l'air. De l'équation des dioptres, il résulte que :

$$s_{i,2} = -100 \text{ cm}$$

L'image produite est située à gauche de la deuxième face concave (expliquez pourquoi). La troisième interface rencontrée est le miroir concave. Pour ce miroir concave, l'image virtuelle produite devient un objet réel localisé à

$$s_{o,3} = 10 + 100 = +110 \text{ cm}$$

Le rayon de courbure R du miroir est positif, le centre de courbure C étant du côté d'émergence. De l'équation (4.40) des miroirs, il s'ensuit que :

$$s_{i,3} = +110/3$$

L'image produite est réelle. Le point de rencontre des faisceaux émergents est donc du côté d'émergence. Cela dit, l'image produite est donc située à gauche du miroir concave. Pour la face en verre convexe, l'image réelle produite devient un objet virtuel localisé à

$$s_{o,4} = -(110/3 - 10) = -80/3 \text{ cm}$$

Ici, le milieu d'incidence en jeu est l'air et le milieu d'émergence est le verre. De plus, le rayon R est positif, le centre de courbure C étant du côté d'émergence. De l'équation (4.32) des dioptres, il s'ensuit que :

$$s_{i,4} = +600/17$$

L'image produite est réelle. Le point de rencontre des faisceaux émergents est donc du côté d'émergence. Cela dit, l'image produite est donc située à gauche de la face convexe. Finalement, la dernière interface rencontrée est en verre. Pour cette face, l'image réelle produite précédemment sera interprétée comme un objet réel localisé à

$$s_{o,5} = (50 - 600/17) = 250/17 \text{ cm}$$

Le milieu d'incidence en jeu est le verre et le milieu d'émergence est l'air. De l'équation (4.28) des dioptres, il s'ensuit que :

$$s_{i,5} = -500/61 \approx -8,2 \text{ cm}$$

L'image finale produite est virtuelle. Le point de rencontre des faisceaux émergents n'est donc pas du côté d'émergence. L'image finale produite est donc située à droite de la face concave. Le calcul du grandissement total est laissé aux soins de l'étudiant.

4.8   Synthèse du chapitre 4

En optique géométrique, l'*indice de réfraction* n d'un *milieu transparent* indique le niveau de résistance offert par le milieu au passage de la lumière. Celui-ci est défini par la relation $n(f) = c_0/c(f)$ où c_0 est la vitesse de la lumière dans le vide et $c(f)$ est la vitesse effective du signal de fréquence f. Si un faisceau de lumière *monochromatique* se propage dans un matériau *homogène*, *isotrope* et dont la température est constante, alors l'indice n devient une constante et le parcours optique emprunté par la lumière est rectiligne. La fréquence d'un signal incident qui frappe une interface n'est pas modifiée malgré que la *longueur d'onde transmise* le soit ($\lambda_t = n_i\,\lambda_i/n_t$). L'utilisation du *principe de moindre action* de Fermat, permet de déterminer la trajectoire des faisceaux émis par une source ponctuelle S *avant* qu'ils aient frappé une interface et *après* l'avoir frappée. Si l'*interface est plane*, l'utilisation du principe de moindre action conduit aux résultats suivants :

$$\theta_i = \theta_r; \quad n_i \sin\theta_i = n_t \sin\theta_t; \quad \sin\theta_c = n_t/n_i; \quad s_i = -(n_t \cos\theta_t)/(n_i \cos\theta_i)\,s_o$$

La première égalité est appelée *loi de la réflexion* et la seconde égalité est appelée *loi de la réfraction*. La troisième égalité rappelle que le faisceau lumineux ne franchira plus l'interface dans certaines circonstances c'est-à-dire dès que l'angle d'incidence θ_i dépassera l'*angle critique* θ_c. On dit alors que le signal subit une *réflexion totale interne*. La quatrième égalité relie la position s_i de l'image produite à la position s_o de l'objet présenté à l'interface plane. L'étude du faisceau frappant, à des petits angles θ_i, une interface dont le *rayon de courbure* est R permet d'obtenir la *loi des dioptres sphériques*.

$$n_i/s_o + n_t/s_i = (n_t - n_i)/R; \quad g_t = -n_i\,s_i/n_t\,s_o$$

En utilisant la *distance focale* f appropriée, le traitement de l'image formée par une *lentille mince* ou par un *miroir sphérique* se fait au moyen des égalités ci-dessous :

$$\frac{1}{s_o} + \frac{1}{s_i} = \frac{1}{f}; \quad \frac{1}{f} = (\frac{n_\ell}{n_a} - 1)\left(\frac{1}{R_1} - \frac{1}{R_2}\right); \quad \frac{1}{f} = \frac{2}{R}; \quad g_t = -s_i/s_o;$$

Dans toutes les équations précédentes, les termes s_o, s_i, R, R_1 et R_2 sont susceptibles d'être positifs ou négatifs. Le *grandissement total* g_t d'un système optique constitué de n composantes élémentaires est obtenu par le *produit des grandissements partiels*.

$$g_t = g_{t_1} \times g_{t_2} \times g_{t_3} \times \ldots\ldots \times g_{t_n}$$

4.9 Exercices

4.1 Une lumière monochromatique pénètre dans un prisme en verre, d'indice de réfraction $n_v = 3/2$, avec un angle d'incidence θ_i. Calculez à quel angle θ_i le faisceau lumineux ne traversera plus la face droite. Supposez que les angles aux sommets du prisme valent $60°$.

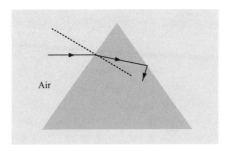

FIG. 4.44 Faisceau entrant dans un prisme.

4.2 Un homme-grenouille muni d'une lampe descend sous l'eau à une profondeur h. Soit C, le point de la surface de l'eau situé au-dessus du plongeur, et soit d, le diamètre du cercle centré en C, montrez que les faisceaux emprisonnés sous la surface de l'eau sont situés sur des cercles de diamètre $d_e \geq d$ où :

$$d = \frac{2\,n_t\,h}{\sqrt{n_i^2 - n_t^2}}$$

4.3 Une tige verticale est partiellement plongée dans l'eau : la partie immergée mesure $h_2 = 15$ cm et la partie exposée à l'air mesure $h_1 = 10$ cm. En éclairant la tige à un angle θ par rapport à l'horizon, une source ponctuelle S crée une ombre de longueur $L = 20$ cm au fond du récipient (fig. 4.45). À quel angle d'incidence θ_i le faisceau lumineux frappe t-il le plan d'eau ?

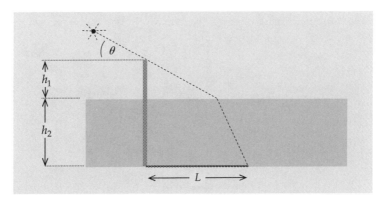

FIG. 4.45 Ombre créée par une tige verticale.

4.4 Si $d = 2$ cm et $y = 10$ cm, alors quelle distance va parcourir le signal lumineux dans le bloc rectangulaire en verre avant d'en ressortir (fig. 4.46) ?

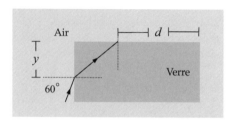

FIG. 4.46 Exercice 4.4.

4.5 Un matériau rectangulaire d'indice n_t est plongé dans un milieu ambiant d'indice n_i. Un faisceau incident frappe le matériau avec un angle θ_i (fig. 4.47). Sachant que $n_i < n_t$, à quel angle θ_{tt} le faisceau ressortira-t-il de la plaque ?

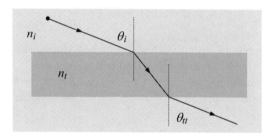

FIG. 4.47 Exercice 4.5.

4.6 Reprenez l'exercice 4.5 et considérez cette fois que $n_i > n_t$. Est-ce que la réponse obtenue à l'exercice 4.5 est encore valide ou est-ce que certains cas d'exception se présentent ?

4.7 Considérez les trois lamelles transparentes de la figure 4.48. Déterminez si le faisceau lumineux peut pénétrer le milieu d'indice de réfraction $n_3 = 1,2$ si $n_1 = 1,8$ et $n_2 = 1,6$. Le milieu ambiant est l'air.

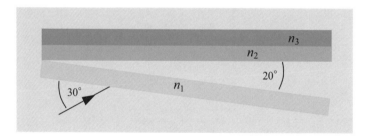

FIG. 4.48 Exercice 4.7.

4.8 Comme il a été mentionné en (4.3), l'indice de réfraction n d'un matériau transparent dépend en général de la fréquence f du signal lumineux qui s'y propage. Supposons que la relation soit la suivante :

$$n(f) = 7,7 \times 10^{-8} \sqrt{f}$$

Désignons par d l'intervalle dans lequel l'ensemble des faisceaux du spectre visible s'étale (fig. 4.49). Le rayon vaut $R = 30$ cm et l'angle vaut $\delta = 20°$. Si un faisceau de lumière blanche pénètre dans le dioptre sphérique avec un angle d'incidence $\theta_i = 30°$, alors que vaut d ?

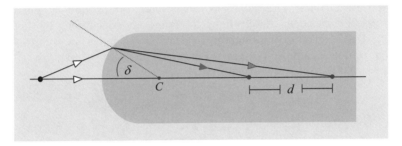

Fig. 4.49 Exercice 4.8.

4.9 En s'inspirant de l'idée qui est évoquée dans l'exercice 4.8, expliquez pourquoi la lumière blanche se divise en plusieurs bandes colorées distinctes (arc-en-ciel) lorsqu'elle traverse une interface transparente.

4.10 De l'eau flotte sur une pellicule transparente dont l'indice de réfraction est $n = 2$. La pellicule est étendue sur une plaque en verre (fig. 4.50).

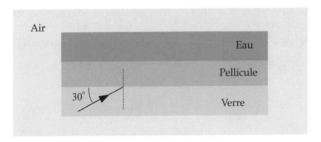

Fig. 4.50 Exercice 4.10.

Un signal se propage dans le verre avec une longueur d'onde de 600 nm. Dans ce contexte, déterminez :

(a) Les angles auxquels la lumière traversera les interfaces ;
(b) Si le faisceau va ressortir dans l'air ;
(c) La longueur d'onde du signal dans chacun des milieux.

4.11　Un cube de plexiglas de 10 cm par 10 cm d'indice de réfraction $n = 2$ contient en son centre une source lumineuse ponctuelle. On veut recouvrir chacune des faces du cube d'un disque circulaire opaque pour qu'il soit impossible d'y voir la source. Si on utilise le minimum de matériau, quel est le diamètre du disque qui satisfait cette exigence ? Quelle proportion du cube sera ainsi recouverte ?

4.12　Une source lumineuse ponctuelle émet dans un milieu transparent d'indice n_i. Les faisceaux émergent de la face plane sont accessibles à l'œil d'une personne. En optique, la localisation d'une ***image*** s'effectue en déterminant le point où concourent les faisceaux émergents, tandis que la localisation d'un ***objet*** s'effectue en déterminant le point où concourent les faisceaux incidents. Dans ce contexte, désignons respectivement par s_o et s_i les positions de l'objet et de l'image par rapport à l'interface plane (fig. 4.51).

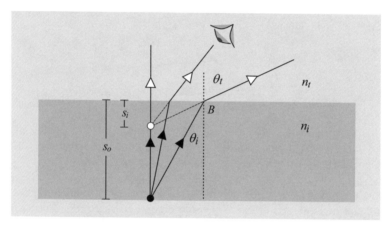

FIG. 4.51　Trajectoires des faisceaux réfractés dans le cas où $n_i > n_t$.

En utilisant la loi de la réfraction, démontrez que les grandeurs s_o et s_i sont reliées par l'égalité ci-dessous.

$$s_i = \frac{n_t \cos \theta_t}{n_i \cos \theta_i} \, s_o \tag{4.44}$$

4.13　Conformément aux conventions de signes établies aux lignes (4.33) à (4.36), expliquez pourquoi il serait souhaitable d'ajouter un signe négatif devant le terme droit de l'égalité en (4.44). Après avoir introduit le signe négatif, si θ_i et θ_t sont petits, alors quelle loi d'optique retrouve-t-on ?

4.14　On lance un dix sous dans une piscine de 5 m de profondeur. Vous regardez le dix sous un angle avoisinant 30° de la normale au plan d'eau.

(a)　À quelle profondeur sous l'eau semble être le dix sous ?

(b)　L'objet que vous voyez est-il réel ou virtuel ? Justifiez.

4.15 Un réservoir contient deux liquides séparés : celui du fond a 4 cm d'épaisseur ($n = 3$) et celui du dessus a 6 cm d'épaisseur ($n = 1,5$). Un observateur situé dans l'air regarde le fond du réservoir dans la direction de l'axe qui est perpendiculaire à la couche du dessus. À quelle profondeur, à partir de la surface, percevra-t-il le fond du réservoir ?

4.16 Un aquarium en verre dont l'épaisseur est de 5 cm est rempli d'eau. Par un dimanche après-midi ennuyeux, vous regardez barboter les poissons rouges (ou les piranhas selon les préférences) à travers la vitre de l'aquarium. Le poisson que vous contemplez est à 20 cm de la face interne de la paroi vitrée. Si votre œil regarde à 60° de la droite qui est perpendiculaire à la paroi vitrée externe,

(a) Déterminez la position des images formées par les deux interfaces planes ;
(b) Dites comment votre œil interprète l'image formée.

4.17 Reprenez l'exercice 4.16 pour un poisson qui est en face de vous.

4.18 Un réservoir contient deux liquides séparés ; celui du fond a 4 cm d'épaisseur ($n = 1,46$) ; celui du dessus a 2 cm d'épaisseur ($n = 1,2$). Une personne regarde le fond du réservoir avec un angle de 30° par rapport à la normale. À quelle profondeur, à partir de la surface du liquide, semble être le fond du réservoir ? L'objet que voit la personne est-il réel ou virtuel ?

4.19 Un fil transparent est suffisamment souple pour qu'on puisse l'arquer à notre guise. Le diamètre du fil est $D = 5$ mm et son indice de réfraction est $n_{fil} = 3/2$. On dispose le fil de sorte que sa forme épouse un arc circulaire de rayon extérieur $R = 6$ mm. Ensuite, on émet un faisceau laser perpendiculairement à l'une de ses extrémités (disque circulaire) et ce, de telle sorte que la lumière pénètre par le centre du fil (fig. 4.52).

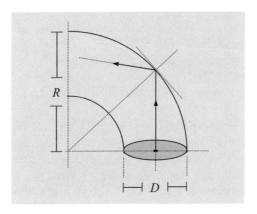

Fig. 4.52 Exercice 4.19.

Dans ce contexte, est-ce qu'une partie de la lumière va être transmise au premier contact ? Supposez que l'indice de réfraction du milieu ambiant est $n_a = 1$.

4.20 La fibre optique commerciale est généralement flexibles. De sorte que, même en courbant le fil qui la contient, la lumière qui s'y propage demeure confinée à l'intérieur de la fibre. Toutefois, l'exercice 4.19 montre qu'il est malgré cela possible que la lumière en ressorte. En considérant le fil illustré à la figure 4.52, déterminez le plus grand diamètre D que peut avoir le fil si l'on souhaite produire au moins une réflexion totale. Exprimez votre réponse en fonction du rayon R extérieur et des indices de réfraction n_{fil} et n_a.

4.21 On place un petit objet matériel à 2 cm derrière une plaque en verre ayant 5 cm d'épaisseur. Si on suppose que les angles θ_i et θ_t sont petits, alors

   (a) Quel est l'emplacement de l'image produite ?

   (b) Quelle type d'image produit la plaque en verre ?

   (c) Est-ce que votre œil pourrait voir l'image formée ?

4.22 Des faisceaux incidents, se déplaçant dans l'air vers la droite, se dirigent vers un dioptre convexe en verre de rayon de courbure $|R| = 15$ cm. Trouvez les caractéristiques de l'image que va former ce dioptre, si :

   (a) Les faisceaux incidents forment un objet réel à 20 cm du dioptre ;

   (b) Les faisceaux incidents forment un objet virtuel à 20 cm du dioptre.

4.23 Un appareil photo élémentaire contient une seule lentille biconvexe symétrique construite en utilisant un rayon de courbure $|R| = 10$ cm. Ayant conçu un tel appareil, vous vous demandez à quelle(s) distance(s) doit être la scène à photographier pour que l'image produite soit distante d'au maximum $1/2$ mm du foyer image. L'indice de réfraction de la lentille est $n = 2$.

4.24 Un certain système optique produit une image réelle. Là où l'image réelle se forme, on place un miroir convexe. Cela étant fait, on insère une lentille mince biconvexe entre le système optique et le miroir convexe ; la lentille ainsi insérée est à 6 cm à gauche du miroir convexe. Le rayon de courbure du miroir est $|R| = 5$ cm et ceux de la lentille sont $|R_G| = |R_D| = 10$ cm. Déterminez les caractéristiques de l'image produite par le système optique composé du miroir et de la lentille en verre. Votre démarche sera exprimée sous la forme d'un système d'équations et votre réponse sera la solution à ce système d'équations.

4.25 Un système optique produit une image virtuelle. Considérez que l'image virtuelle produite est accessible[1]. On voudrait utiliser une lentille mince biconcave dans l'espoir de former une image, réelle ou virtuelle, deux fois plus grande, inversée ou non, à partir de celle produite par le système optique. Sans modifier le système optique primaire, est-ce possible de satisfaire l'une ou l'autre des conditions demandées si la distance focale de la lentille biconcave est $|f| = 30$ cm ?

---

[1]Le mot *accessible* a la signification suivante : les faisceaux lumineux produisant l'image virtuelle ne demeurent pas emprisonnés à l'intérieur du système optique, tels les faisceaux lumineux produisant l'image réelle à l'intérieur d'une caméra...

4.26   À propos de l'exercice 4.25, plutôt que d'utiliser une lentille mince bicon-cave, vous pensez que l'usage d'une lentille biconcave d'épaisseur d permettrait de rencontrer l'une ou l'autre des exigences. Est-ce vrai ? Dans l'affirmative, déterminez les caractéristiques de la lentille biconcave. Supposez que la lentille épaisse est symétrique, c'est-à-dire $|R_1| = |R_2| = |R|$, et supposez $n_v = 3/2$.

4.27   En utilisant seulement deux lentilles minces séparées d'une distance x, on veut faire apparaître sur un écran une image inversée de même taille que l'objet réel placé à gauche des deux lentilles. L'objet réel est à 30 cm de la première lentille mince biconvexe de focale $|f_1| = 20$ cm, tandis que l'écran est à 75 cm à droite de cette lentille. On suppose ici que la deuxième lentille mince, dont les caractéristiques sont inconnues, est à droite de la lentille mince biconvexe. Dites s'il est possible de réaliser un tel système optique, et si oui, déterminez la valeur des inconnues du système d'équations correspondant à la situation décrite.

4.28   Un certain système optique produit une image réelle à sa droite. Les faisceaux lumineux formant l'image sont accessibles à n'importe quelle autre composante optique. Là ou l'image réelle se forme, on place la face droite d'une lentille biconcave de 5 cm d'épaisseur dont les rayons de courbure ont les valeurs suivantes : $|R_G| = |R_D| = 10$ cm. Dans ce contexte, déterminez les caractéristiques de l'image produite par la lentille.

4.29   On place sur un banc d'optique une lentille mince biconvexe en verre de rayons de courbure $|R_G| = 10$ cm et $|R_D| = 10/3$ cm. Devant la lentille, on installe un autre système optique qui, au gré de l'expérimentateur, peut produire le type d'image désirée. Les images produites par le système optique sont accessibles à l'expérimentateur. Dans ce contexte, déterminez les caractéristiques de l'image que formera la lentille biconvexe si cet autre système optique lui présente :

   (a)   Un objet réel à 20 cm à gauche de la lentille biconvexe ;
   (b)   Un objet virtuel à 20 cm à gauche de la lentille biconvexe ;
   (c)   Un objet réel à 20 cm à droite de la lentille biconvexe ;
   (d)   Un objet virtuel à 20 cm à droite de la lentille biconvexe.

4.30   Pour chacune des situations considérées dans l'exercice 4.29, dites quel type d'image devait respectivement produire le système optique placé devant la lentille pour produire le type d'objet mentionné.

4.31   On utilise un miroir sphérique concave de rayon $|R| = 20$ cm pour produire une image sur un écran. L'écran doit être situé à 100 cm de l'objet dont les caractéristiques sont inconnues. Dans ce contexte, dites :

   (a)   Quel(s) type(s) d'objet(s) peut produire une image sur l'écran ;
   (b)   Si chaque montage en (a) est concrètement réalisable.

4.32 On veut estimer les rayons R_G et R_D et l'épaisseur d d'une lentille en verre. Pour ce faire, on place la lentille entre deux écrans. Lorsqu'on colle un petit morceau de papier au sommet de sa face gauche, l'image apparaissant sur l'écran de droite est inversée et est neuf fois plus grande. L'écran se trouve alors à 60 cm du sommet droit. Lorsqu'on colle le même morceau de papier au sommet de la face droite de la lentille, l'image apparaissant sur l'écran de gauche est à 10 cm du sommet gauche. Déterminez les rayons R_G et R_D et l'épaisseur d de la lentille. Peut-on dire que la lentille est mince?

4.33 On place de gauche à droite les composantes optiques suivantes : une lentille mince convergente, une autre lentille mince convergente, une lentille mince divergente et un miroir concave. Ces quatre composantes possèdent respectivement les caractéristiques ci-dessous et une distance de 10 cm les sépare.

$$|f_1| = 5 \text{ cm}; \quad |f_2| = 12 \text{ cm}; \quad |f_3| = 22 \text{ cm}; \quad |R| = 28 \text{ cm}$$

On présente à ce système optique un objet virtuel à 20 cm à droite de la première lentille. Dans ce contexte, est-ce que le miroir peut produire une image réelle? Si oui, calculez le grandissement de cette image.

4.34 Un appareil photo rudimentaire est muni d'une seule lentille mince biconvexe (fig. 4.53). Malgré sa conception fort simple, lorsque la scène à photographier est *loin*, ce type d'appareil est capable de produire une image *nette* sur un support photosensible, que le support soit de type numérique ou non.

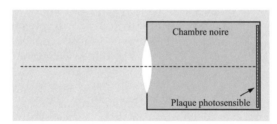

FIG. 4.53 Appareil photo muni d'une lentille mince et de sa plaque photosensible.

L'appareil illustré possède le défaut de fabrication suivant : lorsque l'objet devant la lentille est *loin*, l'image se forme à 1 cm à l'avant de la plaque photographique. La distance focale de la lentille est $|f_1| = 10$ cm.

(a) Déterminez la focale f_2 de la lentille à placer devant l'appareil photo afin de corriger le défaut. Supposez que la lentille correctrice est mince. Exprimez la réponse en fonction de la distance d entre les deux lentilles.

Des informations supplémentaires sont soumises à votre attention : la lentille est symétrique et on souhaite la placer à 10 cm à l'avant de la caméra.

(b) Déterminez la valeur des rayons de courbure $|R|$ de la lentille correctrice.

4.35 Une lentille biconcave de focale $|f| = 60$ mm est à 120 mm à gauche d'une autre lentille mince convexe-plane en verre de rayon $|R_G| = 60$ mm. Déterminez les caractéristiques de l'image produite par ce système optique, si un autre système optique lui présente un objet réel à 180 mm à gauche de la lentille biconcave. Supposez que la hauteur de l'objet est 10 mm.

4.36 Les deux points sur l'axe optique illustré dans la figure 4.54 sont les points focaux de la lentille mince biconcave.

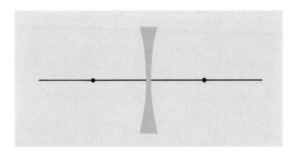

FIG. 4.54 Points focaux d'une lentille biconcave.

Les faisceaux incidents se déplacent vers la droite.

  (a) Dites si le point à droite correspond au foyer objet F_o ;
  (b) Dites si le point à gauche correspond au foyer image F_i.

L'utilisation des points focaux F_i et F_o et des faisceaux principaux permet, par une méthode graphique, d'estimer l'emplacement de l'image produite. Dans le cas où les faisceaux incidents se déplacent vers la droite,

  (c) Déterminez l'emplacement de l'image correspondant à un objet situé à mi-chemin entre la lentille et le point F_o.
  (d) Déterminez l'emplacement de l'image correspondant à un objet situé à mi-chemin entre la lentille et le point F_i ;

4.37 Déterminez les caractéristiques de l'image formée par une lentille biconvexe en verre lorsqu'on place un objet réel à 40 cm à sa gauche. L'épaisseur de la lentille et la longueur de ses rayons sont respectivement $d = 30$ cm, $|R_G| = 5$ cm et $|R_D| = 20$ cm.

4.38 Considérez une lentille concave-convexe d'épaisseur $d = 50$ cm et de rayons de courbure $|R_G| = 25$ cm et $|R_D| = 100$ cm. À 10 cm à droite de cette lentille, on dispose un miroir concave de rayon $|R| = 55$ cm. Déterminez les caractéristiques de l'image formée par ce système optique si on lui présente un objet réel à 100 cm à gauche de la lentille.

4.39 Une lentille concave-convexe de verre ($|R_G| = 5$ cm, $|R_D| = 10$ cm) a 30 cm d'épaisseur. Déterminez les caractéristiques de l'image formée par cette lentille si on lui présente un objet réel à 40 cm à sa gauche.

4.40 Sur un banc d'optique, on aménage un système optique pouvant produire, au gré de l'expérimentateur, une image réelle ou virtuelle. Dans ce contexte, on place une lentille mince sur le banc d'optique en lui présentant un objet virtuel à 40 cm à sa gauche. Si l'image produite apparaît sur un écran situé à 20 cm de la lentille, déterminez :

    (a) Le sens du déplacement du signal lumineux ;
    (b) Le type d'image produit par le système optique placé devant la lentille ;
    (c) Si l'écran est à la gauche ou à la droite de la lentille ;
    (d) La distance focale de la lentille.

4.41 En plaçant un objet réel devant un miroir, on obtient une image virtuelle deux fois plus grande que l'objet. En éloignant ce même objet d'une distance supplémentaire de 45 cm, on obtient une image réelle quatre fois plus petite. Déterminez le rayon de courbure et le type de miroir utilisé.

4.42 Une lentille biconcave en verre, d'épaisseur $d = 20$ cm et de rayon de courbure $|R_L| = 10$ cm, est placée à 50 cm à gauche d'un miroir convexe de rayon $|R_M| = 5$ cm. L'ensemble forme le premier système optique. Un second système optique, extérieur au premier, produit des images accessibles, et selon le type d'image produite, le premier système optique l'interprétera comme un objet réel ou virtuel. Le thème est connu. Déterminez la position et le grandissement de l'image formée par le premier système, si le second système lui présente :

    (a) Un objet réel à 20 cm à gauche de la lentille biconcave ;
    (b) Un objet virtuel à 20 cm à droite de la face de droite de la lentille ;
    (c) Un objet réel situé très loin de la lentille.

4.43 On dispose un objet réel à $s_{o,1}$ cm à gauche d'une lentille biconvexe en verre d'épaisseur $d = 2$ cm et de rayon $|R_G| = |R_D| = 5$ cm. À x cm à droite de la lentille épaisse, on place ensuite une lentille mince biconvexe de distance focale $|f| = 15$ cm. L'image produite par ce système optique apparaît sur un écran à 30 cm à la droite de la lentille mince. L'image est du même sens que l'objet et elle est 10 fois plus grande. Posez les six équations caractérisant le système optique et déterminez ensuite la valeur des six inconnues.

4.44 Une bougie est à 96 cm d'un écran plus à droite. Entre la bougie et l'écran, on place une lentille mince convergente dont la distance focale est $|f_1| = 30$ cm. Ainsi placée, la bougie est à 40 cm de la lentille. En introduisant une autre lentille à x cm à droite de la lentille convergente, on souhaite faire apparaître sur l'écran une image inversée dont la hauteur serait $6/10$ fois la hauteur de la bougie. Répondez aux questions suivantes :

    (a) Existe-t-il une lentille pouvant produire l'effet désiré ?
    (b) Si oui, quelle est sa distance focale ?
    (c) L'objet présenté à la lentille insérée est-il réel ou virtuel ?
    (d) L'image donnant lieu à l'objet en (c) est-elle réelle ou virtuelle ?

4.45 Reprenez l'exercice 4.44 dans le contexte suivant : on souhaite produire sur l'écran une image inversée et neuf fois plus grande ; les autres paramètres étant inchangés.

4.46 Pour remédier à l'impasse où nous étions dans le problème 4.45, supposez que vous ne connaissez pas les distances focales des lentilles, c'est-à-dire supposez que les valeurs de f_1 et f_2 sont inconnues. De plus, pour réduire l'espace nécessaire à la réalisation du montage, il nous faut choisir des lentilles dont la distance focale soit suffisamment petite. Il est possible de traduire cette idée par l'ajout de la condition ci-dessous.

$$f_1 + f_2 = 15 \text{ cm}$$

Dans ce contexte, reprenez l'exercice 4.45 en espérant cette fois-ci qu'il existe une solution concrètement réalisable.

4.47 Déterminez la distance focale objet f_o et la distance focale image f_i d'un dioptre convexe baignant dans l'air.

4.48 En expliquant pourquoi, dites si les énoncés ci-dessous sont vrais ou faux.

(a) Si le point où concourent les faisceaux incidents est situé du côté du milieu émergent, alors l'image est virtuelle.

(b) Une lentille mince biconcave produit assurément une image virtuelle.

(c) Pour se déplacer d'un point S à un point O, il est possible que la lumière empruntant une trajectoire rectiligne mette plus de temps que si elle empruntait une trajectoire courbe.

(d) L'image produite par un miroir plan peut apparaître sur un écran.

(e) Le rayon de courbure R d'une face concave est assurément négatif.

(f) Si le point où concourent les faisceaux incidents est situé du côté du milieu incident, alors l'objet est réel.

(g) À partir d'un objet virtuel, on peut produire une image pouvant apparaître sur un écran.

(h) La distance focale image f_i d'un miroir concave est assurément positive.

(i) Notre œil peut interpréter une image virtuelle.

(j) Une image est virtuelle si le point où concourent des faisceaux émergents est situé du côté du milieu incident.

(k) Toute lumière frappant une interface peut subir une réflexion totale.

(l) Un objet réel ponctuel produit des faisceaux incidents qui divergent.

(m) Peu importe la grandeur des angles d'incidence θ_i, un faisceaux lumineux qui passe par le centre de courbure d'un miroir sphérique y repassera.

(n) Lorsqu'on l'oriente convenablement vers le soleil, une loupe parvient à enflammer une feuille de papier.

(o) Un objet est virtuel si le point où concourent les faisceaux incidents n'est pas situé du côté du milieu émergent.

(p) Une image est virtuelle si le point où concourent les faisceaux émergents est situé du côté du milieu émergent.

(q) Le rayon de courbure R d'un miroir convexe est assurément négatif.

(r) Une lentille mince biconvexe produit assurément une image réelle.

(s) L'image produite par une lentille mince biconvexe, devant laquelle on place un objet réel, est assurément réelle.

4.49 Dans cet exercice, nous allons voir pourquoi les formes paraboliques sont utilisées dans la construction des miroirs et des antennes. Considérons la courbe parabolique engendrée par l'équation suivante :

$$y = x^2$$

Le graphe de la fonction ci-dessus est présenté à la figure 4.55.

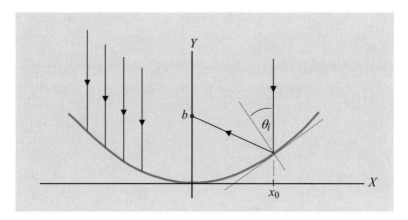

FIG. 4.55 Exercice 4.49.

Considérons un ensemble de faisceaux parallèles à l'axe des Y venant frapper la parabole. En optique, la situation illustrée se produit lorsqu'un signal lumineux est émis à partir d'une source suffisamment loin. La lumière émise par une étoile serait en l'occurrence un bon exemple. Si on désigne par θ_i l'angle d'incidence du faisceau qui frappe la parabole parallèlement à l'axe des Y, alors :

(a) Que vaut la hauteur b ?

(b) Que signifie le fait que b ne dépend pas de l'angle θ_i ?

(c) En optique, comment nomme-t-on le point b illustré ?

(d) D'après-vous, pourquoi la forme parabolique est si prisée ?

Indice : Utilisez l'information relative à la pente de la tangente qui passe par le point (x_0, y_0).

4.50* Reprenez l'exercice 4.49 pour la parabole $y = ax^2$ où $a > 0$.

4.51 En utilisant deux fois l'équation des dioptres montrez que si l'épaisseur d est négligeable devant les rayons de courbure R_1 et R_2 d'une lentille, alors on obtient l'égalité en (4.40) aussi appelée *loi des lentilles sphériques minces*.

4.52[*] En supposant l'hypothèse des petits angles θ_i correspondant à un objet réel situé devant un miroir sphérique, démontrez l'égalité ci-dessous aussi appelée *loi des miroirs sphériques*.

$$\frac{1}{s_o} + \frac{1}{s_i} = \frac{2}{R}$$

Chapitre 5

Ondes électromagnétiques

L'étude de l'optique géométrique nous a permis d'expliquer, du moins à l'échelle macroscopique, certains phénomènes lumineux. À l'aide du principe de Fermat nous avons vu qu'il est possible de déduire les principales lois d'optique relatives aux différents parcours qu'emprunte la lumière lorsqu'elle frappe des interfaces courbes telles que les miroirs et les lentilles. En ce sens, on constate que le principe de moindre action de Fermat s'avère fondamental si l'on souhaite déterminer l'emplacement d'une image créée par un système optique, ou plus généralement, si l'on souhaite établir la trajectoire d'un faisceau lumineux dans l'espace. On remarque que l'optique géométrique permet une description des phénomènes lumineux à l'échelle macroscopique tandis que ***l'optique physique***, sujet d'étude de ce chapitre, porte un regard microscopique sur les phénomènes. Les mots *regard microscopique* signifient ici « *regard à l'échelle des atomes* ». D'une part, la distinction entre *optique géométrique* et *optique physique* permet de préciser à quelle échelle les phénomènes optiques sont étudiés. D'autre part, la division de l'optique en des branches distinctes s'avère pertinente lorsqu'on constate que le corps théorique sur lequel repose l'optique géométrique ne nous permet pas d'expliquer tous les phénomènes lumineux. En effet, certains lui échappent ; les phénomènes d'*interférence* (*cf.* chapitre 7) et de *diffraction* sont de ceux-là. De plus, si on confinait l'étude de l'optique au cadre de l'optique géométrique, il serait difficile d'expliquer comment une source S parvient à créer de la lumière, tout comme il serait difficile d'expliquer ce que recouvre le concept de lumière qui se déplace d'un point A à un point B. Et en effet, qu'est-ce qui, en optique géométrique, se déplace d'un point A à un point B ? Pour approfondir le concept de lumière, l'histoire de la physique moderne indique qu'il est nécessaire de recourir aux lois de l'électromagnétisme qu'il est convenu d'appeler à ce jour *équations de Maxwell*. À l'aide de ces équations, nous verrons que le comportement de la lumière peut être traité au moyen d'une fonction d'onde.

Le but principal du chapitre 5 est de présenter les concepts nécessaires au traitement de la lumière vue comme une onde ou plus précisément, vue comme une onde électromagnétique. Nous verrons qu'il existe encore plusieurs ressemblances entre la propagation d'impulsions le long d'une corde (*cf.* chapitre 3) et la propagation de la lumière dans un milieu donné. Bien que son étude nécessite un plus grand effort d'abstraction, la fonction d'onde nécessaire à la description de la lumière a la même forme que celle de la corde vibrante. Malgré ces ressemblances, des distinctions majeures sont à apporter entre ces deux systèmes puisque l'étude de la corde vibrante relève de la mécanique classique, tandis que l'étude de la lumière relève de la théorie de l'électromagnétisme. S'il est aisé de concevoir qu'une source puisse communiquer des impulsions périodiques au support matériel qu'est *la corde*, il est par contre plus difficile d'identifier *a priori* le type de source pouvant, tout en excitant un *support matériel*, produire de la lumière se propageant d'un point A à un point B. Historiquement, la question *qu'est-ce que la lumière* a fait l'objet de longs débats scientifiques. À ce jour, il semble toutefois que nous puissions faire le point sur certaines des propriétés de la lumière.

5.1   Introduction aux ondes électromagnétiques

Comme nous l'avons mentionné dans l'introduction, l'étude de la lumière fait appel aux équations de Maxwell (5.10) à (5.13) et de ce fait, il semblerait logique que l'auteur considère tout d'abord ces équations pour en déduire les propriétés électromagnétiques de la lumière. Une telle démarche est certes rigoureuse, mais l'expérience d'enseignement montre qu'elle pose des difficultés énormes aux étudiants dont les connaissances en électricité et en magnétisme ont principalement été acquises par des expérimentations. Pour cette raison, l'auteur croit qu'il est préférable d'abord d'expliquer ce qu'est une fonction d'onde électromagnétique à partir de situations expérimentales simples, et d'utiliser ensuite les équations de Maxwell pour compléter la description. C'est dans cette seconde étape que nous dégagerons les liens importants qui existent entre le ***champ électrique*** **E** et le ***champ magnétique*** **H** en examinant chacune des équations de Maxwell. Le point de départ du présent chapitre repose sur la proposition suivante (*cf.* électricité et magnétisme) :

$$\textit{Des charges accélérées créent un champ } \mathbf{E} \textit{ et un champ } \mathbf{H}. \qquad (5.1)$$

Pour illustrer l'énoncé en (5.1) à partir de considérations expérimentales, considérons un fil conducteur vertical dans lequel circule un courant alternatif de la forme $i(t) = i_o \cos(2\pi f_s t + \varphi)$ où f_s désigne la fréquence d'oscillation des charges ou si l'on préfère, fréquence d'oscillation de la tension aux bornes de la source. La contribution de Clerk Maxwell au domaine de l'électromagnétisme fut de montrer qu'un ensemble de charges accélérées, en particulier un courant alternatif, produit un champ électrique **E** et un champ magnétique **H** qui se propagent dans l'environnement sous la forme d'une onde. Aujourd'hui on désigne ce type d'onde par l'appellation *onde électromagnétique* (OEM). La découverte de Maxwell implique ceci : si des charges accélérées produisent une onde qui se propage à tout l'environnement, alors selon la valeur de la fréquence f_s, l'onde émise est une onde radio ou une onde micro-onde (tab. 5.1) ou ... une onde lumineuse... Est-ce à dire qu'une antenne conçue pour émettre des ondes radios pourrait aussi émettre de la lumière visible ? Bien qu'elle soit surprenante, la réponse est : en théorie, oui. En effet, une antenne conçue pour émettre une onde radio pourrait émettre de la lumière si sa fréquence d'émission correspondait aux fréquences de la plage du visible. Difficile à croire ? Il est important que l'étudiant prenne conscience du fait qu'une source produisant une OEM générera un véritable signal lumineux, c'est-à-dire détectable par les yeux, si la fréquence d'oscillation f_s des charges est celle correspondant à la plage du visible. Le tableau 5.1 donne l'éventail des plages, en fréquence et en longueur d'onde, des OEM ; il s'agit du *spectre électromagnétique*. Avec

Plage	Longueur d'onde	Fréquence d'émission
Radio	$30 \text{ cm} < \lambda_0 < 1 \text{ km}$	$f < 1 \text{ GHz}$
Micro-onde	$1 \text{ mm} < \lambda_0 < 30 \text{ cm}$	$1 \text{ GHz} < f < 300 \text{ GHz}$
Infrarouge	$780 \text{ nm} < \lambda_0 < 1 \text{ mm}$	$300 \text{ GHz} < f < 384 \text{ THz}$
Visible	$390 \text{ nm} < \lambda_0 < 780 \text{ nm}$	$384 \text{ THz} < f < 769 \text{ THz}$
Ultraviolet	$9 \text{ nm} < \lambda_0 < 390 \text{ nm}$	$769 \text{ THz} < f < 34 \text{ PHz}$
Rayon X	$6 \text{ pm} < \lambda_0 < 9 \text{ nm}$	$34 \text{ PHz} < f < 50 \text{ EHz}$
Rayon γ	$\lambda_0 < 6 \text{ pm}$	$f > 50 \text{ EHz}$

TAB. 5.1 Division du spectre électromagnétique allant des ondes radios aux rayons (γ). Les bornes délimitant chaque plage sont approximatives ; en réalité les plages du spectre électromagnétique ne se scindent pas aussi catégoriquement. Soulignons le peu d'étendue de la plage correspondant au visible. La longueur d'onde λ_0 est établie par rapport au vide. À noter : 1 nanomètre (nm) $= 10^{-9}$ m, 1 picomètre (pm) $= 10^{-12}$ m, 1 gigahertz (GHz) $= 10^9$ Hz, 1 térahertz (THz) $= 10^{12}$ Hz, 1 pétahertz (PHz) $= 10^{15}$ Hz, 1 exahertz (EHz) $= 10^{18}$ Hz.

un peu d'imagination, le lecteur devrait pouvoir trouver une application pour chacune d'elles. Dans le tableau 5.1, les ondes aux fréquences basses (grandes longueurs d'onde) transportent moins d'énergie que les ondes aux fréquences élevées (courtes longueurs d'onde).

Mais si un ensemble de charges accélérées produisent une onde, alors quel support permet aux champs **E** et **H** de se propager ? Dit autrement, quel est l'analogue du support *corde* pour une OEM ? Loin d'être insignifiante, cette question souleva plusieurs réflexions au sein de la communauté scientifique. Était-ce le milieu ambiant ? Non, car même en supprimant l'air, c'est-à-dire en faisant le « *vide* », l'onde électromagnétique se propage encore. Selon les physiciens, il devait donc exister un support immatériel ayant des propriétés de déformation élastique permettant au signal d'osciller telle une corde tendue. Historiquement, ce support fut désigné par le mot *éther*. Puisque tout signal

électromagnétique (onde radio, lumière visible, etc.) peut se propager jusqu'aux
confins de l'univers, l'univers entier devait donc baigner dans cet éther. En 1887,
grâce à une expérience astucieuse, A.A. Michelson et E.W. Morley *montrèrent*
que l'existence de l'éther contredit certaines lois « *bien assises* » de la physique.
La conclusion tirée fut la suivante : il fallait rejeter l'hypothèse selon laquelle
l'éther est un support nécessaire à la propagation des ondes électromagnétiques.
Il s'agissait là d'un retour à la case départ ; la question concernant la nature du
support d'une OEM demeurait donc entière. À ce jour, il semble admis qu'une
OEM n'a besoin d'aucun support pour se propager, sinon du vide. En ce sens,
il n'est pas exagéré de dire qu'une OEM se distingue de tous les autres types
d'ondes (vibrations mécaniques, ondes sonores, etc.).

Résumons. Une OEM est caractérisée par la propagation des champs électrique **E** et magnétique **H** eux-même étant causés par un déplacement accéléré
de charges oscillant à une fréquence f_s. De plus, la propagation de l'OEM
peut se faire dans le vide. S'il s'agit là d'une abstraction difficile à concevoir,
mentionnons en contrepartie que la question « *qu'est-ce que le vide* » demeure
entière dans l'état actuel de la physique. À ce stade de la discussion quelques
définitions s'imposent. Revenons à la cause même de la production d'une
OEM, soit l'oscillation de charges. Considérons un amas formé de n charges
qui oscillent (fig. 5.1). Supposons que la i-ème charge de l'amas oscille à une

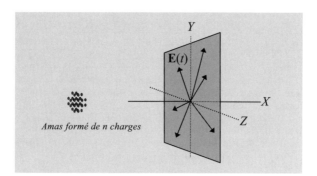

FIG. 5.1 Collection d'atomes en mouvement située devant un plan YZ. Le champ
électrique $E(t)$ résultant est aléatoire ; chaque instant le champ électrique modifie
sa grandeur et son orientation. L'onde électromagnétique produite par la collection
d'atomes n'est donc pas polarisée.

fréquence f_i durant un court laps de temps. Dans ce contexte, l'onde résultante
de la somme des petites oscillations des n charges risque fortement d'être sans
cohérence surtout si le mouvement de chacune d'elles est anarchique. L'absence
d'ordre dans l'OEM produite est d'autant plus grande que la fréquence f_i et la
durée d'excitation des charges diffèrent. Par analogie, on peut se demander ce
que devient le mouvement d'une corde si la source qui la met en mouvement
n'a plus aucune régularité, c'est-à-dire si sa fréquence, sa phase initiale et son
amplitude sont sans cesse modifiées. Du point de vue d'une OEM, il peut en
être ainsi. En effet, la lumière produite par une ampoule incandescente, par

un tube à néon, ou encore par le soleil, est le résultat d'une somme quasi infinie (il y a $6,02 \times 10^{23}$ atomes par mole...) de petits oscillateurs (atomes et leurs charges) qui s'agitent de façon asynchrone et anarchique. L'effet net est le suivant : le champ électrique **E** résultant (rappelons que le champ **E** résultant est la somme des champs partiels $\mathbf{E}_i$) de cette somme quasi infinie de mouvements désordonnés (fig. 5.1), collisions aidant, n'a pas d'orientation privilégiée dans l'espace, pas plus qu'il n'a de permanence temporelle ; certaines oscillations se terminant avant d'autres. Une lumière ainsi produite est appelée **lumière naturelle**. Plus généralement, on dit que l'OEM ainsi produite est **non polarisée**. Pour se faire une image juste de l'OEM non polarisée, il suffit de remplacer le vecteur champ électrique **E** changeant aléatoirement de direction et de grandeur, par l'amplitude A de la corde ; l'onde ainsi générée dans la corde serait totalement dépourvue de cohérence spatiale et temporelle. Par opposition, lorsque l'orientation du champ électrique **E** n'est pas aléatoire, c'est-à-dire lorsque l'orientation est bien déterminée, l'OEM est dite **polarisée**. Si l'onde est émise dans le spectre du visible on dit alors que la **lumière est polarisée**. Deux concepts s'opposent donc : *lumière polarisée* et *lumière naturelle*. Nous verrons dans le chapitre 6 que le cas mixte est possible. En effet, une lumière peut aussi être **partiellement polarisée**. En résumé, une OEM est dite **polarisée** s'il est possible de prévoir le comportement du champ électrique. Dans la discussion précédente, le champ magnétique **H** semble avoir été relégué aux oubliettes. Cette omission est intentionnelle. Comme nous le verrons dans la section 5.3, les équations de Maxwell indiquent que si le champ électrique **E** est connu, alors le champ magnétique **H** l'est aussi.

5.2   Fonction d'onde électromagnétique plane

Supposons qu'une OEM polarisée se propage dans la direction de l'axe des X positifs (fig. 5.2). L'onde considérée admet un vecteur champ électrique qui, en tout instant, est parallèle à l'axe Y. Dans ce contexte, la fonction d'onde apparaissant à la figure 5.2 s'écrit sous la forme (5.2) :

$$\mathbf{E}_y(x,t) = [0; E_2 \cos(\omega t - kx + \varphi_2); 0] \tag{5.2}$$

Nous avons vu en (3.39) qu'une corde oscillant uniquement selon l'axe Y est comparable à l'expression donnée en (5.2). En fait, la forme vectorielle de (5.2) est si peu nécessaire que l'on pourrait tout simplement s'en tenir à

$$E_y(x,t) = E_2 \cos(\omega t - kx + \varphi_2) \tag{5.3}$$

Jusqu'ici, les ressemblances entre la fonction d'onde de la corde vibrante en (5.4) et celle de l'OEM en (5.3) sont frappantes.

$$y(x,t) = A \cos(\omega t - kx + \varphi) \tag{5.4}$$

En électromagnétisme, il est toutefois nécessaire de préserver le caractère vectoriel de la fonction d'onde. Nous devrons dorénavant écrire $\mathbf{E}(x,t)$ et non

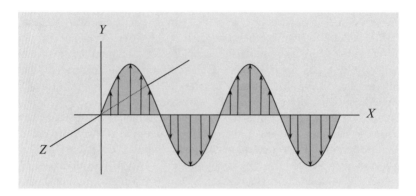

FIG. 5.2 Configuration d'une OEM plane oscillant uniquement selon l'axe Y.

pas $E(x,t)$ pour la raison principale qu'une OEM polarisée peut s'obtenir par la somme de deux oscillateurs harmoniques simples de même fréquence. Imaginons qu'une autre source produit une OEM qui oscille cette fois-ci selon l'axe des Z (fig. 5.3), nous supposons ainsi que

$$\mathbf{E}_z(x,t) = [0; 0; E_3 \cos(\omega t - kx + \varphi_3)]$$

L'onde qui résulte de la superposition (fig. 5.4) de ces deux signaux est

$$\mathbf{E}(x,t) = \mathbf{E}_y(x,t) + \mathbf{E}_z(x,t) \tag{5.5}$$

$$\mathbf{E}(x,t) = [0; E_2 \cos(\omega t - kx + \varphi_2); E_3 \cos(\omega t - kx + \varphi_3)] \tag{5.6}$$

Soulignons que l'onde en (5.6) demeure une OEM polarisée. Toutefois, selon les valeurs de φ_2 et φ_3, la fonction d'onde en (5.6) présente différents comportements. Pour obtenir une OEM à **_polarisation linéaire_**, (fig. 5.4), il faut ajouter la condition ci-dessous :

$$\varphi_3 = \varphi_2 \pm n\pi \quad n = 0, 1, 2, \ldots \tag{5.7}$$

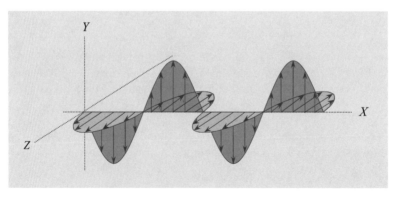

FIG. 5.3 Représentation de deux OEM planes. Une oscille selon l'axe Y, l'autre selon l'axe Z.

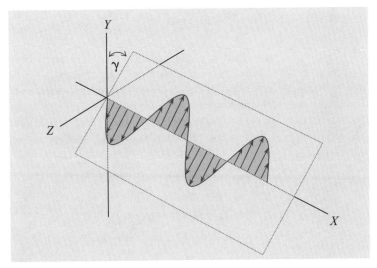

FIG. 5.4 Configuration d'une OEM plane produite par l'addition de deux champs électriques : un oscillant suivant l'axe Y, l'autre oscillant suivant l'axe Z. Le champ $\mathbf{E}$ résultant oscille perpendiculairement à la direction de propagation (ici l'axe X) tout en demeurant incliné avec un angle $\gamma = cte$. La condition $\gamma = cte$ est la caractéristique principale de la polarisation linéaire.

De la condition (5.7), on peut montrer que la fonction en (5.6) se réduit à

$$\mathbf{E}(x,t) = \mathbf{E}\cos(\omega t - kx + \varphi_2) \tag{5.8}$$

En (5.8), la valeur de φ_2 est arbitraire. Cela dit, posons que $\varphi = \varphi_2$. La forme standard de la fonction d'une OEM à polarisation linéaire se propageant suivant l'axe des X positifs est

$$\mathbf{E}(x,t) = \mathbf{E}\cos(\omega t - kx + \varphi) \quad \text{où} \quad \mathbf{E} = [0; E_2; E_3] \tag{5.9}$$

En (5.9), la fonction d'onde $\mathbf{E}(x,t)$ est le résultat de l'application de la fonction cosinus sur le ***vecteur amplitude*** $\mathbf{E}$ dont l'angle γ demeure en tout instant constant (fig. 5.4). L'onde ainsi produite se propage selon l'axe X en oscillant perpendiculairement à cet axe tout en demeurant parallèle à $\mathbf{E}$. Pour éviter toute confusion possible, considérons attentivement les conventions suivantes :

$\mathbf{E}(x,t)$ est la ***fonction d'onde vectorielle***

$\mathbf{E}$ est le ***vecteur amplitude*** de la fonction d'onde

$\| \mathbf{E}(x_0,t_0) \|$ est la ***grandeur*** de $\mathbf{E}(x,t)$ à $t = t_0$ en $x = x_0$

$\| \mathbf{E} \|$ est la ***grandeur*** de $\mathbf{E}$

Ainsi, pour ***éviter de confondre*** le vecteur amplitude $\mathbf{E}$ avec la fonction d'onde $\mathbf{E}(x,t)$, nous devrons ***explicitement écrire*** $\mathbf{E}(x,t)$.

5.3 Équations de Maxwell

Nous voilà rendu à la section par laquelle il aurait fallut débuter, du moins en principe, pour pouvoir se convaincre *a priori* que des charges accélérées produisent une onde électromagnétique qui se propage dans tout l'environnement. De fait, la validité de cette assertion découle des quatre équations constitutives de l'électromagnétisme, qu'il est aujourd'hui convenu d'appeler *équations de Maxwell*. Exprimées sous leur forme différentielle (forme locale), ces équations sont les suivantes :

$$\nabla \cdot \mathbf{D} = \rho \quad (loi\ de\ Coulomb\ \text{-}\ th\acute{e}or\grave{e}me\ de\ Gauss) \tag{5.10}$$

$$\nabla \cdot \mathbf{B} = 0 \quad (absence\ de\ charge\ magn\acute{e}tique) \tag{5.11}$$

$$\nabla \times \mathbf{E} = -\partial \mathbf{B}/\partial t \quad (loi\ de\ Faraday) \tag{5.12}$$

$$\nabla \times \mathbf{H} = \mathbf{J} + \partial \mathbf{D}/\partial t \quad (loi\ de\ Maxwell\text{-}Amp\grave{e}re) \tag{5.13}$$

Avant les travaux du physicien écossais James Clerk Maxwell (1831-1879), la loi en (5.13) s'énonçait de la façon suivante :

$$\nabla \times \mathbf{H} = \mathbf{J} \quad (loi\ de\ Biot\ et\ Savart\ \text{-}\ loi\ d'Amp\grave{e}re) \tag{5.14}$$

Avant que Maxwell ne postule l'existence du courant de déplacement $\partial \mathbf{D}/\partial t$, les 4 lois de l'électromagnétisme n'étaient valides que dans des conditions de quasi stationnarité ($\partial \mathbf{D}/\partial t = \mathbf{0}$). On sait aujourd'hui que l'ajout du terme $\partial \mathbf{D}/\partial t$ à la loi en (5.14) unifie les équations (5.10) à (5.13) en leur donnant une portée générale et ce, que les charges soit en état de quasi stationnarité ou non. De plus, c'est en introduisant le terme $\partial \mathbf{D}/\partial t$ qu'il devient possible de conférer aux champs $\mathbf{E}$ et $\mathbf{H}$ un seul et même rôle, soit celui de générateur d'onde électromagnétique transportant de l'énergie. En ce sens, il n'est pas exagéré de dire que l'intuition de Maxwell dépassait la conception que l'on se faisait jusqu'alors des phénomènes électriques et magnétiques. Toutefois, les contributions des physiciens qui ont permis à Maxwell de compléter les lois de l'électricité et du magnétisme sont loin d'être secondaires. Les équations présentées de (5.10) à (5.13) ont été formulées par les physiciens suivants : Charles Augustin Coulomb (1736-1806), André Marie Ampère (1775-1836), Karl Friedrich Gauss (1777-1855), Jean-Baptiste Biot (1774-1862), Félix Savart (1791-1841) et Michael Faraday (1791-1867). Avant de poursuivre la discussion, précisons la signification des paramètres impliqués dans les équations de Maxwell.

$\mathbf{E}$: champ électrique (N/C) ou (V/m)

$\mathbf{D}$: densité de flux électrique ou vecteur déplacement (C/m^2)

$\mathbf{H}$: champ magnétique (A/m)

$\mathbf{B}$: densité de flux magnétique (T ou Wb/m^2)

ρ : densité volumique de charges libres (C/m^3)

$\mathbf{J}$: densité de courant de conduction (A/m^2)

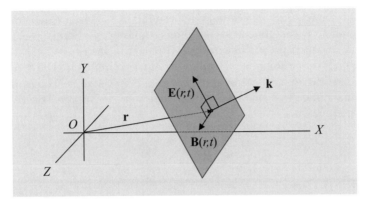

FIG. 5.5 Configuration des champs $\mathbf{E}(\mathbf{r}, t)$, $\mathbf{B}(\mathbf{r}, t)$ et du vecteur $\mathbf{k}$ pour une onde plane transversale. En tous points et à tous instants, les champs $\mathbf{E}(\mathbf{r}, t)$ et $\mathbf{B}(\mathbf{r}, t)$ oscillent dans un plan qui est perpendiculaire à la propagation de l'onde.

Soulignons que le système d'équations différentielles (5.10) à (5.13) ne peut être résolu que dans la mesure où l'on précise les caractéristiques du milieu ainsi que le système de coordonnées utilisé. Dans ce qui suit, nous utiliserons le système de coordonnées cartésiennes. Rappelons que dans ce système de coordonnées, le vecteur $\mathbf{r}$ désigne la position où l'on souhaite évaluer l'une ou l'autre des quantités mentionnées ci-dessus. À titre d'exemple, les expressions

$$\mathbf{E}(\mathbf{r}, t) \equiv \mathbf{E}(x, y, z, t); \quad \mathbf{H}(\mathbf{r}, t) \equiv \mathbf{H}(x, y, z, t)$$

signifient respectivement, le champ électrique et le champ magnétique évalué au point (x, y, z) à l'instant t (fig. 5.5). Il sera tacite que le vecteur position $\mathbf{r}$ désigne en fait le point de coordonnées (x, y, z).

$$\mathbf{r} = x\,\mathbf{i} + y\,\mathbf{j} + z\,\mathbf{k}; \quad [x; y; z]$$

Dans ce qui suit, les milieux en jeu seront supposés *homogènes* et *isotropes*. Dans ce contexte, on peut montrer que les champs vectoriels $\mathbf{E}$, $\mathbf{D}$, $\mathbf{J}$, $\mathbf{H}$ et $\mathbf{B}$ sont reliés par des constantes positives ϵ, μ et σ de la façon suivante :

$$\begin{aligned}
\mathbf{D} &= \epsilon\,\mathbf{E} \\
\mathbf{B} &= \mu\,\mathbf{H} \\
\mathbf{J} &= \sigma\,\mathbf{E}
\end{aligned}$$

Dans les relations ci-dessus, ϵ est la *permittivité* du milieu et ses unités de mesure peuvent s'exprimer en farad par mètre (F/m). La constante μ est appelé *perméabilité* du milieu et ses unités de mesure peuvent s'exprimer en henry par mètre (H/m). La quantité σ est appelée *conductivité* du milieu et ses unités de mesure sont des ampères par volt $\times$ mètre (A/(V m)). Le problème physique que nous allons analyser est le suivant : des charges oscillent à une fréquence f

dans un fil conducteur. Quel est l'effet produit à l'extérieur du conducteur ? Pour répondre à cette question, nous allons supposer que le milieu extérieur au conducteur est un ***milieu diélectrique*** (isolant). Dans ce cas, $\sigma = 0$ et $\rho = 0$. Signalons qu'il est raisonnable de supposer que l'air ambiant et le *vide* sont des milieux diélectriques. Le type de milieux ayant été précisé, le lecteur ne devrait avoir aucune difficulté à montrer que les équations de Maxwell s'écrivent de la façon suivante :

$$\nabla \cdot \mathbf{E}(\mathbf{r}, t) = 0 \tag{5.15}$$

$$\nabla \cdot \mathbf{B}(\mathbf{r}, t) = 0 \tag{5.16}$$

$$\nabla \times \mathbf{E}(\mathbf{r}, t) = -\partial \mathbf{B}(\mathbf{r}, t)/\partial t \tag{5.17}$$

$$\nabla \times \mathbf{B}(\mathbf{r}, t) = \epsilon\mu \partial \mathbf{E}(\mathbf{r}, t)/\partial t \tag{5.18}$$

Les équations (5.17) et (5.18) montrent que les champs $\mathbf{E}(\mathbf{r}, t)$ et $\mathbf{B}(\mathbf{r}, t)$ sont couplés. En effet, non seulement la variation temporelle du champ $\mathbf{B}(\mathbf{r}, t)$ influence le champ $\mathbf{E}(\mathbf{r}, t)$ au sens de la loi de Faraday, mais la variation temporelle du champ $\mathbf{E}(\mathbf{r}, t)$ influence aussi le champ $\mathbf{B}(\mathbf{r}, t)$. Notons qu'en l'absence du terme $\partial \mathbf{D}/\partial t$ introduit par Maxwell, le système d'équations n'est plus couplé de la sorte. L'interaction entre les champs $\mathbf{E}(\mathbf{r}, t)$ et $\mathbf{B}(\mathbf{r}, t)$ a amené Maxwell à penser qu'ils représentent en fait un unique champ qualifié ***champ électromagnétique***. La portée de cette découverte n'eût pas été aussi grande si le champ électromagnétique n'avait pas eu en plus la propriété de transporter, sous la forme d'une onde, l'information et l'énergie relatives à l'oscillation des charges !

Le traitement classique du système d'équations couplé consiste à le transformer en un système équivalent découplé. À titre d'exemple, en transformant le système d'équations (5.15) à (5.18) il est possible d'obtenir l'équation en (5.19). Soulignons que la structure de l'équation en (5.19) n'est pas sans rappeler l'équation d'onde en (3.29) obtenue au moment de l'analyse de la corde vibrante. L'ensemble des opérations permettant le découplage du système d'équations (5.15) à (5.18) est présenté dans la plupart des ouvrages avancés portant sur les ondes électromagnétiques. Les étudiants soucieux de connaître les opérations permettant l'obtention de (5.19) devraient consulter l'un ou l'autre des ouvrages cités dans la bibliographie. Cela dit, après avoir manipulé astucieusement les équations (5.15) à (5.18), on parvient à la conclusion importante suivante : chacune des composantes (ici les composantes sont des fonctions) des champs vectoriels $\mathbf{E}(\mathbf{r}, t)$ et $\mathbf{B}(\mathbf{r}, t)$ peut être pensée comme une fonction d'onde. Cela dit, l'équation d'onde en (5.19) est l'équivalent vectoriel de l'équation d'onde scalaire en (3.29) obtenue dans le cadre de la corde vibrante.

$$\nabla^2 \mathbf{E}(\mathbf{r}, t) - \epsilon\mu \frac{\partial^2 \mathbf{E}(\mathbf{r}, t)}{\partial t^2} = \mathbf{0} \tag{5.19}$$

Dans ce contexte, on peut montrer que le champ électrique

$$\mathbf{E}(\mathbf{r}, t) = \mathbf{E} \cos(\omega t - \mathbf{k} \cdot \mathbf{r} + \varphi) \tag{5.20}$$

est une solution de l'équation différentielle en (5.19). La vérification de cette assertion est laissée au lecteur. Tout étudiant a reconnu en (5.20) l'équation d'onde plane (*cf.* section 1.2) à polarisation linéaire (5.9). Rappelons que $\mathbf{k}$ est le vecteur propagation. Ce vecteur est parallèle au vecteur $\mathbf{c}$ et il indique la direction vers laquelle le signal se déplace.

$$\mathbf{k} = k_1\,\mathbf{i} + k_2\,\mathbf{j} + k_3\,\mathbf{k} \equiv [k_1; k_2; k_2]$$

À présent, retournons aux équations de Maxwell pour y découvrir quels sont les liens entre les champs $\mathbf{E}(\mathbf{r}, t)$ et $\mathbf{B}(\mathbf{r}, t)$. Commençons l'analyse en considérant l'équation de Maxwell (5.15).

$$\nabla \cdot \mathbf{E}(\mathbf{r}, t) = 0 \qquad (5.21)$$

Après avoir effectué le calcul de la divergence (*cf.* calcul différentiel intégral) du champ électrique $\mathbf{E}(\mathbf{r}, t)$, on obtient (exercice laissé au lecteur) :

$$(\mathbf{k} \cdot \mathbf{E}) \sin(\omega t - \mathbf{k} \cdot \mathbf{r} + \varphi) = 0 \qquad (5.22)$$

L'égalité en (5.22) doit être valide peu importe la position $\mathbf{r}$ et l'instant t considérés. Cela dit, il s'ensuit que :

$$\mathbf{k} \cdot \mathbf{E} = 0 \qquad (5.23)$$

L'égalité en (5.23) révèle que l'amplitude $\mathbf{E}$, et par extension $\mathbf{E}(\mathbf{r}, t)$ puisque la polarisation est linéaire, doit être perpendiculaire au vecteur $\mathbf{k}$. Ainsi, le champ électrique $\mathbf{E}(\mathbf{r}, t)$ oscille perpendiculairement à la direction de la propagation $\mathbf{k}$; il n'y a donc pas de composantes du champ électrique dans la direction de la propagation de l'onde électromagnétique. Dans ce contexte, l'onde produite est une ***onde plane transversale*** et non une onde longitudinale (*cf.* section 1.2). La fonction d'onde pour la densité de flux magnétique $\mathbf{B}(\mathbf{r}, t)$ peut s'obtenir à partir de l'équation en (5.17).

$$\nabla \times \mathbf{E}(\mathbf{r}, t) = -\partial \mathbf{B}(\mathbf{r}, t)/\partial t \qquad (5.24)$$

Après avoir effectué le calcul du rotationnel (*cf.* calcul différentiel intégral) du champ électrique $\mathbf{E}(\mathbf{r}, t)$, on obtient (exercice laissé au lecteur) :

$$\nabla \times \mathbf{E}(\mathbf{r}, t) = (\mathbf{k} \times \mathbf{E}) \sin(\omega t - \mathbf{k} \cdot \mathbf{r} + \varphi) \qquad (5.25)$$

En considérant l'équation (5.24), il découle que :

$$\partial \mathbf{B}(\mathbf{r}, t)/\partial t = -(\mathbf{k} \times \mathbf{E}) \sin(\omega t - \mathbf{k} \cdot \mathbf{r} + \varphi) \qquad (5.26)$$

En intégrant l'expression en (5.26) par rapport au temps t, il s'ensuit que :

$$\mathbf{B}(\mathbf{r}, t) = (\mathbf{k} \times \mathbf{E})/\omega \, \cos(\omega t - \mathbf{k} \cdot \mathbf{r} + \varphi) + \mathbf{f}(\mathbf{r}) \qquad (5.27)$$

En (5.27), il est possible de montrer que la fonction vectorielle $\mathbf{f}(\mathbf{r}) = \mathbf{0}$. Cela dit, la fonction pour le champ $\mathbf{B}(\mathbf{r}, t)$ est la suivante :

$$\mathbf{B}(\mathbf{r}, t) = (\mathbf{k} \times \mathbf{E})/\omega \, \cos(\omega t - \mathbf{k} \cdot \mathbf{r} + \varphi) = \mathbf{k} \times \mathbf{E}/\omega \qquad (5.28)$$

En (5.28), il appert que le résultat du produit vectoriel $\mathbf{k} \times \mathbf{E}(\mathbf{r}, t)$ est orienté vers $\mathbf{B}(\mathbf{r}, t)$. De plus, il appert que $\mathbf{B}(\mathbf{r}, t)$ est perpendiculaire à $\mathbf{k}$ et à $\mathbf{E}$, eux-mêmes étant perpendiculaires en vertu de (5.23). L'égalité en (5.28) révèle aussi que l'amplitude vectorielle $\mathbf{B}$ est donnée par

$$\mathbf{B} = (\mathbf{k} \times \mathbf{E})/\omega \qquad (5.29)$$

Nous concluons que le champ électrique $\mathbf{E}(\mathbf{r}, t)$, le champ densité de flux magnétique $\mathbf{B}(\mathbf{r}, t)$ et le vecteur propagation $\mathbf{k}$ sont tous trois mutuellement perpendiculaires (fig. 5.5). En utilisant le résultat en (5.29), le calcul de la grandeur de l'amplitude $\mathbf{B}$ s'effectue de la façon suivante :

$$B = \| \mathbf{B} \| = \| (\mathbf{k} \times \mathbf{E})/\omega \| = \| \mathbf{k} \times \mathbf{E} \|/\omega$$

$$B = kE/\omega = E/c \qquad (5.30)$$

En (5.30), c est la vitesse de propagation dans le milieu diélectrique (extérieur au conducteur). Par extension, le calcul du rapport des grandeurs des fonctions d'onde en (5.20) et (5.28) est une constante.

$$\| \mathbf{E}(\mathbf{r}, t) \|/\| \mathbf{B}(\mathbf{r}, t) \| = \| \mathbf{E} \cos(\omega t - \mathbf{k} \cdot \mathbf{r} + \varphi) \|/\| \mathbf{B} \cos(\omega t - \mathbf{k} \cdot \mathbf{r} + \varphi) \|$$

$$\| \mathbf{E}(\mathbf{r}, t) \|/\| \mathbf{B}(\mathbf{r}, t) \| = \| \mathbf{E} \|/\| \mathbf{B} \|$$

$$E(\mathbf{r}, t)/B(\mathbf{r}, t) = E/B = c \qquad (5.31)$$

En chaque instant t, la valeur du rapport en (5.31) est la vitesse c. Le lecteur peut vérifier que le calcul de la divergence $\nabla \cdot \mathbf{B}(\mathbf{r}, t)$ de l'équation de Maxwell en (5.16) conduit au résultat suivant :

$$\mathbf{k} \cdot \mathbf{B} = 0 \qquad (5.32)$$

Le résultat en (5.32) indique une fois de plus que les vecteur $\mathbf{B}$ et $\mathbf{k}$ sont perpendiculaires. Il nous reste à explorer l'équation (5.18), c'est-à-dire

$$\nabla \times \mathbf{B}(\mathbf{r}, t) = \epsilon\mu\partial\mathbf{E}(\mathbf{r}, t)/\partial t \qquad (5.33)$$

Après avoir effectué le calcul impliquée dans le membre de gauche et le membre de droite de l'égalité en (5.33), on obtient l'égalité suivante :

$$-(\mathbf{k} \times \mathbf{B}) \sin(\omega t - \mathbf{k} \cdot \mathbf{r} + \varphi) = -\epsilon\mu\omega\mathbf{E} \sin(\omega t - \mathbf{k} \cdot \mathbf{r} + \varphi) \qquad (5.34)$$

En considérant la grandeur des fonctions vectorielles en (5.34),

$$\| (\mathbf{k} \times \mathbf{B}) \sin(\omega t - \mathbf{k} \cdot \mathbf{r} + \varphi) \| = \| \epsilon\mu\omega\mathbf{E} \sin(\omega t - \mathbf{k} \cdot \mathbf{r} + \varphi) \|$$

il s'ensuit que :

$$\| (\mathbf{k} \times \mathbf{B}) \| = \epsilon\mu\omega\| \mathbf{E} \|$$

$$kB = \epsilon\mu\omega E$$

En rappelant que $c = \omega/k$ et en utilisant le résultat en (5.30), il s'ensuit que :

$$c = \frac{1}{\sqrt{\epsilon\mu}}$$

Si le milieu dans lequel la propagation se réalise est le vide, alors les valeurs de la permittivité ϵ et de la perméabilité μ sont les suivantes :

$$\epsilon = \epsilon_0 \approx 8,85 \times 10^{-12} \text{ F/m} \tag{5.35}$$

$$\mu = \mu_0 = 4\pi \times 10^{-7} \text{ H/m} \tag{5.36}$$

En utilisant les valeurs en (5.35) et (5.36), on trouve que

$$c_0 = \frac{1}{\sqrt{\epsilon_0\mu_0}} \approx 3 \times 10^8 \text{ m/s}$$

Résumons. Les champs $\mathbf{E}(\mathbf{r}, t)$ et $\mathbf{B}(\mathbf{r}, t)$ se propagent sous la forme d'une onde qui se déplace à la vitesse c dans la direction du vecteur $\mathbf{k}$. Les champs $\mathbf{E}(\mathbf{r}, t)$ et $\mathbf{B}(\mathbf{r}, t)$ qui caractérisent l'onde électromagnétique interagissent conformément aux résultats ci-dessous.

Résultat 5.1 Les vecteurs $\mathbf{E}$, $\mathbf{B}$ et $\mathbf{k}$ sont mutuellement perpendiculaires.

Résultat 5.2 Le vecteur $\mathbf{E} \times \mathbf{B}$ est orienté vers le vecteur propagation $\mathbf{k}$.

Résultat 5.3 $\| \mathbf{E} \| = c \| \mathbf{B} \|$

En pratique, l'utilisation des trois résultats ci-dessus permet de déterminer les fonctions d'onde pour $\mathbf{E}(\mathbf{r}, t)$ et $\mathbf{B}(\mathbf{r}, t)$. Bien que nous ayons dégagé ces résultats en considérant l'hypothèse selon laquelle le champ électrique est polarisé linéairement, soulignons que les résultats (5.1) à (5.3) demeurent valides même si la polarisation est circulaire ou elliptique. Cela dit, nous supposerons dorénavant que $\mathbf{E}(\mathbf{r}, t)$ et $\mathbf{B}(\mathbf{r}, t)$ sont *polarisées linéairement*. Dans ce contexte, les fonctions d'onde se présentent de la façon suivante :

$$\begin{aligned} \mathbf{E}(\mathbf{r}, t) &= \mathbf{E}\cos(\omega t - \mathbf{k} \cdot \mathbf{r} + \varphi) \\ \mathbf{B}(\mathbf{r}, t) &= \mathbf{B}\cos(\omega t - \mathbf{k} \cdot \mathbf{r} + \varphi) \end{aligned} \tag{5.37}$$

L'exemple qui suit illustre la façon d'utiliser les résultats (5.1) à (5.3) pour déterminer les fonctions caractérisant les champs $\mathbf{E}(\mathbf{r}, t)$ et $\mathbf{B}(\mathbf{r}, t)$.

Exemple 5.1

Une OEM polarisée de 300×10^{12} Hz se propage dans la direction des Y positifs avec une longueur d'onde de 91×10^{-8} m. La phase initiale $\varphi = \pi/4$ et l'amplitude $\mathbf{E} = [-4; 0; 3]$ V/m. Dans ce contexte :

  (a) Dites si le signal est détectable par les yeux ;
  (b) Calculez l'indice n du milieu dans lequel l'OEM se propage ;
  (c) Identifiez la forme de la fonction d'onde pour le champ électrique ;
  (d) Identifiez la forme de la fonction pour la densité de flux magnétique ;
  (e) Déterminez les fonctions d'onde $\mathbf{E}(\mathbf{r}, t)$ et $\mathbf{B}(\mathbf{r}, t)$.

Solution : En consultant le tableau 5.1, il appert que la fréquence du signal produit est située dans la bande infrarouge. Le signal émis n'est donc pas détectable par l'œil. L'indice de réfraction n s'obtient en considérant que $n = c_0/c$. La vitesse de propagation c de l'onde peut s'obtenir en considérant que

$$c = \lambda f = 91 \times 10^{-8} \times 300 \times 10^{12} = 2,73 \times 10^8 \text{ m/s}$$

Si on rappelle que $c_0 = 3 \times 10^8$ m/s, il s'ensuit que

$$n = c_0/c = 100/91 \approx 1,1$$

Une OEM à polarisation linéaire a la forme suivante :

$$\mathbf{E}(\mathbf{r}, t) = \mathbf{E} \cos(\omega t - \mathbf{k} \cdot \mathbf{r} + \varphi)$$

Pour une onde se propageant dans la direction de l'axe des Y positifs

$$\mathbf{k} = 0\,\mathbf{i} + k_2\,\mathbf{j} + 0\,\mathbf{k} \equiv [0; k; 0]$$

$$\mathbf{r} = x\,\mathbf{i} + y\,\mathbf{j} + z\,\mathbf{k} \equiv [x; y; z]$$

Il s'ensuit que

$$\mathbf{k} \cdot \mathbf{r} = ky$$

De plus, conformément au résultat énoncé en (5.1), les champs $\mathbf{E}(\mathbf{r}, t)$ et $\mathbf{B}(\mathbf{r}, t)$ n'ont pas de composantes dans la direction de l'axe des Y. Cela dit, les fonctions d'onde ont les formes suivantes :

$$\mathbf{E}(y, t) = \mathbf{E} \cos(\omega t - ky + \varphi) \quad \text{où} \quad \mathbf{E} = [-4; 0; 3] \text{ V/m}$$

$$\mathbf{B}(y, t) = \mathbf{B} \cos(\omega t - ky + \varphi) \quad \text{où} \quad \mathbf{B} = [B_1; 0; B_3] \text{ Wb/m}^2$$

Pour déterminer la valeur des composantes scalaires de $\mathbf{B}$, il suffit ici de considérer les résultats (5.1) et (5.3). Exprimées sous la forme d'équations, ces deux résultats se présentent respectivement de la façon suivante :

$$\mathbf{E} \cdot \mathbf{B} = 0$$

$$E^2 = c^2 B^2$$

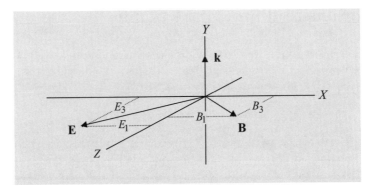

FIG. 5.6 Amplitudes **E** et **B** de l'OEM plane se propageant selon l'axe Y positifs.

Ces deux égalités conduisent au système d'équations ci-dessous.

$$-4B_1 + 3B_3 = 0$$

$$c^2(B_1^2 + B_3^2) = 25$$

Après avoir effectué le calcul, on trouve que les deux solutions suivantes sont possibles :

$$\mathbf{B} = [3/c; 0; 4/c] \quad \text{ou} \quad \mathbf{B} = [-3/c; 0; -4/c]$$

Pour identifier la bonne solution, l'esquisse d'un schéma suffit (fig. 5.6). Rappelons le résultat en (5.2).

$$\mathbf{E} \times \mathbf{B} \text{ est dirigé vers le vecteur propagation } \mathbf{k}$$

En utilisant la **règle de la vis**, il appert que la solution à retenir est la suivante (expliquez pourquoi l'autre solution n'est pas la bonne (5.2)) :

$$\mathbf{B} = [3/c; 0; 4/c]$$

Vérifions que le vecteur amplitude **B** est correct. D'une part,

$$\mathbf{E} \cdot \mathbf{B} = [-4; 0; 3] \cdot [3/c; 0; 4/c] = -12/c + 12/c = 0$$

D'autre part, l'égalité en (5.9) est vérifiée. En effet,

$$c \, \| \, \mathbf{B} \, \| = c \, \| \, [3/c; 0; 4/c] \, \| = 5 = \| \, \mathbf{E} \, \|$$

Les fonctions d'onde en jeu sont donc les suivantes :

$$\mathbf{E}(y, t) = [-4; 0; 3] \cos(\omega t - ky + \varphi) \text{ V/m}$$

$$\mathbf{B}(y, t) = [n; 0; 4n/3] \cos(\omega t - ky + \varphi) \times 10^{-8} \text{ T}$$

Notons ici que :

$$n = 100/91; \quad \omega = 600\pi \times 10^{12}; \quad k = 2\pi \times 10^8/91; \quad \varphi = \pi/4$$

5.4   Intensité d'une OEM plane

Une propriété fort importante de l'onde électromagnétique a trait à l'énergie qu'elle transporte en se propageant dans un milieu. L'énergie transportée par une OEM est reliée au vecteur de Poynting $\mathbf{S}(\mathbf{r}, t)$.

$$\mathbf{S}(\mathbf{r}, t) = \mathbf{E}(\mathbf{r}, t) \times \mathbf{H}(\mathbf{r}, t) \tag{5.38}$$

La quantité vectorielle $\mathbf{S}(\mathbf{r},t)$ en (5.38) représente la puissance par unité de surface transmise par l'onde électromagnétique à la position $\mathbf{r}$ et à l'instant t. La grandeur du vecteur $\mathbf{S}(\mathbf{r}, t)$ correspond à l'intensité I définie en (1.33), pourvu que la surface de référence choisie soit une surface plane unitaire perpendiculaire au vecteur propagation $\mathbf{k}$ de l'onde plane. En premier, vérifions que les unités de mesure de $\mathbf{S}$ sont celles d'une intensité.

$$\| \mathbf{S} \| \equiv \| \mathbf{E} \| \| \mathbf{H} \| \equiv \frac{V}{m} \times \frac{A}{m} \equiv W/m^2$$

Nous allons calculer l'intensité I transportée par une onde plane polarisée linéairement qui se propage dans un milieu *diélectrique*, *homogène* et *isotrope*. Pour ce type de milieu, la perméabilité μ relie les champs $\mathbf{B}(\mathbf{r}, t)$ et $\mathbf{H}(\mathbf{r}, t)$ de la façon suivante :

$$\mathbf{B}(\mathbf{r}, t) = \mu \mathbf{H}(\mathbf{r}, t)$$

Cela dit, il s'ensuit que

$$\mathbf{S}(\mathbf{r}, t) = \frac{1}{\mu} \mathbf{E}(\mathbf{r}, t) \times \mathbf{B}(\mathbf{r}, t)$$

Or, comme $\mathbf{E}(\mathbf{r}, t)$ et $\mathbf{B}(\mathbf{r}, t)$ sont perpendiculaires, il découle que :

$$\mathbf{S}(\mathbf{r}, t) = \frac{1}{\mu} \| \mathbf{E}(\mathbf{r}, t) \| \| \mathbf{B}(\mathbf{r}, t) \| \mathbf{u} \tag{5.39}$$

En (5.39), le vecteur unitaire $\mathbf{u}$ est orienté vers le vecteur propagation $\mathbf{k}$ de l'onde (fig. 1.8). Cela dit, l'intensité I est :

$$I = \| \mathbf{S}(\mathbf{r}, t) \| = \frac{1}{\mu} \| \mathbf{E}(\mathbf{r}, t) \| \| \mathbf{B}(\mathbf{r}, t) \|$$

On peut montrer que l'énergie emmagasinée dans le champ $\mathbf{B}(\mathbf{r}, t)$ est égale à l'énergie emmagasinée dans le champ $\mathbf{E}(\mathbf{r}, t)$. Toutefois, comme le champ électrique $\mathbf{E}(\mathbf{r}, t)$ est celui qui est en grande partie responsable de la force exercée sur les charges du milieu traversé par l'onde, dorénavant nous exprimerons, dans la mesure du possible, le résultat de nos calculs en termes du champ électrique. De plus, pour rendre le plus clair possible les figures des chapitres 6 et 7, l'auteur a intentionnellement omis d'y signaler la présence du champ $\mathbf{B}(\mathbf{r}, t)$. Il suffit de se rappeler que dans toutes ces figures, le champ $\mathbf{B}(\mathbf{r}, t)$ est bel et bien présent, qu'il est perpendiculaire au champ électrique $\mathbf{E}(\mathbf{r}, t)$ et que le résultat du produit vectoriel $\mathbf{E}(\mathbf{r}, t) \times \mathbf{B}(\mathbf{r}, t)$ est orienté dans la direction du déplacement de l'onde. Dorénavant l'auteur présume que l'étudiant sait que si le champ électrique est connu, alors la densité de flux magnétique $\mathbf{B}(\mathbf{r}, t)$ l'est aussi. Cela dit, en utilisant le résultat en (5.28), l'intensité I peut s'exprimer de la façon suivante :

$$I \equiv \| \mathbf{S}(\mathbf{r}, t) \| = \frac{1}{\mu} \| \mathbf{E}(\mathbf{r}, t) \| \, \| \mathbf{k} \times \mathbf{E}(\mathbf{r}, t)/\omega \| \tag{5.40}$$

$$I \equiv \| \mathbf{S}(\mathbf{r}, t) \| = \frac{1}{\mu c} \| \mathbf{E}(\mathbf{r}, t) \|^2 = \frac{1}{\mu c} \| \mathbf{E} \|^2 \cos^2(\omega t - \mathbf{k} \cdot \mathbf{r} + \varphi) \tag{5.41}$$

L'expression en (5.40) donne la valeur de l'intensité I instantanée. L'ordre de grandeur de la fréquence f impliquée dans la production d'une OEM est considérable (tab. 5.1). Par exemple, l'ordre de grandeur de la durée T d'un cycle pour une OEM du spectre visible est la suivante :

$$T = 1/f \approx 1/(500 \times 10^{12} \text{ Hz})$$

$$T \approx 2 \times 10^{-15} \text{ s}$$

Pendant ce laps de temps T, la fonction cosinus en (5.40) effectue un cycle... Concrètement, un appareil de mesure, et *a fortiori* notre œil, n'est pas capable de détecter des fluctuations d'intensité I aussi rapides. Le lecteur aura compris que des motifs pratiques nous amènent à considérer plutôt le calcul de l'***intensité moyenne*** pendant un cycle de durée T.

$$I_{Moy} = \frac{1}{\mu c} (\| \mathbf{E}(\mathbf{r}, t) \|^2)_{Moy} = \frac{1}{\mu c} \| \mathbf{E} \|^2 (\cos^2(\omega t - \mathbf{k} \cdot \mathbf{r} + \varphi))_{Moy} \tag{5.42}$$

Un calcul similaire a été fait en (3.44) pour déterminer la puissance moyenne transmise en un point x de la corde qui oscille. Le lecteur peut vérifier que la valeur moyenne du carré de la fonction cosinus est la suivante :

$$(\cos^2(\omega t - \mathbf{k} \cdot \mathbf{r} + \varphi))_{Moy} = \frac{1}{T} \int_{a}^{a+T} \cos^2(\omega t - \mathbf{k} \cdot \mathbf{r} + \varphi) dt = \frac{1}{2} \tag{5.43}$$

En incorporant le résultat en (5.43) dans (5.42), il s'ensuit que :

$$I_{Moy} = \frac{1}{\mu c} (\| \mathbf{E}(\mathbf{r}, t) \|^2)_{Moy} = \frac{1}{2\mu c} \| \mathbf{E} \|^2 \tag{5.44}$$

Tel que nous l'avons convenu pour la puissance W au chapitre 3, nous omettrons dorénavant l'indice *Moy* pour l'intensité I ; à moins d'avis contraire il sera tacite qu'il s'agit d'une intensité moyenne. L'expression pour la valeur de l'intensité I en (5.44) dépend de la perméabilité μ du milieu diélectrique.

Toutefois, remarquons que pour les milieux diélectriques la valeur de μ est pratiquement la même que celle mesurée dans le vide.

$$\mu \approx \mu_0 = 4\pi \times 10^{-7} \text{ H/m} \tag{5.45}$$

Par exemple, pour le diamant

$$\mu/\mu_0 \approx 1 - 2 \times 10^{-5}$$

Un tel raisonnement n'est toutefois pas valide pour la permittivité ϵ du diélectrique. Les milieux que nous allons rencontrer aux chapitres 6 et 7 auront la propriété d'être transparents. Dans ce cas, nous avons vu au chapitre 4 que l'indice de réfraction du milieu est :

$$n = c_0/c \quad \text{où} \quad c_0 = 3 \times 10^8 \text{ m/s}$$

En considérant les remarques en (5.44) et (5.45), l'expression pour l'intensité I transportée par une OEM plane s'écrit sous la forme suivante :

$$I = \frac{n\,E^2}{240\pi} \tag{5.46}$$

Rappelons la convention établie à la fin de la section 5.2.

$$E \equiv \|\,\mathbf{E}\,\| \equiv \text{ l'amplitude de la fonction d'onde}$$

Nous voilà au terme de l'étude des équations de Maxwell. L'auteur espère ne pas avoir trop découragé le lecteur. Si tel est le cas, il est bon de se rappeler que les résultats importants découlant des équations de Maxwell, étudiées dans le contexte de la propagation d'une OEM dans un milieu diélectrique, font l'objet des résultats (5.1) à (5.3). L'auteur recommande donc au lecteur qui aurait eu de la difficulté à assimiler le contenu de cette section après une première lecture, de la relire en ayant à l'esprit les résultats de la page 193.

5.5   Phénomène de pression de radiation

Dans cette section nous allons dégager une expression pour la force exercée par un faisceau lumineux qui frappe une plaque réfléchissante. Nous verrons que l'impact d'un signal lumineux sur un miroir provoque un effet similaire à celui du jet d'eau percutant une plaque. En d'autres mots, un faisceau lumineux peut, au sens de la mécanique newtonienne, exercer une force sur un miroir. Un tel effet est causé par ce qui est communément appelé en électromagnétisme la *pression de radiation*. Pour parvenir à expliquer l'origine de la force qui s'exerce sur un objet exposé à un flux de radiation, il suffit de remarquer que la pression de radiation, notée P, exercée par une OEM plane est la suivante :

$$P = \|\,\mathbf{S}(\mathbf{r}, t)\,\|/c = I/c \tag{5.47}$$

En (5.47), le lecteur peut vérifier que les unités de mesure pour la pression de radiation P sont bien des newtons par mètre carré (N/m^2). Comme nous en avons discuté à la ligne (5.41), il est plus utile de considérer la valeur moyenne pour la valeur d'intensité $S(\mathbf{r}, t)$. En exprimant le résultat (5.47) sous la forme de valeur moyenne, on obtient le résultat suivant :

$$P_{\text{Moy}} = I_{\text{Moy}}/c \equiv I/c \tag{5.48}$$

Tel que nous l'avons convenu, nous omettrons dorénavant l'indice *Moy*. Une des manifestations concrètes du résultat en (5.48) est la suivante : un objet exposé à un flux de radiations électromagnétiques subit une force F donnée par l'expression suivante :

$$F = P\, A_{\text{Efficace}} \tag{5.49}$$

En (5.49), le terme A_{Efficace} désigne *l'aire de surface exposée* à la radiation *projetée dans le plan perpendiculaire au vecteur propagation* $\mathbf{k}$. En guise d'exemple, la valeur de la surface efficace A_{Efficace} d'une sphère exposée à une OEM plane correspond à l'aire d'un disque plat, soit $A_{\text{Efficace}} = \pi\, r^2$. Ainsi, pour une OEM plane, la valeur de la surface A_{Efficace} s'obtient en réduisant la surface exposée au bombardement électromagnétique en sa forme plane équivalente. Pour simplifier la notation, posons que $A_{\text{Efficace}} = A$, et souvenons-nous que l'aire A désigne en réalité une *aire efficace*. Cela dit, la forme pour l'expression en (5.49) est la suivante :

$$F = PA = AI/c = W/c \tag{5.50}$$

Soulignons que la valeur de la force F en (5.50) doit être interprétée en termes de valeur moyenne. Sans entrer dans les détails techniques de la question, soulignons que le résultat en (5.50) permet d'expliquer pourquoi la queue d'une comète n'est pas parallèle au vecteur vitesse $\mathbf{v}$ de la comète. En effet, la traînée laissée derrière la comète est déviée par la force qu'exerce la radiation solaire sur elle. Plus la comète passe près du soleil, plus la déviation de la traînée est marquée. En (5.50), le terme W est la puissance moyenne qui traverse une section plane d'aire A. Ainsi, pendant le laps de temps Δt, l'énergie totale U qui traverse une section plane d'aire A est

$$U = W\, \Delta t \tag{5.51}$$

En utilisant le résultat en (5.51), il appert que l'impulsion, ou de façon équivalente la quantité de mouvement $\mathbf{p}$, produite par la radiation électromagnétique s'exprime de la façon suivante :

$$\mathbf{p} = F\Delta t\, \mathbf{u} = \frac{U}{c}\, \mathbf{u}$$

Quelle quantité de mouvement est transférée à une plaque de masse m, si on expose celle-ci à un faisceau lumineux d'intensité I ? Pour répondre à cette

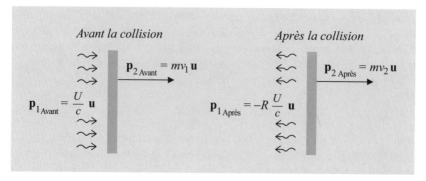

FIG. 5.7 Diagramme des quantités de mouvement *avant* qu'une plaque réfléchisse la radiation électromagnétique incidente et *après* la réflexion. Le coefficient de réflexion de la plaque est R.

question, considérons les deux événements suivants : *avant la collision* et *après la collision* (fig. 5.7). Désignons respectivement par $\mathbf{p}_1$ et $\mathbf{p}_2$ la **quantité de mouvement totale du système** avant la collision et après la collision. En vertu du principe de conservation de la quantité de mouvement selon lequel

$$\sum_{i=1}^{n} (\mathbf{p}_i)_{\text{Avant}} = \sum_{i=1}^{n} (\mathbf{p}_i)_{\text{Après}}$$

il s'ensuit que (exercice laissé au lecteur) :

$$m \, \Delta v_{\text{plaque}} = (R+1)U/c \qquad (5.52)$$

En (5.52), le terme R est appelé **coefficient global de réflexion** de la plaque. De façon plus générale, le pouvoir réfléchissant d'un objet exposé aux radiations électromagnétiques est aussi désigné par le mot **albédo**. À titre d'exemple, certains types de nuages peuvent avoir un albédo de $1/4$. Cela signifie que 25% de la radiation électromagnétique qui les frappe retourne à l'extérieur de l'atmosphère. Dans ce contexte, le lecteur comprendra le sens à apporter aux définitions suivantes : si $R = 0$, alors la surface est dite **absorbante** et si $R = 1$ la surface est dite **parfaitement réfléchissante**. Cela dit, en divisant chacun des membres de l'égalité en (5.52) par Δt, et en prenant un Δt suffisamment petit, on obtient le résultat suivant :

$$m \, a = (R+1)W/c \qquad (5.53)$$

Le terme a en (5.53) est l'accélération moyenne de la plaque ; *a fortiori* le terme $m \, dv/dt$ représente la force moyenne F exercée sur la plaque.

En résumé, dans le cas où la radiation est réfléchie par une plaque dont le coefficient de réflexion est R, la valeur de la force F_{plaque} exercée sur la plaque est donnée par l'expression suivante :

$$F_{\text{plaque}} = m\,\frac{dv}{dt} = \frac{(R+1)}{c}\,W \tag{5.54}$$

Soulignons que si $R = 0$ alors on retrouve le résultat en (5.50), c'est-à-dire que dans ce cas la force exercée sur la plaque est équivalente à la force F exercée par la radiation. En divisant les membres de gauche et de droite en (5.54) par la superficie A de la plaque exposée à la radiation, il s'ensuit que la pression de radiation P exercée sur la plaque est reliée à l'intensité I de la façon suivante :

$$P = \frac{(R+1)}{c}\,I \tag{5.55}$$

Dans le cas où la radiation se présente sous la forme d'une OEM plane polarisée, on a vu en (5.44) que l'intensité moyenne I est donnée par l'une ou l'autre des expressions suivantes :

$$I = \frac{1}{2\mu_0 c}\,\|\,\mathbf{E}\,\|^2 = \frac{n\,E^2}{240\pi}$$

5.6   Synthèse du chapitre 5

Une **onde électromagnétique** (OEM) est émise dès que des charges oscillent à une fréquence f du **spectre électromagnétique**. Lorsque les **charges sources** oscillent dans un conducteur filiforme rectiligne, il est raisonnable de supposer que le **champ électrique** $\mathbf{E}(\mathbf{r}, t)$ et la **densité de flux magnétique** $\mathbf{B}(\mathbf{r}, t)$ produits à l'extérieur du conducteur sont respectivement parallèle et perpendiculaire au fil conducteur. Lorsqu'on est suffisamment éloigné du conducteur, l'OEM est plane et **polarisée linéairement**, c'est-à-dire que

$$\mathbf{E}(\mathbf{r}, t) = \mathbf{E}\cos(\omega t - \mathbf{k}\cdot\mathbf{r} + \varphi); \quad \mathbf{B}(\mathbf{r}, t) = \mathbf{B}\cos(\omega t - \mathbf{k}\cdot\mathbf{r} + \varphi)$$

L'OEM plane se déplace dans la direction du **vecteur propagation** $\mathbf{k}$. De plus, les champs $\mathbf{E}(\mathbf{r}, t)$ et $\mathbf{B}(\mathbf{r}, t)$ interagissent conformément aux équations de Maxwell. Pour un milieu diélectrique (isolant) **homogène** et **isotrope** caractérisé par une **permittivité** ϵ et une **perméabilité** $\mu \approx \mu_0 = 4\pi \times 10^{-7}$ H/m constantes, ces équations se réduisent à la forme suivante :

$$\nabla \cdot \mathbf{E}(\mathbf{r}, t) = 0; \quad \nabla \times \mathbf{E}(\mathbf{r}, t) = -\partial\mathbf{B}(\mathbf{r}, t)/\partial t$$

$$\nabla \cdot \mathbf{B}(\mathbf{r}, t) = 0; \quad \nabla \times \mathbf{B}(\mathbf{r}, t) = \epsilon\mu\partial\mathbf{E}(\mathbf{r}, t)/\partial t$$

Les règles qui découlent de ces équations sont les suivantes :

Les vecteurs $\mathbf{E}$, $\mathbf{B}$ et $\mathbf{k}$ sont mutuellement perpendiculaires.

Le produit vectoriel $\mathbf{E} \times \mathbf{B}$ est dirigé vers le vecteur propagation $\mathbf{k}$.

$\|\mathbf{E}\| = c\|\mathbf{B}\|$

L'**intensité moyenne** I transportée par une OEM plane qui se propage dans un **milieu transparent** d'indice de réfraction n est :

$$I = \|\mathbf{E}\|^2/(2\mu_0 c) = n\|\mathbf{E}\|^2/(240\pi)$$

En plus de transporter de l'énergie, une OEM exerce une force sur tous les objets qu'elle rencontre sur son passage. Dans la littérature de *science-fiction*, on parle de voiliers solaires alimentés par un vent solaire. En effet, lorsqu'on expose un objet de masse m à un flux de radiation d'intensité I, la grandeur de la **pression de radiation** P et la grandeur de la force exercée sur l'objet sont respectivement les suivantes :

$$P = (R + 1)I/c; \quad F_{\text{plaque}} = m\,dv/dt = (R + 1)W/c$$

La paramètre R est le **coefficient global de réflexion** (ou l'**albédo**) de la surface réfléchissante. Dans les deux relations ci-dessus, la puissance et l'intensité sont reliées par l'égalité suivante :

$$W = I A_{\text{Efficace}}$$

La valeur de la surface A_{Efficace} s'obtient en *réduisant* la surface de l'objet exposée à la radiation en sa forme plane *équivalente*. Par exemple :

$$(A_{\text{Efficace}})_{\text{Sphère}} = \pi\,r^2$$

5.7 Exercices

Note : Dans les problèmes qui suivent, supposez que l'OEM se propage dans un milieu *diélectrique, homogène* et *isotrope* (extérieur au conducteur). De plus, supposez que le champ électrique produit est polarisé linéairement ; et si les charges accélérées oscillent dans un conducteur filiforme, supposez que le champ électrique produit à l'extérieur du fil est parallèle au fil.

5.1 Une OEM dont l'intensité est de 10 W/m² est caractérisée par une amplitude de champ électrique $\mathbf{E} = [20; 28; 70]$ V/m. Calculez la grandeur de $\mathbf{B}$.

5.2 Les appareils de détection d'un expérimentateur indiquent qu'en un point donné de l'espace les amplitudes du champ électrique et de densité de flux magnétique sont les suivantes :

$$\mathbf{E} = [-8; 4; 3] \text{ V/m}; \quad \mathbf{B} = [3; -8; 4] \times 10^{-8} \text{ T}$$

(a) D'après-vous, est-ce que l'appareil fonctionne bien ?

Après avoir apporté quelques modifications à l'appareil de détection, la lecture des amplitudes $\mathbf{E}$ et $\mathbf{B}$ au même point de l'espace s'avère être la suivante :

$$\mathbf{E} = [-8; 4; 4] \text{ V/m}; \quad \mathbf{B} = [3; -8; 14] \times 10^{-9} \text{ T}$$

(b) D'après-vous, est-ce que l'appareil est bien réparé ?

5.3 Considérez une OEM de 400×10^{12} Hz dont les amplitudes vectorielles des fonctions d'onde $\mathbf{E}(\mathbf{r}, t)$ et $\mathbf{B}(\mathbf{r}, t)$ sont respectivement

$$\mathbf{E} = [10; 15; 20] \text{ V/m}; \quad \mathbf{B} = [64; 40; -62] \times 10^{-9} \text{ T}$$

alors déterminez :

(a) La vitesse de propagation de l'OEM ;
(b) L'indice n du milieu dans lequel l'OEM se propage ;
(c) Si le signal est détectable par les yeux ;
(d) Le vecteur propagation $\mathbf{k}$;
(e) Les fonctions d'onde $\mathbf{E}(\mathbf{r}, t)$ et $\mathbf{B}(\mathbf{r}, t)$;
(f) L'intensité transportée par l'OEM ;
(g) La pression de radiation que génère l'OEM si $R = 1/2$.

5.4 Effectuez le calcul de la divergence $\nabla \cdot \mathbf{E}(\mathbf{r}, t)$ en (5.21) qui mène au résultat de la ligne (5.22).

5.5 Une onde radio de 100 MHz est caractérisée par les vecteurs

$$\mathbf{E} = [12; 14; 3] \text{ V/m}; \quad \mathbf{k} = \frac{\pi}{7}[2; -3; 6] \text{ m}^{-1}$$

Dans ce contexte, déterminez :

(a) L'indice de réfraction du milieu dans lequel l'OEM se propage ;
(b) L'intensité transportée par l'OEM ;
(c) La grandeur de **B** ;
(d) Les fonctions d'onde $\mathbf{E}(\mathbf{r}, t)$ et $\mathbf{B}(\mathbf{r}, t)$ si $\varphi = 0$.

5.6 En utilisant une antenne rectiligne, on s'apprête à capter une onde radio de 700 MHz. La grandeur du champ électrique mesuré au voisinage de l'antenne réceptrice est noté E et le champ magnétique **H** est parallèle et de même sens que le vecteur **b**. Au voisinage de l'antenne réceptrice on sait que :

$$\mathbf{b} = [26750; -3660; 2619]; \quad \mathbf{k} = [1; k_2; 8] \text{ m}^{-1}; \quad \mathbf{E} = [-9; E_2; E_3] \text{ V/m};$$

Si on remarque que, pour être efficace, une antenne réceptrice doit être orientée parallèlement au champ électrique, alors dans ce contexte, déterminez :

(a) Le vecteur propagation **k** et le vecteur amplitude **E** ;
(b) Le vecteur unitaire donnant l'orientation idéale de l'antenne réceptrice ;
(c) L'intensité du signal au voisinage de l'antenne réceptrice ;
(d) Le vecteur amplitude **B**.

5.7 Une OEM se propage selon :

$$\mathbf{E}(\mathbf{r}, t) = \mathbf{E} \cos(600\pi \times 10^{12} t - \mathbf{k} \cdot \mathbf{r} + \varphi)$$

$$\mathbf{E} = [4; 3; 0] \text{ V/m}; \quad \mathbf{B} = [-B_1; B_2; 0] \text{ T}; \quad k = 200\pi \times 10^4 \text{ m}^{-1}; \quad \varphi = \pi/4.$$

On suppose $B_1 > 0$ et $B_2 > 0$. Dans ce contexte,

(a) Déterminez l'indice n du milieu dans lequel l'OEM se propage ;
(b) Calculez la fréquence d'émission de la source ;
(c) Dites si le signal est détectable par les yeux ;
(d) Calculez l'angle séparant le champ $\mathbf{E}(\mathbf{r}, t)$ et l'axe Y ;
(e) Calculez la grandeur de l'amplitude du champ $\mathbf{E}(\mathbf{r}, t)$;
(f) Calculez la grandeur du champ électrique au point $(x, 1, 1)$ m à $t = 3$ s ;
(g) Dessinez le graphe du champ électrique à l'instant $t = 0$;
(h) Calculez l'intensité transportée par l'OEM ;
(i) Calculez la pression exercée sur une plaque dont l'albédo vaut 3/4.

5.8 Reprenez l'exercice 5.7 si

$$\mathbf{E} = [3; 0; -4] \text{ V/m}; \quad \mathbf{B} = [B_1; 0; B_3] \text{ T}; \quad k = 450\pi \times 10^4 \text{ m}^{-1}; \quad \varphi = \pi/3.$$

Supposez $B_1 > 0$ et $B_3 > 0$.

5.9 Est-ce qu'une OEM qui se propage dans la direction des Y positifs peut avoir une amplitude vectorielle $\mathbf{E} = [0; 4; 3]$ V/m ?

5.10 Une OEM plane à polarisation linéaire de fréquence de 450 THz se propage dans le vide suivant l'axe des X positifs. L'amplitude de l'OEM est $\| \mathbf{E} \| = 500$ V/m. En $x = 0$ et à l'instant $t = 0$ on a :

$$\mathbf{E}(0, 0) = [0; 150; 200] \text{ V/m}; \quad 0 < \varphi < \pi/2$$

Dans ce contexte, déterminez :

    (a) La forme générale de la fonction d'OEM ;
    (b) La forme particulière de la fonction d'OEM ;
    (c) L'intensité transportée par l'OEM.

On place un miroir parfaitement réfléchissant devant l'OEM. La superficie du faisceau de 1 cm^2 est plus petite que la superficie du miroir. Déterminez :

    (d) La pression de radiation exercée sur le miroir par l'OEM ;
    (e) La force exercée sur le miroir par l'OEM.

5.11 Reprenez l'exercice 5.10 si $\mathbf{E}(0, 0) = [0; 150\sqrt{2}; 200\sqrt{2}]$ V/m.

5.12 Une ampoule émettant à puissance constante est enfermée au centre d'une coquille sphérique parfaitement réfléchissante de rayon de 1 m. Si à 1 cm l'intensité est de 400 W/m^2 :

    (a) Quelle est l'intensité de la lumière à 10 cm ?
    (b) Quelle pression subit la coquille ?
    (c) Quelle force subit une section de 2 m^2 de surface ?

Indice : Pensez au modèle sphérique (*cf.* chap. 1).

5.13 Une onde radio de 300 MHz est émise dans l'air par une longue antenne qui passe par les points $A = (8; 4; 12)$ m et $B = (10; 7; 18)$ m. On souhaite décrire le comportement du champ électrique au voisinage du point de coordonnées $C = (20; 28; 70)$ m sous la forme d'une onde plane. Si au voisinage du point C l'intensité de l'onde est de 60 W/m^2, alors déterminez :

    (a) Le vecteur propagation $\mathbf{k}$;
    (b) Le vecteur amplitude $\mathbf{E}$ si son orientation va du point A au point B ;
    (c) Les fonctions d'onde $\mathbf{E}(\mathbf{r}, t)$ et $\mathbf{B}(\mathbf{r}, t)$ si $\varphi = 0$.

5.14 Une OEM polarisée de 300×10^{12} Hz se propage dans la direction des Y positifs avec une longueur d'onde de 91×10^{-8} m. La phase $\varphi = \pi/4$ et l'amplitude $\mathbf{E} = [-4; 0; 3]$ V/m. Dans ce contexte :

    (a) Dites si le signal est détectable par les yeux ;
    (b) Déterminez les fonctions d'onde $\mathbf{E}(\mathbf{r}, t)$ et $\mathbf{B}(\mathbf{r}, t)$.

5.15 L'intensité de la radiation solaire à son arrivé à la surface de la terre est approximativement 1500 W/m². Le rayon de la terre est $r = 6370$ km. En supposant que l'atmosphère absorbe entièrement la radiation solaire, déterminez :

(a) La pression P exercée par la radiation solaire sur la terre ;

(b) La force F totale exercée par la radiation solaire sur la terre.

5.16 Une comète passe dans un secteur où le soleil émet une radiation électromagnétique dont l'intensité est de 30000 W/m². Le diamètre de la comète est de 1 km et la traînée laissée derrière elle mesure 5 km à partir du centre de sa tête. Un profil simplifié de la comète est illustré à la figure 5.8. Calculez la plus grande force qui peut s'exercer sur la queue de la comète.

FIG. **5.8** Exercice 5.16.

5.17 Vous souhaitez construire un voilier solaire de 100 kg qui ait une accélération constante de 1 m/s² lorsqu'un vent solaire d'une intensité de 10000 W/m² vient frapper la voile à incidence normale. Déterminez la superficie que devrait avoir une voile parfaitement réfléchissante pour atteindre cet objectif.

5.18 Effectuez le calcul du rotationnel $\nabla \times \mathbf{E}(\mathbf{r}, t)$ en (5.24) qui mène au terme de droite de l'égalité en (5.25).

5.19 Une surface plane dont le coefficient de réflexion est de $1/2$ est éclairée par une source lumineuse dont la puissance, à l'arrivée sur la plaque, est de 1000 W. La section éclairée de la plaque est 20 cm² et sa masse est 1 mg. La vitesse initiale de la plaque est nulle. Si le milieu ambiant est l'air, calculez la vitesse de la plaque après 1 heure d'éclairement.

5.20 Le champ électrique d'une OEM plane qui se propage dans un milieu d'indice $n = 5/4$ est orienté dans la direction du vecteur qui débute au point $C = (1; 8; 12)$ m et qui se termine au point $D = (5; 10; 5)$ m. La grandeur de l'amplitude du champ électrique est de 100 V/m. D'autre part, on sait que l'amplitude $\mathbf{B}$ de la fonction d'onde $\mathbf{B}(\mathbf{r}, t)$ au point $F = (10; 10; 10)$ m pointe vers un des points de la droite qui passe par les points C et D. Dans ce contexte, déterminez :

(a) Les vecteurs amplitudes $\mathbf{E}$ et $\mathbf{B}$;

(b) Le vecteur propagation $\mathbf{k}$ si la fréquence est de 600×10^{12} Hz.

5.21 Une antenne émet une onde radio à une fréquence de 3×10^5 Hz. Tout en étant orientée parallèlement à l'axe Z (Fig. 5.9), l'antenne rectiligne passe par le point $A = (1; 4; 5)$ m. Au point $C = (3; 10; 14)$ m, un observateur reçoit les signaux avec une intensité de 1 W/m². L'onde se propage dans le vide.

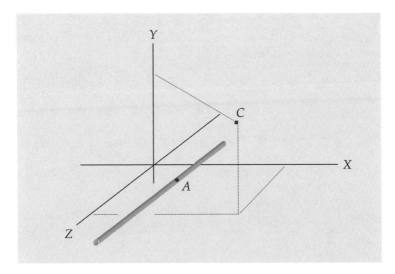

FIG. **5.9** Antenne rectiligne créant une OEM plane au point C.

Si on suppose que l'onde qui parvient au point C a un champ électrique parallèle à l'antenne, alors

(a) Déterminez la fonction d'onde $\mathbf{E}(\mathbf{r}, t)$ au voisinage du point C ;
(b) Déterminez la fonction d'onde $\mathbf{B}(\mathbf{r}, t)$ au voisinage du point C ;
(c) Calculez $\mathbf{E}(\mathbf{r}, \mathbf{t}) \cdot \mathbf{B}(\mathbf{r}, \mathbf{t})$ et interprétez le résultat.

5.22 Une OEM plane à polarisation linéaire de fréquence 360 THz se propage dans le vide. L'amplitude du champ électrique de l'OEM est de 400 V/m. Les conditions initiales sont les suivantes :

$$t_0 = 0; \quad \mathbf{r}_0 = [\, 0; 0; 0 \,]; \quad \mathbf{E}(\mathbf{r}_0, t_0) = [\, 200;\ 100;\ 0 \,] \text{ V/m}; \quad \mathbf{b} = [\, -1;\ 2;\ 0 \,].$$

L'orientation du champ magnétique est parallèle et de même sens au vecteur $\mathbf{b}$. Dans ce contexte, déterminez

(a) La direction de la propagation de l'OEM ;
(b) L'équation du champ électrique $\mathbf{E}(\mathbf{r}, t)$;
(c) L'équation de la densité de flux magnétique $\mathbf{B}(\mathbf{r}, t)$;
(d) L'équation du champ magnétique $\mathbf{H}(\mathbf{r}, t)$;
(e) L'intensité transportée par l'OEM ;
(f) La pression qu'exercerait l'OEM sur un miroir parfaitement réfléchissant ;
(g) La force qu'exercerait l'OEM sur le miroir en (f) si son aire est 20 cm².

5.23 Une OEM plane se propage dans l'espace. Lorsqu'un détecteur est placé au point $A = (x; y; z)$ m celui-ci relève les faits suivants : le champ électrique pointe vers le point $B = (-5; 12; 12)$ m, le champ magnétique pointe vers le point $C = (3; 1; 9)$ m et le vecteur propagation pointe vers le point $D = (39; 31; 21)$ m. Déterminez les coordonnées $(x; y; z)$ où se situe le détecteur.

5.24 Exprimez la permittivité ϵ d'un milieu diélectrique en fonction de l'indice de réfraction et de la permittivité ϵ_0 du vide.

5.25 Si l'amplitude $\mathbf{B} = [3; -8; 4] \times 10^{-8}$ T que vaut l'amplitude $\mathbf{H}$?

5.26 Considérez les vecteurs $\mathbf{E}$, $\mathbf{B}$ et $\mathbf{k}$ suivants :

$$\mathbf{E} = [-6; 4; 8] \text{ V/m}; \quad \mathbf{B} = [2; -7; 5] \times 10^{-8} \text{ T}; \quad \mathbf{k} = [38; 23; 17] \text{ m}^{-1}$$

Est-ce que ces trois vecteurs peuvent caractériser une OEM plane polarisée linéairement ? Si oui, quelle est la fréquence de l'OEM ?

Chapitre 6

Interfaces et ondes électromagnétiques

N ous avons vu dans le chapitre 3 qu'une onde incidente subissant un changement brusque de milieu (interface) induit une onde réfléchie et une onde transmise. Une OEM polarisée rencontrant une interface transparente produit exactement le même type de phénomène : le signal incident donne lieu à un signal réfléchi et à un signal transmis. Dans ce chapitre, nous analyserons les caractéristiques des signaux réfléchis et des signaux transmis tant sur le plan de leur amplitude que sur le plan de la puissance qu'ils transportent. Nous traiterons ensuite le cas des OEM partiellement polarisées. Voici le contenu des trois sections visant à atteindre ces objectifs.

La section 6.1 revoit la définition des coefficients en amplitude r et t formulée dans le cadre de la mécanique ondulatoire du chapitre 3 tout en l'ajustant au domaine des ondes électromagnétiques. Pour parvenir à reformuler convenablement les coefficients r et t, les concepts de plan d'incidence, de vecteur parallèle $\mathbf{u}_\parallel$ et de vecteur perpendiculaire $\mathbf{u}_\perp$ doivent être introduits. Subséquemment à cette mise en place, nous verrons qu'il est possible d'écrire l'intensité I en deux parties distinctes, soit $I = I_\perp + I_\parallel$.

La section 6.2 utilise les concepts développés dans la section 6.1 et en extrait les relations principales portant sur les rapports en puissance. Concrètement, cette section apporte une réponse à des questions du type : si une OEM polarisée est porteuse d'une puissance $W_i = 10$ watts, quelle puissance W_r et W_t transporteront les signaux réfléchi et transmis ? Nous verrons que la connaissance des rapports en puissance W_r/W_i et W_t/W_i permet de dégager les expressions pour les intensités I_r et I_t.

La section 6.3 expose deux méthodes permettant de *filtrer* une OEM quelconque dans le but de la polariser. La première méthode s'appuie sur le concept d'angle de polarisation. La seconde, plus technique, nécessite l'emploi d'un polariseur. Dans ce dernier cas, nous verrons que le calcul de l'intensité à la sortie du polariseur s'effectue à l'aide de la loi de Malus. Nous terminons ce chapitre par la section 6.4, où l'on construit une fonction V permettant d'évaluer le degré de polarisation d'une OEM.

6.1   Coefficients en amplitude

Qu'il s'agisse d'OEM ou d'onde se propageant le long d'une corde, le calcul de l'amplitude réfléchie et de l'amplitude transmise s'effectue de façon similaire : dans les deux cas, nous devons utiliser les **coefficients en amplitude** r et t. Dans le chapitre 3, la définition proposée était la suivante :

$$r = A_r/A_i; \quad t = A_t/A_i \tag{6.1}$$

En ce qui a trait à l'OEM, nous avons vu dans le chapitre 5 que le concept d'amplitude réfère au vecteur champ électrique de l'OEM polarisée. Cependant, puisqu'une OEM incidente frappant une interface plane sera réfléchie et transmise, il nous faut considérer, en plus du vecteur $\mathbf{E}_i$, deux autres vecteurs : le vecteur champ électrique $\mathbf{E}_r$ du signal réfléchi et le vecteur champ électrique $\mathbf{E}_t$ du signal transmis. De plus, puisque la définition $r = \mathbf{E}_r/\mathbf{E}_i$ et $t = \mathbf{E}_t/\mathbf{E}_i$ n'est pas admissible, la division entre deux vecteurs n'étant pas une opération conforme, il nous faut **redéfinir** en électromagnétisme les coefficients r et t comme **le rapport des grandeurs des vecteurs champs électriques** en jeu. Cela dit, la transposition de (6.1) dans le contexte de l'OEM suggère la définition suivante :

$$r = \frac{\|\mathbf{E}_r\|}{\|\mathbf{E}_i\|} \quad t = \frac{\|\mathbf{E}_t\|}{\|\mathbf{E}_i\|} \tag{6.2}$$

Bien que les résultats (3.58) indiquent qu'il est possible d'expliciter (6.1) sous une forme simple, tel n'est pas le cas pour (6.2). En effet, nous ne pouvons malheureusement pas dégager de (6.2) des expressions aussi simples et explicites que celles obtenues dans le contexte de la corde vibrante. Toutefois, en nous limitant aux composantes scalaires des vecteurs $\mathbf{E}_i$, $\mathbf{E}_r$ et $\mathbf{E}_t$ nous pouvons obtenir les relations suivantes :

$$r_\parallel = \frac{(E_r)_\parallel}{(E_i)_\parallel} = \frac{n_t \cos\theta_i - n_i \cos\theta_t}{n_t \cos\theta_i + n_i \cos\theta_t} \tag{6.3}$$

$$r_\perp = \frac{(E_r)_\perp}{(E_i)_\perp} = \frac{n_i \cos\theta_i - n_t \cos\theta_t}{n_i \cos\theta_i + n_t \cos\theta_t} \tag{6.4}$$

$$t_\parallel = \frac{(E_t)_\parallel}{(E_i)_\parallel} = \frac{2n_i \cos\theta_i}{n_t \cos\theta_i + n_i \cos\theta_t} \tag{6.5}$$

$$t_\perp = \frac{(E_t)_\perp}{(E_i)_\perp} = \frac{2n_i \cos\theta_i}{n_i \cos\theta_i + n_t \cos\theta_t} \tag{6.6}$$

Mentionnons qu'en utilisant les conditions de continuité à l'interface plane, la démonstration des résultats (6.3) à (6.6) est relativement aisée. L'étudiant soucieux de la comprendre consultera la page 94 de la référence bibliographique [10]. Toutefois, afin de ne pas alourdir le présent traitement, nous l'omettrons.

En électromagnétisme, $r_\parallel$, $r_\perp$, $t_\parallel$ et $t_\perp$ portent le nom de **coefficients de Fresnel**. Les équations (6.3) à (6.6) fournissent les expressions des rapports en amplitude des champs électriques selon deux directions bien précises : la **direction parallèle**, symbolisée par $\parallel$, et la **direction perpendiculaire**, symbolisée par $\perp$ (fig. 6.1).

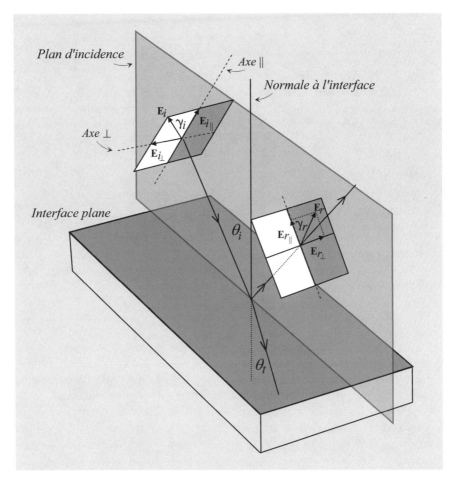

FIG. 6.1 Représentation d'une onde polarisée incidente se propageant dans un milieu d'indice n_i. En atteignant l'interface, l'onde incidente, caractérisée par un vecteur $\mathbf{E}_i$, est réfléchie et transmise. L'onde réfléchie est caractérisée par un vecteur $\mathbf{E}_r$ différent de $\mathbf{E}_i$. Il en est de même pour l'onde transmise (non illustrée) dans un milieu d'indice n_t. Les directions parallèle $\parallel$ et perpendiculaire $\perp$ sont définies par rapport au plan d'incidence. Ce plan permet de déterminer l'inclinaison des vecteurs $\mathbf{E}_i$, $\mathbf{E}_r$ et $\mathbf{E}_t$; il s'agit respectivement des angles γ_i, γ_r et γ_t.

À ce stade du chapitre 6, l'auteur suggère au lecteur de définir dans son calculateur symbolique les coefficients $r_\parallel$, $r_\perp$, $t_\parallel$ et $t_\perp$. Par exemple, on pourrait désigner le coefficient $r_\parallel$ par la fonction $rpl(n_i, n_t, \theta_i, \theta_t)$, le coefficient $t_\perp$ par la fonction $tpr(n_i, n_t, \theta_i, \theta_t)$, etc. Telles que ces fonctions sont définies, elles contiennent quatre variables, dont deux sont toutefois dépendantes ; θ_i et θ_t étant reliées conformément à la loi de réfraction :

$$n_i \sin \theta_i = n_t \sin \theta_t$$

La situation où $\theta_i = \theta_t = 0$ mérite qu'on s'y attarde immédiatement. Dans ce cas précis, le calcul des coefficients de Fresnel $r_\parallel$, $r_\perp$, $t_\parallel$ et $t_\perp$ se simplifie considérablement.

$$r_\parallel = \frac{n_t - n_i}{n_t + n_i}; \quad r_\perp = \frac{n_i - n_t}{n_i + n_t}; \quad t_\parallel = \frac{2n_i}{n_t + n_i}; \quad t_\perp = \frac{2n_i}{n_i + n_t} \tag{6.7}$$

Les égalités en (6.7) indiquent $|r_\parallel| = |r_\perp|$ et $t_\parallel = t_\perp$, de sorte qu'il n'est plus vraiment nécessaire de distinguer[1] la composante parallèle ($\parallel$) de la composante perpendiculaire ($\perp$). Conséquemment, les coefficients en réflexion et en transmission s'expriment plus simplement en termes de r et t.

$$r \equiv |r_\parallel| = |r_\perp|; \quad t \equiv t_\parallel = t_\perp$$

La notation étant admise, il s'ensuit que

$$r = \frac{|n_i - n_t|}{n_i + n_t}; \quad t = \frac{2n_i}{n_i + n_t} \tag{6.8}$$

En (6.8), si on remplace respectivement les indices de réfraction n_i et n_t par les impédances Z_1 et Z_2, alors les égalités pour r et t sont exactement les mêmes que celles obtenues dans le cadre de l'acoustique et de la corde vibrante (3.58). En effet, lors de l'étude de ces sujets, nous avons dégagé les égalités suivantes :

$$r = \frac{|Z_1 - Z_2|}{Z_1 + Z_2}; \quad t = \frac{2Z_1}{Z_1 + Z_2} \tag{6.9}$$

Bref, qu'il s'agisse d'une onde électromagnétique (lumière) ou d'une onde se propageant en milieu élastique (acoustique), les coefficients en amplitude r et t se calculent avec les mêmes équations. Après avoir étudié la section 6.2, l'étudiant pourra vérifier que les résultats en (6.10), résultats que nous avons obtenus lors de l'étude de la propagation en milieu élastique, demeurent valides pour les milieux transparents dans la mesure où les impédances Z_1 et Z_2 sont respectivement remplacées par les indices de réfraction n_i et n_t.

$$R = \frac{W_r}{W_i} = \frac{(Z_1 - Z_2)^2}{(Z_1 + Z_2)^2}; \quad T = \frac{W_t}{W_i} = \frac{4Z_1 Z_2}{(Z_1 + Z_2)^2}; \tag{6.10}$$

---

[1] En (6.7), il peut paraître étonnant que $r_\parallel$ et $r_\perp$ diffèrent de signe puisque, n'étant plus en mesure de distinguer la direction $\parallel$ de la direction $\perp$ à $\theta_i = 0°$, les valeurs $r_\parallel$ et $r_\perp$ devraient être strictement égales. L'apparente contradiction est éliminée en remarquant qu'à une valeur positive $r_\parallel$ correspond un vecteur $(\mathbf{E}_r)_\parallel$ de sens opposé à $(\mathbf{E}_i)_\parallel$, tandis qu'à une valeur positive $r_\perp$ correspont un vecteur $(\mathbf{E}_r)_\perp$ de même sens à $(\mathbf{E}_i)_\perp$. Il s'agit là d'une conséquence du choix de notre référentiel (fig. 6.1).

Bien que le cas $\theta_i = 0$ soit régulièrement rencontré, nous traiterons le cas plus général où l'angle d'incidence $\theta_i \neq 0$. Dans le cas où $\theta_i \neq 0$, il faut utiliser la loi de la réfraction afin de pouvoir substituer l'angle θ_t au profit de l'angle θ_i dans les coefficients de Fresnel. On comprend davantage pourquoi, dans le cadre des chapitres 6 et 7, les calculs faisant intervenir les coefficients de Fresnel seront faits par l'appel de fonctions prédéfinies dans le calculateur symbolique. Cela dit, abordons le propos principal de cette section.

Les thèmes de direction parallèle et de direction perpendiculaire occupent une place importante, pour ne pas dire cruciale, dans ce chapitre. La situation générale d'une OEM plane polarisée qui frappe une interface avec un angle d'incidence θ_i est illustrée à la figure 6.1. Pour ne pas trop surcharger la figure, seuls les signaux incidents et réfléchis ont été dessinés. Étudions tout d'abord le signal incident. Considérons une onde incidente caractérisée par un vecteur amplitude $\mathbf{E}_i$ faisant un angle γ_i avec le plan d'incidence (fig. 6.1). Le *plan d'incidence* est défini par le plan perpendiculaire à l'interface plane. Le rôle du plan d'incidence est double : grâce à lui on mesure les **angles azimutaux** γ_i, γ_r et γ_t (fig. 5.4) correspondant respectivement aux vecteurs champs électriques $\mathbf{E}_i$, $\mathbf{E}_r$ et $\mathbf{E}_t$, et on définit les **axes orthogonaux** qu'on note par axe $\|$ et axe $\perp$. Ces axes permettent en l'occurrence la décomposition du vecteur $\mathbf{E}_i$ en deux composantes : l'une **parallèle au plan d'incidence** et l'autre **perpendiculaire au plan d'incidence**. Selon cette base, il est possible d'écrire : $\mathbf{E}_i = (\mathbf{E}_i)_\| + (\mathbf{E}_i)_\perp$ et $\mathbf{E}_r = (\mathbf{E}_r)_\| + (\mathbf{E}_r)_\perp$, etc. Bien qu'évocatrice, la figure 6.1 ne sera plus utilisée pour traduire les caractéristiques des champs électriques $\mathbf{E}_i$, $\mathbf{E}_r$ et $\mathbf{E}_t$. Une représentation plus compacte, et surtout moins complexe à esquisser, doit être utilisée. Nous emprunterons plutôt une représentation conforme à la figure 6.2. Sur cette figure, l'ensemble des paramètres se divise en deux groupes distincts. Le premier groupe fournit l'information relative à la trajectoire du signal ; il s'agit des angles θ_1, θ_2 et θ_3, lesquels sont respectivement reliés aux indices de réfraction n_1, n_2 et n_3. L'autre groupe de paramètres a trait au caractère polarisé des OEM en cause. Il s'agit des angles γ_i, γ_r, γ_t et γ_{tt}, lesquels sont reliés aux composantes scalaires des vecteurs $\mathbf{E}_i$, $\mathbf{E}_r$, $\mathbf{E}_t$ et $\mathbf{E}_{tt}$. Rappelons que les composantes scalaires $(E_i)_\|$, $(E_i)_\perp$, etc. s'obtiennent par les équations (6.3) à (6.6).

La figure 6.2 permet d'indiquer aisément tous ces paramètres ; c'est pourquoi nous choisirons dorénavant une représentation de ce type pour rendre compte d'une OEM à polarisation linéaire frappant une interface. Par comparaison avec la figure 6.1, on remarque (fig. 6.2) que le plan contenant les axes $\|$ et $\perp$ a été rabattu dans le plan d'incidence. Ainsi, pour retrouver le véritable sens des axes $\|$ et $\perp$ de la figure 6.2, il faut se rappeler deux choses : d'une part, l'axe perpendiculaire $\perp$ est en réalité un axe perpendiculaire à cette page ; d'autre part, l'axe parallèle $\|$ illustré est en réalité un axe perpendiculaire à la direction de la propagation de l'OEM considérée. Soulignons aussi que les champs magnétiques $\mathbf{H}_i$, $\mathbf{H}_r$, $\mathbf{H}_t$ et $\mathbf{H}_{tt}$, respectivement perpendiculaires aux champs électriques $\mathbf{E}_i$, $\mathbf{E}_r$, $\mathbf{E}_t$ et $\mathbf{E}_{tt}$, ne sont pas illustrés à la figure 6.2, car ils n'apportent pas d'informations supplémentaires (*cf.* chapitre 5). Dorénavant,

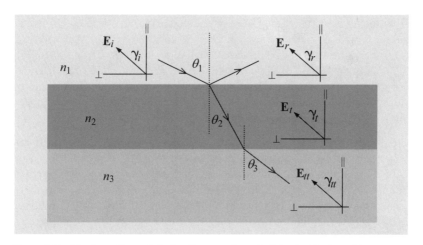

FIG. 6.2 Configuration générale d'une onde polarisée incidente subissant une double transmission. Les diagrammes accolés à chaque signal reflètent le caractère polarisé de l'onde électromagnétique. Les angles γ_i, γ_r, γ_t et γ_{tt} donnent respectivement l'orientation des vecteurs $\mathbf{E}_i$, $\mathbf{E}_r$, $\mathbf{E}_t$ et $\mathbf{E}_{tt}$ dont les composantes sont parallèles et perpendiculaires au plan d'incidence. Dans la figure, le plan d'incidence coïncide avec le plan de cette feuille. Sur ce schéma : $n_1 < n_2 > n_3$.

on les omettra. Précisons les conventions de signes à attribuer aux axes $\perp$ et $\parallel$. Considérons un vecteur champ $\mathbf{E}$ quelconque (il pourrait s'agir en fait de $\mathbf{E}_i$, $\mathbf{E}_r$, etc.) exprimé dans la base $\perp$ et $\parallel$. Dans ce cas on peut écrire

$$\mathbf{E} = \mathbf{E}_\perp + \mathbf{E}_\parallel = E_\perp \, \mathbf{u}_\perp + E_\parallel \, \mathbf{u}_\parallel \equiv [E_\perp ; E_\parallel] \qquad (6.11)$$

En (6.11), $E_\perp$ et $E_\parallel$ désignent les composantes scalaires du vecteur $\mathbf{E}$ tandis que $\mathbf{u}_\perp$ et $\mathbf{u}_\parallel$ désignent les 2 vecteurs unitaires pointant vers les axes $\perp$ et $\parallel$. Comme tous les vecteurs $\mathbf{E}$ seront exprimés dans la base $\mathbf{u}_\perp$ et $\mathbf{u}_\parallel$, nous adopterons la convention d'écriture $\mathbf{E} \equiv [E_\perp ; E_\parallel]$. Afin d'orienter convenablement les vecteurs $\mathbf{u}_\perp$ et $\mathbf{u}_\parallel$, la règle qui suit est importante.

$$\mathbf{u}_\parallel \times \mathbf{u}_\perp \text{ doit pointer vers la direction du vecteur propagation } \mathbf{k} \qquad (6.12)$$

On peut vérifier aux figures 6.1 et 6.2 que l'orientation des vecteurs $\mathbf{u}_\parallel$ et $\mathbf{u}_\perp$ satisfait la condition (6.12). Ensuite, on peut considérer les directions $\perp$ et $\parallel$ comme *positives*. La convention concernant la grandeur du vecteur champ électrique demeure la même, c'est-à-dire

$$E \equiv \| \mathbf{E} \| = \sqrt{(E_\perp)^2 + (E_\parallel)^2}$$

Il est recommandé d'illustrer les composantes ; $E_\perp$ et $E_\parallel$ *avant* de calculer la valeur de l'angle azimutal γ. L'exemple qui suit devrait clarifier les thèmes présentés jusqu'à maintenant.

Exemple 6.1

Une onde électromagnétique polarisée se propageant dans l'air frappe un plan d'eau à un angle $\theta_1 = 45°$. Les caractéristiques de l'onde polarisée incidente sont illustrées dans la figure 6.3.

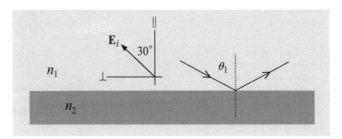

FIG. 6.3 Onde polarisée incidente frappant une interface plane.

Vous disposez des informations suivantes :

$$n_1 = 1; \quad n_2 = 4/3; \quad \theta_1 = 45°; \quad E_i = 10 \text{ V/m}.$$

Dans ce contexte,

- (a) Déterminez les composantes $(E_i)_\parallel$ et $(E_i)_\perp$;
- (b) Déterminez le vecteur $\mathbf{E}_r$ et sa grandeur E_r ;
- (c) Calculez l'angle azimutal γ_r ;
- (d) Calculez l'intensité I_r du signal réfléchi ;
- (e) Déterminez le vecteur $\mathbf{E}_t$ et sa grandeur E_t ;
- (f) Calculez l'angle azimutal γ_t ;
- (g) Calculez l'intensité I_t du signal transmis.

Solution :

Dans cet exemple, le milieu d'incidence est l'air et le milieu d'émergence (transmission) est l'eau. D'après la figure 6.3, on obtient les équations suivantes :

$$(E_i)_\parallel = E_i \cos \gamma_i = 10 \cos 30 = 5\sqrt{3} \text{ V/m}$$

$$(E_i)_\perp = E_i \sin \gamma_i = 10 \sin 30 = 5 \text{ V/m}$$

Afin de déterminer $\mathbf{E}_r$, calculons ses composantes $(E_r)_\parallel$ et $(E_r)_\perp$. D'après (6.3) et (6.4), on obtient les relations suivantes :

$$\frac{(E_r)_\parallel}{(E_i)_\parallel} = r_\parallel = \frac{n_t \cos \theta_i - n_i \cos \theta_t}{n_t \cos \theta_i + n_i \cos \theta_t} \approx \frac{1,33 \cos(45°) - 1 \cos(32,03°)}{1,33 \cos(45°) + 1 \cos(32,03°)} \approx 0,0531$$

$$\frac{(E_r)_\perp}{(E_i)_\perp} = r_\perp = \frac{n_i \cos \theta_i - n_t \cos \theta_t}{n_i \cos \theta_i + n_t \cos \theta_t} \approx \frac{1 \cos(45°) - 1,33 \cos(32,03°)}{1 \cos(45°) + 1,33 \cos(32,03°)} \approx -0,2303$$

De ces résultats, il s'ensuit que :

$$(E_r)_{\parallel} = r_{\parallel}\,(E_i)_{\parallel} \approx 0,0531 \times 5\sqrt{3} \approx 0,4596 \text{ V/m}$$

$$(E_r)_{\perp} = r_{\perp}(E_i)_{\perp} \approx -0,2304 \times 5 \approx -1,1518 \text{ V/m}$$

Sous forme vectorielle, cela donne :

$$\mathbf{E}_r = [(E_r)_{\perp}\,;(E_r)_{\parallel}] \approx [-1,1518;0,4596]\ \text{V/m}$$

La grandeur de $\mathbf{E}_r$ vaut alors :

$$E_r \approx \sqrt{(1,1518)^2 + (0,4596)^2} \approx 1,24\ \text{V/m}$$

Pour obtenir l'angle azimutal γ_r, on peut utiliser l'expression :

$$\gamma_r = \tan^{-1}\left((E_r)_{\perp}/(E_r)_{\parallel}\right) \approx -68,25°$$

La représentation graphique de l'angle azimutal γ_r est donnée à la figure 6.4.

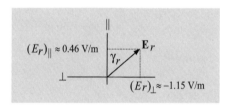

FIG. 6.4 Vecteur $\mathbf{E}_r$ caractérisant l'onde polarisée réfléchie par le plan d'eau.

Dans la mesure où la grandeur E du champ électrique est connue, l'intensité l'est aussi (on entend ici « l'intensité moyenne »). Dans le présent cas $n_r = n_i$. Cela dit,

$$I_r = \frac{n_i E_r^2}{240\,\pi} \approx \frac{1 \times 1,5378}{240\,\pi} \approx 0,002\ \text{W/m}^2$$

Pour déterminer $\mathbf{E}_t$, la démarche est similaire à celle utilisée pour déterminer $\mathbf{E}_r$. Les composantes $(E_t)_{\parallel}$ et $(E_t)_{\perp}$ s'obtiennent en utilisant (6.5) et (6.6).

$$t_{\parallel} \approx 0,7898; \quad t_{\perp} \approx 0,7696$$

De ces résultats, il découle que

$$(E_t)_{\parallel} = t_{\parallel}(E_i)_{\parallel} \approx 0,7696 \times 5\sqrt{3} \approx 6,8398\ \text{V/m}$$

$$(E_t)_{\perp} = t_{\perp}(E_i)_{\perp} \approx 0,7898 \times 5 \approx 3,8482\ \text{V/m}$$

Sous forme vectorielle, il s'ensuit que

$$\mathbf{E}_t = [(E_t)_{\perp}\,;(E_t)_{\parallel}] \approx [3,8482;6,8398]\ \text{V/m}$$

La grandeur de $\mathbf{E}_t$ est alors

$$E_t \approx \sqrt{(3,8482)^2 + (6,8398)^2} \approx 7,8481 \text{ V/m}$$

D'autre part, l'angle γ_t formé par le vecteur $\mathbf{E}_t$ avec le plan d'incidence est donné par :

$$\gamma_t = \tan^{-1}\left((E_t)_\perp / (E_t)_\parallel\right) \approx \tan^{-1}(3,8482/6,8398) \approx 29,36°$$

Le vecteur $\mathbf{E}_t$ est représenté dans la figure 6.5.

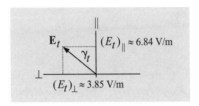

FIG. 6.5 Vecteur $\mathbf{E}_t$ caractérisant l'onde polarisée transmise dans l'eau.

L'intensité transmise I_t s'obtient selon la formule suivante :

$$I_t = \frac{n_t E_t^2}{240\,\pi} \approx \frac{4/3 \times 61,5924}{240\,\pi} \approx 0,1089 \ \text{W/m}^2$$

L'exemple 6.1 illustre en quoi les coefficients en amplitude $r_\parallel$, $r_\perp$, $t_\parallel$ et $t_\perp$ s'avèrent utiles pour déterminer des quantités telles que l'intensité lumineuse I, et ce, tant à la réflexion qu'à la transmission. Comme on a pu aussi le constater dans cet exemple, la notion de champ électrique $\mathbf{E}$ demeure importante puisque l'intensité I lui est reliée (*cf.* chapitre 5). Toutefois, malgré les vertus pédagogiques du procédé dans l'exemple 6.1, il est préférable en général de construire l'expression pour l'intensité en termes des coefficients de Fresnel plutôt que d'en effectuer le calcul à petits pas, c'est-à-dire au fur et à mesure de la rencontre des interfaces. La méthode de construction est beaucoup plus efficace, surtout dans le cas d'une double ou d'une triple transmission et/ou réflexion. Le principe de construction de l'expression pour l'intensité repose sur le résultat en (6.14). Voyons cela de plus près.

S'il est possible de faire correspondre au champ E l'intensité I, peut-on en faire de même avec les composantes $E_\parallel$ et $E_\perp$, c'est-à-dire peut-on parler respectivement des intensités partielles $I_\parallel$ et $I_\perp$? La réponse est oui et la justification repose sur l'égalité (6.13).

$$I = \frac{nE^2}{240\,\pi} \tag{6.13}$$

Conformément au référentiel adopté, on peut écrire l'égalité suivante :

$$E^2 = E_\parallel^2 + E_\perp^2$$

Il s'ensuit que,

$$I \;=\; \frac{nE^2}{240\,\pi} = \frac{n\,(E_\parallel^2 + E_\perp^2)}{240\,\pi}$$

$$I \;=\; \frac{n\,E_\parallel^2}{240\,\pi} + \frac{n\,E_\perp^2}{240\,\pi}$$

En réutilisant l'égalité (6.13), on obtient

$$I = I_\parallel + I_\perp \tag{6.14}$$

En général, **la séparation de l'intensité en ses parties parallèle ($I_\parallel$) et perpendiculaire ($I_\perp$) s'avère une étape essentielle** dans le calcul de I. L'équation (6.14) s'applique à tous les types de signaux : incident, réfléchi ou transmis. Toutefois, **pour éviter de particulariser inutilement** le résultat en (6.14), il est préférable de ne pas ajouter d'indice au symbole I de l'intensité. Cette façon d'exprimer les résultats, sous une forme muette, sera utilisée à plusieurs endroits dans ce chapitre. Ainsi, le lecteur doit se rappeler que (6.14) contient potentiellement des égalités telles que :

$$I_i = (I_i)_\parallel + (I_i)_\perp ; \quad I_r = (I_r)_\parallel + (I_r)_\perp ; \quad I_t = (I_t)_\parallel + (I_t)_\perp .$$

Dans la prochaine section nous indiquerons comment déterminer l'expression de l'intensité I en utilisant les coefficients de Fresnel.

6.2   Coefficients en puissance

Dans la présente section, nous apporterons une réponse à la question suivante : si un signal lumineux polarisé (plus généralement une OEM polarisée) est porteur d'une puissance $W_i = 10$ watts, quelle puissance W_r du signal est réfléchie ? Quelle est la puissance W_t du signal transmis ? Avant de traiter formellement ce problème, regardons une situation concrète.

Supposons d'abord qu'une lampe éclaire une interface plane (fig. 6.6) à un angle d'incidence $\theta_i = 0$. Supposons également que la même lampe éclaire l'interface plane (fig. 6.7) à un angle d'incidence $\theta_i > 0$. Nous pouvons anticiper l'effet produit : l'aire éclairée de l'interface s'étend sur une plus grande superficie au fur et à mesure que l'angle d'incidence θ_i augmente. Comme la puissance atteignant l'interface demeure toujours la même, l'intensité I diminue, car l'aire de la section éclairée s'accroît. Le même phénomène se produit à l'arrivée de l'hiver. En effet, à cette saison l'axe de rotation de la terre s'incline vers l'arrière, c'est-à-dire en retrait du soleil (solstice d'hiver). Résultat net : les faisceaux de lumière émis par le soleil atteignent la terre avec un angle d'incidence plus élevé

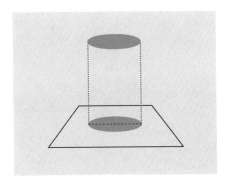 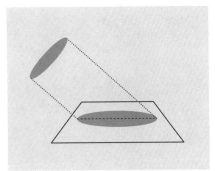

FIG. 6.6 Source éclairant une interface à $\theta_i = 0$. La section éclairée étant la même que la section éclairante, l'intensité demeure inchangée.

FIG. 6.7 Source éclairant une interface à θ_i. La section éclairée étant plus grande que la section éclairante, l'intensité devient plus petite.

(c'est du moins le cas pour l'Amérique du Nord) que durant toute autre saison ; les ombres projetées au sol sont plus prononcées qu'en été et l'intensité mesurée au sol est plus petite. Voilà une explication simple de la douce fraîcheur de nos mois de février.

L'analyse sommaire et qualitative que nous venons d'exposer doit être formulée dans un cadre plus rigoureux ; puisque nous cherchons à déterminer quelle portion de la puissance incidente est transférée aux signaux réfléchis et transmis. Pour débuter, effectuons une coupe transversale de la figure 6.7 contenant le point central d'émission de la source. Cette coupe est illustrée à la figure 6.8. Dégageons les éléments principaux de cette figure. Tout d'abord, remarquons que les aires circulaires A_i, A_r et A_t sont obtenues par la projection de l'aire A de la section éclairée. Des arguments de géométrie élémentaire nous convainquent que l'emplacement des angles θ_i, θ_r et θ_t indiqués à la figure 6.8 est pertinent. Cela dit, on obtient les égalités

$$A_i = A \cos\theta_i ; \quad A_r = A \cos\theta_i ; \quad A_t = A \cos\theta_t \tag{6.15}$$

Dans la figure 6.8, les puissances incidente, réfléchie et transmise sont reliées aux aires par les équations suivantes :

$$W_i = A_i I_i ; \quad W_r = A_r I_r ; \quad W_t = A_t I_t \tag{6.16}$$

La définition (3.62) des **coefficients en puissance** ne nécessite pas de retouche dans le cadre des OEM, c'est-à-dire qu'on a toujours :

$$R = \frac{W_r}{W_i}; \quad T = \frac{W_t}{W_i} \tag{6.17}$$

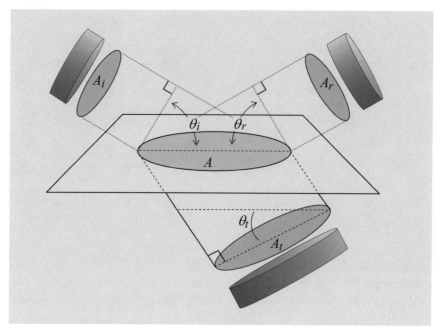

Fig. 6.8 Coupe transversale d'un faisceau lumineux éclairant une interface à l'oblique. En vertu de la loi de la réflexion on a $A_r = A_i$. À incidence normale ($\theta_i = \theta_t = 0$), on a $A_t = A_i$. En général $A_t \neq A_i$; il s'agit là d'une conséquence de la loi de la réfraction. Comme $A_i \neq A_t$ alors $I_i \neq I_r + I_t$ bien que $W_i = W_r + W_t$.

Les expressions en (6.17) fournissent les **rapports globaux en puissance**. Comme ce fut le cas avec les **rapports globaux en amplitude** r et t, il est possible de connaître les **rapports partiels** en puissance $R_\parallel$, $R_\perp$, $T_\parallel$ et $T_\perp$, ces derniers s'avérant plus pratiques. Pour comprendre pourquoi il en est ainsi, explicitons l'égalité pour W_i en (6.16).

$$
\begin{aligned}
W_i &= A_i I_i \\
W_i &= A_i\Big((I_i)_\parallel + (I_i)_\perp\Big) \\
W_i &= A_i(I_i)_\parallel + A_i(I_i)_\perp \\
W_i &= (W_i)_\parallel + (W_i)_\perp
\end{aligned}
$$

On démontre aisément qu'il en est de même pour les puissances W_r et W_t.

$$
W_r = (W_r)_\parallel + (W_r)_\perp; \quad W_t = (W_t)_\parallel + (W_t)_\perp
$$

Cela dit, puisque la puissance W peut être déterminée en considérant les parties parallèle et perpendiculaire séparément, il est approprié d'introduire les définitions suivantes :

$$
R_\parallel = \frac{(W_r)_\parallel}{(W_i)_\parallel}; \quad R_\perp = \frac{(W_r)_\perp}{(W_i)_\perp}; \quad T_\parallel = \frac{(W_t)_\parallel}{(W_i)_\parallel}; \quad T_\perp = \frac{(W_t)_\perp}{(W_i)_\perp};
$$

Toutefois, comment obtenir les coefficients ci-dessus ? Afin de répondre à la question, supposons que l'on veuille expliciter la valeur du coefficient en puissance à la transmission, soit $T_\perp$.

$$T_\perp = \frac{(W_t)_\perp}{(W_i)_\perp} = \frac{A_t(I_t)_\perp}{A_i(I_i)_\perp}$$

Subséquemment, en vertu de (6.15) et (6.20), on obtient l'équation suivante :

$$T_\perp = \frac{A\cos\theta_t(I_t)_\perp}{A\cos\theta_i(I_i)_\perp} = \frac{\cos\theta_t}{\cos\theta_i}\frac{n_t((E_t)_\perp)^2}{n_i((E_i)_\perp)^2} = \frac{n_t\cos\theta_t}{n_i\cos\theta_i}(t_\perp)^2$$

Par une démarche similaire,

$$T_\parallel = \frac{A\cos\theta_t(I_t)_\parallel}{A\cos\theta_i(I_i)_\parallel} = \frac{\cos\theta_t}{\cos\theta_i}\frac{n_t((E_t)_\parallel)^2}{n_i((E_i)_\parallel)^2} = \frac{n_t\cos\theta_t}{n_i\cos\theta_i}(t_\parallel)^2$$

Ces deux exercices suffisent à nous convaincre de l'exactitude des formes générales (6.18) et (6.19). Conclusion : les égalités (6.15) à (6.17) regroupent toutes les formes possibles, tant globales que partielles. À ce stade de la discussion, nous nous rendons compte qu'il suffit d'ajuster ces expressions selon la situation. Voici les résultats principaux :

$$T_* = \frac{(W_t)_*}{(W_i)_*} = \frac{\cos\theta_t\,(I_t)_*}{\cos\theta_i\,(I_i)_*} = \frac{n_t\cos\theta_t}{n_i\cos\theta_i}\,t_*^2 \qquad (6.18)$$

Le lecteur peut démontrer le résultat en (6.19).

$$R_* = \frac{(W_r)_*}{(W_i)_*} = \frac{(I_r)_*}{(I_i)_*} = r_*^2 \qquad (6.19)$$

Le symbole $*$ désigne $\parallel$ ou $\perp$; en supprimant le symbole $*$, on retrouve la définition des coefficients globaux en puissance. Rappelons que l'expression générale pour l'intensité I est de la forme (6.20) :

$$I = \frac{nE^2}{240\pi} \qquad (6.20)$$

L'égalité (6.20) est valide tant pour $(I_t)_\perp$ que pour $(I_r)_\parallel$, etc. Il est donc inutile de la particulariser ; seul le contexte indique la forme à retenir. Conclusion : les équations (6.18), (6.19) et (6.20) font d'une pierre beaucoup de coups !

La suite de résultats serait certainement incomplète si l'on omettait l'égalité qui traduit le principe de conservation de l'énergie. Selon ce principe,

$$(W_i)_* = (W_r)_* + (W_t)_* \qquad (6.21)$$

En divisant chaque membre de l'équation (6.21) par $(W_i)_*$ on obtient :

$$R_* + T_* = 1 \tag{6.22}$$

À ce stade, l'objectif visé par la présente section est atteint. En effet, au moyen des résultats (6.18) à (6.20), (6.21) et (6.22), il est maintenant possible d'apporter une réponse à des questions telles que : « Si un signal incident est d'une puissance $W_i = 10$ watts, que valent les puissances W_r et W_t » ?

Les résultats (6.18) et (6.19) permettent à présent de terminer la discussion entreprise à la fin de la section 6.1. Dans la présentation du résultat (6.14), nous avions indiqué qu'il est souhaitable en général d'exprimer l'intensité I au moyen des coefficients de Fresnel. Ainsi, supposons que l'on veuille déterminer l'expression pour l'intensité I_t. L'équation de départ à considérer est (6.14). Dans notre cas, cette équation prend la forme particulière

$$I_t = (I_t)_\| + (I_t)_\perp \tag{6.23}$$

En vertu de (6.18), on obtient

$$(I_t)_* = \frac{n_t}{n_i} t_*^2 (I_i)_* \tag{6.24}$$

En remplaçant le symbole $*$ par $\|$ et $\perp$ dans (6.24), l'égalité (6.23) devient

$$I_t = \frac{n_t}{n_i}(t_\|)^2 (I_i)_\| + \frac{n_t}{n_i}(t_\perp)^2 (I_i)_\perp$$

Pour une OEM à polarisation linéaire, on a aussi les égalités suivantes (exercice laissé au lecteur) :

$$(I_i)_\| = I_i \cos^2 \gamma_i \tag{6.25}$$

$$(I_i)_\perp = I_i \sin^2 \gamma_i \tag{6.26}$$

De (6.25) et (6.26), il en résulte

$$I_t = \frac{n_t}{n_i}(t_\|)^2 I_i \cos^2 \gamma_i + \frac{n_t}{n_i}(t_\perp)^2 I_i \sin^2 \gamma_i \tag{6.27}$$

Signalons que le signe « + » de (6.27) sépare encore les parties $(I_t)_\|$ et $(I_t)_\perp$ de l'intensité transmise. En ce sens, il est permis en (6.27) d'identifier respectivement $(I_t)_\|$ et $(I_t)_\perp$ aux termes à gauche et à droite du « + ». Cela dit, après la mise en facteur on obtient l'expression souhaitée, c'est-à-dire

$$I_t = \frac{n_t}{n_i}\{(t_\|)^2 \cos^2 \gamma_i + (t_\perp)^2 \sin^2 \gamma_i\}I_i \tag{6.28}$$

Par une démarche similaire (exercice laissé au lecteur), on démontre que

$$I_r = \{(r_\|)^2 \cos^2 \gamma_i + (r_\perp)^2 \sin^2 \gamma_i\}I_i \tag{6.29}$$

Une question s'impose : peut-on utiliser des résultats similaires à (6.28) et (6.29) si l'OEM incidente est non polarisée ? La réponse est : oui si l'on considère l'intensité moyenne. Pour s'en convaincre il suffit de remarquer que les calculs d'intensité moyenne conduisent tôt ou tard au calcul des intégrales en (6.30) dont le résultat est identique et vaut $1/2$ (exercice laissé au lecteur).

$$\frac{1}{2\pi} \int_0^{2\pi} \cos^2 \gamma_i \, d\gamma_i \quad \text{et} \quad \frac{1}{2\pi} \int_0^{2\pi} \sin^2 \gamma_i \, d\gamma_i \qquad (6.30)$$

En résumé, si l'on souhaite calculer l'intensité moyenne, il suffit de remplacer les fonctions $\cos^2 \gamma_i$ et $\sin^2 \gamma_i$ par la valeur $1/2$ après avoir déterminé l'expression de l'intensité. Cette remarque, appliquée aux résultats (6.28) et (6.29), nous amène aux résultats suivants :

$$I_t = \frac{n_t}{n_i} \{(t_\parallel)^2 + (t_\perp)^2\} \frac{I_i}{2} \qquad (6.31)$$

$$I_r = \{(r_\parallel)^2 + (r_\perp)^2\} \frac{I_i}{2} \qquad (6.32)$$

L'indice « *moy* » des intensités I_t et I_r est absent en (6.31) et (6.32). Ainsi que nous en avons convenu, nous omettrons cet indice, car le contexte est clair. L'exemple qui suit devrait illustrer l'intérêt de (6.28) et (6.29).

Exemple 6.2

Une onde électromagnétique polarisée se propageant dans l'air frappe un plan d'eau à un angle $\theta_1 = 45°$. Les caractéristiques de l'onde polarisée incidente et les conditions d'émission sont les suivantes :

$$n_1 = 1; \quad n_2 = 4/3; \quad E_i = 10 \text{ V/m}; \quad \gamma_i = 30°.$$

Dans ce contexte,

  (a) Calculez l'intensité I_r du signal réfléchi ;
  (b) Calculez l'intensité I_t du signal transmis.

Solution :
Les intensités $(I_r)_\parallel$ et $(I_r)_\perp$ s'obtiennent aisément.

$$(I_r)_\parallel = r_\parallel^2 \cos^2(\gamma_i) \, I_i; \qquad (I_r)_\perp = r_\perp^2 \sin^2(\gamma_i) \, I_i$$

Dans cet exemple, $n_i = 1$, $n_t = 4/3$ et $\theta_i = 45°$. Après le calcul, on obtient les résultats suivants :

$$r_\parallel \approx 0,0531 \quad \text{et} \quad r_\perp \approx -0,2304$$

Puisque $E_i = 10 \text{ V/m}$, alors :

$$I_i = 5/(12\pi)$$

L'OEM incidente à polarisation linéaire admet $\gamma_i = 30°$. Il s'ensuit que :

$$
\begin{aligned}
(I_r)_\parallel &= (0,0531)^2 \cos^2(30)\, \frac{5}{12\pi} \approx 0,280 \times 10^{-3} \text{ W/m}^2 \\
(I_r)_\perp &= (-0,2304)^2 \sin^2(30)\, \frac{5}{12\pi} \approx 1,756 \times 10^{-3} \text{ W/m}^2
\end{aligned}
$$

Au total,

$$ I_r = (I_r)_\parallel + (I_r)_\perp \approx 2,04 \times 10^{-3} \text{ W/m}^2 $$

La réponse (b) s'obtient par un cheminement identique.

$$ (I_t)_\parallel = \frac{n_t}{n_i}\, t_\parallel^2 \cos^2(\gamma_i)\, I_i; \qquad (I_t)_\perp = \frac{n_t}{n_i}\, t_\perp^2 \sin^2(\gamma_i)\, I_i $$

Après le calcul, on obtient les résultats suivants :

$$ t_\parallel \approx 0,7898; \quad t_\perp \approx 0,7696 $$

Puisque $E_i = 10$ V/m, alors :

$$ I_i = 5/(12\pi) $$

L'OEM incidente à polarisation linéaire admet $\gamma_i = 30°$. Il s'ensuit que :

$$
\begin{aligned}
(I_t)_\parallel &= \frac{4}{3}\, (0,7898)^2 \cos^2(30)\, \frac{5}{12\pi} \approx 82,732 \times 10^{-3} \text{ W/m}^2 \\
(I_t)_\perp &= \frac{4}{3}\, (0,7696)^2 \sin^2(30)\, \frac{5}{12\pi} \approx 26,188 \times 10^{-3} \text{ W/m}^2
\end{aligned}
$$

Au total,

$$ I_t = (I_t)_\parallel + (I_t)_\perp \approx 108,919 \times 10^{-3} \text{ W/m}^2 $$

Les réponses (a) et (b) sont identiques à celles obtenues dans l'exemple 6.1.

6.3 Polarisation d'une onde électromagnétique

Il existe deux façons de polariser une OEM qui ne l'est pas : par réflexion à une interface ou au moyen d'un filtre polarisant. La description de ces deux méthodes fait l'objet de la présente section.

Considérons une OEM incidente du spectre visible. De plus, supposons que la lumière émise soit **naturelle** c'est-à-dire **non polarisée**. Tel que nous l'avons vu au chapitre 5, une lumière naturelle se caractérise par un vecteur $\mathbf{E}_i$ dont l'angle γ_i est aléatoire (fig. 5.1 et fig. 5.3). Malgré cela, il est possible d'obtenir une lumière réfléchie polarisée, c'est-à-dire dont l'angle γ_r est fixe, à partir de lumière non polarisée. Cette méthode porte le nom de **polarisation par réflexion**. Étudions la proposition.

Considérons le vecteur $\mathbf{E}_r$ caractérisant le champ électrique de la lumière réfléchie. Nous avons vu que ce vecteur peut s'exprimer en utilisant les coefficients de Fresnel $r_{\parallel}$ et $r_{\perp}$.

$$\mathbf{E}_r = (\mathbf{E}_r)_{\parallel} + (\mathbf{E}_r)_{\perp} \tag{6.33}$$

$$\mathbf{E}_r = (E_r)_{\parallel}\,\mathbf{u}_{\parallel} + (E_r)_{\perp}\,\mathbf{u}_{\perp} \tag{6.34}$$

$$\mathbf{E}_r = r_{\parallel}\,(E_i)_{\parallel}\,\mathbf{u}_{\parallel} + r_{\perp}\,(E_i)_{\perp}\,\mathbf{u}_{\perp} \tag{6.35}$$

$$\mathbf{E}_r = r_{\parallel}\,E_i\,\cos\gamma_i\,\,\mathbf{u}_{\parallel} + r_{\perp}\,E_i\,\sin\gamma_i\,\,\mathbf{u}_{\perp} \tag{6.36}$$

Que se passe t-il si $r_{\parallel} = 0$ ou $r_{\perp} = 0$? Selon que $r_{\parallel} = 0$ ou $r_{\perp} = 0$, l'égalité en (6.36) fait ressortir que le champ $\mathbf{E}_r$ a une composante unique dans la direction $\parallel$ ou $\perp$, respectivement. Dans l'un ou l'autre des cas, cela revient à dire que l'angle γ_r est fixe, auquel cas la lumière réfléchie devient polarisée ! Le raisonnement précédent demeure valide, peu importe la valeur γ_i.

L'hypothèse selon laquelle $r_{\parallel} = 0$ ou $r_{\perp} = 0$ est-elle plausible ? En réalité, on peut démontrer que seul le coefficient $r_{\parallel}$ peut être nul, c'est-à-dire que les autres coefficients $r_{\perp}$, $t_{\parallel}$ et $t_{\perp}$ ne peuvent être nuls. La condition permettant au coefficient $r_{\parallel}$ d'être nul est la suivante :

$$r_{\parallel} = 0 \iff \theta_i + \theta_t = 90° \tag{6.37}$$

De plus, conformément à la loi de la réfraction, l'angle θ_t dépend de l'angle θ_i. Ainsi, pour $\theta_t = 90° - \theta_i$, il s'ensuit que

$$n_i \sin\theta_i = n_t \sin\theta_t$$
$$n_i \sin\theta_i = n_t \sin(90° - \theta_i)$$
$$n_i \sin\theta_i = n_t \cos\theta_i$$

Puisque l'angle θ_i est particulier, renommons-le θ_p.

$$\theta_p = \tan^{-1}(n_t/n_i) \tag{6.38}$$

L'angle θ_p porte le nom ***angle de polarisation*** ou ***angle de Brewster***. Il s'agit de l'angle avec lequel une OEM non polarisée ou partiellement polarisée[2] doit frapper une interface pour qu'elle devienne polarisée à la réflexion. Nous laissons au lecteur le soin de démontrer le résultat en (6.37).

Exemple 6.3

À quel angle d'incidence une lampe de poche doit-elle éclairer une surface d'eau afin de s'assurer que la lumière réfléchie soit polarisée ?

Solution :

L'angle recherché correspond à l'angle de polarisation θ_p.

$$\theta_p = \tan^{-1}(n_t/n_i) = \tan^{-1}(1,33/1) \approx 53,06°$$

---

[2]Le thème de la polarisation partielle est abordé dans la section 6.4.

Une autre façon de polariser une lumière dite naturelle consiste à employer un filtre polarisant ou plus simplement un **polariseur**. La principale fonction du polariseur est de forcer le champ électrique **E** à adopter une orientation fixe en éliminant ses composantes dans les directions autres que celle d'un axe précis. La direction dans laquelle un filtre polarisant agit porte le nom d'**axe de polarisation** ; c'est uniquement selon cet axe que le champ électrique est orienté à la sortie du polariseur. La figure 6.9 illustre l'effet du polariseur sur un champ d'entrée $\mathbf{E}_{in}$.

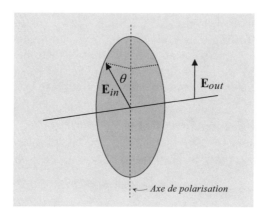

FIG. 6.9 Effet d'un filtre polarisant sur une onde polarisée caractérisée par le vecteur $\mathbf{E}_{in}$. À la sortie du polariseur, le champ $\mathbf{E}_{out}$ de l'onde est parallèle à l'axe du polariseur et il s'obtient par la projection du vecteur $\mathbf{E}_{in}$ sur cet axe.

Si le champ électrique $\mathbf{E}_{in}$ à l'entrée est modifié par le polariseur, que vaut le champ électrique $\mathbf{E}_{out}$ à la sortie du polariseur ? De façon plus précise, demandons-nous quel est le lien entre la norme de $\mathbf{E}_{out}$ et $\mathbf{E}_{in}$. La réponse est fournie en (6.39).

$$E_{out} = |\cos\theta|\, E_{in} \qquad\qquad (6.39)$$

L'égalité (6.39) révèle que la grandeur du champ $\mathbf{E}_{out}$ s'obtient par la projection du vecteur $\mathbf{E}_{in}$ sur l'axe de polarisation. Les mesures permettant l'analyse du signal d'entrée ou de sortie sont souvent prises par un détecteur sensible à l'intensité lumineuse. Pour cette raison, une forme plus pratique et équivalente à (6.39) est présentée en (6.40) (exercice laissé au lecteur).

$$I_{out} = I_{in} \cos^2\theta \qquad\qquad (6.40)$$

L'égalité (6.40) porte le nom de **loi de Malus**. Les termes I_{in} et I_{out} correspondent respectivement aux intensités d'entrée et de sortie du signal. En principe, le résultat (6.40) est utilisable seulement si la lumière traversant le polariseur est initialement polarisée. Cette remarque soulève la question suivante : Que devient (6.40) si la lumière pénétrant le polariseur est non

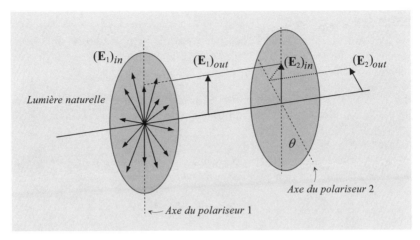

FIG. 6.10 Mise en cascade de deux polariseurs devant une lumière naturelle caractérisée par un vecteur aléatoire $(\mathbf{E}_1)_{in}$. À la sortie du premier polariseur, le champ électrique $(\mathbf{E}_1)_{out}$ est orienté suivant l'axe 1 ; la lumière qui en ressort devient donc polarisée. La grandeur de $(\mathbf{E}_1)_{out}$ est une grandeur moyenne, car $(\mathbf{E}_1)_{in}$ est aléatoire. Le deuxième polariseur réduira le vecteur $(\mathbf{E}_1)_{out} = (\mathbf{E}_2)_{in}$ puisque l'axe 2 fait un angle θ avec ce vecteur. Résultat final : à la sortie du deuxième polariseur le champ $(\mathbf{E}_2)_{out}$ est orienté suivant l'axe 2. Notons que si $\theta = 90°$, $(\mathbf{E}_2)_{out} = 0$.

polarisée ? Cette situation est problématique, car, dans ce cas, l'angle θ varie aléatoirement dans l'intervalle $[0; 2\pi]$. Malgré cela, si l'on suppose que les valeurs de θ sont uniformément distribuées, la valeur moyenne de l'intensité lumineuse à la sortie du polariseur s'obtient de la façon suivante :

$$(I_{out})_{moy} = \frac{1}{2\pi} \int_0^{2\pi} I_{in} \cos^2 \theta \, d\theta = \frac{I_{in}}{2\pi} \int_0^{2\pi} \cos^2 \theta \, d\theta = \frac{I_{in}}{2} \qquad (6.41)$$

En présence de lumière naturelle, il sera dorénavant tacite que l'intensité mesurée à la sortie du polariseur est une ***intensité moyenne***. Pour cette raison, nous délaisserons l'indice *moy* de l'intensité I_{out} en (6.41). Voici le résultat à considérer dans le cas de la lumière naturelle.

$$I_{out} = I_{in}/2 \qquad (6.42)$$

Illustrons plus concrètement l'ensemble des propos tenus jusqu'ici. En traversant un polariseur, une lumière émise par une ampoule incandescente (lumière naturelle) en ressort polarisée (fig. 6.10). Pour vérifier que tel est le cas, il suffit de disposer un deuxième polariseur devant la lumière filtrée par le premier. En faisant pivoter l'axe de polarisation du nouveau polariseur, nous observerons une chute progressive d'intensité qui ira jusqu'à l'absence de lumière.

Exemple 6.4

On dispose une lampe incandescente devant deux polariseurs dont les axes de polarisation font un angle θ entre eux. L'intensité lumineuse à l'entrée du premier polariseur est de 40 W/m^2. Dans ce contexte,

(a) Calculez l'intensité à la sortie du deuxième polariseur si $\theta = 60°$;
(b) Déterminez la valeur de θ pour laquelle $(I_2)_{out} = 1$ W/m^2.

Solution :
La présente situation est illustrée à la fig. 6.10. Une source de lumière incandescente est en principe non polarisée. En vertu de (6.42), on a

$$(I_1)_{out} = (I_1)_{in}/2 = 20 \text{ W/m}^2$$

La lumière émergeant du premier polariseur entre dans le deuxième, c'est-à-dire $(I_1)_{out} = (I_2)_{in}$. À partir de la loi de Malus formulée en (6.40) on obtient

$$(I_2)_{out} = (I_2)_{in} \cos^2 \theta = (I_1)_{out} \cos^2 \theta = 20 \cos^2 60° = 5 \text{ W/m}^2$$

En étudiant la solution (a), nous sommes amenés à penser que

$$(I_2)_{out} = (I_1)_{in}/2 \cos^2 \theta \Rightarrow 1 = 20 \cos^2 \theta \Rightarrow \theta \approx 77,08°$$

Exemple 6.5

Reprenez l'exemple 6.4 en remplaçant la lumière naturelle par une lumière polarisée dont le champ électrique fait un angle de 45° avec l'axe du premier polariseur ; tout autre paramètre demeurant le même.

Solution :
Cette situation permet l'utilisation répétée de la loi de Malus énoncée en (6.40). Si l'on note respectivement par θ_1 et θ_2 les angles entre les champs $(\mathbf{E}_1)_{in}$ et $(\mathbf{E}_2)_{in}$ et les axes de polarisation rencontrés, il s'ensuit que :

$$(I_2)_{out} = (I_2)_{in} \cos^2 \theta_2 = (I_1)_{out} \cos^2 \theta_2 = (I_1)_{in} \cos^2 \theta_1 \cos^2 \theta_2$$

Dans le présent problème,

$$\theta_1 = 45°, \theta_2 = 60° \quad \text{et} \quad (I_1)_{in} = 40 \text{ W/m}^2$$

Après le calcul, on obtient la valeur suivante :

$$(I_2)_{out} = 5 \text{ W/m}^2$$

En (b), $\theta_2 = \theta$. En reprenant l'équation développée en (a), on obtient alors :

$$(I_2)_{out} = (I_1)_{in} \cos^2 \theta_1 \cos^2 \theta_2 \Rightarrow= 1 = 40 \cos^2 45° \cos^2 \theta$$

Après le calcul, on obtient
$$\theta \approx 77,08°$$

Expliquez pourquoi l'angle θ est le même dans les exemples 6.4 et 6.5. Nous terminons cette section par un exemple faisant intervenir la plupart des concepts présentés.

Exemple 6.6

La lumière du soleil frappe l'océan dont l'indice de réfraction est $\sqrt{3}$. Juste avant d'entrer en contact avec l'eau l'intensité lumineuse est de 1000 W/m^2. Considérez que l'aire de la section éclairée vaut 100 m^2. Dans ce contexte :

(a) Si la lumière est naturelle, que valent $r_\parallel$ et $r_\perp$ si $\theta_i = 30°$?

(b) Que vaut l'intensité lumineuse à la réflexion ?

(c) Que vaut l'intensité lumineuse à la transmission ?

(d) Est ce que les graphes pour $r_\parallel$, $r_\perp$, $t_\parallel$ et $t_\perp$ se croisent lorsque θ_i varie ?

(e) Comment produire une lumière polarisée sans filtre polarisant ?

(f) Si la lumière incidente admet $\gamma_i = 20°$, que valent $r_\parallel$ et $r_\perp$ si $\theta_i = 30°$?

(g) Comment appelle-t-on le type de lumière incidente en (f) ?

(h) Que vaut l'intensité lumineuse à la réflexion si $\gamma_i = 20°$?

(i) Que vaut l'intensité lumineuse à la transmission si $\gamma_i = 20°$?

(j) Que valent les puissances W_i, W_r et W_t en (f) ?

(k) Est-ce que le théorème de conservation de l'énergie est vérifié ?

(l) Quelle proportion de la puissance est transmise à l'eau ?

(m) Quelle proportion de la puissance est retournée dans l'atmosphère ?

Solution :

Quel que soit le type de lumière, les coefficients de Fresnel sont obtenus par les équations (6.3) à (6.6). Le calcul donne
$$r_\parallel \approx 0,22079 \quad r_\perp \approx -0,31386$$

L'intensité incidente étant de 1000 W/m^2, il s'ensuit que :
$$\begin{aligned}
I_r &= \{(r_\parallel)^2 \cos^2 \gamma_i + (r_\perp)^2 \sin^2 \gamma_i\} I_i \\
I_r &= \{(r_\parallel)^2 + (r_\perp)^2\} I_i/2 \approx 73,628 \text{ W/m}^2
\end{aligned}$$

Du calcul des coefficients d'amplitude à la transmission, il résulte que :
$$t_\parallel \approx 0,70482; \quad t_\perp \approx 0,68614$$

L'intensité transmise est alors
$$\begin{aligned}
I_t &= n_t \{(t_\parallel)^2 \cos^2 \gamma_i + (t_\perp)^2 \sin^2 \gamma_i\} I_i/n_i \\
I_t &= n_t \{(t_\parallel)^2 + (t_\perp)^2\} I_i/(2n_i) \approx 837,94 \text{ W/m}^2
\end{aligned}$$

Superposons les courbes pour $r_\parallel$, $r_\perp$, $t_\parallel$ et $t_\perp$ en fonction de θ_i. En inspectant les graphes de la figure 6.11, on remarque que la courbe $r_\parallel$ croise la courbe $r_\perp$ et la courbe $t_\parallel$ croise la courbe $t_\perp$, lorsque $\theta_i = 90°$. Il s'agit là d'un cas limite car, à l'angle d'incidence $\theta_i = 90°$, la lumière émise est parallèle au plan d'eau. . . .. Cela dit, aux points d'intersections, $r_\parallel = r_\perp = -1$ et $t_\parallel = t_\perp = 0$. Ces deux résultats indiquent que la lumière incidente est entièrement réfléchie lorsque $\theta_i = 90°$. Les courbes pour $t_\parallel$ et $t_\perp$ se croisent aussi lorsque $\theta_i = 0°$. Il s'agit là d'un cas souvent rencontré. À ce point d'intersection, $t_\parallel = t_\perp = 2/(1 + \sqrt{3})$. En examinant les graphes de la figure 6.11, on remarque que seul le coefficient $r_\parallel$ s'annule dans l'intervalle suivant : $0° \leq \theta_i < 90°$.

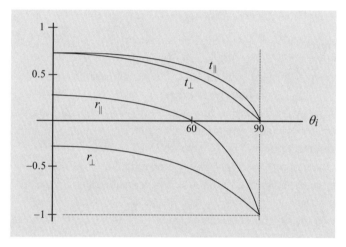

FIG. 6.11 Superposition des graphes représentant les coefficients de réflexion et de transmission parallèle $\parallel$ et perpendiculaire $\perp$ en fonction de l'angle d'incidence θ_i. Les indices de réfraction sont les suivants : $n_i = 1$ et $n_t = \sqrt{3}$.

Si l'angle avec lequel les rayons lumineux frappent l'océan équivaut à l'angle de polarisation θ_p en (6.38), alors la lumière réfléchie sera polarisée.

$$\theta_p = \tan^{-1}(\sqrt{3}/1) = 60°$$

On vérifie que si $\theta_i = \theta_p = 60°$, alors $r_\parallel = 0$; cela confirme la justesse du calcul effectué pour obtenir la rép. (e). En (f), la lumière incidente considérée est polarisée car $\gamma_i = 20°$. En vertu de (6.29), on obtient :

$$I_r = \{(r_\parallel)^2 \cos^2 \gamma_i + (r_\perp)^2 \sin^2 \gamma_i\}I_i \approx 54,57 \text{ W/m}^2$$

$$I_t = n_t\{(t_\parallel)^2 \cos^2 \gamma_i + (t_\perp)^2 \sin^2 \gamma_i\}I_i/n_i \approx 855,18 \text{ W/m}^2$$

En vertu de (6.15) et (6.16), les puissances incidente, réfléchie et transmise sont reliées à la section éclairée par les relations suivantes :

$$
\begin{aligned}
W_i &= A_i\, I_i = A\cos\theta_i\, I_i = 100\cos 30° \times 1000 \approx 86602,54 \text{ watts} \\
W_r &= A_r\, I_r = A\cos\theta_i\, I_r = 100\cos 30° \times 54,57 \approx 4725,78 \text{ watts} \\
W_t &= A_t\, I_i = A\cos\theta_t\, I_t = 100\cos 16,78° \times 855,18 \approx 81876,76 \text{ watts}
\end{aligned}
$$

Le principe de conservation de l'énergie est vérifié car

$$86602,54 \text{ W} = 4725,78 \text{ W} + 81876,76 \text{ W}$$

D'autre part, le rapport global en puissance à la transmission est

$$T = W_t/W_i \approx 0,9454$$

Ce résultat indique que la majorité de la puissance incidente sera transmise à l'eau. De même, le rapport global en puissance à la réflexion est

$$R = W_r/W_i \approx 0,0546$$

Ce rapport indique quelle proportion de la puissance incidente sera retournée dans l'atmosphère.

6.4   Degré de polarisation

La section 6.3 évoque deux situations diamétralement opposées : soit que l'OEM est polarisée, soit qu'elle ne l'est pas. En réalité, une combinaison de ces deux types d'ondes est possible. Dans ce cas, on dit que l'OEM est **partiellement polarisée**. Dans la présente section, nous construisons une fonction évaluant le poids relatif des parties polarisée et non polarisée contenues dans l'OEM. À juste titre, cette fonction porte le nom de **degré de polarisation**. On la notera par le symbole V.

Pour établir le degré de polarisation V correspondant à une OEM, on doit soumettre l'OEM à l'expérience suivante : l'OEM traverse un polariseur animé d'un mouvement de rotation. Durant la rotation complète de l'axe du polariseur, un détecteur enregistre l'intensité lumineuse à la sortie du polariseur. À la suite de cette expérience, les deux paramètres retenus sont les suivants : l'intensité maximale $I_{\max}$ et l'intensité minimale $I_{\min}$ enregistrées par le détecteur. Dans ce contexte, la fonction V en (6.43) permet de quantifier la mixité du signal initial.

$$V = \frac{I_{\max} - I_{\min}}{I_{\max} + I_{\min}} \tag{6.43}$$

On s'attend à ce que V respecte les deux conditions suivantes :

$$V = 1 \Rightarrow La\ lumière\ est\ polarisée. \tag{6.44}$$

$$V = 0 \Rightarrow La\ lumière\ est\ naturelle. \tag{6.45}$$

Vérifions que (6.43) possède les propriétés (6.44) et (6.45). Désignons par I_p et I_n, les intensités correspondant respectivement aux parties polarisée et naturelle du signal initial ; si la lumière est polarisée alors $I_{\max} = I_p$; cela se produit lorsque l'axe du polariseur est parallèle au champ **E**. De plus, si la lumière est polarisée alors $I_{\min} = 0$; cela se produit au moment où l'axe du polariseur est perpendiculaire au champ **E**. En résumé : $I_{\max} = I_p$ et $I_{\min} = 0$; dans ce cas (6.43) donne bien $V = 1$.

Si la lumière est naturelle, $I_{\max} = I_{\min} = I_n/2$; la rotation du polariseur n'a ici aucun effet sur l'intensité I_{out}. Dans ce cas, on obtient effectivement $V = 0$. Si la lumière est formée d'un mélange « *polarisé* et *naturel* », il est intuitivement clair que l'on aura $0 < V < 1$. Ce qui suit devrait vous en convaincre. Il est possible de réécrire (6.43) comme une fonction des intensités I_p et I_n. Pour une OEM traversant un polariseur, on aura en général les équations suivantes :

$$I_{\max} = I_p + I_n/2 \tag{6.46}$$

$$I_{\min} = I_n/2 \tag{6.47}$$

En incorporant les résultats (6.46) et (6.47) dans (6.43), on obtient :

$$V = \frac{I_{\max} - I_{\min}}{I_{\max} + I_{\min}} = \frac{I_p + I_n/2 - I_n/2}{I_p + I_n/2 + I_n/2} = \frac{I_p}{I_p + I_n} \tag{6.48}$$

À partir de l'intensité du signal initial qui vaut $I_i = I_p + I_n$, il s'ensuit que :

$$V = \frac{I_p}{I_p + I_n} = \frac{I_p}{I_i} \tag{6.49}$$

La forme obtenue en (6.49) nous amène à conclure que V mesure bel et bien le poids de la partie polarisée et de la partie naturelle dans le signal initial qui les réunit.

Exemple 6.7

Une lumière partiellement polarisée d'intensité $I = 30$ W/m^2 est analysée à l'aide d'un polariseur. Lorsqu'on effectue une rotation complète de l'axe du polariseur, un détecteur D évalue que le minimum d'intensité est 10 W/m^2.

(a) Que est le degré de polarisation V du signal ?
(b) Que vaut l'intensité I_p de la partie polarisée du signal ?
(c) Que vaut l'intensité I_n de la partie polarisée du signal ?

Solution :

Comme nous l'avons remarqué pour parvenir au résultat en (6.49),

$$I_{\max} + I_{\min} = I_i$$

En considérant les données de l'énoncé, on obtient

$$I_{\max} = I_i - I_{\min} = 30 - 10 = 20 \text{ W/m}^2$$

En utilisant le résultat en (6.48), il s'ensuit que :

$$V = \frac{I_{\max} - I_{\min}}{I_{\max} + I_{\min}} = \frac{20 - 10}{30} = \frac{1}{3}$$

Conformément à (6.49)

$$I_p = V \, I_i = 30/3 = 10 \text{ W/m}^2$$

$$I_n = I_i - I_p = 30 - 10 = 20 \text{ W/m}^2$$

6.5   Synthèse du chapitre 6

Lorsqu'une OEM *incidente* d'amplitude E_i à *polarisation linéaire* frappe une interface plane avec un *angle d'incidence* θ_1, il en résulte une OEM *réfléchie* et *transmise* respectivement d'*amplitude* E_r et E_t distincte de E_i. Les *rapports en amplitude* des composantes $\parallel$ et $\perp$ des champs E_i, E_r et E_t,

$$r_\parallel = (E_r)_\parallel/(E_i)_\parallel;\ r_\perp = (E_r)_\perp/(E_i)_\perp;\ t_\parallel = (E_t)_\parallel/(E_i)_\parallel;\ t_\perp = (E_t)_\perp/(E_i)_\perp$$

sont reliés aux *coefficients de Fresnel* r_* et t_* ; le symbole $* = \{\,\parallel\,;\perp\,\}$.

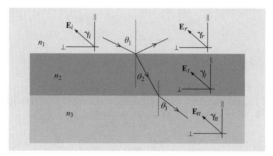

FIG. 6.12 Diagrammes de réflexions et de transmissions des champs **E**.

Les *rapports en puissance* R_* et T_* sont reliées à r_* et t_* par :

$$R_* = (W_r)_*/(W_i)_*\,;\quad T_* = (W_t)_*/(W_i)_*\,;\quad R_* + T_* = 1;\quad W = W_\parallel + W_\perp$$

Ces égalités s'appliquent *tant aux composantes* $\parallel$ ou $\perp$ qu'au *signal global*. Les puissances $(W_i)_*$, $(W_r)_*$ et $(W_t)_*$ sont reliées à la *superficie éclairée* A.

$$(W_i)_* = A\cos\theta_i\,(I_i)_*;\quad (W_r)_* = A\cos\theta_i\,(I_r)_*;\quad (W_t)_* = A\cos\theta_t\,(I_t)_*$$

Les *intensités partielles* s'obtiennent en considérant les égalités suivantes :

$$(I_r)_* = (r_*)^2(I_i)_*;\quad (I_t)_* = \frac{n_t}{n_i}\,(t_*)^2(I_i)_*;\quad (I_i)_\parallel = I_i\cos^2\gamma_i;\quad (I_i)_\perp = I_i\sin^2\gamma_i$$

Pour obtenir l'expression d'une l'intensité I (I_r ou I_t ou I_{tt}, etc.) en fonction de l'*intensité incidente* I_i, il suffit d'utiliser l'importante égalité suivante :

$$I = I_\parallel + I_\perp$$

Lorsqu'une lumière traverse un *polariseur* dont l'axe fait un angle θ avec le vecteur **E**, l'intensité I_{in} et l'intensité I_{out} sont reliées par la *loi de Malus* :

$$I_{out} = I_{in}\cos^2\theta$$

Une lumière d'intensité I peut parfois se composer de deux parties : une polarisée et une naturelle. En pareille circonstance, il est opportun de parler du *degré de polarisation* V de l'OEM.

$$V = (I_{\max} - I_{\min})/(I_{\max} + I_{\min}) = I_p/(I_p + I_n) = I_p/I_i$$

où I_p et I_n sont les intensités de la *partie polarisée* et de la *partie naturelle*. À l'angle θ_p de *polarisation* (ou de *Brewster*), le *signal réfléchi est totalement polarisé*. On obtient cet angle par l'équation $\tan\theta_p = n_t/n_i$.

6.6 Exercices

6.1 Un faisceau lumineux d'une intensité de 20 W/m^2 se propage dans un verre d'indice de réfraction $n_v = 3/2$. Quelle est l'amplitude du champ électrique correspondant à ce faisceau ?

6.2 Une lumière polarisée présente les caractéristiques suivantes :

$$E_i = 50 \text{ V/m}; \quad (E_i)_\perp = 40 \text{ V/m}; \quad I_i = 14,921 \text{ W/m}^2$$

Dans ce contexte, calculez :

(a) La valeur de l'indice de réfraction n_i ;
(b) La valeur de la composante $(E_i)_\parallel$;
(c) La valeur de l'angle γ_i.

6.3 Un signal incident est émis conformément aux données ci-dessous :

$$n_i = 3/2; \quad n_t = 3; \quad \theta_i = 60°; \quad E_i = 10 \text{ V/m}; \quad \gamma_i = 30°;$$

(a) Calculez les intensités $(I_i)_\parallel$ et $(I_i)_\perp$ et I_i ;
(b) Calculez les intensités $(I_r)_\parallel$ et $(I_r)_\perp$ et I_r ;
(c) Calculez les intensités $(I_t)_\parallel$ et $(I_t)_\perp$ et I_t.

6.4 Reconsidérez les informations fournies dans l'exercice 6.3. Si on suppose que le signal incident provient d'une *lumière naturelle*, alors y a-t-il contradiction ?

6.5 Dans le cas où la lumière incidente est non polarisée, expliquez pourquoi les fonctions $\cos^2 \gamma_i$ et $\sin^2 \gamma_i$ sont remplacées par la valeur $1/2$.

6.6 Reprenez l'exercice 6.3 dans le cas où le signal incident provient d'une *lumière naturelle*. Ajustez la valeur des fonctions $\cos^2 \gamma_i$ et $\sin^2 \gamma_i$ en conséquence.

6.7 Un signal lumineux traverse une interface d'indice de réfraction $n = 2$. Des mesures expérimentales conduisent aux résultats suivants :

$$(I_t)_\parallel = 10 \text{ W/m}^2; \quad (I_t)_\perp = 20 \text{ W/m}^2; \quad (E_t)_\parallel > 0; \quad (E_t)_\perp > 0$$

(a) Que vaut l'intensité I_t ?
(b) Que vaut le vecteur $\mathbf{E}_t$? Quelle est sa grandeur ?
(c) Si $n_i = 3/2$ et $\theta_i = 30°$ alors que vaut le vecteur $\mathbf{E}_i$?
(d) Que vaut l'intensité I_i correspondant aux conditions en (c) ?
(e) Que vaut l'intensité I_r correspondant aux conditions en (c) ?

6.8 Une lumière polarisée est émise dans l'air vers un plan d'eau. L'émission se fait dans les circonstances suivantes :

$$E_i = 100 \text{ V/m}; \quad \gamma_i = 60°; \quad \theta_i = 30°; \quad n_i = 1; \quad n_t = 1,33$$

Dans ce contexte, calculez les intensités I_t et I_r.

6.9 Quelle est l'amplitude du champ électrique associé à un signal lumineux de 33 W/m² si celui-ci se propage dans l'eau ?

6.10 Après avoir subi une réflexion, les caractéristiques d'un signal électromagnétique sont les suivantes :

$$E_r = 20 \text{ V/m}; \quad (E_r)_\perp = -20 \text{ V/m}$$

Si $n_i = 1$, $n_t = \sqrt{3}$ et $\gamma_i = 30°$ alors :

   (a) Que vaut la composante de champ électrique $(E_r)_\parallel$?
   (b) Que vaut l'angle d'incidence θ_i ?
   (c) Comment nomme-t-on aussi l'angle θ_i obtenu en (b) ?

6.11 Une source émet de la lumière partiellement polarisée dont le degré de polarisation est $V = 2/3$. La lumière incidente frappe un matériau transparent à un angle $\theta_i = 60°$. L'indice de réfraction du milieu ambiant est $n_a = 1$ et celui du matériau est $n_t = \sqrt{3}$. L'intensité totale du faisceau réfléchi est 25 W/m². Sachant que l'intensité totale de la lumière incidente vaut 300 W/m², alors

   (a) Calculez l'intensité I_p reliée à la partie polarisée de la lumière incidente ;
   (b) Calculez l'intensité I_n reliée à la partie naturelle de la lumière incidente ;
   (c) Calculez l'angle azimutal γ_p de la partie polarisée du signal incident ;
   (d) Déterminez le degré de polarisation de la lumière qui est réfléchie ;
   (e) Interprétez le résultat obtenu en (d).

6.12 Une source lumineuse polarisée est telle que :

$$(E_i)_\parallel = 10 \text{ V/m}; \quad (E_i)_\perp = 10 \text{ V/m}.$$

Après la réflexion du signal sur une interface d'indice de réfraction n_2, un appareil indique que :

$$(E_r)_\parallel = 1,589 \text{ V/m}; \quad (E_r)_\perp = -2,4041 \text{ V/m}.$$

Si l'indice $n_i = 2$, calculez l'indice n_2 et l'angle d'incidence θ_i.

6.13 Une source lumineuse polarisée est telle que :

$$(E_i)_\parallel = +288 \text{ V/m}; \quad (E_i)_\perp = +192 \text{ V/m}$$

Après la réflexion du signal sur une interface d'indice de réfraction n_2, un instrument détecte que :

$$(E_r)_\parallel = 19,7191 \text{ V/m}; \quad (E_r)_\perp = -50,24 \text{ V/m}$$

Des analyses préliminaires révèlent qu'en traversant l'interface, la vitesse de propagation chute de $8\,c_0/35$. En utilisant ces informations, déterminez les indices n_1, n_2, l'angle d'incidence θ_1 ainsi que l'angle de transmission θ_2.

6.14 Considérons une OEM incidente polarisée caractérisée par un angle azimutal γ_i. Supposons que l'onde soit appelée à traverser deux matériaux transparents (Fig.6.13). Les angles impliqués dans la traversée des milieux sont notés θ_1, θ_2, θ_3 et les indices de réfraction sont notés n_1, n_2 et n_3.

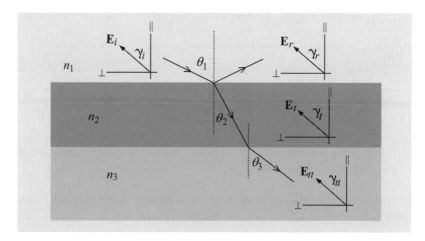

FIG. 6.13 Diagrammes de réflexions et de transmissions des champs **E**.

Désignons par γ_r, γ_t, et γ_{tt} les angles azimutaux orientant respectivement les vecteurs champs électriques $\mathbf{E}_r$, $\mathbf{E}_t$ et $\mathbf{E}_{tt}$. Dans ce contexte,

(a) Démontrez que l'angle γ_t correspondant au champ $\mathbf{E}_t$ peut être obtenu en utilisant l'égalité suivante :

$$\tan \gamma_t = \frac{(t_1)_\perp}{(t_1)_\parallel} \, \tan \gamma_i$$

(b) Démontrez que l'angle γ_{tt} correspondant au champ $\mathbf{E}_{tt}$ peut être obtenu en utilisant l'égalité suivante :

$$\tan \gamma_{tt} = \frac{(t_1)_\perp}{(t_1)_\parallel} \frac{(t_2)_\perp}{(t_2)_\parallel} \, \tan \gamma_i$$

(c) Démontrez que l'angle γ_r correspondant au champ électrique $\mathbf{E}_r$ peut être obtenu en utilisant l'égalité suivante :

$$\tan \gamma_r = \frac{(r_1)_\perp}{(r_1)_\parallel} \, \tan \gamma_i$$

6.15 En considérant le résultat obtenu en 6.14 (a), est-il possible que les angles γ_i et γ_t soient égaux ? Si oui, quelle condition doit prévaloir ?

6.16[*] En considérant le résultat obtenu en 6.14 (b), est-il possible que les angles γ_i et γ_{tt} soient égaux ? Si oui, quelle condition doit prévaloir ?

6.17 À la rencontre d'une interface plane, le champ électrique incident est caractérisé par un angle azimutal $\gamma_i = 45°$. Après la première transmission, on note que $\gamma_t = 30°$. Si $n_i = 1$ et $n_t = 2$, calculez les angles θ_i et θ_t.

6.18 Une onde incidente se propage dans un milieu d'indice $n_1 = 3/2$. Les caractéristiques de l'onde émise sont les suivantes :

$$E_i = 100 \text{ V/m}; \quad \gamma_i = 30°$$

L'onde traverse deux milieux d'indice de réfraction $n_2 = 2$ et $n_3 = 5/2$. Pour chacun des cas suivants, calculez l'intensité I_{tt} du signal après la double transmission.

(a) $\theta_1 = 0°$ (c) $\theta_1 = 45°$ (e) $\theta_1 = 90°$

(b) $\theta_1 = 30°$ (d) $\theta_1 = 60°$

6.19 Reprenez le numéro 6.18 pour le cas particulier $n_1 = n_3 = 3/2$.

6.20 En vous inspirant du numéro 6.18, montrez que l'intensité I_{tt} peut s'obtenir directement par l'équation suivante :

$$I_{tt} = \frac{n_3}{n_1}[(t_1^2)_\parallel (t_2^2)_\parallel \cos^2 \gamma_i + (t_1^2)_\perp (t_2^2)_\perp \sin^2 \gamma_i] \, I_i$$

6.21[*] Soit I_1, l'intensité d'un signal incident polarisé caractérisé par un angle azimutal γ_i. Le signal se propageant dans un milieu d'indice de réfraction n_1 s'apprête à traverser un certain nombre d'interfaces planes empilées les unes sur les autres. Dans ce contexte, désignons par I_k l'intensité du signal lumineux se propageant dans le *k-ième* milieu d'indice de réfraction n_k, $k \geq 2$. Dans ce contexte, démontrez par induction les deux résultats suivants :

$$(I_k)_\parallel = \frac{n_k}{n_1}\left(\prod_{j=1}^{k-1}(t_j)_\parallel^2\right)\cos^2 \gamma_i \, I_1; \quad (I_k)_\perp = \frac{n_k}{n_1}\left(\prod_{j=1}^{k-1}(t_j)_\perp^2\right)\sin^2 \gamma_i \, I_1$$

6.22 Une source lumineuse polarisée est placée devant trois matériaux transparents dont les indices de réfraction sont $n_2 = 3/2$, $n_3 = 2$, $n_4 = 5/2$; le milieu ambiant est l'air (fig. 6.14). Si $E_i = 50$ V/m et $\gamma_i = 45°$, calculez l'intensité du signal parvenant au détecteur D.

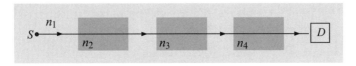

Fig. 6.14 Exercice 6.22.

6.23 Reprenez le numéro 6.22 en considérant que les interfaces planes sont collées les unes sur les autres. Pourquoi les résultats diffèrent-ils ?

6.24 L'exercice qui suit explore le thème des coefficients globaux R et T d'un système optique. Le système optique considéré est composé d'une source S de lumière et d'une lamelle transparente inclinée. La puissance transportée par la lumière émise est notée W_0 (Fig. 6.15).

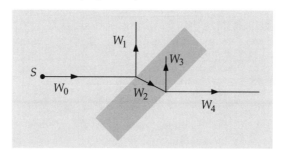

FIG. **6.15** Illustration des faisceaux réfléchis et transmis produits par une lamelle.

Désignons respectivement par R_1 et T_1 les coefficients globaux en réflexion et en transmission correspondant à la première interface que rencontre la lumière. En exprimant vos résultats en fonction des paramètres R_1, T_1 et W_0, déterminez :

(a) L'expression pour la puissance W_1 ;

(b) L'expression pour la puissance W_2.

Désignons respectivement par R_2 et T_2 les coefficients globaux en réflexion et en transmission correspondant à la deuxième interface que rencontre la lumière. En exprimant vos résultats en fonction des paramètres R_1, T_1, R_2, T_2 et W_0, déterminez :

(c) L'expression pour la puissance W_3 ;

(d) L'expression pour la puissance W_4.

Si $R_1 = 1/3$, $R_2 = 1/4$ et $W_0 = 1$ watt, alors déterminez :

(e) Les valeurs W_1, W_2, W_3 et W_4.

6.25 L'exercice 6.24 illustre qu'il est relativement simple d'exprimer la puissance de la lumière réfléchie et transmise en fonction des coefficients globaux R et T. Mais qu'en est-il de l'intensité de la lumière réfléchie et transmise ? Afin d'éclaircir la question, désignons par I_0 l'intensité correspondant à la puissance W_0, désignons par I_1 l'intensité correspondant à la puissance W_1, ..., etc. La convension étant admise, déterminez :

(a) L'expression pour l'intensité I_1 ;

(b) L'expression pour l'intensité I_2 ;

(c) L'expression pour l'intensité I_3 ;

(d) L'expression pour l'intensité I_4.

Vos résultats seront possiblement exprimés en fonction des paramètres suivants : θ_i, θ_t, R_1, R_2 et I_0.

6.26 Tous les résulats des exercices 6.24 et 6.25 indiquent que si les coefficients globaux R et T sont connus, alors il est relativement simple de calculer la puissance ou l'intensité de la lumière réfléchie et transmise. Dans le présent exercice, nous allons voir quelles informations interviennent dans la détermination des coefficients globaux R et T d'une lamelle en verre. Pour ce faire, reconsidérez le montage illustré dans la figure 6.15 et supposez que la source S émet une onde polarisée caractérisée par un angle azimutal γ_i. En exprimant vos résultats en fonction des paramètres suivants : $r_\parallel$, $r_\perp$, γ_i, déterminez :

(a) L'expression pour le coefficient global R_1 ;
(b) L'expression pour le coefficient global R_2.

Les indices de réfraction du milieu ambiant et de la lamelle sont respectivement noté n_a et n_v. Les valeurs caractérisant le montage illustré dans la figure 6.15 sont les suivantes : $n_a = 1$, $n_v = 3/2$, $\theta_i = 83°$. Dans ce contexte,

(c) Tracez le graphe du coefficient $R_1(\gamma_i)$;
(d) Superposez le graphe du coefficient $R_2(\gamma_i)$;
(e) Dites si les coefficients R_1 et R_2 sont égaux ;
(f) Tracez le graphe de la différence $R_1(\gamma_i) - R_2(\gamma_i)$;
(g) En utilisant le graphique en (f) vérifiez que, dans le pire des cas, l'écart entre R_1 et R_2 n'excède pas $1/25$.

6.27 Un signal lumineux incident est porteur d'une puissance de 1 watt. Les indices de réfraction sont $n_i = 3/2$ et $n_t = 2$. Pour chacun des cas énoncés ci-dessous, calculez la puissance transportée par l'onde transmise si $\gamma_i = 60°$.

(a) $\theta_i = 0°$ (c) $\theta_i = 45°$ (e) $\theta_i = 90°$
(b) $\theta_i = 30°$ (d) $\theta_i = 60°$

6.28 Un signal lumineux incident est porteur d'une puissance de 1 watt. Les indices de réfraction sont $n_i = 3/2$ et $n_t = 2$. Pour chacun des cas ci-dessous, calculez la puissance transportée par l'onde réfléchie si l'angle $\gamma_i = 60°$.

(a) $\theta_i = 0°$ (c) $\theta_i = 45°$ (e) $\theta_i = 90°$
(b) $\theta_i = 30°$ (d) $\theta_i = 60°$

6.29 Suivant les résultats obtenus aux numéros 6.27 et 6.28, est-il exact de croire que le signal transmis perd peu de puissance relativement au signal incident ? Où vont les pertes en puissance à la transmission ?

6.30 En utilisant les résultats obtenus aux numéros 6.27 et 6.28, vérifiez le principe de la conservation de l'énergie.

6.31 L'intensité I_i d'une source de lumière naturelle est de 100 W/m^2.

(a) Calculez l'intensité $(I_i)_\parallel$;
(b) Calculez l'intensité $(I_i)_\perp$.

6.32 Divers appareils de métrologie permettent de mixer une lumière polarisée d'intensité $I_p = 15$ W/m^2 avec une lumière non polarisée dont l'intensité est $I_n = 40$ W/m^2. Le signal résultant est ensuite analysé avec un polariseur.

(a) Quelle serait l'intensité $I_{\max}$ perçue par un détecteur ?

(b) Quelle serait l'intensité $I_{\min}$ perçue par un détecteur ?

(c) Quel est le degré de polarisation V correspondant au mélange ?

6.33 Une source lumineuse naturelle de 20 W/m^2 éclaire une interface plane à l'angle de Brewster. L'intensité du signal réfléchi est 1 W/m^2. Si le milieu d'incidence est l'air $(n_1 = 1)$ déterminez :

(a) La valeur de l'indice de réfraction n_2 ;

(b) La valeur de l'angle de Brewster.

6.34 Une lumière partiellement polarisée d'intensité $I = 30$ W/m^2, est analysée à l'aide d'un polariseur. Lorsque ce polariseur effectue une rotation complète de l'axe, un détecteur D évalue que le minimum d'intensité rencontré est 10 W/m^2.

(a) Que vaut l'intensité I_n de la partie naturelle du signal ?

(b) Que vaut l'intensité I_p de la partie polarisée du signal ?

(c) Quel est le degré de polarisation V du signal ?

(d) Si $I_{\max}$ est atteint à $\beta = 60°$, alors à quel angle β atteint-on $I_{\min}$?

6.35 Un signal partiellement polarisé est dirigé vers un plan d'eau à l'angle de polarisation. Quel est le degré de polarisation du signal réfléchi ?

6.36 On tourne lentement l'axe d'un polariseur placé devant une source de lumière naturelle. Quelle variation d'intensité détectera-t-on à la sortie du polariseur ?

6.37 Une source lumineuse partiellement polarisée est analysée à l'aide d'un polariseur. Lorsqu'on tourne son axe de 360°, on observe un minimum et un maximum d'intensité de 10 W/m^2 et 30 W/m^2. Dans ce contexte, calculez :

(a) Le degré de polarisation de la lumière émise par la source ;

(b) L'intensité I_S du signal émis par la source ;

(c) L'intensité I_p de la partie polarisée du signal ;

(d) L'intensité I_n de la partie naturelle du signal.

6.38 On place une lampe incandescente devant deux polariseurs dont les axes de polarisation font un angle θ entre eux. L'intensité lumineuse à l'entrée du premier polariseur est de 40 W/m^2. Dans ce contexte, calculez :

(a) L'intensité à la sortie du deuxième polariseur si $\theta = 60°$;

(b) L'angle θ pour lequel $(I_2)_{out} = 1$ W/m^2.

6.39 Reprenez la question 6.38 en remplaçant la lumière naturelle par une lumière polarisée dont le champ électrique fait 45° avec l'axe du premier polariseur ; les autres paramètres demeurant les mêmes.

6.40 Une OEM polarisée se propageant dans l'air frappe un plan d'eau à un angle $\theta_1 = 45°$. Les caractéristiques de l'onde polarisée incidente sont illustrées dans la figure 6.16.

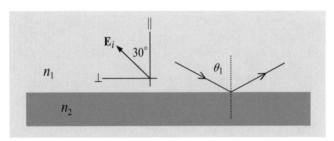

FIG. **6.16** Onde polarisée incidente frappant une interface plane.

Vous disposez des informations suivantes :

$$n_1 = 1; \quad n_2 = 4/3; \quad \theta_1 = 45°; \quad E_i = 10 \text{ V/m}.$$

Dans ce contexte, déterminez

    (a) Déterminez les composantes $(E_i)_\parallel$ et $(E_i)_\perp$;
    (b) Déterminez le vecteur $\mathbf{E}_r$ et sa grandeur E_r ;
    (c) Calculez l'angle azimutal γ_r ;
    (d) Calculez l'intensité I_r du signal réfléchi ;
    (e) Déterminez le vecteur $\mathbf{E}_t$ et sa grandeur E_t ;
    (f) Calculez l'angle azimutal γ_t ;
    (g) Calculez l'intensité I_t du signal transmis.

6.41 Une OEM non polarisée frappe une étendue d'eau à l'angle de Brewster. Le signal réfléchi se dirigeant vers le ciel est réfléchi par la couverture nuageuse, pour être ensuite réfléchi par le plan d'eau, etc. (fig. 6.17). Après combien de rebonds l'intensité du signal initial a-t-elle diminué d'un facteur 100 ?

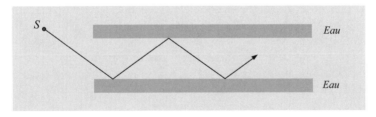

FIG. **6.17** Exercice 6.41.

6.42 Une source S émet une lumière polarisée ($\gamma_i = 30°$) en direction d'un liquide dont l'indice de réfraction n_ℓ est inconnue (Fig. 6.18). On souhaite analyser le type de polarisation que présente le signal lumineux réfléchi par un liquide en vue de déterminer son indice de réfraction. La méthode exposée s'inscrit dans le champ d'étude nommé ***ellipsométrie***.

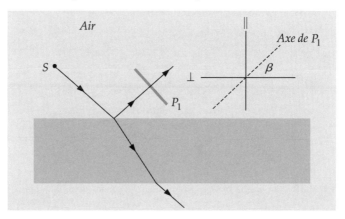

FIG. 6.18 Parcours d'une onde polarisée émise par une source S.

Un polariseur P_1 est utilisé pour analyser l'onde polarisée qui est réfléchie par le liquide. Une expérience indique que si l'angle $\theta_i = 45°$, alors la valeur maximale de l'intensité à la sortie du polariseur P_1 est atteinte lorsque son axe fait un angle $\beta = 30°$. Dans ce contexte,

(a) Posez les équations permettant de déterminer n_ℓ ;
(b) Déterminez l'indice de réfraction n_ℓ ;
(c) Déterminez l'angle de Brewster ;
(d) Posez une équation simple permettant de déterminer γ_t ;
(e) Calculez l'angle γ_t et dessinez-le dans le référentiel $\parallel$ et $\perp$;
(f) Posez une équation simple permettant de déterminer γ_{tt} ;
(g) Calculez l'angle γ_{tt} et dessinez-le dans le référentiel $\parallel$ et $\perp$.

6.43 Reconsidérez la figure 6.18. Une expérience se réalise dans les conditions suivantes : la source S émet un faisceau à un angle $\theta_i = 45°$ en direction d'une plaque en verre dont l'indice de réfraction $n_v = 3/2$. Le milieu ambiant est l'air. La source S émet une lumière caractérisée par un angle azimutal $\gamma_i = 45°$. Dans ce nouveau contexte,

(a) Dites si la lumière émise par la source S est polarisée ;
(b) Déterminez la valeur de l'angle β permettant d'obtenir une intensité lumineuse maximale à la sortie du polariseur P_1 ;
(c) Déterminez la valeur de l'angle β permettant d'obtenir une intensité lumineuse minimale à la sortie du polariseur P_1 ;
(d) Déterminez l'angle de Brewster.

6.44 Vous voulez produire deux faisceaux de même intensité à partir d'une source lumineuse S dont l'intensité est I_0. Pour ce faire, vous utilisez une lamelle transparente inclinée à $45°$ (Fig. 6.19). Afin que la lumière réfléchie ait une intensité identique à la lumière sortant de la lamelle, vous vous demandez quel doit être la valeur de l'indice de réfraction n du matériau transparent permettant de satisfaire cette exigence. Supposez que la source S émet une lumière non

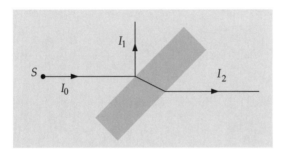

FIG. 6.19 Lame séparatrice produisant 2 faisceaux de même intensité.

polarisés et supposez que le milieu ambiant est l'air. En utilisant les quantités suivantes :

$$r_\|; \quad r_\perp; \quad t_\|; \quad t_\perp; \quad I_0 \; ;$$

(a) Posez l'équation reflètant la condition demandée ;

(b) Déterminez la valeur n de l'indice de réfraction du matériau ;

(c) Dites si la valeur n obtenue semble réaliste.

Un membre de l'équipe se demande si la valeur n est susceptible de changer selon que le faisceau lumineux qui frappe la lame séparatrice est polarisé ou non. Pour vérifier cela, on installe un polariseur devant la source lumineuse S. En faisant pivoter l'axe du polariseur, on parvient à fixer l'angle γ_i caractérisant l'onde polarisée incidente. Pour les angles γ_i indiqués,

(d) Calculez la valeur de l'indice de réfraction n si $\gamma_i = 30°$;

(e) Calculez la valeur de l'indice de réfraction n si $\gamma_i = 45°$;

(f) Calculez la valeur de l'indice de réfraction n si $\gamma_i = 60°$.

En utilisant un logiciel de calcul symbolique (*Maple, Derive, Matlab*, etc.)

(g) Tracez le graphe de l'indice de réfraction n en fonction de l'angle γ_i pour des valeurs d'angles γ_i comprises dans l'intervalle suivant :

$$0° \leq \gamma_i \leq 90°.$$

On demande que la courbe recherchée soit composée d'au moins 20 points de coordonnées $(\gamma_i; n)$.

En considérant le graphe obtenu en (g),

(h) Déterminez la valeur minimale n satisfaisant la condition exigée.

6.45 Une source S émet une lumière polarisée ($\gamma_i = 30°$) d'intensité I_0 en direction d'une lamelle transparente dont l'indice de réfraction est $n_\ell = \sqrt{3}$. Dans la figure 6.20, le signal lumineux incident porte l'étiquette 0, les signaux lumineux qui émergent par la face supérieure de la lamelle sont étiquetés 1 et 2, et le signal lumineux qui émerge par la face inférieure de la lamelle porte l'étiquette 3. L'intensité lumineuse correspondant à chacun de ces signaux est respectivement noté I_0, I_1, I_2 et I_3.

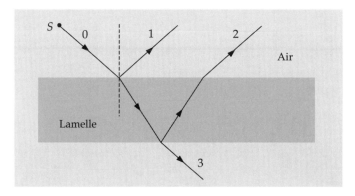

FIG. 6.20 Parcours d'une onde polarisée émise par une source S.

Supposez $\theta_i = 0°$.

(a) Calculez le facteur multiplicatif qui relie les valeurs I_0 et I_1 ;

(b) Sachant que l'intensité du signal incident vaut 100 W/m², calculez I_1 ;

(c) Calculez l'angle azimutal γ_r ;

(d) Vérifiez si les vecteurs $\mathbf{E}_i$ et $\mathbf{E}_r$ sont en sens inverse ;

(e) Calculez le facteur multiplicatif qui relie les valeurs I_0 et I_2 ;

(f) Sachant que l'intensité du signal incident vaut 100 W/m², calculez I_2 ;

(g) Calculez l'angle azimutal γ_{trt} ;

(h) Vérifiez si les vecteurs $\mathbf{E}_i$ et $\mathbf{E}_{trt}$ sont en sens inverse ;

(i) Calculez le facteur multiplicatif qui relie les valeurs I_1 et I_2 ;

(j) Vérifiez si les vecteurs $\mathbf{E}_r$ et $\mathbf{E}_{trt}$ sont en sens inverse ;

(k) Calculez le facteur multiplicatif qui relie les valeurs I_0 et I_3 ;

(l) Sachant que l'intensité du signal incident vaut 100 W/m², calculez I_3 ;

(m) Calculez l'angle azimutal γ_{tt} ;

(n) Vérifiez si les vecteurs $\mathbf{E}_i$ et $\mathbf{E}_{tt}$ sont en sens inverse.

6.46 Reprenez l'exercice 6.45 pour la valeur $\theta_i = 45°$; les autres paramètres demeurant les mêmes.

6.47 Reprenez l'exercice 6.45 pour la valeur $\theta_i = 60°$; les autres paramètres demeurant les mêmes.

6.48 À partir d'un champ électrique $\mathbf{E}_{in}$ orienté dans la direction $\|$, on souhaite produire un champ électrique $\mathbf{E}_{out}$ qui soit perpendiculaire à $\mathbf{E}_{in}$. Pour ce faire, on dispose n polariseurs les uns à la suite des autres de sorte que l'axe de polarisation de chacun d'eux fasse un angle θ avec l'axe du polariseur précédent ; le dernier ayant son axe de polarisation orienté dans la direction $\perp$ souhaitée (Fig. 6.21).

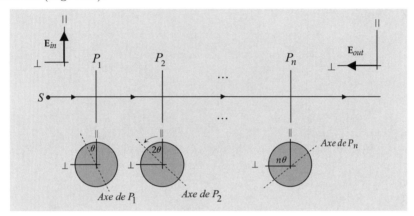

FIG. 6.21 Suite de n polariseurs créant un champ électrique perpendiculaire.

Si on exige que l'intensité lumineuse I_{out} à la sortie du dernier polariseur soit d'au moins 90 % de l'intensité lumineuse I_{in} à l'entrée du premier polariseur, alors

(a) Combien de polariseurs sont nécessaires et que vaut l'angle θ ?

Le montage est réalisé conformément à la figure 6.21 et aux résultats obtenus en (a). À présent, supposons que $E_{in} = 10$ V/m. Dans ce contexte,

(b) Déterminez la valeur de l'intensité I_{out} ?
(c) Déterminez le vecteur $\mathbf{E}_{out}$?

Sans modifier rien d'autre, on enlève tous les polariseurs sauf le dernier.

(d) Déterminez la valeur de l'intensité I_{out} ?
(e) Déterminez le vecteur $\mathbf{E}_{out}$?

On replace les polariseurs tels qu'ils étaient avant de les ôter. Cette fois-ci, on enlève tous les polariseurs sauf le premier et le dernier.

(f) Déterminez la valeur de l'intensité I_{out} ?
(g) Déterminez le vecteur $\mathbf{E}_{out}$?

6.49 Reconsidérez la figure 6.21. Cette fois-ci, à partir d'un champ électrique $\mathbf{E}_{in}$ orienté dans la direction $\perp$, on souhaite produire un champ électrique $\mathbf{E}_{out}$ qui soit parallèle à $\mathbf{E}_{in}$. Si on exige que l'intensité lumineuse I_{out} à la sortie du dernier polariseur ait 90% de l'intensité lumineuse I_{in}, alors combien de polariseurs sont nécessaires et que vaut l'angle θ ?

6.50 Un signal non polarisé est émis en direction d'une interface plane. Devant le signal réfléchi, on dispose un polariseur dont l'axe de polarisation est à $+30°$ du plan d'incidence (fig. 6.22). À moins que l'angle d'incidence θ_i soit égal à l'angle de Brewster, si le signal incident est non polarisé, alors on suppose que le signal réfléchi demeure non polarisé.

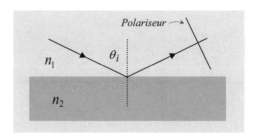

FIG. 6.22 Exercice 6.50 et 6.51.

Vous connaissez les informations suivantes :

$$I_i = 10 \text{ W/m}^2; \quad n_1 = 1; \quad n_2 = \sqrt{3}.$$

Dans ce contexte, pour chacun des angles d'incidence θ_i ci-dessous, calculez l'intensité du signal à la sortie du polariseur.

(a) $\theta_i = 30°$ (b) $\theta_i = 45°$ (c) $\theta_i = 60°$ (d) $\theta_i = 80°$

6.51 Reprenez l'exercice 6.50 pour un signal polarisé d'angle $\gamma_i = 0°$; tout autre paramètre demeurant fixe.

6.52 Une lumière traverse cinq polariseurs dont les axes de polarisation sont décalés d'un même angle $\Delta\theta$. La lumière émise par S est non polarisée.

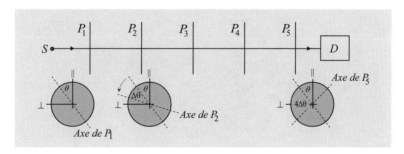

FIG. 6.23 Exercice 6.52.

L'intensité de la lumière émise par la source S est 100 W/m². Si on souhaite obtenir 25 W/m² au détecteur D, alors :

(a) Quel doit être l'écart angulaire $\Delta\theta$ entre les axes des polariseurs ?
(b) Que vaut l'intensité à la sortie du troisième polariseur ?

6.53 À l'avant et à l'arrière de trois matériaux transparents, on place respectivement les polariseurs P_1 et P_2 (fig. 6.24). Le polariseur P_1 est traversé par une lumière polarisée émise par la source S. L'autre polariseur P_2 est placé à l'entrée du détecteur D.

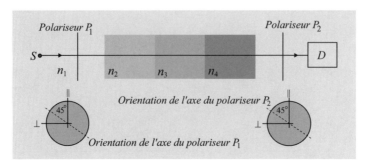

FIG. 6.24 Exercice 6.53.

Les indices de réfraction sont les suivants :

$$n_1 = 1; \quad n_2 = 3/2; \quad n_3 = 2; \quad n_4 = 5/2.$$

Pour chacune des situations suivantes, calculez l'intensité du signal parvenant au détecteur D.

   (a) $E_i = 50$ V/m et $\gamma_i = 45°$.   (b) $E_i = 50$ V/m et $\gamma_i = 90°$.

6.54 Considérez deux polariseurs P_1 et P_2 devant lesquels on place une source de lumière naturelle (fig. 6.25). L'intensité de chaque source est 40 W/m^2. Le décalage angulaire entre les axes des polariseurs est 60°.

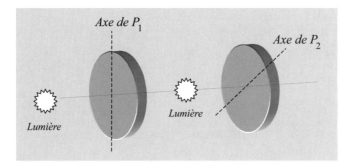

FIG. 6.25 Ensemble de deux polariseurs dont les axes sont décalés de 60°.

Dans ce contexte, calculez

   (a) Le degré de polarisation de la lumière atteignant le polariseur P_2 ;
   (b) Le degré de polarisation de la lumière à la sortie du polariseur P_2 ;
   (c) L'intensité de la lumière à la sortie du polariseur P_2.

6.55 Répondez aux questions de l'exercice 6.54 dans le cas où la source lumineuse située entre deux polariseurs serait remplacée par une source de lumière partiellement polarisée dont la partie polarisée est parallèle à l'axe du polariseur P_2. Le degré de polarisation de la source remplacée est $V = 3/4$; tout autre paramètre demeurant fixe.

6.56 Une lumière polarisée, passant de l'air au verre, possède les caractéristiques suivantes :

$$E_i = 45 \text{ V/m}; \quad (E_i)_\perp = 25 \text{ V/m}; \quad \theta_t = 30°; \quad 90° \leq \gamma_i \leq 180°.$$

Dans ce contexte,

- (a) Déterminez le vecteur $\mathbf{E}_t$;
- (b) Calculez la valeur de l'angle azimutal γ_t ;
- (c) Calculez la valeur de l'intensité lumineuse transmise.

6.57 Une lumière naturelle est émise en direction d'un matériau transparent à un angle $\theta_i = 60°$. Le milieu ambiant est l'air. L'analyse de la lumière qui est réfléchie par le matériau transparent révèle les informations suivantes : le degré de polarisation de la lumière réfléchie vaut $1/2$ et l'intensité de la composante polarisée de la lumière réfléchie vaut 11 W/m^2. Si l'intensité totale de la lumière incidente vaut 200 W/m^2, alors déterminez :

- (a) La valeur E_n de la partie naturelle de la lumière réfléchie ;
- (b) L'indice de réfraction n_t du matériau transparent ;
- (c) L'intensité de la lumière se propageant dans le matériau transparent.

6.58 Deux faisceaux parallèles en provenance d'une unique source traversent des cavités étiquetés 1 et 2 (fig. 6.26). Les cavités sont remplies de gaz dont les indices de réfraction sont les suivants : $n_1 = 4/3$ et $n_2 = 3/2$. Le signal émis par la source est non polarisé. L'intensité de chaque signal parvenant aux cavités est 10 W/m^2.

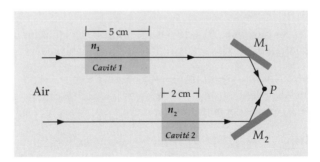

FIG. 6.26 Parcours d'une onde non polarisée émise par une source.

Les coefficients de réflexion globaux des miroirs M_1 et M_2 sont respectivement $R_1 = 7/10$ et $R_2 = 8/10$. Dans ce contexte, calculez l'intensité de chaque signal qui parvient au point P.

6.59 On souhaite produire deux faisceaux lumineux ayant la même intensité. Pour ce faire, on utilise une lamelle en verre ($n_v = 3/2$) inclinée à 45° suivi d'une autre lamelle dont l'indice de réfraction n est inconnu (Fig. 6.27).

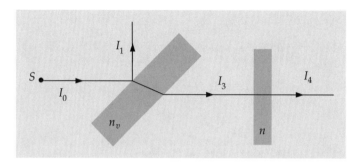

Fig. 6.27 Lame séparatrice en verre produisant deux faisceaux lumineux.

La source S émet une onde polarisée caractérisée par un angle azimutal $\gamma_i = 0°$. L'intensité lumineuse incidente est notée I_0. Les questions qui suivent ont pour objectif de déterminer la valeur n de l'indice de réfraction de la deuxième lamelle afin que les intensités I_1 et I_4 aient la même valeur. En considérant la figure ci-dessus,

(a) Exprimez l'intensité I_1 en fonction de l'intensité I_0 ;
(b) Exprimez l'intensité I_3 en fonction de l'intensité I_0 ;
(c) Exprimez l'intensité I_4 en fonction de l'intensité I_0 ;
(d) Déterminez la valeur n permettant d'obtenir des intensités I_1 et I_4 égales ;
(e) Dites si la valeur n obtenue en (d) semble réaliste.

6.60 Reprenez les questions 6.59 (d) et (e) dans le cas où la lumière émise par la source est caractérisée par un angle azimutal $\gamma_i = 90°$; tout autre paramètre demeurant fixe.

6.61 Reprenez les questions 6.59 (d) et (e) dans le cas où la lumière émise par la source est non polarisée ; tout autre paramètre demeurant fixe.

6.62 En comparant les résultats obtenus aux exercices 6.59 à 6.61, peut-on affirmer que la valeur n de l'indice de réfraction permettant d'avoir des intensités I_1 et I_4 égales dépend du type de lumière émise par la source ?

6.63 En examinant la figure 6.27, vous constatez qu'il est peut-être possible de produire deux faisceaux lumineux de même intensité avec un montage plus simple. Vous pensez à supprimer la lamelle à droite et préserver la lamelle en verre dont l'indice de réfraction $n_v = 3/2$. Subséquemment, vous pensez qu'en inclinant la lamelle en verre à un angle judicieux, il est possible de produire deux faisceaux lumineux dont les intensités I_1 et I_3 seront les mêmes. Est-ce que votre idée est réalisable ? Supposez $\gamma_i = 90°$.

6.64 Des étudiants de l'ÉTS souhaitent concevoir un petit sous-marin qui, lorsque près de la surface, serait propulsé par un moteur électrique s'alimentant par énergie solaire (Fig. 6.28). Pour ce faire, les étudiants pensent recouvrir le sous-marin d'un grand nombre de petits capteurs solaires ayant chacun une superficie de 9 cm^2.

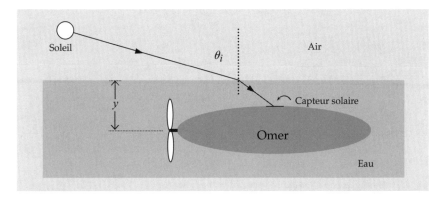

FIG. 6.28 Capteur solaire immergé emmagasinant l'énergie solaire.

Voici des informations concernant l'environnement dans lequel le sous-marin évoluera. Un photomètre placé au-dessus de la surface d'eau indique que l'intensité lumineuse incidente vaut 1500 W/m^2.

(a) À quelle valeur θ_i le capteur solaire est-il le plus efficace ?

(b) Quelle puissance maximale peut être transférée au capteur illustré ?

Lorsque le soleil éclaire le plan d'eau à $\theta_i = 80°$, un calcul portant sur les besoins énergétiques indique qu'un capteur solaire immergé et parallèle à la surface de l'eau (fig. 6.28) doit capter au moins 1/5 watts de radiation lumineuse. Pour l'instant, supposez que l'intensité lumineuse ne varie pas avec la profondeur y du sous-marin. Dans ce contexte,

(c) Dites s'il est possible de satisfaire la demande énergétique.

Une analyse menée sur les conditions d'éclairement révèle que l'intensité lumineuse au voisinage du sous-marin dépend de la profondeur y du sous-marin.

$$I(y) = I_0 \, e^{-y/10} \; ; \qquad y > 0 \text{ mètre}$$

La valeur I_0 correspond à l'intensité lumineuse tout juste **sous** la surface d'eau. Tout juste **au-dessus** de la surface d'eau, l'intensité lumineuse incidente vaut 1500 W/m^2. Lorsque le soleil éclaire le plan d'eau à $\theta_i = 30°$, les étudiants se posent la question suivante :

(d) Jusqu'à quelle profondeur le sous-marin peut-il plonger afin qu'au moins 200 W/m^2 de radiation lumineuse soient transférés au capteur illustré dans la figure 6.28.

6.65 On souhaite vérifier s'il est vrai que l'ajout d'un produit transparent sur la surface d'une lentille en verre peut augmenter l'intensité de la lumière qui s'y propage. Pour étudier la question, considérez une lentille avant et après l'application d'une couche de fluorure de magnésium (MgF_2) sur sa surface (Fig. 6.29).

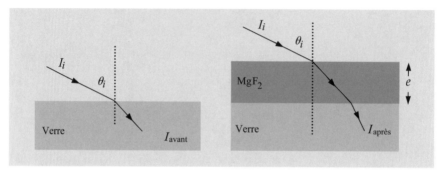

FIG. 6.29 À gauche : lentille en verre avant l'application du fluorure de magnésium. À droite : lentille en verre après l'application du fluorure de magnésium.

Désignons respectivement par I_{avant} et $I_{\text{après}}$ l'intensité des signaux lumineux dans le verre, **avant** et **après** l'application du fluorure de magnésium. Les deux lentilles illustrées sont soumises aux mêmes conditions d'éclairage : la lumière incidente est non polarisée, elle est d'une même intensité I_i et elle frappe la première interface plane à un angle $\theta_i = 0$. Les indices de réfraction de l'air, du fluorure de magnésium et du verre sont respectivement notés n_a, n_f et n_v. Dans ce contexte,

(a) Déterminez le rapport $I_{\text{après}}/I_{\text{avant}}$ en fonction de n_a, n_f et n_v.

(b) Supposons que les valeurs d'indices de réfraction sont les suivantes :

$$n_a = 1; \quad n_f = 69/50; \quad n_v = 3/2.$$

Déterminez la valeur numérique du rapport $I_{\text{après}}/I_{\text{avant}}$ et formulez une conclusion, en pourcentage (%), quant à l'augmentation ou à la diminution de l'intensité du signal lumineux qui se propage dans le verre après l'application de la couche du fluorure de magnésium.

(c) En utilisant le résultat obtenu en (a), démontrez que la valeur n_f qui maximise le rapport $I_{\text{après}}/I_{\text{avant}}$ est la suivante :

$$n_f = \sqrt{n_a n_v}$$

On applique sur une lentille un produit dont l'indice de réfraction vaut $\sqrt{n_a n_v}$.

(d) Déterminez l'expression permettant de calculer de combien s'accroît l'intensité du signal lumineux qui se propage dans le verre après l'application du produit. Supposez que l'angle d'incidence est $\theta_i = 0$.

6.66 Le montage illustré dans la figure 6.30 est appelé ***interféromètre***. Il contient les éléments suivants : deux miroirs semi-transparents M_1 et M_2 dont les coefficients globaux de réflexion sont respectivement notés R_1 et R_2, un bloc de verre et une source S émettant une onde polarisée monochromatique.

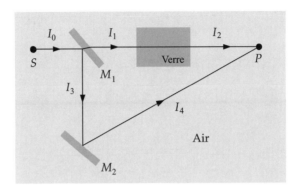

FIG. **6.30** Montage caractéristique de l'interféromètre.

Dans ce qui suit, nous allons supposer que les coefficients de réflexion demeurent constants, peut importe la valeur de l'angle azimutal $\gamma_i{}^3$. L'indice de réfraction du verre est noté n_v.

$$R_1 = 1/2; \quad R_2 = 9/10; \quad n_v = 3/2.$$

En exprimant vos résultats en fonction de l'intensité I_0,

   (a) Déterminez l'intensité I_1 ;

   (b) Déterminez l'intensité I_2 ;

   (c) Déterminez l'intensité I_3 ;

   (d) Déterminez l'intensité I_4.

---

[3]En principe, la valeur $R = I_r/I_i = (r_\parallel)^2 \cos^2 \gamma_i + (r_\perp)^2 \sin^2 \gamma_i$ dépend de la valeur γ_i. Malgré cela, supposons qu'en modifiant les autres paramètres, soit θ_i, n_i et n_t, la valeur R demeure fixe.

Chapitre 7

Interférence électromagnétique

L'interférence entre deux ondes se manifeste dès qu'elles se rencontrent. L'étude de l'onde stationnaire dans le chapitre 3 a permis de montrer que la combinaison de deux ondes se propageant en sens inverse produit des nœuds et des ventres ; les nœuds sont les points de la corde dont les amplitudes sont nulles, les ventres sont les points à amplitude maximale de valeur $2A$. En physique, les termes de nœuds et de ventres s'apparentent respectivement aux concepts d'interférence destructive et d'interférence constructive. Beaucoup de circonstances physiques permettent d'observer les manifestations de l'interférence : rencontre de vagues, superposition de deux impulsions se propageant le long d'une corde, superposition d'ondes radio, etc. L'objectif de ce chapitre consiste à exposer le concept général d'interférence et à faire usage, par la suite, des résultats obtenus dans le cadre particulier de l'électromagnétisme.

7.1   Notions préliminaires

Du point de vue physique, le phénomène d'interférence se manifeste dès que deux ondes se rencontrent en un point P de l'espace (fig. 7.3). On dit alors que les **signaux interfèrent** entre eux au point P. Le niveau d'interaction entre les deux ondes est mesuré par la somme des fonctions d'onde évaluées au point P (subséquemment nous verrons que le carré de la somme des fonctions d'onde s'avère en fait une mesure plus utile). Avant d'aborder le traitement mathématique résultant de la somme de deux fonctions d'onde, illustrons ce que recouvre le concept introduit. Considérons une source S_1 émettant une onde dans le vide ($n = 1$) conformément à la fonction en (7.1).

$$y_1(x, t) = A_1 \cos(\omega t - k_0 x + \varphi_1) \tag{7.1}$$

À un instant t fixe, le signal aura l'aspect illustré à la figure 7.1. Maintenant posons la question : comment superposer un signal à celui de la figure 7.1 pour l'annuler ? La réponse est simple et ne nécessite aucun calcul : il suffit de superposer un signal identique mais décalé d'une demi-longueur d'onde du premier. Ceci est illustré à la figure 7.2.

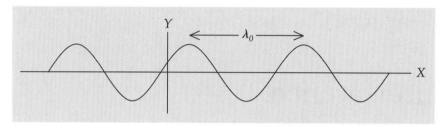

Fig. 7.1 Graphe de la fonction (7.1) à un instant t fixe. Il représente la photo du signal se propageant dans le vide ($n = 1$) dont la longueur d'onde $\lambda_0 = c_0/f$ et $c_0 = 3 \times 10^8$ m/s.

Plus généralement, deux signaux s'interceptant avec un retard (ou une avance) différant par un multiple de $(m + 1/2)$ fois la longueur d'onde λ_0 donnent lieu à une interférence destructive.

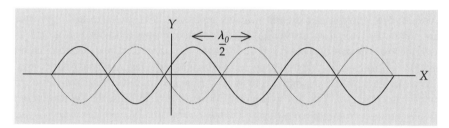

Fig. 7.2 Superposition d'une onde (en pointillés) visant à annuler la première. On remarque que l'addition point par point des deux fonctions est nulle. On parle alors d'interférence destructive.

En physique des ondes, ce retard (ou cette avance), lorsque exprimé en mètres, porte le nom de ***différence de marche optique*** et on la note par la lettre grecque δ. Formellement, ***l'interférence est dite destructive*** si

$$\delta = (m + 1/2)\lambda_0 \quad \text{avec} \quad m = 0, \pm 1, \pm 2, \pm 3, \ldots \tag{7.2}$$

La définition de la différence de marche δ étant admise, posons-nous la question suivante : comment superposer un signal à celui de la figure 7.1 pour l'accentuer le plus possible ? Réponse : en superposant un signal identique mais dont la différence de marche δ diffère d'une longueur d'onde du premier (graphiquement cela revient à dessiner l'onde de la figure 7.1 sur elle-même. Nous omettrons cette figure...). Plus généralement, la rencontre de deux signaux dont la différence de marche vaut m fois la longueur d'onde λ_0 donne lieu à une interférence constructive. Ainsi, *l'interférence est dite constructive* si

$$\delta = m\lambda_0 \quad \text{avec} \quad m = 0, \pm1, \pm2, \pm3, \ldots \tag{7.3}$$

En (7.2) et (7.3), l'entier m (positif ou négatif) porte le nom ***d'ordre d'inter-férence***. Le lecteur aura remarqué que la superposition des graphes illustrés est l'équivalent mathématique de l'addition de deux fonctions d'onde. Nonobstant les complications mathématiques auxquelles nous allons être confrontés à la section 7.2, on peut dire que le concept d'interférence est d'ores et déjà présenté !

7.2   Calcul principal en situation d'interférence

Bien que la discussion menée à la section 7.1 expose l'idée essentielle recouvrant la notion d'interférence, elle doit être raffinée. En effet, cette discussion très rudimentaire n'indique pas comment se superposent deux ondes au moment de leur rencontre en un point P de l'espace. En général, les ondes émises par deux sources S_1 et S_2 ne possèdent pas la même fréquence f, la même amplitude et la même phase initiale φ. Mais le fait le plus important demeure le suivant : les deux signaux ne parcourent pas la même distance avant d'interférer au point P.

Il est donc incorrect de supposer que deux ondes interféreront seulement si elles ont les mêmes caractéristiques. De plus, la discussion à la section 7.1 laisse présumer que l'interférence entre deux ondes est une notion binaire ; elle est soit constructive, soit destructive. En réalité, ce n'est pas le cas. Bien qu'il y ait deux niveaux extrêmes d'interférence (constructive et destructive), l'interférence se manifeste à divers degrés. Ainsi, pour mieux cerner la notion d'interférence, envisageons les choses avec plus de réalisme. La figure 7.3 illustre mieux la façon dont les choses se passent. Considérons deux sources S_1 et S_2 émettant *à une même fréquence* f dans un milieu d'indice n. Les fonctions d'onde considérées sont :

$$\mathbf{E}_1(\mathbf{d}_1, t) = \mathbf{E}_1 \cos(\omega t - \mathbf{k}_1 \cdot \mathbf{d}_1 - \varphi_1) \tag{7.4}$$

$$\mathbf{E}_2(\mathbf{d}_2, t) = \mathbf{E}_2 \cos(\omega t - \mathbf{k}_2 \cdot \mathbf{d}_2 - \varphi_2) \tag{7.5}$$

Le résultat de la superposition des fonctions d'onde au point P s'obtient par la somme de $\mathbf{E}_1(\mathbf{d}_1, t)$ et $\mathbf{E}_2(\mathbf{d}_2, t)$. Nous noterons simplement le résultat de la somme par $\mathbf{E}(\mathbf{r}, t)$. Cela dit, il s'ensuit que :

$$\mathbf{E}(\mathbf{r}, t) = \mathbf{E}_1(\mathbf{d}_1, t) + \mathbf{E}_2(\mathbf{d}_2, t) \tag{7.6}$$

Primo, les fonctions $\mathbf{E}_i(\mathbf{d}_i, t)$ dépendent implicitement du vecteur position $\mathbf{r}$ illustré dans la figure 7.3. En effet,

$$\mathbf{d}_1 = \mathbf{r} - \mathbf{r}_1; \quad \mathbf{d}_2 = \mathbf{r} - \mathbf{r}_2$$

Dans le cadre de l'interférométrie, les quantités vectorielles $\mathbf{d}_1$ et $\mathbf{d}_2$ s'avèrent plus pertinentes que les quantités vectorielles $\mathbf{r} - \mathbf{r}_1$ et $\mathbf{r} - \mathbf{r}_2$.

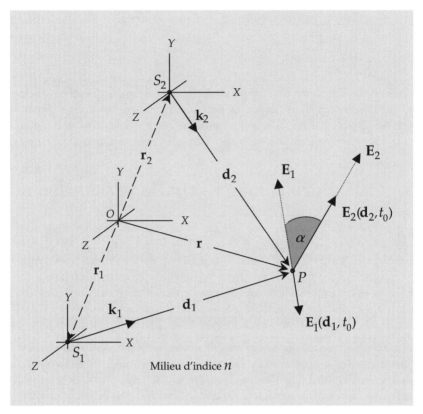

FIG. 7.3 Portrait de l'émission de deux ondes en provenance des sources S_1 et S_2 émettant à une même fréquence f. Le point P est le point de rencontre des deux ondes. Que vaut la somme des deux fonctions d'onde en ce point P?

Secundo, nous supposons que les vecteurs de propagation $\mathbf{k}_1$ et $\mathbf{k}_2$ sont respectivement concourants aux sources S_1 et S_2, ce qui revient à dire que les vecteurs $\mathbf{k}_1$ et $\mathbf{k}_2$ sont respectivement parallèles aux vecteurs $\mathbf{d}_1$ et $\mathbf{d}_2$. Cette hypothèse repose sur le fait suivant : les fronts d'onde émis par une source S sont très souvent circulaires et concentriques à S (fig. 1.12) ; de sorte qu'au point P, les vecteurs $\mathbf{k}$ et $\mathbf{d}$ sont assurément parallèles. Bref, nous supposons que les fronts d'onde émis par les sources S_1 et S_2 sont sphériques, mais nous utilisons le modèle de l'onde plane pour décrire le comportement du champ électrique au voisinage du point P.

Finalement, notons que la lettre $\mathbf{E}$ pourrait être associée à l'amplitude de plusieurs autres phénomènes ondulatoires. Mais dans le but d'établir un lien avec le chapitre 5, nous allons penser à $\mathbf{E}$ comme à un champ électrique. Ainsi, il sera plus facile de justifier pourquoi nous nous intéressons à la quantité $\| \mathbf{E}(\mathbf{r}, t) \|^2$ plutôt qu'à la quantité $\| \mathbf{E}(\mathbf{r}, t) \|$. Voilà qui termine l'explication du contexte dans lequel l'egalité (7.6) sera traitée.

Dans le chapitre 5, nous avons montré que l'intensité d'une OEM plane est reliée à la moyenne du carré de la fonction d'onde (5.44). Ce résultat étant au cœur d'une discussion importante, rappelons-le :

$$I = \frac{\overline{\parallel \mathbf{E}(\mathbf{r}, t) \parallel^2}}{\mu c} = \frac{\parallel \mathbf{E} \parallel^2}{2\mu c} = \frac{nE^2}{240\pi} \tag{7.7}$$

Rappelons aussi que le trait horizontal a la signification suivante : calculer la valeur moyenne de la fonction sous le trait durant un intervalle de temps t correspondant à une période T. Concrètement, pour pouvoir détecter les manifestations de l'interférence nous devons avoir recours à des quantités facilement mesurables. Par exemple, il est certes plus facile de mesurer l'intensité d'une onde lumineuse que de mesurer la grandeur du champ électrique correspondant. Or, le résultat en (7.7) montre que l'intensité d'une OEM est précisément reliée au carré de la grandeur de $\mathbf{E}$. Voilà pourquoi nous nous intéresserons à $\parallel \mathbf{E} \parallel^2$ plutôt qu'à $\parallel \mathbf{E} \parallel$. Cela dit, considérons l'onde électromagnétique émise par la source S_1. Le signal émis atteint le point P avec l'intensité I_1 suivante :

$$I_1 = \frac{\overline{\parallel \mathbf{E}_1(\mathbf{d}_1, t) \parallel^2}}{\mu c} = \frac{\parallel \mathbf{E}_1 \parallel^2}{2\mu c} = \frac{nE_1^2}{240\pi} \tag{7.8}$$

De même, l'onde électromagnétique émise par la sources S_2 atteint le point P avec l'intensité I_2 suivante :

$$I_2 = \frac{\overline{\parallel \mathbf{E}_2(\mathbf{d}_2, t) \parallel^2}}{\mu c} = \frac{\parallel \mathbf{E}_2 \parallel^2}{2\mu c} = \frac{nE_2^2}{240\pi} \tag{7.9}$$

Nous allons voir que l'intensité moyenne I au point P s'obtient rarement en calculant simplement la somme[1] des intensités I_1 et I_2. Afin d'étudier la question, considérons le champ électrique $\mathbf{E}(\mathbf{r}, t)$ produit au point P de la figure 7.3. Tel que l'indique l'égalité en (7.6), ce champ est le résultat d'une somme de deux autres champs. Ainsi, pour déterminer l'intensité de l'onde au point P, le résultat en (7.7) indique que nous devons calculer le carré de la grandeur du champ électrique qui y est produit. Cela dit, considérons la somme des fonctions d'onde en (7.6). Il s'ensuit que

$$\parallel \mathbf{E}(\mathbf{r}, t) \parallel^2 = \parallel \mathbf{E}_1(\mathbf{d}_1, t) + \mathbf{E}_2(\mathbf{d}_2, t) \parallel^2 \tag{7.10}$$

En rappelant que $\parallel \mathbf{A} \parallel^2 = \mathbf{A} \cdot \mathbf{A}$ où le symbole $\cdot$ désigne le produit scalaire entre deux vecteurs, remarquons que :

$$\begin{aligned} \parallel \mathbf{A}_1 + \mathbf{A}_2 \parallel^2 &= \left(\mathbf{A}_1 + \mathbf{A}_2 \right) \cdot \left(\mathbf{A}_1 + \mathbf{A}_2 \right) \\ &= \mathbf{A}_1 \cdot \mathbf{A}_1 + 2\,\mathbf{A}_1 \cdot \mathbf{A}_2 + \mathbf{A}_2 \cdot \mathbf{A}_2 \\ &= \parallel \mathbf{A}_1 \parallel^2 + 2\,\mathbf{A}_1 \cdot \mathbf{A}_2 + \parallel \mathbf{A}_2 \parallel^2 \end{aligned}$$

---

[1] Toutefois, dans le cas où deux ondes non polarisées se rencontrent, l'intensité moyenne I au point P s'obtient par la somme $I_1 + I_2$.

En appliquant le résultat au membre de droite en (7.10), il découle :

$$\| \mathbf{E}(\mathbf{r}, t) \|^2 = \| \mathbf{E}_1(\mathbf{d}_1, t) \|^2 + 2\,\mathbf{E}_1(\mathbf{d}_1, t) \cdot \mathbf{E}_2(\mathbf{d}_2, t) + \| \mathbf{E}_2(\mathbf{d}_2, t) \|^2$$

Le résultat en (7.7) indique que l'intensité I s'obtient en calculant la valeur moyenne de la fonction $\| \mathbf{E}(\mathbf{r}, t) \|^2$ durant une période T. Les opérateurs mathématiques qui interviennent dans le calcul de la valeur moyenne sont des **opérateurs linéaires**. Cela implique que la moyenne d'une somme est la somme des moyennes, c'est-à-dire :

$$\overline{\| \mathbf{E}(\mathbf{r}, t) \|^2} = \overline{\| \mathbf{E}_1(\mathbf{d}_1, t) \|^2 + 2\,\mathbf{E}_1(\mathbf{d}_1, t) \cdot \mathbf{E}_2(\mathbf{d}_2, t) + \| \mathbf{E}_2(\mathbf{d}_2, t) \|^2}$$

$$= \overline{\| \mathbf{E}_1(\mathbf{d}_1, t) \|^2} + \overline{2\,\mathbf{E}_1(\mathbf{d}_1, t) \cdot \mathbf{E}_2(\mathbf{d}_2, t)} + \overline{\| \mathbf{E}_2(\mathbf{d}_2, t) \|^2}$$

Conformément aux résultats (7.8) et (7.9), il s'ensuit que

$$\overline{\| \mathbf{E}(\mathbf{r}, t) \|^2} = \frac{\| \mathbf{E}_1 \|^2}{2} + \frac{\| \mathbf{E}_2 \|^2}{2} + \overline{2\,\mathbf{E}_1(\mathbf{d}_1, t) \cdot \mathbf{E}_2(\mathbf{d}_2, t)} \qquad (7.11)$$

Le dernier terme en (7.11) nécessite un calcul plus poussé.

$$2\,\mathbf{E}_1(\mathbf{d}_1, t) \cdot \mathbf{E}_2(\mathbf{d}_2, t) =$$

$$2\,\mathbf{E}_1 \cos(\omega t - \mathbf{k}_1 \cdot \mathbf{d}_1 - \varphi_1) \cdot \mathbf{E}_2 \cos(\omega t - \mathbf{k}_2 \cdot \mathbf{d}_2 - \varphi_2) \qquad (7.12)$$

Rappelons que la valeur moyenne d'une fonction $f(t)$ sur un intervalle T s'obtient par le calcul en (7.13) :

$$\overline{f(t)} = \frac{1}{T} \int_a^{a+T} f(t)\, dt \qquad (7.13)$$

Dans le présent contexte, le laps de temps durant lequel on calcule la valeur moyenne de la fonction est $T = 2\pi/\omega$, soit sur la durée d'un cycle. Calculons l'intégrale en (7.13) avec la fonction $f(t)$ en (7.12).

$$\overline{f(t)} = \overline{2\,\mathbf{E}_1(\mathbf{d}_1, t) \cdot \mathbf{E}_2(\mathbf{d}_2, t)}$$

$$\overline{f(t)} = \frac{1}{T} \int_a^{a+T} 2\,(\mathbf{E}_1 \cdot \mathbf{E}_2) \cos(\omega t - \mathbf{k}_1 \cdot \mathbf{d}_1 - \varphi_1) \cos(\omega t - \mathbf{k}_2 \cdot \mathbf{d}_2 - \varphi_2)\, dt$$

Le produit scalaire $\mathbf{E}_1 \cdot \mathbf{E}_2$ ne dépend pas du temps t (expliquez pourquoi). Cela dit, il s'ensuit que :

$$\overline{f(t)} = 2\,(\mathbf{E}_1 \cdot \mathbf{E}_2)\, \frac{1}{T} \int_a^{a+T} \cos(\omega t - \mathbf{k}_1 \cdot \mathbf{d}_1 - \varphi_1)\, \cos(\omega t - \mathbf{k}_2 \cdot \mathbf{d}_2 - \varphi_2)\, dt$$

Pour simplifier le calcul de l'intégrale, définissons la ***phase spatiale*** ψ par

$$\psi = -\,\mathbf{k} \cdot \mathbf{d} - \varphi \tag{7.14}$$

La définition (7.14) est justifiée car le ***déphasage spatial***

$$\Delta\psi = \psi_1 - \psi_2$$

va s'avérer une quantité importante pour déterminer le niveau d'interférence entre deux ondes. Conformément à la définition (7.14), nous obtenons :

$$\begin{aligned}
\psi_1 &= -\,\mathbf{k}_1 \cdot \mathbf{d}_1 - \varphi_1 \\
\psi_2 &= -\,\mathbf{k}_2 \cdot \mathbf{d}_2 - \varphi_2
\end{aligned}$$

Effectuons la substitution proposée.

$$\overline{f(t)} = 2\,(\mathbf{E}_1 \cdot \mathbf{E}_2)\,\frac{1}{T}\int_a^{a+T} \cos(\omega t + \psi_1)\,\cos(\omega t + \psi_2)\,dt$$

Après le calcul de l'intégrale (exercice laissé au lecteur), il découle que :

$$\overline{f(t)} = \overline{2\,\mathbf{E}_1(\mathbf{d}_1,t) \cdot \mathbf{E}_2(\mathbf{d}_2,t)} = (\mathbf{E}_1 \cdot \mathbf{E}_2)\,\cos(\Delta\psi) \tag{7.15}$$

Étant donné la définition du produit scalaire :

$$\mathbf{A} \cdot \mathbf{B} = \|\,\mathbf{A}\,\|\,\|\,\mathbf{B}\,\|\cos(\alpha)$$

l'égalité en (7.15) prend la forme

$$\overline{2\,\mathbf{E}_1(t) \cdot \mathbf{E}_2(t)} = \|\,\mathbf{E}_1\,\|\,\|\,\mathbf{E}_2\,\|\cos(\alpha)\cos(\Delta\psi) \tag{7.16}$$

Le résultat (7.16) incorporé dans (7.11), donne

$$\overline{\|\,\mathbf{E}(\mathbf{r},t)\,\|^2} = \frac{\|\,\mathbf{E}_1\,\|^2}{2} + \frac{\|\,\mathbf{E}_2\,\|^2}{2} + \|\,\mathbf{E}_1\,\|\,\|\,\mathbf{E}_2\,\|\cos(\alpha)\cos(\Delta\psi)$$

L'intensité résultante au point P est (exercice laissé au lecteur)

$$I = I_1 + I_2 + 2\sqrt{I_1}\sqrt{I_2}\cos(\alpha)\cos(\Delta\psi) \tag{7.17}$$

En (7.17), α est l'angle entre les ***vecteurs amplitudes*** $\mathbf{E}_1$ et $\mathbf{E}_2$ (fig. 7.3). Examinons les termes contenus dans l'expression du déphasage spatial $\Delta\psi$.

$$\begin{aligned}
\Delta\psi &= \psi_1 - \psi_2 \\
\Delta\psi &= (-\,\mathbf{k}_1 \cdot \mathbf{d}_1 - \varphi_1) - (-\,\mathbf{k}_2 \cdot \mathbf{d}_2 - \varphi_2) \\
\Delta\psi &= k_2\,d_2 - k_1\,d_1 + (\varphi_2 - \varphi_1)
\end{aligned}$$

La fréquence d'émission des sources S_1 et S_2 est la même et l'onde se propage dans un milieu commun dont l'indice de réfraction est n. Dans ce cas, le nombre d'onde $k_1 = k_2 = 2\pi/\lambda$.

$$\Delta\psi = \frac{2\pi d_2}{\lambda} - \frac{2\pi d_1}{\lambda} + (\varphi_2 - \varphi_1)$$

Il est avantageux d'exprimer la longueur d'onde λ en fonction de la longueur d'onde λ_0 mesurée dans le vide. Subséquemment, nous dirons que la longueur d'onde λ_0 est la **longueur d'onde de référence**. Dans le cas d'ondes électromagnétiques, λ est la longueur d'onde mesurée par rapport à l'onde se propageant dans le milieu dont l'indice de réfraction est n. À cet effet, rappelons que $\lambda = \lambda_0/n$.

$$\Delta\psi = \frac{2\pi}{\lambda_0}(nd_2 - nd_1) + (\varphi_2 - \varphi_1)$$

$$\Delta\psi = \frac{2\pi}{\lambda_0}\left((nd_2 - nd_1) + (\varphi_2 - \varphi_1)\frac{\lambda_0}{2\pi}\right)$$

En définissant la **différence de marche optique** δ de la façon suivante[2] :

$$\Delta\psi = \frac{2\pi\delta}{\lambda_0} \tag{7.18}$$

il s'ensuit que

$$\delta = (nd_2 - nd_1) + (\varphi_2 - \varphi_1)\frac{\lambda_0}{2\pi} \tag{7.19}$$

L'égalité en (7.18) montre la correspondance entre $\Delta\psi$ et δ. Dans ce qui suit, nous utiliserons préférablement la différence de marche δ pour exprimer le retard d'une onde par rapport à une autre. Cela étant admis, utilisons la définition en (7.18) afin d'exprimer l'intensité I en fonction de δ.

$$I = I_1 + I_2 + 2\sqrt{I_1}\sqrt{I_2}\cos(\frac{2\pi\delta}{\lambda_0})\cos(\alpha) \tag{7.20}$$

$$I = I_1 + I_2 + I_{12} \tag{7.21}$$

Le terme I_{12} est appelé **terme d'interférence**.

$$I_{12} = 2\sqrt{I_1}\sqrt{I_2}\cos(\frac{2\pi\delta}{\lambda_0})\cos(\alpha) \tag{7.22}$$

Quelques remarques importantes s'imposent. Afin d'expliquer pourquoi le terme d'interférence est ainsi nommé, supposons que deux ampoules monochromatiques (λ_0 fixe) éclairent un mur. Dans ce contexte, quelle est l'intensité de la

---

[2]La définition pour δ qui est proposé s'inscrit mal dans la tendance scientifique actuelle, tendance selon laquelle la notation δ sert plutôt à désigner le différence de phase $\Delta\psi$. Pour des raisons académiques, nous préserverons la notation δ pour désigner la différence de marche optique.

lumière sur le mur ? Voici la réponse à la question. La majorité des sources lumineuses rencontrées dans la vie quotidienne (tubes à néon, ampoules à filament incandescent, chandelles... etc.) n'émettent pas une lumière polarisée. Une image simple du processus d'émission de lumière non polarisée est fournie à la figure 5.1 de la page 184. Dans le cadre du présent traitement, le problème que soulève l'utilisation de deux sources distinctes émettant des ondes non polarisées est le suivant : si les amplitudes $\mathbf{E}_1$ et $\mathbf{E}_2$ des fonctions d'ondes changent constamment d'orientation, alors comment effectuer le calcul de l'intensité I en (7.21) ? Une façon simple de résoudre le problème consiste à supposer que l'angle α de la figure 7.3 varie aléatoirement[3] dans l'intervalle $(0, 2\pi)$, et d'ensuite calculer la valeur moyenne du terme d'interférence I_{12}. Un calcul simple indique que le résultat est nul.

$$I_{12} \equiv \frac{1}{2\pi} \int\limits_0^{2\pi} 2\sqrt{I_1}\sqrt{I_2} \cos(\alpha) \cos(\frac{2\pi\delta}{\lambda_0}) \, d\alpha$$

$$I_{12} \equiv \frac{1}{2\pi} 2\sqrt{I_1}\sqrt{I_2} \cos(\frac{2\pi\delta}{\lambda_0}) \int\limits_0^{2\pi} \cos(\alpha) \, d\alpha$$

Sur un cycle complet, l'intégrale de la fonction $\cos(\alpha)$ est nulle, de sorte que

$$I_{12} \equiv 0$$

Lorsque la valeur moyenne du terme d'interférence est nulle, alors on dit que les signaux émis par S_1 et S_2 n'interfèrent pas entre eux. En regard de la question soulevée, cela signifie qu'on ne peut créer d'interférence en éclairant le mur d'une pièce avec deux ampoules incandescentes. Malgré cela, quelle est l'intensité de la lumière sur le mur ? Si $I_{12} = 0$, alors conformément au résultat obtenu en (7.21),

$$I = I_1 + I_2 + I_{12} \qquad (7.23)$$
$$I = I_1 + I_2 \qquad (7.24)$$

La superposition de deux faisceaux lumineux non polarisés d'intensité I_1 et I_2, produit donc une lumière dont l'intensité résultante est $I = I_1 + I_2$. C'est la raison pour laquelle on dit dans un tel cas que les ondes n'interfèrent pas.

Modifions les conditions d'éclairement du mur. Supposons que les sources lumineuse S_1 et S_2 éclairent le mur en émettant chacune une lumière polarisée caractérisée par des amplitudes vectorielles $\mathbf{E}_1$ et $\mathbf{E}_2$ perpendiculaires. Dans ce cas, la valeur du terme d'interférence est $I_{12} = 0$ car $\alpha = 90°$. Bien que deux ondes électromagnétiques se rencontrant en un point P soient polarisées, si les amplitudes vectorielles $\mathbf{E}_1$ et $\mathbf{E}_2$ sont perpendiculaires, alors les ondes n'interféreront pas non plus entre elles.

---

[3]Plus précisément, on suppose que les valeurs α sont uniformément distribuées dans l'intervalle $(0, 2\pi)$. Si tel n'est pas le cas, alors il est fort possible que la valeur moyenne du terme d'interférence diffère de zéro.

Il existe un autre cas qu'il serait regrettable de ne pas aborder à ce stade de la discussion. Pour ce faire, remodifions les conditions d'éclairement du mur. Supposons que les deux sources lumineuse S_1 et S_2 éclairant le mur émettent des ondes polarisées dont les intensités sont les mêmes ($I_1 = I_2 = I_0$) et dont les amplitudes vectorielles $\mathbf{E}_1$ et $\mathbf{E}_2$ sont parallèles et de même sens ($\alpha = 0$). Après superposition des deux ondes en un point P du mur, l'expression pour l'intensité lumineuse en ce point P est la suivante :

$$I(\delta) = 2\,I_0 + 2\,I_0 \cos(2\pi\delta/\lambda_0) \qquad (7.25)$$

La raison pour laquelle beaucoup d'exemples sont formulés en terme de lumière visible est la suivante : seul notre œil est en mesure de bien apprécier les manifestations concrètes de l'interférence électromagnétique. À titre d'exemple,

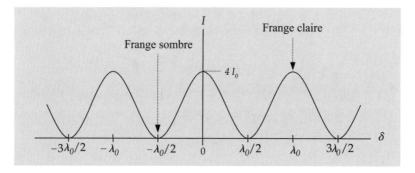

Fig. 7.4 Graphe de l'intensité I en fonction de la différence de marche δ.

lorsque les sources émettent dans le spectre visible, le graphe de la fonction $I(\delta)$ illustré dans la figure 7.4 correspond physiquement à un ***patron d'interférence*** (fig. 7.5). Les montages produisant des patrons d'interférence sont appelés ***interféromètres***. Le patron d'interférence type présente toujours un ensemble de franges passant progressivement du clair au sombre. Les lieux géométriques où apparaissent les franges claires satisfont la condition de l'interférence constructive, tandis que les lieux géométriques où apparaissent les franges sombres satisfont la condition de l'interférence destructive.

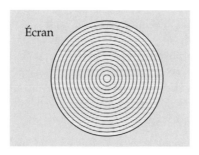

Fig. 7.5 Patron d'interférence produit par deux sources de lumières.

Désignons respectivement par δ_c et δ_d les valeurs δ permettant de produire les franges claires et sombres du patron d'interférence. En examinant l'expression en (7.25), il s'ensuit que

$$\delta = \delta_c \Longleftrightarrow \delta = m\lambda_0; \quad \delta = \delta_d \Longleftrightarrow \delta = (m+1/2)\lambda_0 \qquad (7.26)$$

Les résultats dans l'encadré correspondent aux définitions présentées en (7.2) et (7.3). Le cas présentement traité permet de dégager une conclusion importante relativement à l'interférence entre deux lumières polarisées de même intensité. En effet, nous venons de démontrer qu'il est possible de produire l'obscurité en ajoutant de la lumière à de la lumière! Concrètement, la façon simple de produire un patron d'interférence consiste à placer un écran devant deux sources lumineuses ponctuelles polarisée ou cohérentes[4]. Dans la section 7.3 nous verrons que l'utilisation d'un patron d'interférence permet une estimation fine de certains paramètres physiques.

Nous voici au terme de l'analyse de trois situations qu'on peut certainement qualifier de situations de références dans l'étude de l'interférence électromagnétique. Afin de bien assimiler les concepts portant sur l'interférence, l'étudiant devrait leur apporter une attention particulière. Rappelons-les brièvement. Dans la première, nous avons analysé l'interaction entre deux sources de lumière non polarisée; dans la seconde, nous avons analysé l'interaction entre deux sources de lumière polarisée dont les champs électriques sont perpendiculaires; et dans la troisième, nous avons analysé l'interaction entre deux sources de lumière polarisée de même intensité et dont les champs électriques sont strictement parallèles.

En résumé, seulement deux égalités peuvent être considérées comme véritablement importantes dans le cadre d'un calcul. La première égalité porte sur le calcul de l'intensité résultante I en situation d'interférence.

$$I = I_1 + I_2 + I_{12} \qquad (7.27)$$

La seconde égalité porte sur le calcul du terme d'interférence I_{12}.

$$I_{12} = 2\sqrt{I_1}\sqrt{I_2}\,\cos(\frac{2\pi\delta}{\lambda_0})\,\cos(\alpha) \qquad (7.28)$$

Présentons quelques exemples.

---

[4]Le concept de cohérence est présenté dans la section 7.3. À titre d'exemple, le laser émet une lumière cohérente.

Exemple 7.1

Deux sources S_1 et S_2 émettent des ondes non polarisées dont les intensités sont respectivement $I_1 = 5$ W/m^2 et $I_2 = 10$ W/m^2. On suppose que les ondes se rencontrent en un point P de l'espace. Déterminez l'intensité au point P.

Solution :
À toutes fins pratiques, deux ondes non polarisées n'interfèrent pas. À cet effet, nous avons vu que le terme d'interférence n'intervient pas dans le calcul de l'intensité résultante. Cela dit, il s'ensuit que :

$$I = I_1 + I_2 = 15 \text{ W/m}^2$$

Exemple 7.2

Deux sources localisées aux points S_1 et S_2 émettent en direction d'un point P.

$$S_1 = (7; 38) \text{ m}; \quad S_2 = (6; 11) \text{ m}; \quad P = (15; 23) \text{ m}.$$

Au point P, les fonctions caractérisant l'onde électromagnétique émise par les sources S_1 et S_2 respectent les égalités en (7.4) et (7.5).

$$\begin{aligned}
\mathbf{E}_1(\mathbf{d}_1, t) &= [60; 32] \cos(6\pi \times 10^8 t - \mathbf{k}_1 \cdot \mathbf{d}_1 - \pi/4) \\
\mathbf{E}_2(\mathbf{d}_2, t) &= [-48; 36] \cos(6\pi \times 10^8 t - \mathbf{k}_2 \cdot \mathbf{d}_2 - \pi/6)
\end{aligned}$$

L'indice de réfraction du milieu est $n = 6/5$.

   (a) Que vaut la différence de marche δ ?
   (b) Quel angle α forment les vecteurs amplitudes $\mathbf{E}_1$ et $\mathbf{E}_2$?
   (c) Que vaut l'intensité au point P ?

Solution :
Prises individuellement (fig. 7.6), les sources produisent des ondes électromagnétiques ayant des intensités I_1 et I_2.

$$\begin{aligned}
I_1 &= n{E_1}^2/(240\pi) = n\, 68^2/(240\pi) \approx 7,3593 \text{ W/m}^2 \\
I_2 &= n{E_2}^2/(240\pi) = n\, 60^2/(240\pi) \approx 5,7296 \text{ W/m}^2
\end{aligned}$$

Le résultat en (7.27) indique que l'intensité du signal au point P ne s'obtient pas en calculant simplement la somme des intensités I_1 et I_2. En situation d'interférence la différence de marche δ et l'angle α sont des paramètres qui s'avèrent importants pour calculer l'intensité résultante. Pour déterminer la valeur δ utilisons le résultat en (7.19).

$$\delta = (nd_2 - nd_1) + (\varphi_2 - \varphi_1)\frac{\lambda_0}{2\pi}$$

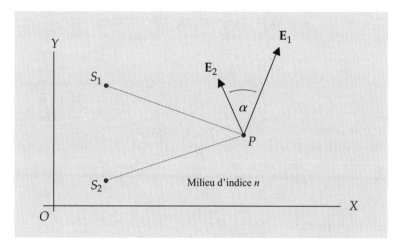

FIG. 7.6 À l'exemple 7.2 deux ondes électromagnétiques interfèrent au point P.

D'une part,

$$\delta = (\frac{6}{5} d_2 - \frac{6}{5} d_1) + (\frac{\pi}{6} - \frac{\pi}{4}) \frac{\lambda_0}{2\pi}$$

D'autre part,

$$
\begin{aligned}
d_1 &= \| \mathbf{d_1} \| = \| \mathbf{S_1P} \| = 17 \text{ m};\\
d_2 &= \| \mathbf{d_2} \| = \| \mathbf{S_2P} \| = 15 \text{ m};\\
\lambda_0 &= c_0/f = 1 \text{ m}.
\end{aligned}
$$

Après avoir effectué le calcul, on obtient

$$\delta = -\frac{293}{120} \text{ m}$$

La valeur de la fonction $\cos(\alpha)$ s'obtient en considérant la définition du produit scalaire (*cf.* Algèbre vectorielle).

$$\cos(\alpha) = \frac{\mathbf{E_1} \cdot \mathbf{E_2}}{\| \mathbf{E_1} \| \, \| \mathbf{E_2} \|} = \frac{[60; \, 32\,] \cdot [-48; \, 36\,]}{68 \; 60} = -\frac{36}{85}$$

Calculons le terme d'interférence I_{12}.

$$
\begin{aligned}
I_{12} &= 2\sqrt{I_1}\sqrt{I_2} \, \cos(2\pi\delta/\lambda_0) \, \cos(\alpha)\\
I_{12} &\approx 5,1351 \text{ W/m}^2
\end{aligned}
$$

Conséquemment, la valeur de l'intensité I au point P est la suivante :

$$
\begin{aligned}
I &= I_1 + I_2 + I_{12}\\
I &\approx 18,224 \text{ W/m}^2
\end{aligned}
$$

La valeur I est plus grande que la somme des intensités $I_1 + I_2 \approx 13,09$ W/m^2. Cela signifie que les signaux tendent à interférer constructivement au point P.

Les figures 7.3 et 7.6 laissent entendre que les signaux doivent se déplacer dans un et un seul milieu. Est-ce toujours le cas ? Que se produirait-il si chaque signal devait traverser plusieurs interfaces avant de se rendre au point P ? Nous allons étudier la question en considérant le montage illustré dans la figure, 7.7 et ensuite nous dégagerons une expression générale pour la différence de marche δ.

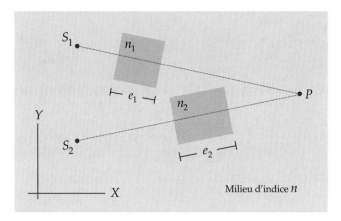

FIG. 7.7 Signaux traversant des milieux d'indices de réfraction n_1 et n_2 diffèrent. Dans ce cas, même si $S_1 P = S_2 P$ et même si $\varphi_1 = \varphi_2$, la différence de marche $\delta \neq 0$.

Le lecteur se souviendra que la vitesse de propagation c d'un signal dans un milieu d'indice n est donnée par $c = c_0/n$. Ainsi, à distance égale à parcourir pour atteindre un point P, un signal se déplaçant dans le vide y parviendra avant un autre qui s'est déplacé dans un milieu d'indice $n > 1$. Or, le retard d'un signal par rapport à un autre est précisément mesuré par la différence de marche optique δ : par rapport à une onde se déplaçant dans le vide, plus le milieu d'indice $n > 1$ traversé par une autre onde est long, plus elle accumule de retard, et plus la différence de marche δ s'accroît. À titre d'exemple, considérons la figure 7.7. Comparativement au cas où les signaux se rencontrant au point P se fait en l'absence d'interface, la présence d'interfaces augmente le temps que met chaque onde à atteindre le point P, délai qui se traduit par un changement de la valeur δ. En supposant que les distances menant au point P et les phases initiales sont égales ($S_1 P = S_2 P = d$ et $\varphi_1 = \varphi_2$), le lecteur devrait obtenir le résultat suivant :

$$\delta = \big(n\,(d - e_2) + n_2\,e_2\big) - \big(n\,(d - e_1) + n_1\,e_1\big)$$

Pour exprimer le délai qu'occasionne la traversée d'un milieu différent, chacun des éléments de trajectoire doit être pondéré par l'indice de réfraction du milieu impliqué lors de la traversée.

En tenant compte des remarques précédentes, le lecteur devrait comprendre que l'expression générale de la différence de marche optique δ a la forme suivante :

$$\delta = \left(\sum n_i d_i\right)_2 - \left(\sum n_i d_i\right)_1 + (\varphi_2 - \varphi_1)\frac{\lambda_0}{2\pi} \qquad (7.29)$$

Exemple 7.3

Deux sources S_1 et S_2 parfaitement alignées émettent des ondes polarisées dont les amplitudes vectorielles $\mathbf{E}_1$ et $\mathbf{E}_2$ sont parallèles et traversent perpendiculairement cette feuille. Les ondes émises se rencontrent au point P conformément au montage illustré à la figure 7.8.

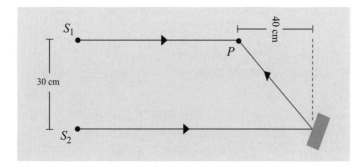

FIG. 7.8 Exemple 7.3.

Le milieu ambiant est l'air. L'onde en provenance de la source S_2 est réfléchie par un matériau transparent dont l'indice de réfraction est $n = 2$. La longueur d'onde de référence est $\lambda_0 = 1$ cm (micro-onde), les phases initiales de chaque onde sont $\varphi_1 = 3\pi$ et $\varphi_2 = 5\pi$ et les ondes émises ont les intensités suivantes :

$$I_1 = 10 \text{ W/m}^2; \quad I_2 = 81,04467 \text{ W/m}^2.$$

(a) Calculez la différence de marche entre les signaux au point P ;
(b) Calculez l'intensité du signal au point P ;
(c) Dites si l'interférence au point P est constructive ou destructive.

Solution :
Considérons les deux premiers termes de l'expression pour δ en (7.29).

$$\left(\sum n_i d_i\right)_2 - \left(\sum n_i d_i\right)_1 \qquad (7.30)$$

En examinant la figure 7.8, on remarque qu'une même portion de trajet est parcouru dans l'air par les deux signaux. Désignons par d la distance de cette portion commune de trajet. Sur cette distance, les ondes se déplacent dans un même milieu dont l'indice de réfraction $n = n_{air}$. Ainsi, dans le calcul de δ, le terme $n_{air}\, d$ du signal 2 annule le terme $n_{air}\, d$ du signal 1 ; du moins c'est ce qui se produirait si on effectuait le calcul de la différence des sommes ci-dessus.

Une règle générale se dessine quant à l'utilisation de (7.29) : le calcul de δ exige qu'on tienne uniquement compte des **parcours optiques qui diffèrent entre eux**. Cette règle est importante, car bon nombre de parcours optiques sont susceptibles d'être inconnus : ils n'ont pas à être connus car ils s'annuleraient de toute façon lors du calcul de la différence des sommes en (7.30). Afin d'éviter toute ambiguïté, on dira que des **parcours optiques sont identiques** si les signaux franchissent la même distance d dans un même milieu d'indice n. Cela dit, on obtient le résultat suivant :

$$\left(\sum n_i d_i\right)_2 - \left(\sum n_i d_i\right)_1 = 40n + 50n = 90 \text{ cm}$$

Cela dit, la valeur de la différence de marche δ est la suivante :

$$\begin{aligned}
\delta &= \left(\sum n_i d_i\right)_2 - \left(\sum n_i d_i\right)_1 + (\varphi_2 - \varphi_1)\frac{\lambda_0}{2\pi} \\
\delta &= 90 + (5\pi - 3\pi)\lambda_0/2\pi \\
\delta &= 91 \text{ cm}
\end{aligned}$$

Calculons l'intensité résultante au point P. L'intensité de l'onde émise par la source S_1 n'est pas modifiée[5] en allant au point P, car elle ne rencontre aucune interface. Cela dit, l'onde émise par la source S_1 atteint le point P avec une intensité $I_1 = 10$ W/m^2. Par contre, l'intensité I_2 de l'onde émise par la source S_2 est modifiée à la suite de sa réflexion à l'interface. En utilisant les notions étudiées au chapitre 6, on obtient le résultat suivant :

$$\begin{aligned}
I_2 &= \left((r_\parallel)^2 \cos^2 \gamma_i + (r_\perp)^2 \sin^2 \gamma_i \right) I_i \\
I_2 &= \left((r_\parallel)^2 \cos^2 90° + (r_\perp)^2 \sin^2 90° \right) I_i \\
I_2 &= (r_\perp)^2 \, I_i \\
I_2 &= (-0,35100)^2 \times 81,04467 \text{ W/m}^2 \\
I_2 &\approx 9,985 \text{ W/m}^2
\end{aligned}$$

En situation d'interférence, l'intensité se calcule en utilisant le résultat en (7.27).

$$I = I_1 + I_2 + I_{12}$$

Calculons le terme d'interférence I_{12}.

$$I_{12} = 2\sqrt{I_1}\sqrt{I_2}\,\cos\left(\frac{2\pi\delta}{\lambda_0}\right)\cos(\alpha)$$

Toutes les quantités ont été déterminées à l'exception de l'angle α. Procédons à son calcul. N'ayant rencontré aucune interface en cours de trajet, l'amplitude

---

[5]L'hypothèse selon laquelle l'intensité ne varie pas avec la distance est justifiée dans la mesure où l'onde est plane.

vectorielle $\mathbf{E}_1$ demeure inchangée. Cela dit, exprimons le vecteur $\mathbf{E}_1$ en utilisant les vecteurs $\mathbf{i}, \mathbf{j}, \mathbf{k}$.

$$\mathbf{E}_1 = [0; 0; E_1]$$

Par contre, ayant rencontré une interface en cours de trajet, l'amplitude vectorielle $\mathbf{E}_2$ n'est plus la même au point P. En effet, nous avons vu dans le chapitre 6 que la réflexion d'une onde incidente à une interface transparente produit une onde réfléchie dont l'amplitude vectorielle $\mathbf{E}_r$ diffère de $\mathbf{E}_i$. Ces notions étant rappelées, déterminons l'amplitude réfléchie $(\mathbf{E}_2)_r$. En remarquant que l'axe $\perp$ coïncide avec l'axe Z du référentiel standard, il s'ensuit que

$$(\mathbf{E}_2)_r = [0; 0; r_\perp E_2]$$

Il apparaît clairement que si $r_\perp > 0$, alors $(\mathbf{E}_2)_r$ est parallèle à $\mathbf{E}_1$, et que si $r_\perp < 0$, alors $(\mathbf{E}_2)_r$ est de sens inverse à $\mathbf{E}_1$. Nos calculs précédents indiquent le résultat suivant :

$$r_\perp \approx -0,351 < 0$$

Les vecteurs $\mathbf{E}_1$ et $(\mathbf{E}_2)_r$ sont donc en sens inverses. Il s'ensuit que l'angle entre ces deux vecteurs est $\alpha = \pi$ radians[6]. Revenons au calcul du terme d'interférence I_{12}. Rappelons que $I_1 = 10$ W/m^2 et $I_2 \approx 9,985$ W/m^2.

$$
\begin{aligned}
I_{12} &= 2\sqrt{I_1}\sqrt{I_2} \, \cos\left(\frac{2\pi\delta}{\lambda_0}\right) \, \cos(\alpha) \\
I_{12} &= 2\sqrt{10}\sqrt{9,985} \, \cos\left(\frac{2\pi \times 91 \text{ cm}}{1 \text{ cm}}\right) \times -1 \\
I_{12} &\approx 19,985 \text{ W/m}^2
\end{aligned}
$$

Au total,

$$
\begin{aligned}
I &= I_1 + I_2 + I_{12} \\
I &\approx 10 + 9,985 - 19,985 \\
I &\approx 0 \text{ W/m}^2
\end{aligned}
$$

L'exemple 7.3 illustre le fait que deux ondes peuvent se combiner pour donner une onde résultante ayant une intensité nulle. Cela s'interprète plus concrètement en disant que si les sources émettaient une lumière monochromatique ayant les caractéristiques mentionnées dans l'énoncé, alors il y aurait absence de lumière au point P. Il est important de souligner qu'il est possible produire le même effet avec deux ondes radios, ou avec des ondes infrarouges, ou avec des ondes ultraviolets, etc... Bref, bien que les situations exposées fassent souvent intervenir les ondes lumineuses, les phénomènes d'interférence décrits aux exemples précédents s'appliquent à tout les types d'ondes du spectre électromagnétique.

---

[6] Étant donné que la fonction $\cos(2\pi\delta/\lambda_0)$ doit obligatoirement être évaluée avec un calculateur fonctionnant en mode radian, il est préférable d'exprimer la valeur de l'angle α en radian avant d'effectuer, si nécessaire, le calcul du terme d'interférence I_{12}.

7.3 Introduction à l'interférométrie

Au début des années 1800, Thomas Young (1773-1829) conçut un appareil, appelé aujourd'hui interféromètre de Young, dans le but de mettre en évidence le comportement ondulatoire de la lumière. À cette époque, la question suivante était hautement controversée : la lumière obéit-elle au modèle ondulatoire ou au modèle corpusculaire ? On peut réinterpréter la problématique en jeu de la façon suivante : est-il possible d'obtenir l'obscurité en superposant de la lumière à de la lumière ? En concevant la lumière comme composée de *particules matérielles* se déplaçant comme le fait un jet d'eau, l'idée devient difficile à admettre. Toutefois, si l'on conçoit le déplacement de la lumière au sens de la propagation d'une onde, la discussion à la section 7.1 indique que cette idée, en apparence farfelue, est parfaitement plausible. L'expérience montre qu'il est effectivement possible de créer l'obscurité en superposant de la lumière à de la lumière... Conclusion : la lumière possède bel et bien un caractère ondulatoire. Toutefois, d'autres expériences confirment son caractère corpusculaire.

À notre époque, les interféromètres sont essentiellement utilisés à des fins pratiques. La précision des mesures qu'ils permettent d'atteindre a véritablement donné naissance à une branche de la physique appliquée : *l'interférométrie*. Dans cette discipline, il devient possible de cerner, à l'échelle microscopique, la valeur de paramètres constituant certains matériaux (épaisseur d'un dépôt, indice de réfraction du verre, etc.).

Il existe une multitude d'interféromètres différents. Chaque problématique donne naissance à une nouvelle version de cet appareil. En ce sens, il est vain de tenter de dresser la liste de tous les interféromètres qui ont été conçus jusqu'à ce jour et, *a fortiori*, il est impensable pour l'auteur de vouloir les présenter tous. Dans un tel contexte, les interféromètres présentés dans la présente section ont pour objectif de montrer comment, en général, s'effectue un calcul dans le cadre de l'interférométrie. À moins d'avis contraires, les formules auxquelles chaque calcul conduit n'ont certes pas à être mémorisées dans le but d'une utilisation ultérieure. Les interféromètres retenus dans ce chapitre l'ont été soit parce qu'ils ont joué un rôle important dans le développement des modèles physiques, soit parce qu'ils ont permis des développements technologiques, soit plus modestement parce que l'auteur leur a découvert des vertus pédagogiques.

Dans le langage scientifique d'aujourd'hui, il est admis qu'un interféromètre est un appareil permettant aux ondes électromagnétiques d'interférer. Mais à quoi cela peut-il bien servir de faire interférer des ondes électromagnétiques ? Et si l'interféromètre permet une estimation fine de certains paramètres physiques, comment y parvient-on ? Ce sont ces questions auxquelles nous allons apporter des réponses. Afin d'y répondre adéquatement, une discussion préliminaire portant sur le type de source utilisée en interférométrie est nécessaire.

Nous avons vu que deux sources lumineuses quelconques placées côte à côte ne produisent pas en général de patron d'interférence observable à l'œil.

En effet, la majorité des sources lumineuses que l'on rencontre dans la vie quotidienne (tubes à néon, ampoules à filament incandescent, chandelles... etc.) n'émettent pas une lumière polarisée, de sorte qu'il semble impossible d'utiliser la *lumière naturelle* à des fins d'interférence. À ce sujet, mentionnons que la durée active d'un train d'onde émis par les sources lumineuses naturelles est d'environ 1×10^{-8} seconde, temps après lequel un nouveau train d'ondes est émis. Le processus est ainsi répété sans cesse, de sorte qu'en réalité l'intensité lumineuse fluctue aussi à grand rythme. Ne pouvant détecter d'aussi rapides fluctuations d'intensité, notre œil n'en perçoit que la valeur moyenne. D'ailleurs, même les meilleurs photomètres ne peuvent faire mieux. Bien qu'il soit théoriquement exact de penser que deux ampoules incandescentes placées côte à côte produisent un patron d'interférence, la raison pour laquelle notre œil en voit qu'une tache lumineuse uniforme s'explique par le fait que les modifications du patron d'interférence sont trop rapides. En pareille situation, l'analyse à la page 263 nous a mené à la conclusion selon laquelle le terme d'interférence $I_{12} = 0$, ce qui signifie que l'intensité résultant de la superposition des deux ondes lumineuses équivaut à la somme des intensités individuelles.

$$ I \;\; = \;\; I_1 + I_2 + I_{12} = I_1 + I_2 $$

Le résultat correspond à ce que nous observons dans notre vie quotidienne : l'installation d'une deuxième ampoule incandescente dans une pièce nous permet simplement de mieux y voir ; son ajout ne permet pas pour autant de produire un patron d'interférence visible sur les murs de la pièce... Dans ce contexte, lorsque les ondes émises par deux ou plusieurs sources sont aléatoires et asynchrones, on dit d'elles qu'elles sont *incohérentes*. Tel que nous venons de l'expliquer, deux sources incohérentes mises côte à côte ne peuvent pas produire de patron d'interférence stable. Réciproquement, lorsque deux ou plusieurs sources parviennent à synchroniser leur processus d'émission, on dit d'elles qu'elles sont *cohérentes*. Afin de produire un patron d'interférence stable, les sources de lumière utilisées doivent être cohérentes. Si les sources de lumière naturelles sont incohérentes, alors est-il possible de les rendre cohérentes ? La question mérite une attention particulière. Bien qu'elle ne soit pas suffisante pour garantir une *excellente cohérence* entre deux sources S_1 et S_2, une première idée consiste à recourir à une source primaire S afin d'en générer deux autres. À cet égard, la figure 7.9 suggère que les ondes émises par les sources S_1 et S_2 auront des caractéristiques similaires étant donné qu'elles puisent leur origine d'une même source S. Bien qu'astucieux, l'utilisation du montage illustré ne permet pas de surmonter toutes les difficultés. En particulier, il ne peut garantir la production d'un patron d'interférence dont les franges se démarquent très clairement. Le fait semble anodin mais, en interférométrie, il est important. De plus, si la source primaire S n'émet pas elle-même une lumière monochromatique, alors il est certain que les sources S_1 et S_2 n'en émettront pas. Or, les principaux résultats obtenus précédemment reposent sur l'hypothèse selon laquelle les deux sources émettent à la même fréquence. Bref, la source S doit elle-même émettre une lumière monochromatique.

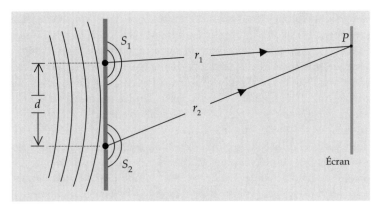

FIG. 7.9 Création de deux sources lumineuses à partir d'une unique source lumineuse S située à gauche (non illustrée) d'un matériau opaque percé de deux fentes. Si la distance d entre les fentes est *petite*, alors les sources S_1 et S_2 auront suffisamment de cohérences pour qu'un patron d'interférence apparaisse sur l'écran. Ce montage est classique en interférométrie ; il est appelé interféromètre de Young.

La technologie du ***laser***[7] résout les difficultés évoquées. Le principe de son fonctionnement consiste à perturber les couches électroniques des atomes afin de sélectionner, au moment propice, ceux qui présentent des états d'excitations identiques. En ayant à l'esprit que chaque atome émet une parcelle de lumière (photon) lors de sa désexcitation, en ayant à l'esprit que plusieurs atomes émettront simultanément des parcelles de lumière ayant les mêmes caractéristiques, en ayant à l'esprit que le processus d'excitation, de sélection et de désexcitation simultané se répète sans cesse, il est alors plus simple de comprendre pourquoi la lumière émise par un laser est dite cohérente. Exprimé en des termes imagés, un laser est un centre de contrôle dont la tâche principale consiste à faire osciller un très grand nombre de pendules en s'assurant, telle une armée en marche, que leurs mouvements soient en cadence. D'un point de vue un peu plus formel, un tel mouvement d'ensemble se caractérise par des oscillateurs harmoniques ayant la même amplitude A, la même fréquence f et la même phase initiale φ.

Bien que nous ayons peu discuté du sujet, soulignons qu'il est essentiel que les phases initiales φ_1 et φ_2 des fonctions d'onde soient temporellement fixes. Afin de comprendre pourquoi il en est ainsi, rappelons l'expression pour δ.

$$\delta = \left(\sum n_i d_i \right)_2 - \left(\sum n_i d_i \right)_1 + \; (\varphi_2 - \varphi_1) \frac{\lambda_0}{2\pi}$$

En un point P fixe de l'espace, la différence des sommes est constante. Désignons sa valeur par a. Cela dit,

$$\delta = a + (\varphi_2 - \varphi_1) \frac{\lambda_0}{2\pi}$$

---

[7]Le mot laser est un acronyme de *Light Amplification by Stimulated Emission of Radiation*.

Il apparaît clairement que si les phases initiales φ_1 et φ_2 varient aléatoirement dans l'intervalle $[0; 2\pi]$, alors la valeur δ subit des variations aléatoires allant de $a - \lambda_0$ à $a + \lambda_0$ de sorte que, même si l'angle α entre les vecteurs $\mathbf{E}_1$ et $\mathbf{E}_2$ est fixe, la valeur moyenne du terme d'interférence I_{12} est nulle. En effet,

$$I_{12} \equiv \frac{1}{2\lambda_0} \int_{a-\lambda_0}^{a+\lambda_0} 2\sqrt{I_1}\sqrt{I_2} \cos(\alpha) \cos(\frac{2\pi\delta}{\lambda_0})\, d\delta$$

$$I_{12} \equiv \frac{1}{2\lambda_0} 2\sqrt{I_1}\sqrt{I_2} \cos(\alpha) \int_{a-\lambda_0}^{a+\lambda_0} \cos(\frac{2\pi\delta}{\lambda_0})\, d\delta$$

$$I_{12} \equiv 0$$

Le résultat indique qu'il est primordial que les ondes émises par les sources S_1 et S_2 aient, en chaque instant, les mêmes phases initiales. Dans le cas où un laser sert de source primaire S pour générer les sources S_1 et S_2, les phases φ_1 et φ_2 sont égales. C'est la raison pour laquelle l'expression qui est très fréquemment utilisée en interférométrie est la suivante :

$$\delta = \left(\sum n_i d_i \right)_2 - \left(\sum n_i d_i \right)_1$$

Les discussions précédentes expliquent pourquoi la source laser est presque toujours utilisée en interférométrie. L'étudiant désirant en savoir plus sur le fonctionnement du laser et sur ses liens avec la théorie des ondes est invité à consulter la référence bibliographique [13]. Nous terminerons la discussion préliminaire portant sur le type de source utilisée en interférométrie, en énumérant les propriétés fondamentales de la source laser.

1. La lumière émise est monochromatique ;

2. L'intensité de lumière émise est élevée puisqu'elle provient de l'addition d'un grand nombre de parcelles lumineuses (photons) ayant des caractéristiques identiques (même fréquence, même amplitude et même phase initiale) ;

3. La lumière émise est quasi unidirectionnelle ; si bien que le modèle décrivant sa propagation correspond approximativement au modèle de l'onde plane. Il en résulte un faisceau lumineux qui perd peu d'intensité en se propageant.

En ce qui a trait aux interféromètres classiques (Michelson, Young, etc.), il est fréquent que les vecteurs amplitudes $\mathbf{E}_1$ et $\mathbf{E}_2$ se rencontrant au point P forment un angle $\alpha = 0$. Cela dit, le lecteur comprendra pourquoi, lors de la présentation des interféromètres classiques, le terme d'interférence aura souvent la forme suivante :

$$I_{12} = 2\sqrt{I_1}\sqrt{I_2} \cos(\frac{2\pi\delta}{\lambda_0})$$

Le premier montage analysé porte le nom ***d'interféromètre de Michelson-Morley***. Albert Abraham Michelson (1852-1931) et Edward Williams Morley (1838-1923) avaient conçu une expérience faisant intervenir un interféromètre dans le but de vérifier l'hypothèse selon laquelle l'onde lumineuse a besoin d'un support matériel pour se propager. On désignait ce support par le terme *éther* et l'univers entier devait baigner dans cet *éther* pour que la lumière, en provenance de sources aussi éloignées que l'on puisse imaginer, puisse parvenir à la terre. Les résultats de l'expérience les amenèrent à la conclusion suivante : la lumière n'a pas besoin du milieu *éther* pour se propager.

Aujourd'hui l'interféromètre de Michelson (fig. 7.10) est utilisé à des fins tout autres. En pratique le montage baigne dans l'air ambiant. Il est construit à l'aide d'un laser, d'une lame semi-transparente et de deux miroirs assurant le retour de chaque signal vers le point P. Le signal lumineux en provenance de la source S est séparé par une lame semi-transparente : une partie du signal lumineux est réfléchie par la lame, réfléchie par le miroir M_1 et retraverse la lame semi-transparente. L'autre partie du signal lumineux traverse la lame semi-transparente, est réfléchie par le miroir M_2 et est réfléchie à nouveau par la lame semi-transparente. Au point P, les deux signaux se superposent.

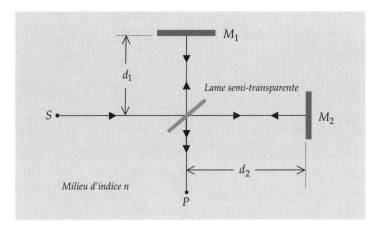

FIG. **7.10** Interféromètre de Michelson. Au point P deux OEM interfèrent.

Dans ce contexte, que vaut la différence de marche δ au point P? Que vaut l'intensité en un point P du patron d'interférence? Afin d'y répondre, considérons le montage illustré dans la figure 7.10. Une source primaire S est responsable de l'émission des deux signaux. Il s'ensuit que $\varphi_2 = \varphi_1$. À l'intérieur de la lame semi-transparente, la différence de marche optique est nulle (exercice laissé au lecteur). Il découle :

$$\delta = 2nd_2 - 2nd_1$$

Quelque soit le type d'interféromètre utilisé, le ***patron d'interférence*** présentera toujours un ensemble de franges passant progressivement du clair (interférence constructive) au sombre (interférence destructive). Outre les interféromètres simples, l'étude de la forme géométrique d'un patron d'interférence soulève des problèmes qui ne sont pas traités dans ce livre. En général, leurs géométries dépend du type d'interféromètre utilisé. Il est faux de croire que les franges d'un patron d'interférence s'étalent systématiquement en anneaux circulaires concentriques comme l'illustre la figure 7.5. Par contre, quelque soit la forme du patron d'interférence, les anneaux clairs et sombres sont respectivement les lieux géométriques où les interférences constructives et destructives se manifestent. Le passage d'une frange claire à une frange sombre se fait de façon continue, c'est-à-dire que l'intensité lumineuse atteint son maximum d'intensité au centre de l'anneau clair, puis elle chute progressivement pour atteindre un anneau sombre dont l'intensité lumineuse est nulle. Une modification de δ entraîne une modification du patron d'interférence : on dit alors qu'il y a un défilement de franges.

Exemple 7.4

Considérons le montage de Michelson plongé dans l'air (fig. 7.10). La source lumineuse S émet une longueur d'onde de 600 nm (il est sous-entendu qu'il s'agit de la longueur d'onde de référence λ_0). Une vis micrométrique située à l'arrière du miroir M_2 permet de le déplacer d'une distance 10^{-6} m. Combien de franges claires verra-t-on défiler en un point P du patron d'interférence ? Supposez que le point P est initialement situé sur une frange claire.

Solution :
La valeur de δ pour ce montage est $\delta = 2(d_2 - d_1)$. Nous avons vu en (7.3) que l'interférence constructive se manifeste si $\delta = \delta_c = m\lambda_0$. Désignons par δ_{avant} la différence de marche **avant** de modifier l'interféromètre. Cela dit, avant de déplacer le miroir M_2,

$$\delta_{avant} = 2(d_2 - d_1) = m_{avant}\lambda_0$$

Désignons par $\delta_{après}$ la différence de marche **après** avoir modifier l'interféromètre. Cela dit, après le déplacement du miroir M_2 d'une distance Δd,

$$\delta_{après} = 2(d_2 \pm \Delta d - d_1) = m_{après}\lambda_0$$

En soustrayant les expressions pour $\delta_{après}$ et δ_{avant}, il découle

$$\delta_{après} - \delta_{avant} = 2\Delta d = \pm(m_{après} - m_{avant})\lambda_0$$

L'ordre d'interférence m étant un entier quelconque (positif ou négatif), le signe $\pm$ est superflu. En posant $\Delta m = m_{après} - m_{avant}$, il découle

$$\Delta d = \Delta m\lambda_0/2$$

La valeur $\Delta m = 1$ correspond au passage d'une frange à une autre frange, que celle-ci soit claire ou sombre. Cela signifie qu'il y a défilement d'une et une seule frange au point P à chaque fois que le miroir M_2 est déplacé d'une distance $\Delta d = \lambda_0/2$. Si le déplacement est $\Delta d = 1 \times 10^{-6}$ m, alors

$$\Delta m = 2\Delta d/\lambda_0 = 2 \times 1 \times 10^{-6} \text{ m}/600 \times 10^{-9} \text{ m}$$

$$\Delta m = 10/3 = 3 + 1/3$$

Le résultat $\Delta m = 10/3$ s'interprète ainsi : on verra assurément 3 fois la frange passer du clair au clair. La fraction $1/3$ restante indique que la frange initialement claire ne le sera plus tout à fait après avoir déplacé le miroir de la distance $\Delta d = 1 \times 10^{-6}$ m.

Cet exemple nous amène à la conclusion suivante : la valeur Δm a une signification importante dans le cadre expérimental : elle compte le nombre de franges claires (ou sombres) défilant sous nos yeux ! En nous rapportant à l'exemple précédent, notons que si $\Delta m = 1$ alors :

$$\Delta d = \lambda_0/2 = 300 \times 10^{-9} \text{ m}$$

La petitesse de la valeur Δd obtenue explique pourquoi les interféromètres peuvent être très sensibles aux vibrations de la table sur laquelle ils reposent... En pratique, l'ordre d'interférence m correspondant à un patron d'interférence donné est inconnu. Mais l'exemple précédent semble indiquer qu'il est peut-être plus pertinent de connaître l'accroissement de m, c'est-à-dire Δm.

Exemple 7.5

Un montage de Michelson (fig. 7.10) baigne dans un milieu d'indice $n_a = 6/5$. En un point P situé sur une frange claire du patron d'interférence, un détecteur révèle que l'intensité y est 10 W/m^2. Le laser émet une longueur d'onde valant 600 nm. Le coefficient de transmission global[8] de la lamelle séparatrice est $T = 1/2$. En introduisant une pellicule d'indice $n_p = 7/5$ dans un des bras de l'interféromètre, on observe un défilement de 8 franges claires au point P.

(a) Quelle est l'épaisseur de la pellicule introduite ?
(b) Avec quelle intensité la source émet-elle ? Négligez les pertes d'intensité causées par la pellicule et les miroirs M_1 et M_2.

Solution :
Déterminons la différence de marche δ ***avant*** l'introduction de la pellicule.

$$\delta_{avant} = 2\, n_a\, (d_2 - d_1)$$

Déterminons la différence de marche δ ***après*** l'introduction de la pellicule.

$$\delta_{après} = 2\, n_a\, (d_2 - e) + 2\, n_p\, e - 2\, n_a\, d_1$$

où e est l'épaisseur de la pellicule. En présence d'un défilement de franges,

---

[8]Dans le cadre de l'interférométrie, les valeurs qui seront fournies pour le coefficient global T correspondent en réalité au coefficient T_{tt}, c'est-à-dire que l'équivalence suivante est utilisée : $T \equiv T_{tt}$. Il s'agit d'un abus de langage permettant d'alléger la notation.

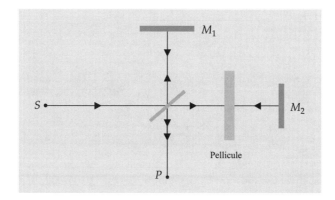

FIG. 7.11 Introduction d'une pellicule dans l'interféromètre de Michelson.

nous savons qu'il est pertinent de considérer la variation de la différence de marche $\Delta\delta$. D'une part

$$\begin{aligned}
\Delta\delta &= \delta_{après} - \delta_{avant} \\
\Delta\delta &= m_{après}\,\lambda_0 - m_{avant}\,\lambda_0 \\
\Delta\delta &= \Delta m\,\lambda_0
\end{aligned}$$

D'autre part,

$$\Delta\delta = 2\,n_p\,e - 2\,n_a\,e$$

De ces deux égalités, il s'ensuit que :

$$2\,n_p\,e - 2\,n_a\,e = \Delta m\,\lambda_0$$

$$e = \Delta m\,\lambda_0 / (2\,n_p - 2\,n_a)$$

Si 8 franges claires ont défilé alors $\Delta m = 8$. Après le calcul, on trouve

$$e = 12 \times 10^{-6}\ \text{m}$$

Notez la précision atteinte. Calculons l'intensité résultante au point P.

$$I = I_1 + I_2 + 2\sqrt{I_1}\sqrt{I_2}\cos(2\pi\delta/\lambda_0)$$

Si on néglige les pertes d'intensité dues aux réflexions de la lumière sur les faces de la pellicule et des miroirs, alors seule la lamelle séparatrice ne transmet pas la même intensité lumineuse qui lui parvient. Conformément aux principes étudiés dans le chapitre 6, il s'ensuit que

$$\begin{aligned}
I_1 &= R \times T \times I_0 = (1 - T) \times T \times I_0 \\
I_2 &= T \times R \times I_0 = T \times (1 - T) \times I_0
\end{aligned}$$

Pour $T = 1/2$, on obtient le résultat suivant :

$$I_1 = I_2 = I_0/4$$

Si l'interférence est constructive, alors $\cos(2\pi\delta/\lambda_0) = 1$. Il s'ensuit que :

$$
\begin{aligned}
I &= I_0/4 + I_0/4 + 2\sqrt{I_0/4}\,\sqrt{I_0/4} \\
I &= I_0/2 + I_0/2 \\
I &= I_0
\end{aligned}
$$

En conclusion, l'intensité d'une frange claire est $I = 10$ W/m^2. C'est l'intensité de la source laser utilisée.

Les exemples précédents ont permis d'élucider le lien existant entre le défilement de franges et les modifications apportées à un interféromètre (déplacement d'un miroir, introduction d'un film mince, etc.). De plus, ils permettent aussi de comprendre pourquoi la **variation de la différence de marche optique**, notée $\Delta\delta$, s'avère en interférométrie une quantité beaucoup plus pratique que δ. La raison en est fort simple : l'expression pour $\Delta\delta$ permet des mesures avec une *règle* dont la plus petite division correspond à la longueur d'onde λ_0. De plus, afin de mesurer finement certains paramètres, il suffit de compter les franges qui défilent sous nos yeux !

$$\Delta\delta = \delta_{après} - \delta_{avant} \tag{7.31}$$

Le prochain interféromètre analysé est celui que Thomas Young conçut dans le but de mettre en évidence le caractère ondulatoire de la lumière (fig.7.12). Aujourd'hui l'appareil porte le nom **interféromètre de Young**.

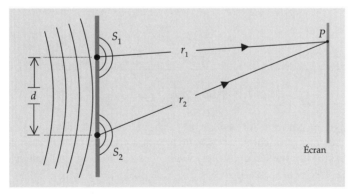

FIG. 7.12 Dans le montage de Young, les ondes émises par les sources S_1 et S_2 interfèrent au point P de l'écran.

Pour le construire, on utilise une source laser devant laquelle on dispose une feuille métallique perforée de deux petites fentes rectangulaires séparées d'une distance d. La lumière émanant de chaque fente s'apparente alors à une source ponctuelle ; cela donne lieu aux sources S_1 et S_2 de la figure 7.12. Or, si la lumière admet un comportement ondulatoire, il devrait être possible d'observer les manifestations de l'interférence sur un écran situé à une distance D. Afin d'étudier la question, fixons un point P sur l'écran et désignons respectivement par r_1 et par r_2 les distances de S_1 à P et S_2 à P. Calculons la différence de marche δ entre les deux signaux se rencontrant au point P. Il découle :

$$\delta = n(r_2 - r_1) \qquad (7.32)$$

L'indice du milieu ambiant est n. En pratique, il est expérimentalement difficile de mesurer la quantité $(r_2 - r_1)$ avec précision. Cela dit, supposons $D \gg d$.

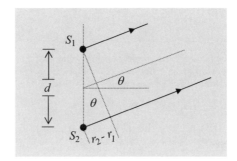

FIG. **7.13** Deux trajets presque parallèles $(D \gg d)$.

L'hypothèse émise signifie que les trajets S_1P et S_2P sont presque parallèles. Conséquemment, nous retrouvons la configuration de la figure 7.13. Dans le cas de *quasi-parallélisme* des rayons lumineux, on a donc que :

$$r_2 - r_1 \approx d\sin\theta \qquad (7.33)$$

En combinant (7.32) et (7.33) on obtient la formule suivante

$$\delta = n\,d\,\sin\theta \qquad (7.34)$$

Dans les exercices 7.47 à 7.49, il vous est suggéré de calculer les angles θ pour lesquels il est possible d'observer des franges claires et des franges sombres, respectivement. Il est aussi possible de traduire les lieux de formation des interférences constructives et des interférences destructives en fonction de la hauteur y (fig. 7.12). Le calcul est proposé aux exercices 7.50 à 7.52.

7.4   Analyse des films minces

Parmi tous les phénomènes d'interférence, le plus simple à observer est certainement celui faisant intervenir une pellicule transparente. Ces pellicules sont appelées *films minces à faces parallèles* (fig. 7.14).

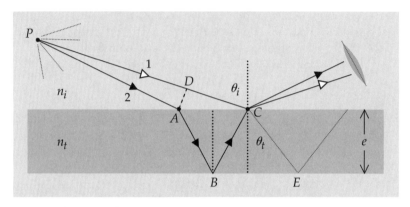

FIG. 7.14 Arrivée de faisceaux lumineux sur une pellicule d'épaisseur e. Après avoir emprunté des parcours optiques différents, les ondes se superposent au point C. La situation est propice à l'apparition du phénomène d'interférence.

Supposons qu'une source ponctuelle P émette une lumière monochromatique, et considérons les deux faisceaux qui atteignent le point C ; l'un est réfléchi, tandis que l'autre retraverse la face supérieure du film après avoir été réfléchi par la face inférieure. Soulignons que si une *infinité* de faisceaux émanaient du point C, alors l'œil les interpréterait comme provenant d'un objet réel localisé en ce point. Les caractéristiques optiques des *objets* que détecte l'œil lorsqu'il observe la face supérieure d'un film mince seront étudiées après avoir effectué le calcul principal en situation d'interférence.

Calculons la différence de marche δ entre les ondes émises de la source P à leur rencontre en C. L'application du principe de réversibilité permet de tirer profit des résultats obtenus lors de l'étude de l'interféromètre de Young. En effet, si on inverse le sens de la propagation des faisceaux illustrés dans la figure 7.14, alors on remarque que les points A et C jouent respectivement le rôle des sources S_1 et S_2 de l'interféromètre de Young, de même que le point P devient le point où les ondes interfèrent. Dans le cas où le point P est *loin*, ce qui est équivalent à supposer que les trajets AP et CP sont presque parallèles, la situation devient tellement semblable à celle rencontrée dans le cas de l'interféromètre de Young, qu'en comparant les figures 7.13 et 7.14, il découle :

$$DC \approx AC \sin \theta_i \tag{7.35}$$

Cela étant remarqué, rétablissons le véritable sens de la propagation. Calculons la différence de marche δ entre les trajets PC et $PABC$. L'examen de la figure

7.14 révèle que seuls les segments AB, BC et DC sont pertinents pour le calcul de δ. Il s'ensuit :

$$\left(\sum n_i\, d_i\right)_2 - \left(\sum n_i\, d_i\right)_1 = 2 n_t\, AB - n_i\, DC \qquad (7.36)$$

Pour une famille de faisceaux dont les angles d'incidence tendent à être identiques, la longueur du segment CE tend à être la même que celle des segments AB et BC. En acceptant l'hypothèse selon laquelle les faisceaux frappant le film mince sont presques parallèle, la relation (7.37) devient valide.

$$AB = e/\cos\theta_t \qquad (7.37)$$

L'expression pour le segment DC obtenue en (7.35) dépend du segment AC.

$$AC = 2\, AB \sin\theta_t = 2\, e \sin\theta_t / \cos\theta_t$$

$$\Rightarrow \quad DC = AC \sin\theta_i = 2\, e \sin\theta_t \sin\theta_i / \cos\theta_t \qquad (7.38)$$

Substituons les résultats (7.37) et (7.38) dans (7.36).

$$\left(\sum n_i\, d_i\right)_2 - \left(\sum n_i\, d_i\right)_1 = 2\, n_t\, e/\cos\theta_t - 2\, n_i\, e \sin\theta_t \sin\theta_i / \cos\theta_t$$

Conformément à la loi de la réfraction (4.15), on obtient

$$\left(\sum n_i\, d_i\right)_2 - \left(\sum n_i\, d_i\right)_1 = 2\, n_t\, e/\cos\theta_t - 2\, n_t\, e \sin^2\theta_t / \cos\theta_t$$

$$\left(\sum n_i\, d_i\right)_2 - \left(\sum n_i\, d_i\right)_1 = 2\, n_t\, e\,(1 - \sin^2\theta_t)/\cos\theta_t = 2\, n_t\, e \cos\theta_t$$

Selon (7.29), on obtient

$$\delta = 2 e\, n_t \cos\theta_t\, +\, (\varphi_2 - \varphi_1)\, \lambda_0 / 2\pi$$

À l'instar de l'interféromètre de Young (fig. 7.12), si les points A et C peuvent être considérés comme des *sources cohérentes*, ce qui semble le cas ici puisqu'elles sont générées par une source primaire P commune, alors le phénomène d'interférence se manifestera même si l'onde émise au point P n'est pas polarisée. Cela dit, il s'ensuit que $\varphi_1 = \varphi_2$.

$$\delta = 2 e\, n_t \cos\theta_t$$

Quelle est l'intensité de la lumière émanant du point C ? Afin de répondre à la question, examinons le terme d'interférence I_{12}.

$$I_{12} = 2\sqrt{I_1}\,\sqrt{I_2}\, \cos(\frac{2\pi\delta}{\lambda_0})\, \cos(\alpha)$$

Nous avons vu dans les exemples précédents qu'une attention particulière doit être apportée au terme $\cos(\alpha)$. Cela dit, déterminons quel angle forment les vecteurs $\mathbf{E}_r$ et $\mathbf{E}_{trt}$. Dans le présent cas, il est difficile de substituer la fonction $\cos(\alpha)$ par un résultat définitif. Toutefois, si les conditions mentionnées en (7.39) sont respectées,

$$1 \leq n_i < n_t \leq 2 \, ; \quad 0 \leq \theta_i \leq 45° \, ; \quad 0 \leq \gamma_i \leq 360° \, ; \tag{7.39}$$

alors on peut démontrer que l'inégalité en (7.40) est valide.

$$\cos(\alpha) \leq -995/1000 \tag{7.40}$$

Le résultat ci-dessus découle de l'analyse de la fonction $\cos(\alpha)$.

$$\cos(\alpha) = \frac{\mathbf{E}_r \cdot \mathbf{E}_{trt}}{\| \mathbf{E}_r \| \, \| \mathbf{E}_{trt} \|} = f(n_i, n_t, \theta_i, \gamma_i)$$

La démonstration menant au résultat (7.40) dépasse le cadre du présent exposé. Attardons nous plutôt à sa signification. Une valeur de la fonction $\cos(\alpha)$ très près de -1 signifie que les vecteurs $\mathbf{E}_r$ et $\mathbf{E}_{trt}$ sont quasiment en sens inverse lorsqu'ils émanent du point C. En pratique, il s'ensuit que

$$I_{12} = 2\sqrt{I_1}\sqrt{I_2} \times -1 \times \cos(2\pi\delta/\lambda_0)$$

Si une demi longueur d'onde est ajoutée à la différence de marche δ, alors le signe négatif peut être absorbé par la fonction $\cos(2\pi\delta/\lambda_0)$. Vérifions cela.

$$\cos(2\pi(\delta + \lambda_0/2)/\lambda_0) = \cos(2\pi\delta/\lambda_0 + \pi) = -\cos(2\pi\delta/\lambda_0)$$

Ainsi, afin de rendre compte du sens inverse des vecteurs, il est donc possible de modifier la différence de marche d'une demi-longueur d'onde. En apportant cette modification à δ, les choses se passent comme si les vecteurs $\mathbf{E}_r$ et $\mathbf{E}_{trt}$ devenaient parallèles, auquel cas $\cos(\alpha) = 1$. La stratégie proposée s'applique à toutes les situations où il y a interférence entre deux ondes en autant, bien évidemment, que leurs vecteurs amplitudes $\mathbf{E}_1$ et $\mathbf{E}_2$ soient de sens inverse. Dans le cas où une source primaire P en génère deux autres, les vecteurs impliqués dans l'interférence sont fréquemment parallèles ($\alpha = 0°$) ou en sens inverses ($\alpha = 180°$). Quitte à devoir ajuster δ si nécessaire, l'usage montre qu'il est plus commode de considérer une seule et même expression pour le terme d'interférence I_{12}.

$$I_{12} = 2\sqrt{I_1}\sqrt{I_2} \, \cos(2\pi\delta/\lambda_0)$$

Dans ce qui suit, nous considérerons que la différence de marche caractérisant l'interférence créée par un film mince est la suivante :

$$\delta = 2\, n_t e \cos\theta_t - \lambda_0/2 \tag{7.41}$$

C'est une des rares situations où le calcul de δ peut être considéré comme définitif. Rappelons que l'angle θ_t est contraint par la loi de la réfraction.

L'expérience quotidienne montre qu'il est possible d'observer des rayures colorées à la surface d'une pellicule savonneuse. D'où proviennent-elles ? La discussion qui suit vous guide dans l'étude de la question.

Considérons une pellicule savonneuse éclairée par la lumière du jour. Rappelons les conditions dans lesquelles l'étude des minces films s'est effectuée : la lumière éclairant le film est monochromatique et provient d'une source primaire P. Dans ces conditions, nous avons démontré le résultat suivant :

$$\delta = 2\, n_t e \cos\theta_t - \lambda_0/2$$

L'expression pour δ réfère à la différence de marche optique entre le faisceau réfléchi et le faisceau qui retraverse la face supérieure du film (fig. 7.14). Il peut sembler inapproprié d'appliquer le résultat au cas de la pellicule savonneuse éclairée par une lumière du jour car, tel que nous l'avons mentionné au chapitre 4, la lumière émise par le soleil contient toutes les longueurs d'onde du spectre du visible. Voyons pourquoi le phénomène d'interférence peut se manifester même si la lumière émise est polychromatique. Considérons l'étendue du spectre du visible[9].

$$400\text{ nm} \le \lambda_0 \le 700\text{ nm}$$

Formulons des conditions d'observation réalistes.

$$n_i = 1; \quad n_t = \sqrt{2}; \quad \theta_t = 30° \tag{7.42}$$

Après substituons des valeurs dans l'expression pour δ, il découle :

$$\delta = \sqrt{6}\, e - \lambda_0/2$$

Nous avons vu que si l'interférence est constructive, alors $\delta = m\lambda_0$. Mentionnons que la création d'une interférence constructive dans le spectre du visible équivaut à renforcer une couleur. Autrement dit, si l'interférence est constructive, alors l'intensité lumineuse de la couleur correspondant à λ_0 sera prédominante. Réciproquement, créer une interférence destructive dans le spectre du visible équivaut à atténuer une couleur. Autrement dit, si l'interférence est destructive, alors l'intensité lumineuse de la couleur correspondant à λ_0 sera atténuée. Cela dit, déterminons les longueurs d'onde produisant une interférence constructive.

$$m\lambda_0 = \sqrt{6}\, e - \lambda_0/2 \quad \Rightarrow \quad (m+1/2)\lambda_0 = \sqrt{6}\, e$$

$$\lambda_0 = \frac{\sqrt{6}\, e}{(m+1/2)} \quad \text{où} \quad m = 0, \pm1, \pm2\ldots \tag{7.43}$$

Dans la mesure où elle fait partie du spectre du visible, la longueur d'onde λ_0 obtenue en fixant l'entier m correspond à une couleur. Assurons-nous que la valeur λ_0 obtenue par (7.43) appartient bel et bien au spectre du visible.

$$400\text{ nm} \le \frac{\sqrt{6}\, e}{(m+1/2)} \le 700\text{ nm} \tag{7.44}$$

---

[9]Afin de s'assurer que les couleurs soient bien identifiables par l'œil, l'étendue du spectre du visible a été légèrement réduit.

Sans effectuer aucun calcul, on peut anticiper que si l'épaisseur e du film est *grande*, alors une multitude de valeurs m satisferont l'inégalité en (7.44). Afin d'illustrer le propos, supposons que l'épaisseur de la pellicule de savon est $e = 1$ mm. Substituons la valeur $e = 1 \times 10^6$ nm dans (7.44) et calculons les valeurs m admissibles.

$$400 \text{ nm} \leq \frac{\sqrt{6} \times 1 \times 10^6 \text{ nm}}{(m + 1/2)} \leq 700 \text{ nm} \quad \Leftrightarrow \quad 4 \leq \frac{\sqrt{6} \times 1 \times 10^4}{(m + 1/2)} \leq 7$$

Après avoir effectué le calcul, les valeurs m admissibles sont les suivantes :

$$3499 \leq m \leq 6123$$

Or, les longueurs d'onde qui occasionnent une interférence constructive s'obtiennent en utilisant le résultat en (7.43).

$$\lambda_0 = \frac{\sqrt{6}\,e}{(m + 1/2)} = \frac{\sqrt{6} \times 1 \times 10^6 \text{ nm}}{(m + 1/2)} \quad \text{où} \quad 3499 \leq m \leq 6123$$

Il est inutile de remplacer toutes les valeurs m pour se rendre à l'évidence que toutes les couleurs du spectre du visible sont renforcées dans le cas présent. En rappelant que la lumière blanche est précisément obtenue en superposant toutes les couleurs du spectre visible, il s'ensuit qu'un œil percevra la lumière réfléchie à la surface du film comme étant blanche. C'est la raison pour laquelle les rayures colorées (voir la photo de la page couverture) n'apparaissent pas à la surface des pellicules savonneuses dès que l'épaisseur e du film est trop grande. Réciproquement, si le film est suffisamment mince, alors seulement une ou deux couleurs composant la lumière polychromatique seront renforcées, auquel cas une couleur dominante émanera de la surface du film. Mais que signifie la condition « si le film est suffisamment mince ? ». À partir de quelle épaisseur e le film peut-il être considéré mince ?

Afin d'élucider la question, reconsidérons l'inégalité en (7.44). Cette fois-ci, supposons que l'épaisseur de la pellicule de savon est $e = 11/2 \times 10^{-4}$ mm. Substituons la valeur $e = 550$ nm et calculons les valeurs m admissibles.

$$400 \text{ nm} \leq \frac{\sqrt{6} \times 550 \text{ nm}}{(m + 1/2)} \leq 700 \text{ nm} \quad \Leftrightarrow \quad 4 \leq \frac{\sqrt{6} \times 11/2}{(m + 1/2)} \leq 7$$

Après avoir effectué le calcul, seule la valeur $m = 2$ est admissible. Quelle est la longueur d'onde qui est renforcée ? Utilisons le résultat en (7.43).

$$\lambda_0 = \frac{\sqrt{6}\,e}{(m + 1/2)} = \frac{\sqrt{6} \times 550 \text{ nm}}{(2 + 1/2)} \approx 539 \text{ nm}$$

Après avoir consulté le tableau 4.1, on conclut que le vert est la couleur renforcée, c'est-à-dire que l'intensité lumineuse sera maximale pour le vert. Vérifions l'affirmation. L'intensité de la lumière émanant du film mince provient de la superposition des faisceaux 1 et 2 (fig. 7.14).

$$I = I_1 + I_2 + 2\sqrt{I_1}\sqrt{I_2}\cos(2\pi\delta/\lambda_0)$$

Il est clair que si $\cos(2\pi\delta/\lambda_0) = 1$, alors l'intensité I est maximale. Dans le spectre du visible cela équivaut à dire que la couleur correspondant à la longueur d'onde λ_0, dans notre exemple il s'agit du vert, aura une intensité lumineuse prédominante. L'utilisation des conditions d'observation formulées en (7.4) permettrait de déterminer l'intensité I de la lumière verte qui émane d'un film. Ce type de calcul est proposé à l'exercice 7.18.

En conclusion, pour que le phénomène d'interférence soit perceptible lorsque le film est éclairé par la lumière du jour (lumière polychromatique), l'épaisseur e doit être de l'ordre de grandeur d'une ou deux longueurs d'onde : au-delà de cette épaisseur, le phénomène d'interférence s'atténue et le film ne peut plus être considéré *mince*. Par contre, si le film est éclairé avec une lumière monochromatique polarisée ou cohérente, alors le phénomène d'interférence se manifestera peu importe l'épaisseur e du matériau transparent. Nous avons peu ou pas parlé de l'interférence destructive durant l'analyse des films minces. Pourtant, elle se manifeste bel et bien. Contrairement à l'interférence constructive, la longueur d'onde λ_0 pour laquelle il y a interférence destructive est atténuée car l'intensité I est minimale.

Le dernier exemple analysé l'est à titre d'exemple synthèse.

Exemple 7.6

Deux sources S_1 et S_2 parfaitement alignées émettent avec une longueur d'onde de 1 mm et une intensité de 100 W/m². La source S_1 émet une onde non polarisée. La source S_2 émet une onde polarisée dont le champ électrique est orienté suivant l'axe sortant de la feuille. Les phases initiales de chacune des sources sont identiques. Le signal provenant de la source S_1 frappe une interface à l'angle de Brewster (angle de polarisation). Les indices de réfraction sont $n_1 = \sqrt{3}$ et $n_2 = 3/2$ (fig. 7.15). En ne négligeant pas l'effet qu'ont les coefficients de réflexions sur la valeur de l'intensité finale,

   (a) Calculez les intensités I_1 et I_2 au point P ;

   (b) Calculez l'intensité résultante au point P.

Solution :
Le calcul de I_1 et I_2 au point P fait appel aux notions vues dans le chapitre 6. Le signal 1 frappe l'interface à l'angle de Brewster, c'est-à-dire $\theta_i = \theta_p$. De (6.38), on obtient :

$$\theta_i = \theta_p = \tan^{-1}(n_t/n_i) = \tan^{-1}(n_1/n_{air}) = \tan^{-1}(\sqrt{3}) = 60°$$

Le signal 1 subit quatre réflexions pour se rendre à P, auquel cas $I_1 = I_{rrrr}$. Les miroirs étant parfaitement réfléchissants ($R = 1$), on peut donc négliger leur effet dans le calcul de I_1. Dans ce cas $I_1 = I_{rr}$. En vertu du chapitre 6, tout étudiant sait que

$$I_1 = I_{rr} = [(r_1^2)_{\parallel}(r_2^2)_{\parallel}\cos^2\gamma_i + (r_1^2)_{\perp}(r_2^2)_{\perp}\sin^2\gamma_i]I_i$$

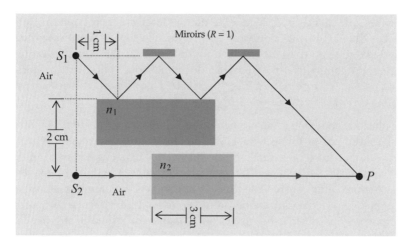

FIG. 7.15 Exemple 7.6.

À l'angle de Brewster, $r_\parallel = 0$. Dans le présent cas, le signal 1 subit deux réflexions à l'angle de polarisation, auquel cas $(r_1^2)_\parallel = (r_2^2)_\parallel = 0$. D'autre part, après le calcul, on obtient :

$$(r_1^2)_\perp = (r_2^2)_\perp = 1/4$$

Cela dit, il s'ensuit que :

$$I_1 = I_{rr} = I_i/32 = 100/32 = 3,125 \text{ W/m}^2$$

Le signal 2 subit deux transmissions pour se rendre à P, auquel cas $I_2 = I_{tt}$. En utilisant les notions vues dans le chapitre 6, tout étudiant sait que

$$I_2 = I_{tt} = \frac{n_{out}}{n_{in}}[(t_1^2)_\parallel (t_2^2)_\parallel \cos^2 \gamma_i + (t_1^2)_\perp (t_2^2)_\perp \sin^2 \gamma_i]I_i$$

Dans le cas présent, $\gamma_i = 90°$, $n_{final} = n_{initial} = n_{air}$. Après le calcul, on obtient

$$(t_1^2)_\perp = 16/25 \quad \text{et} \quad (t_2^2)_\perp = 36/25$$

Cela dit, il découle

$$I_2 = I_{tt} = 576/625\, I_i = 92,16 \text{ W/m}^2$$

Selon (7.27), l'intensité au point P est fonction de δ. Pour en effectuer le calcul, considérons les distances d_1, d_2, d_3 et d_4 illustrées à la figure 7.16. Du schéma, on obtient :

$$
\begin{aligned}
d_1 &= 1/\sin(60°) = 2/\sqrt{3} \text{ cm} \\
d_2 &= 2/\cos(60°) = 4 \text{ cm} \\
d_3 &= 4\sin(60°) = 2\sqrt{3} \text{ cm} \\
d_4 &= 5 \text{ cm}
\end{aligned}
$$

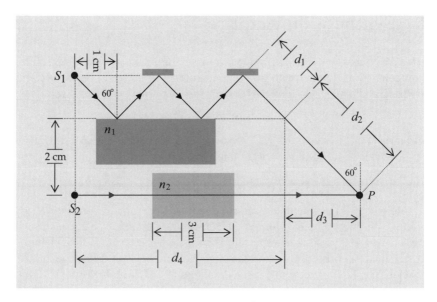

FIG. **7.16** Exemple 7.6.

Calculons la différence de marche δ en considérant $\varphi_2 = \varphi_1$.

$$\delta = (5 + 2\sqrt{3} - 3)\, n_{air} + 3\, n_2 - (5 \times 2/\sqrt{3} + 4)\, n_{air}$$
$$\delta = 5/2 - 4/\sqrt{3} \text{ cm}$$

Au point P, les amplitudes $\mathbf{E}_1$ et $\mathbf{E}_2$ des champs électriques sont parallèles. Il s'ensuit $\cos(\alpha) = 1$. Calculons le terme d'interférence I_{12}.

$$I_{12} = 2\sqrt{I_1}\sqrt{I_2}\,\cos(\frac{2\pi\delta}{\lambda_0})\,\cos(\alpha)$$
$$I_{12} = 2\sqrt{3,125}\,\sqrt{92,16}\,\cos(\frac{2\pi \cdot (5/2 - 4/\sqrt{3})}{1/10})\times 1$$
$$I_{12} = 28,1901 \text{ W/m}^2$$

Puisque $I_{12} > 0$, l'interférence tend à être constructiev au point P. En utilisant le résultat en (7.27), calculons l'intensité au point P.

$$I = I_1 + I_2 + I_{12}$$
$$I = 3,125 + 92,16 + 28,1901$$
$$I \approx 123,475 \text{ W/m}^2$$

7.5   Synthèse du chapitre 7

L'*interférence* est un effet physique qui se manifeste quand deux ondes se rencontrent. Pour que deux ondes puissent interférer de façon **constructive** ou **destructive**, il suffit que leur **différence de marche optique** δ soit :

$$\delta = \delta_c = m\,\lambda_0 \quad \text{ou} \quad \delta = \delta_d = (m+1/2)\lambda_0$$

L'entier $m = 0, \pm1, \pm2, \pm3, \ldots$ porte le nom **d'ordre d'interférence**. En général, le calcul de la différence de marche δ est donné par :

$$\delta = \left(\sum n_i\,d_i \right)_2 - \left(\sum n_i\,d_i \right)_1 + (\varphi_2 - \varphi_1)\lambda_0/2\pi$$

Les indices 1 et 2 désignent les deux trajectoires partant des sources S_1 et S_2 et menant au point P. Les **phases initiales** des signaux 1 et 2 sont désignées par φ_1 et φ_2. L'expression de δ s'applique à toutes les situations où le phénomène d'interférence se produit. En particulier, il s'applique à l'interféromètre de Michelson (fig. 7.17) et au film à faces parallèles (7.18), situations pour lesquelles on suppose que les **vecteurs amplitudes** $\mathbf{E}_1$ et $\mathbf{E}_2$ forment un angle $\alpha = 0$.

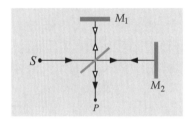 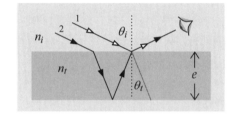

FIG. **7.17** Michelson.   FIG. **7.18** Film mince.

En plusieurs circonstances, la **variation de la différence de marche optique** $\Delta\delta$ s'avère une mesure pertinente.

$$\Delta\delta = \delta_{après} - \delta_{avant} = \Delta m\,\lambda_0; \qquad \Delta\psi = 2\pi\delta/\lambda_0$$

La valeur Δm correspond au nombre de franges (claires ou sombres) qui défilent à la suite des modifications apportées à l'interféromètre. L'expression de δ pour un **film mince à faces parallèles** est la suivante :

$$\delta = 2\,n_t\,e\cos\theta_t - \lambda_0/2$$

L'*intensité* I résultante de l'interférence entre deux ondes est la suivante :

$$I = I_1 + I_2 + I_{12}$$

Le terme I_{12} réfère au **terme d'interférence**

$$I_{12} = 2\sqrt{I_1}\sqrt{I_2}\cos(2\pi\delta/\lambda_0)\cos(\alpha)$$

Le calcul des intensités I_1 et I_2 **peut faire intervenir les coefficients** r_*^2 et t_*^2 si les signaux 1 et/ou 2 subissent des **réflexions** ou des **transmissions**. Ces derniers concepts sont étudiés dans le chapitre 6.

7.6 Exercices

7.1 Deux antennes rectilignes émettent des ondes radios de même fréquence et de même phase initiale. Les ondes se croisent en un point P situé dans l'air.

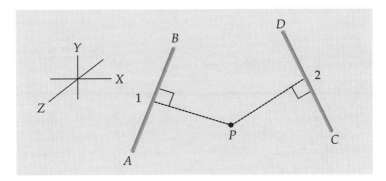

FIG. 7.19 Antennes créant des OEM de même fréquence et de même phase initiale.

Désignons respectivement par $\mathbf{E}_1$ et $\mathbf{E}_2$ les amplitudes des champs électriques créés par l'antenne 1 et l'antenne 2 au voisinage du point P.

$$\mathbf{E}_1 = [-18; 21; 38] \text{ V/m}; \quad \mathbf{E}_2 = [-54; 63; 114] \text{ V/m}$$

Si on suppose que la différence de marche optique est nulle au point P, alors

(a) Calculez la valeur du terme d'interférence au point P ;
(b) Dites si l'interférence tend à être destructive ou constructive ;
(c) Calculez l'intensité au point P.

7.2 Reprenez l'exercice 7.1 pour les vecteurs suivants :

$$\mathbf{E}_1 = [-12; 15; -16] \text{ V/m}; \quad \mathbf{E}_2 = [24; -30; 32] \text{ V/m};$$

7.3 Reconsidérez la figure 7.19 et supposez qu'au point P les champs électriques $\mathbf{E}_1$ et $\mathbf{E}_2$ ont respectivement la même orientation que les vecteurs $\mathbf{r}_{AB}$ et $\mathbf{r}_{CD}$. Les coordonnées des points A, B, C et D sont les suivantes :

$$A = (3; -8; 5) \text{ m}; \ B = (7; -2; 17) \text{ m}; \ C = (-4; 0; 2) \text{ m}; \ D = (-1; -4; 3) \text{ m}$$

Si $I_1 = 10$ W/m² et $I_2 = 15$ W/m² alors :

(a) Calculez la valeur du terme d'interférence au point P ;
(b) Dites si l'interférence tend à être destructive ou constructive ;
(c) Calculez l'intensité au point P.

7.4 Reprenez l'exercice 7.3 pour les coordonnées suivantes :

$$A = (2; 1; 4) \text{ m}; \ B = (20; 10; 10) \text{ m}; \ C = (8; 2; 8) \text{ m}; \ D = (0; 13; -8) \text{ m}$$

Supposez que la différence de marche optique est nulle au point P.

7.5 Deux ondes électromagnétiques interfèrent en un point P de l'espace. Les ondes qui atteignent le point P ont les intensités suivantes :

$$I_1 = 200 \ \text{W/m}^2; \quad I_2 = 300 \ \text{W/m}^2.$$

Une mesure expérimentale indique que l'intensité au point P vaut $400 \ \text{W/m}^2$. Si on suppose qu'au point P la différence de marche optique est nullle, alors

(a) Dites si l'interférence tend à être destructive ou constructive ;
(b) Déterminez la valeur du terme d'interférence ;
(c) Calculez l'angle α que forment les vecteurs $\mathbf{E}_1$ et $\mathbf{E}_2$.

7.6 Un certain nombre d'antennes émettent des ondes radios identiques, tant du point de vue de leur fréquence, de leur amplitude et de leur phase initiale. La fréquence d'émission est 300×10^3 Hz. Les antennes sont placées à une distance r d'un poste de réception localisé en P. Toutes les antennes sont perpendiculaires au plan formé par cette feuille (fig. 7.20). On suppose que le champ électrique produit est parallèle aux antennes.

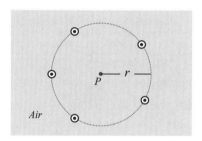

FIG. 7.20 Ensemble d'antennes cohérentes agissant au point P.

Au voisinage du point P, l'intensité de l'onde émise par une antenne est notée I. Dans ce contexte, déterminez combien d'antennes faut-il placer à une distance r du poste P afin de générer un signal dont l'intensité vaut :

(a) $4I$; (b) $16I$; (c) $25I$.

7.7 Est-ce que les résultats obtenus à l'exercice 7.6 seraient considérablement modifiés si la véritable position du point P était à 10 mètres du centre du cercle sur lequel sont disposées les antennes ? Supposez que la distance r est du même ordre de grandeur que la longueur d'onde λ_0.

7.8 Est-ce que les résultats obtenus à l'exercice 7.6 seraient considérablement modifiés si la position du point P était à 10 mètres du centre du cercle sur lequel sont disposées des antennes émettant à une fréquence de 100×10^9 Hz ?

7.9 En examinant attentivement les réponses aux exercices 7.7 et 7.8, quelle conclusion tirez-vous quant à la sensibilité aux déplacements du poste en P ?

7.10 Deux ondes atteignent un point P. Bien qu'en ce point l'intensité des ondes vaut respectivement $I_1 = 100$ W/m^2 et $I_2 = 50$ W/m^2, une mesure expérimentale indique que l'intensité totale y vaut 150 W/m^2. Si on suppose que les vecteurs $\mathbf{E}_1$ et $\mathbf{E}_2$ sont parallèles, alors

(a) Dites si l'interférence tend à être destructive ou constructive ;

(b) Déterminez la valeur δ. Exprimez votre réponse en fonction de λ_0.

7.11 Une source lumineuse est utilisée afin de créer deux disques lumineux décalés l'un de l'autre (fig. 7.21). Vu séparément, les disques ont la même intensité lumineuse I, et la lumière qui les compose est caractérisée par les champs électriques $\mathbf{E}_1$ (disque de gauche) et $\mathbf{E}_2$ (disque de droite).

Fig. 7.21 Superposition de deux lumières polarisées.

L'angle entre les vecteurs $\mathbf{E}_1$ et $\mathbf{E}_2$ est noté α et on suppose que la différence de marche entre les ondes créant les disques lumineux est $\delta = 0$. Dans ce contexte, pour chacune des valeurs α ci-dessous, déterminez l'intensité lumineuse correspondant à l'intersection des deux disques. Exprimez votre réponse en fonction de l'intensité I et dites si l'interférence tend à être destructive ou constructive.

(a) $\alpha = 0°$ (b) $\alpha = 30°$ (c) $\alpha = 90°$ (d) $\alpha = 180°$

7.12 Des changement sont apportés à la source produisant les disques lumineux illustrés dans la figure 7.21. Les nouvelles conditions d'éclairement sont les suivantes : la source émet une lumière verte dont la longueur d'onde de référence vaut 517 nm, les disques ont la même intensité lumineuse et ils sont respectivement caractérisés par des champs électriques parallèles ($\alpha = 0°$). Dans ce nouveau contexte, pour chacune des valeurs de différence de marche optique ci-dessous, déterminez l'intensité lumineuse correspondant à l'intersection des deux disques. Exprimez votre réponse en fonction de l'intensité I et dites si l'interférence tend à être destructive ou constructive.

(a) 0 mm (b) 1 mm (c) 2 mm (d) 3 mm (e) 4 mm

7.13 Reconsidérez l'exercice 7.12 et supposez que les valeurs ci-dessous correspondent à l'intensité lumineuse de l'intersection des deux disques. Pour chacune d'elles, déterminez la différence de marche δ.

(a) 0 (b) I (c) $2I$ (d) $3I$ (e) $4I$

7.14 Deux sources S_1 et S_2 parfaitement cohérentes émettent une onde vers un point P. Dans le présent exercice on suppose $e_1 = 0$, c'est-à-dire que seul le film transparent d'épaisseur e_2 est présent dans le montage de la figure 7.22.

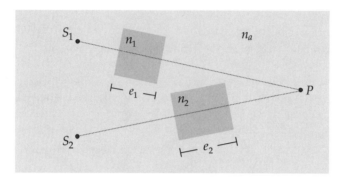

FIG. 7.22 Sources cohérentes émettant en direction du point P.

Les valeurs des paramètres du montage sont les suivantes :

$$n_a = 1; \ n_1 = 4/3; \ n_2 = 3/2; \ \lambda_0 = 20 \ \text{cm}; \ S_1 P = 250 \ \text{cm}; \ S_2 P = 220 \ \text{cm}.$$

On suppose que l'onde frappe le film transparent à un angle d'incidence $\theta_2 = 0°$. Dans ce contexte, déterminez la plus petite épaisseur e_2 du film :

(a) Permettant de produire une interférence constructive ;
(b) Permettant de produire une interférence destructive ;
(c) Permettant de ne pas produire d'interférence.

7.15 Dans le présent exercice supposons cette fois-ci $e_2 = 0$, c'est-à-dire supposons que seul le film transparent d'épaisseur e_1 apparaît dans le montage à la figure 7.22. Les valeurs des paramètres du montage sont les mêmes qu'à l'exercice 7.14. On suppose que l'onde frappe le film à un angle $\theta_1 = 0°$. Dans ce contexte, déterminez la plus petite épaisseur e_1 du film :

(a) Permettant de produire une interférence constructive ;
(b) Permettant de produire une interférence destructive ;
(c) Permettant de ne pas produire d'interférence.

7.16 Une pellicule savonneuse d'épaisseur de 400 nm est éclairée par la lumière du jour. Les conditions d'observation sont les suivantes :

$$n_i = 1; \ \ n_t = 11/10; \ \ \theta_i = 30°; \ \ I_i = 1000 \ \text{W/m}^2.$$

(a) Quelle(s) couleur(s) est susceptible d'être la mieux perçue par l'œil ?
(b) Quelle(s) couleur(s) est susceptible d'être la moins bien perçue par l'œil ?
(c) Que vaut l'intensité I pour la valeur de λ_0 trouvée en (a) ?
(d) Que vaut l'intensité I pour la valeur de λ_0 trouvée en (b) ?

7.17 Dans la section 7.4, nous avons vu qu'une lumière frappant un film transparent permet de superposer les faisceaux réfléchis à ceux qui retraversent la face supérieure du film (fig. 7.14). Dans ce contexte, on éclaire une lame en verre avec une lumière polarisée monochromatique. Le milieu ambiant est l'air. Les paramètres expérimentaux sont les suivants :

$$n_a = 1; \quad n_v = 3/2; \quad \theta_i = 0°; \quad \lambda_0 = 600 \text{ nm}; \quad I_i = 625 \text{ W/m}^2.$$

En ne négligeant pas le phénomène d'interférence entre les faisceaux réfléchis et ceux qui retraversent la face supérieure du film, déterminez la plus petite épaisseur que doit avoir la lame en verre si :

(a) On souhaite produire une interférence constructive ;
(b) On souhaite produire une interférence destructive ;
(c) On souhaite ne pas produire d'interférence.

7.18 Pour chacune des questions de l'exercice 7.17, calculez la valeur du terme d'interférence correspondant ainsi que l'intensité résultante.

7.19 Un matériau transparent d'épaisseur e est éclairé avec une lumière polarisée caractérisée par un angle azimutal γ_i. La lumière émise est monochromatique et sa longueur d'onde est notée λ_0.

$$n_i = 1; \quad n_t = 11/10; \quad e = 10\lambda_0; \quad \gamma_i = 45°; \quad I_i = 1000 \text{ W/m}^2.$$

Déterminez les deux plus petits angles θ_i supérieurs à 30° pour lesquels :

(a) Il est possible d'observer une interférence constructive ;
(b) Il est possible d'observer une interférence destructive ;
(c) Il n'y a pas d'interférence.

7.20 Pour chacune des questions de l'exercice 7.19, calculez la valeur du terme d'interférence correspondant ainsi que l'intensité résultante.

7.21 Lorsqu'un film d'indice réfraction $n = 79/50$ est inséré perpendiculairement dans une des trajectoires du montage de Young, la frange centrale passe 7 fois de clair à clair. Si $\lambda_0 = 550$ nm et que les intensités au voisinage des deux fentes sont $I_1 = I_2 = 100 \text{ W/m}^2$, alors :

(a) Calculez l'épaisseur e du film ;
(b) Calculez l'intensité de la frange centrale après l'introduction du film.

7.22 Une source S génère deux autres sources cohérentes S_1 et S_2 de même intensité. L'intensité résultant de la rencontre de deux ondes est 100 W/m^2. Au point P où les ondes se rencontrent, la différence de marche est nulle et les amplitudes des champs électriques $\mathbf{E}_1$ et $\mathbf{E}_2$ sont parallèles.

(a) Déterminez l'expression du terme d'interférence ;
(b) Dites si l'interférence tend à être destructive ou constructive ;
(c) Calculez l'intensité des ondes émises par les sources S_1 et S_2.

7.23 Deux sources S_1 et S_2 émettent des ondes polarisées identiques (sources cohérentes). L'onde émise par S_1 atteint le point P après avoir traversé un matériau transparent, tandis que l'onde émise par S_2 atteint le point P après avoir été réfléchie par une plaque transparente (fig. 7.23).

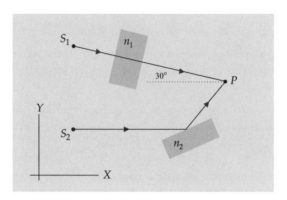

FIG. 7.23 Rencontre de deux ondes polarisées en un point P.

L'angle azimutal caractérisant les deux ondes est $\gamma_i = 90°$. Les paramètres reflétant les conditions expérimentales sont les suivants :

$$I_1 = 100 \text{ W/m}^2; \quad I_2 = 200 \text{ W/m}^2; \quad n_1 = 4/3; \quad \theta_1 = 0°; \quad n_2 = 2; \quad \theta_2 = 60°.$$

Le milieu ambiant est l'air. Au point P, supposez que la différence de marche optique est nulle. Dans ce contexte,

    (a) Calculez l'intensité I_r ;
    (b) Calculez l'intensité I_{tt} ;
    (c) Calculez la valeur du terme d'interférence au point P ;
    (d) Dites si l'interférence tend à être destructive ou constructive ;
    (e) Calculez l'intensité lumineuse au point P.

7.24 Reprenez l'exercice 7.23 dans le cas où $\gamma_i = 0°$.

7.25 Reprenez l'exercice 7.23 dans le cas où $\gamma_i = 45°$.

7.26 Pour déterminer l'épaisseur e d'un film mince ainsi que son indice de réfraction, on réalise deux expériences avec l'interféromètre de Young. La première se fait en introduisant le film mince perpendiculairement à l'une des trajectoires du montage de Young baignant dans l'air ($n_A = 1$) ; on observe alors que la frange centrale passe 175 fois de brillant à brillant. On retire le film mince. La deuxième expérience se fait en réintroduisant le film mince dans le montage de Young que l'on a cette fois-ci plongé dans un nouveau milieu d'indice de réfraction $n_B = 13/10$; on observe alors un défilement de 100 franges claires au centre de l'écran. Si la longueur d'onde utilisée pour les deux expériences est $\lambda_0 = 800$ nm, déterminez la valeur de l'indice de réfraction n_f du film et son épaisseur e.

7.27 Deux sources parfaitement alignées émettent des ondes se rencontrant au point P. Les sources S_1 et S_2 émettent de façon cohérente (fig. 7.24).

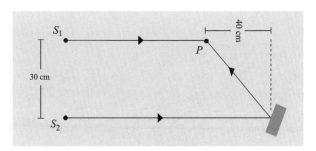

FIG. 7.24 Exercice 7.27.

L'angle azimutal caractérisant les deux ondes est $\gamma_i = 90°$. Les conditions de réalisation de l'expérience sont les suivantes :

$$I_1 = I_2 = 10 \text{ W/m}^2; \quad R = 4/5; \quad r_\perp < 0; \quad \lambda_0 = 1 \text{ cm}.$$

Le milieu ambiant est l'air. Dans ce contexte,

(a) Dites quels types d'onde émettent les sources (infrarouges, radios, ...) ;

(b) Calculez la différence de marche au point P ;

(c) Calculez l'intensité du signal au point P ;

(d) Déterminez l'intensité correspondant à une interférence constructive.

7.28 Reconsidérez les données de l'exercice 7.27. En introduisant une plaque transparente d'épaisseur $e = 3$ cm (d'indice de réfraction inconnu) dans la trajectoire menant de S_1 à P, on observe un défilement de 2 franges sombres du patron d'interférence au point P. Calculez l'indice de réfraction du film. Supposez que le film est introduit perpendiculairement à la trajectoire du signal.

7.29 Reconsidérez les données de l'exercice 7.27. Dites de quelle distance faut-il rapprocher la source S_1 du point P pour obtenir :

(a) Une interférence constructive au point P ;

(b) Une interférence destructive au point P ;

7.30 Lorsqu'on place un film dans un des bras du montage de Michelson, un détecteur enregistre un défilement de sept franges sombres. L'indice de réfraction du film est $n = 3/2$. Dans le montage, la lame séparatrice possède un coefficient de transmission global T de 40%, les miroirs M_1 et M_2 possèdent un coefficient de réflexion global R de 80%, le signal a une intensité de 50 W/m^2 et la longueur d'onde utilisée est 589 nm. Supposez $\alpha = 0°$.

(a) Quelle est l'épaisseur e du film ?

(b) Quelle intensité I mesure le détecteur si $\delta = \delta_{const}$?

(c) Quelle intensité I mesure le détecteur si $\delta = \delta_{dest}$?

7.31   Un signal émis par une source S_2 se propage verticalement. Un autre signal émis par une source S_1 est réfléchi par une plaque en verre (fig. 7.25). Les deux signaux ainsi émis entrent en interférence au point P.

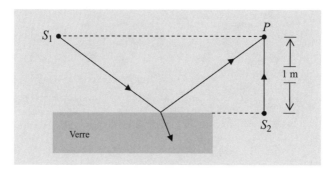

FIG. 7.25 Exercice 7.31.

Les ondes polarisées émises par S_1 et S_2 sont respectivement caractérisées par les angles azimutaux γ_1 et γ_2. La longueur d'onde de référence est $\lambda_0 = 5$ mm. L'indice de réfraction de la plaque en verre est $n_v = 3/2$.

$$E_1 = 100 \text{ V/m}; \quad \gamma_1 = 60°; \quad I_2 = 3 \text{ W/m}^2; \quad \gamma_2 = 90°; \quad \varphi_1 = \varphi_2.$$

Si l'onde frappe la plaque en verre à l'angle de Brewster, alors :

- (a) Calculez la différence de marche au point P ;
- (b) Déterminez la valeur du terme d'interférence I_{12} au point P ;
- (c) Calculez l'intensité au point P.

7.32   Reprenez l'exercice 7.31 dans le cas où $\gamma_2 = -90°$.

7.33   Reprenez l'exercice 7.31 dans le cas où $\gamma_2 = 0°$.

7.34   Reprenez l'exercice 7.31 dans le cas où S_2 émet une onde non polarisée.

7.35   Reprenez l'exercice 7.31 dans le cas où $\theta_i = 30°$.

7.36   Reprenez l'exercice 7.31 dans le cas où $\theta_i = 45°$.

7.37   Pour déterminer l'indice de réfraction de l'air ambiant avec précision, on insère une boîte en verre contenant de l'air ambiant dans un des bras du montage de Michelson. On commence alors l'expérience. À l'aide d'une pompe, on retire l'air contenue jusqu'à ce que le *vide* y soit fait. Durant l'extraction de l'air, la frange centrale du patron d'interférence passe 60 fois de brillant à brillant. Le contenant inséré dans un des bras du montage de Michelson mesure 5 cm, parois de verres exclues, elles-mêmes d'épaisseur e. La longueur d'onde du laser est de 500 nm. En utilisant les informations précédentes, calculez l'indice de réfraction de l'air avec précision.

7.38 La figure 7.26 illustre une source S émettant une onde polarisée dont la longueur d'onde de référence est $\lambda_0 = 1$ cm. L'interface plane du haut est fabriquée en verre (n_v) tandis que celle du bas est formée d'un liquide (n_ℓ).

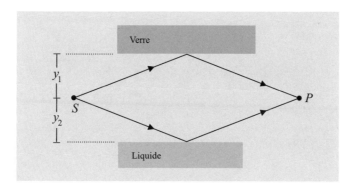

FIG. 7.26 Exercice 7.38.

Les hauteurs y_1, y_2 et le champ électrique incident sont les suivants :

$$n_v = 3/2; \quad n_\ell = 6/5; \quad y_1 = 20 \text{ cm}; \quad y_2 = 25 \text{ cm}; \quad \mathbf{E}_i = 60\,\mathbf{u}_\perp + 60\,\mathbf{u}_\parallel \text{ V/m}.$$

On supose que le champ électrique incident est le même pour les deux interfaces. Si chacun des signaux frappe l'interface à l'angle de Brewster, alors :

   (a) Que vaut la différence de marche δ au point P ?
   (b) Que vaut le terme d'interférence I_{12} au point P ?
   (c) Que vaut l'intensité au point P ?

7.39 Reprenez l'exercice 7.38 dans le cas où l'onde émise par la source S est non polarisée. Tout juste avant la rencontre de chaque interface, supposez que l'intensité du signal est $I_i = 30/\pi$ W/m^2 ; tout autre paramètre demeurant fixe.

7.40 Reconsidérez le montage de la figure 7.26 pour les conditions suivantes :

$$n_v = 3/2; \quad n_\ell = 6/5; \quad y_1 = y_2; \quad \lambda_0 = 1 \text{ cm}; \quad \mathbf{E}_i = 20\,\mathbf{u}_\perp - 40\,\mathbf{u}_\parallel \text{ V/m}.$$

On suppose que le champ électrique incident est le même pour les deux interfaces. Si chacun des signaux frappe l'interface à l'angle d'incidence $\theta_i = 30°$, alors :

   (a) Que vaut la différence de marche δ au point P ?
   (b) Que vaut le terme d'interférence I_{12} au point P ?
   (c) Que vaut l'intensité au point P ?

7.41 En déplaçant de 233×10^{-3} mm un des miroirs du montage de Michelson, la frange centrale passe 792 fois de brillant à brillant. Quelle est la longueur d'onde utilisée ?

7.42 Deux sources S_1 et S_2 émettent avec une longueur d'onde $\lambda_0 = 1/2$ cm. En tenant compte de la réfraction de l'onde à l'interface, la distance $S_1 P$ mesure 210 cm, tandis que la distance $S_2 P$ mesure 200 cm (fig. 7.27).

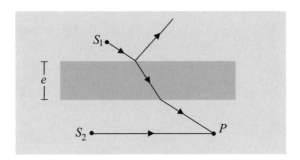

FIG. 7.27 Exercice 7.42.

L'épaisseur du film est $e = 1$ mm et son indice de réfraction est $n = 7/5$. On possède les informations suivantes :

$$\theta_1 = 30°; \quad E_1 = 100 \text{ V/m}; \quad \gamma_1 = 90°; \quad I_2 = 3 \text{ W/m}^2; \quad \gamma_2 = 90°; \quad \varphi_1 = \varphi_2.$$

Dans ce contexte,

- (a) Calculez la différence de marche optique au point P ;
- (b) Calculez le terme d'interférence I_{12} au point P ;
- (c) Calculez l'intensité au point P ;
- (d) Déterminez l'intensité maximale possible au point P ;
- (e) Déterminez l'intensité minimale possible au point P.

7.43 Afin de produire un patron d'interférence en utilisant une seule source, on utilise : un miroir semi-transparent M_1, un miroir M_2 et un miroir M_3. L'épaisseur du film supérieur est de 10 cm, tandis que chaque film inférieur a une épaisseur de 5 cm (fig. 7.28).

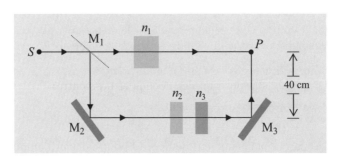

FIG. 7.28 Exercice 7.43.

Les caractéristiques optiques des miroirs et des films sont les suivantes :

$$R_1 = 3/5; \quad R_2 = 4/5; \quad R_3 = 7/10; \quad n_1 = 6/5; \quad n_2 = 1,355; \quad n_3 = 2.$$

L'intensité du signal avant qu'il ne frappe le miroir M_1 vaut 10 W/m². La longueur d'onde est $\lambda_0 = 1$ mm. Au point P, les vecteurs $\mathbf{E}_1$ et $\mathbf{E}_2$ forment un angle $\alpha = 180°$. Dans ce contexte,

(a) Calculez la différence de marche δ au point P ;
(b) Calculez l'intensité en P.

7.44 Afin de calculer le vecteur $\mathbf{E}_r$ en utilisant les coefficients de Fresnel, nous avons vu que le vecteur $\mathbf{E}_i$ doit être exprimé en utilisant les vecteurs $\mathbf{u}_\parallel$ et $\mathbf{u}_\perp$, lesquels vecteurs sont respectivement orientés vers les axes $\parallel$ et $\perp$ (fig. 7.29). Rappelons que l'axe $\perp$ est en réalité perpendiculaire à cette feuille.

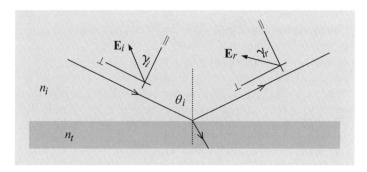

FIG. **7.29** Schéma du vecteur amplitude $\mathbf{E}$ avant et après la réflexion.

On vous fournit les informations suivantes :

$$\theta_i = 30°; \quad \mathbf{E}_i = 11\,\mathbf{u}_\parallel + 2\,\mathbf{u}_\perp \text{ V/m}; \quad \mathbf{E}_r = (21 - 8\sqrt{5})\,\mathbf{u}_\parallel + (\sqrt{5} - 3)\,\mathbf{u}_\perp \text{ V/m}.$$

Dans ce contexte,

(a) Exprimez $\mathbf{E}_i$ et $\mathbf{E}_r$ dans la base standard $\mathbf{i}$, $\mathbf{j}$ et $\mathbf{k}$;
(b) Calculez l'angle formé par les vecteurs $\mathbf{E}_i$ et $\mathbf{E}_r$.

7.45 Reconsidérez la figure 7.29 dans le cas où les informations initiales dont vous disposez sont les suivantes :

$$\theta_i = 30°; \quad n_i = 1; \quad n_t = 3/2; \quad E_i = 200\sqrt{3} \text{ V/m}; \quad \gamma_i = 45°.$$

Dans ce nouveau contexte,

(a) Exprimez $\mathbf{E}_i$ et $\mathbf{E}_r$ dans la base $\mathbf{u}_\parallel$ et $\mathbf{u}_\perp$;
(b) Exprimez $\mathbf{E}_i$ et $\mathbf{E}_r$ dans la base standard $\mathbf{i}$, $\mathbf{j}$ et $\mathbf{k}$;
(c) Calculez l'angle que forment les vecteurs $\mathbf{E}_i$ et $\mathbf{E}_r$.

7.46 Deux faisceaux parallèles en provenance d'une source traversent les cavités 1 et 2 remplies de gaz dont les indices de réfraction sont notés n_1 et n_2. L'intensité des deux faisceaux qui parviennent aux cavités est 10 W/m², et la longueur d'onde de référence vaut 1/100 cm. L'onde émise est caractérisée par un angle azimutal $\gamma_i = 90°$. Les coefficients de réflexion globaux des miroir M_1 et M_2 sont respectivement $R_1 = 7/10$ et $R_2 = 4/5$.

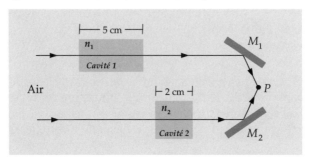

FIG. 7.30 Parcours d'une onde polarisée émise par une source.

Lorsqu'on extrait tout le gaz contenu dans les deux cavités gazeuses, on observe un défilement de 50 franges du patron d'interférence. À partir des deux cavités vides, on remplit ensuite la cavité 1 avec le gaz dont l'indice de réfraction est n_2, tandis que la cavité 2 est à présent remplie avec le gaz dont l'indice de réfraction est n_1. En effectuant l'opération de remplissage des deux cavités, on observe un défilement de 70 franges du patron d'interférence.

  (a) Dégagez l'expression pour la variation de la différence de marche ;
  (b) Dégagez deux équations permettant de déterminer n_1 et n_2 ;
  (c) Calculez la valeur des indices de réfraction n_1 et n_2.

Pour la question en (d), le gaz d'indice n_1 est remis dans la cavité 1 et le gaz d'indice n_2 est remis dans la cavité 2 (fig. 7.30). En utilisant les résultats précédents et en supposant qu'au point P les vecteurs $\mathbf{E}_1$ et $\mathbf{E}_2$ forment un angle $\alpha = 0°$,

  (d) Calculez l'intensité d'une frange claire du patron d'interférence.

7.47 Considérez le montage de Young (fig. 7.12). Si la distance séparant les deux sources est 1 mm et que la longueur d'onde est $\lambda_0 = 600$ nm, alors donnez cinq valeurs d'angle pour lesquelles on observe :

  (a) Une interférence constructive ;
  (b) Une interférence destructive.

7.48 La notion de **_séparation angulaire_** de deux franges claires successives est définie par la mesure $\Delta\theta_m = \theta_{m+1} - \theta_m$. En vous inspirant de la démarche menant aux résultats de l'exercice 7.47, montrez que $\Delta\theta_m = \lambda_0/n\,d$. Utilisez le résultat pour déterminer la valeur d permettant une séparation angulaire de 1°. Supposez que l'angle θ est petit et que $\lambda_0 = 589$ nm.

7.49 Considérez le montage de Young (fig. 7.12). Nous avons démontré en (7.32) que si $D \gg d$, alors la différence de marche $\delta \approx n\,d\sin\theta$. Considérons l'hypothèse selon laquelle l'angle θ est petit (fig. 7.13). En tenant compte de ces hypothèses montrez que les angles θ_m correspondant aux interférences s'expriment par :

(a) $\theta_m \approx m\,\lambda_0/n\,d$ si l'interférence est constructive ;

(b) $\theta_m \approx (2m+1)\lambda_0/2\,n\,d$ si l'interférence est destructive ;

Indice : Quelle forme peut prendre $\sin\theta$ si l'angle θ est petit ?

7.50 Reconsidérez les hypothèses émises à l'exercice 7.49 à propos du montage de Young. En représentant par y_m les positions (fig. 7.12) sur l'écran où se manifestent les interférences, montrez que :

(a) $y_m \approx m\,\lambda_0\,D/n\,d$ si l'interférence est constructive ;

(b) $y_m \approx (2m+1)\lambda_0\,D/2\,n\,d$ si l'interférence est destructive.

Indice : Quelle forme peut prendre $\sin\theta$ si l'angle θ est petit ?

7.51 La distance Δy_m séparant deux franges claires successives sur l'écran est donnée par $\Delta y_m = y_{m+1} - y_m$. En utilisant les résultats en 7.50 montrez que $\Delta y_m = \lambda_0\,D/n\,d$.

7.52 Si la distance entre les fentes du dispositif de Young est $d = 100\lambda_0$, alors :

(a) Que vaut $\Delta\theta_m$ au voisinage de la frange centrale ?

(b) Que vaut le Δy_m correspondant à (a) si l'écran est à 50 cm ?

Réponses et solutions des exercices impairs

Chapitre 1

1.1 (a) Rappelons la principale caractéristique d'une fonction périodique.

$$s(t) = s(t + T)$$

Pour que le mouvement soit périodique, l'égalité ci–dessous doit être respectée.

$$3/(2 + \cos(6\pi t)) - 2 = 3/(2 + \cos(6\pi t + 6\pi T)) - 2$$

Si $6\pi T = 2\pi$, alors le mouvement est périodique et sa période vaut $1/3$ seconde, c'est–à–dire que $T = 1/3$ s.

(b) Le nombre de fois par seconde où le système se retrouve dans le même état correspond à l'inverse de la période, soit $1/T$.

$$T^{-1} = 3 \text{ s}^{-1}$$

Ainsi, à chaque seconde, le système est 3 fois dans le même état.

(c) La quantité obtenue en (b) représente la fréquence f.

(d) Le concept d'amplitude est valide car la courbe oscille autour de $s = 0$ entre la valeur $s = 1$ et la valeur $s = -1$. Cela dit, l'amplitude vaut 1 cm, c'est–à–dire que $A = 1$ cm.

(e) Les réponses sont conformes au graphique de la fonction $s(t)$.

1.2 (a) $y(x, t) = (3/(2 + \cos(6\pi\, t - 3\pi\, x)) - 2)$ cm

(b) Dessinez le schéma du profil $f(x) = y(x, 0)$.

(c) $\lambda = 2/3$ m

(d) $v_y(x, t) = (18\pi \sin(6\pi t - 3\pi x))/(2 + \cos(6\pi t - 3\pi x))^2$ cm/s

(e) $v_y(2 \text{ m}, \ 1 \text{ s}) = 0$

(f) Utilisez un calculateur symbolique !

(g) $a_y(2 \text{ m}, 1 \text{ s}) = 12\pi^2 \text{ cm/s}^2$

1.3 (a) Rappelons qu'une fonction d'onde $y(x, t)$ découle de la composition fonctionnelle $f(x \pm ct)$. La vitesse de propagation est de 5 m/s.

$$y_d(x, t) = f_d(x - ct) = 2e^{-(x-5t+5)^2} \text{ cm}$$
$$y_g(x, t) = f_g(x + ct) = -2e^{-(x+5t-5)^2} \text{ cm}$$

Puisque les deux ondes se propagent dans la même corde, la fonction d'onde résultante est la somme des deux fonctions d'ondes.

$$y(x, t) = y_d(x, t) + y_g(x, t) = 2e^{-(x-5t+5)^2} - 2e^{-(x+5t-5)^2} \text{ cm}$$

Dessinez le graphique du profil de $y(x, 9/10)$.

(b) $y(1; 9/10) = 2e^{-9/4} - 2e^{-1/4} \approx -1,3468 \text{ cm}$

(c) Déterminons l'expression de la vitesse transversale de la corde.

$$v(x, t) = \partial y(x, t)/\partial t =$$
$$2(10x - 50t + 50)e^{-(x-5t+5)^2} - 2(-10x - 50t + 50)e^{-(x+5t-5)^2} \text{ cm/s}$$

Évaluons la vitesse en $x = 1$ m et à $t = 9/10$ s.

$$v(1; 9/10) = 30e^{-9/4} + 10e^{-1/4} \approx 10,950 \text{ cm/s}$$

(d) Déterminons l'expression de l'accélération transversale de la corde.

$a(x, t) = \partial v(x, t)/\partial t = \ldots$ utilisez un calculateur symbolique !

Évaluons l'accélération en $x = 1$ m et à $t = 9/10$ s.

$$a(1; 9/10) = 350e^{-9/4} + 50e^{-1/4} \approx 75,830 \text{ cm/s}^2$$

(e) Le calcul s'effectue en considérant la contrainte portant sur la vitesse transversale de la corde.

$$v(x; 9/10) = 5 \text{ cm/s}$$

Inconnue : x.

Après avoir effectué le calcul, on obtient les résultats ci-dessous.

$$x \approx 0,32778 \text{ m} \quad \text{et} \quad x \approx 1,8030 \text{ m}$$

(f) Le calcul s'effectue en considérant les systèmes d'équations formés des dérivées partielles de la vitesse transversale : par rapport au temps et par rapport à la position.

$$\partial v(x, t)/\partial x = 0 \, ; \quad \partial v(x, t)/\partial t = 0$$

Inconnues : x, t.

Après avoir effectué le calcul, on obtient les résultats ci-dessous.

$$x = \pm 1/\sqrt{2} \text{ m}, \quad t = 1 \text{ s}$$
$$x = 0 \text{ m}, \quad t = (10 \pm \sqrt{2})/10 \text{ s}$$

Afin de déterminer la position et l'instant auxquels la vitesse transversale est maximale, évaluons la vitesse aux couples (x, t) obtenus.

$$v(\pm 1/\sqrt{2}; 1) = \pm 20\sqrt{2}e^{-1/2} \text{ cm/s}$$
$$v(0; (10 \pm \sqrt{2})/10) = 0 \text{ cm/s}$$

En grandeur, la vitesse maximale est $v_{\max} = | \pm 20\sqrt{2}e^{-1/2} | \text{ cm/s}$.

(g) Le calcul s'effectue en considérant le système d'équations formé par les dérivées partielles de l'accélération transversale par rapport au temps et à la position.

$\partial a(x,t)/\partial x = 0\,;\quad \partial a(x,t)/\partial t = 0$

Inconnues : x, t.

Après avoir effectué le calcul, on obtient les résultats ci–dessous.

$x = 0$ m, $\quad t = 1$ s

$x = \pm\sqrt{6}/4$ m, $\quad t = \pm(\pm\sqrt{6}/20 + 1)$ s

$x = \pm\sqrt{6}/2$ m, $\quad t = 1$ s

$x = 0$ m, $\quad t = (10 \pm \sqrt{6})/10$ s

Afin de déterminer la position et l'instant auxquels l'accélération est maximale, évaluons l'accélération aux couples (x, t) obtenus.

$a(0; 1) = 0$ cm/s^2

$a(\pm\sqrt{6}/4; (10 \pm \sqrt{2})/10) = \pm(100 + 200e^{-3/2})$ et ≈ 0 cm/s^2

$a(\pm\sqrt{6}/2; 1) = 0$ cm/s^2

$a(0; (10 \pm \sqrt{6})/10) = 0$ cm/s^2

En grandeur, l'accélération maximale est $a = 100 + 200e^{-3/2}$ cm/s^2.

1.4 (a) $y(x,t) = y_d(x,t) + y_g(x,t) = 2e^{-(x-5t+5)^2} - e^{-(x+5t-5)^2}$ cm

Dessinez le graphique du profil de $y(x; 9/10)$.

(b) $y(1; 9/10) = 2e^{-9/4} - e^{-1/4} \approx -0,56800$ cm

(c) $v(1; 9/10) = 30e^{-9/4} + 5e^{-1/4} \approx 7,0560$ cm/s

(d) $a(1; 9/10) = 350e^{-9/4} + 25e^{-1/4} \approx 56,360$ cm/s^2

(e) $x \approx 0,10377$ cm $\quad$ et $\quad x \approx 1,4052$ cm

(f) En grandeur, la vitesse maximale est $v = 15\sqrt{2}e^{-1/2}$ cm/s.

(g) En grandeur, l'accélération maximale est $a = 50 + 200e^{-3/2}$ cm/s^2.

1.5 $\qquad f_d(x) = \frac{1}{1+(x+10)^2}$ cm$\,;\quad f_g(x) = \frac{1}{1+(x-10)^2}$ cm

$\qquad c = \sqrt{\dfrac{F}{\mu}} = \sqrt{\dfrac{10}{5/2}} = 2$ m/s

(a) Faites le graphique de $f_d(x)$.

(b) Voir les graphiques de $f_d(x)$ et $f_g(x)$ dans la figure 1.

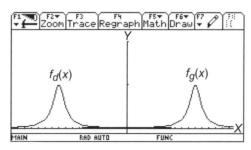

Fig. 1 Exercice 1.5 (b).

(c) Les fonctions d'ondes s'obtiennent à l'aide de la composition fonctionnelle $y(x,t) = f(x \pm ct)$.

$y_d(x,t) = f_d(x - ct) = f_d(x - 2t) = 1/(1 + (x - 2t + 10)^2)$ cm

$y_g(x,t) = f_g(x + ct) = f_g(x + 2t) = 1/(1 + (x + 2t - 10)^2)$ cm

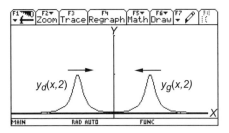

FIG. 2 Exercice 1.5 (d).

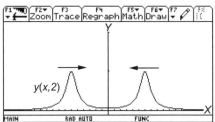

FIG. 3 Exercice 1.5 (j).

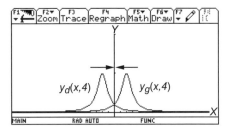

FIG. 4 Exercice 1.5 (e).

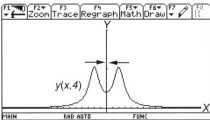

FIG. 5 Exercice 1.5 (k).

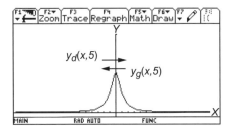

FIG. 6 Exercice 1.5 (f).

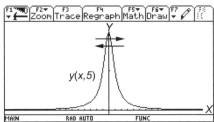

FIG. 7 Exercice 1.5 (l).

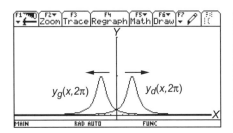

FIG. 8 Exercice 1.5 (g).

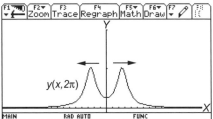

FIG. 9 Exercice 1.5 (m).

(d) Voir le graphique de $y_d(x, 2)$ et $y_g(x, 2)$ à la figure 2.

(e) Voir le graphique de $y_d(x, 4)$ et $y_g(x, 4)$ à la figure 4.

(f) Voir le graphique de $y_d(x, 5)$ et $y_g(x, 5)$ à la figure 6.

(g) Voir le graphique de $y_d(x, 2\pi)$ et $y_g(x, 2\pi)$ à la figure 8.

(h) Les figures 2 à 9 illustrent que la fonction d'onde $y_d(x, t)$ se propage vers la droite. Ils illustrent aussi que la fonction d'onde $y_g(x, t)$ se propage vers la gauche. Dans l'ensemble, le concept de propagation unidirectionnelle est bel et bien respecté.

(i) $y(x, t) = 1/(1 + (x - 2t + 10)^2) + 1/(1 + (x + 2t - 10)^2)$ cm

(j) Comparez les figures 3 et 2.

(k) Comparez les figures 5 et 4.

(l) Comparez les figures 7 et 6.

(m) Comparez les figures 9 et 8.

(n) Graphiquement, la somme des hauteurs partielles $y_d(x, t)$ et $y_g(x, t)$ équivaut à la hauteur effective $y(x, t)$ de l'impulsion.

(o) Le calcul s'effectue en considérant la contrainte portant sur la hauteur de la corde.

$y(x, 4) = 1$ cm

Inconnue : x.

Après avoir effectué le calcul, on obtient les résultats ci–dessous.

$x = \pm\sqrt{3}$ m   et $x = \pm\sqrt{5}$ m

(p) Le calcul s'effectue en considérant la contrainte portant sur la vitesse transversale de la corde. Rappelons que $v(x, t) = \partial y(x, t)/\partial t$.

$v(x, 4) = 1$ cm/s

Inconnue : x.

Après avoir effectué le calcul, on obtient les résultats ci–dessous.

$x = \pm\sqrt{3}$ m   et $x \approx \pm 0,8623$ m

(q) Le calcul s'effectue en considérant le système d'équations formé par les dérivées partielles de la vitesse par rapport au temps et à la position.

$\partial v(x, t)/\partial x = 0$; $\partial v(x, t)/\partial t = 0$

Inconnues : x, t.

Après avoir effectué le calcul, on obtient les résultats ci–dessous.

$x = 0$ m, $t = 5 \pm \sqrt{3}/6$ s

$x = \pm 3/\sqrt{3}$ m, $t = 0$ s

Afin de déterminer la position et l'instant auxquels la vitesse de vibration est maximale, évaluons la fonction d'onde pour la vitesse aux couples (x, t) obtenus.

$v(0; 5 \pm \sqrt{3}/6) = \mp 3\sqrt{3}/2$ cm/s

$v(\pm 3/\sqrt{3}; 0) = 0$ cm/s

La solution recherchée correspond à la vitesse la plus élevée.

$x = 0$ m, $t = (5 - \sqrt{3}/6)$ s

(r) Évaluons la vitesse de vibration au couple (x, t) obtenus en (q).

$v_{max} = v(0;\ 5 - \sqrt{3}/6) = 3\sqrt{3}/2$ cm/s

1.6 (a) Faites le graphique de $f_d(x)$.

(b) Faites le graphique de $f_d(x)$ et $f_g(x)$.

(c) $y_d(x, t) = 1/(1 + (x - 2t + 10)^2)$ cm

$y_g(x, t) = -1/(1 + (x + 2t - 10)^2)$ cm

(d) Superposez les graphiques de $y_d(x, 2)$ et $y_g(x, 2)$.

(e) Superposez les graphiques de $y_d(x, 4)$ et $y_g(x, 4)$.

(f) Superposez les graphiques de $y_d(x, 5)$ et $y_g(x, 5)$.

(g) Superposez les graphiques de $y_d(x, 2\pi)$ et $y_g(x, 2\pi)$.

(h) Oui.

(i) $y(x, t) = 1/(1 + (x - 2t + 10)^2) - 1/(1 + (x + 2t - 10)^2)$ cm

(j) Comparez le graphique de $y(x, 2)$ avec ceux de $y_d(x, 2)$ et $y_g(x, 2)$.

(k) Comparez le graphique de $y(x, 4)$ avec ceux de $y_d(x, 4)$ et $y_g(x, 4)$.

(l) Comparez le graphique de $y(x, 5)$ avec ceux de $y_d(x, 5)$ et $y_g(x, 5)$.

(m) Comparez le graphique de $y(x, 2\pi)$ avec ceux de $y_d(x, 2\pi)$ et $y_g(x, 2\pi)$.

(n) Graphiquement, la somme des hauteurs partielles $y_d(x, t)$ et $y_g(x, t)$ équivaut à la hauteur effective $y(x, t)$ de l'impulsion.

(o) Il n'y a aucun x satisfaisant la condition demandée.

(p) $x \approx -1,672$ m; $x \approx -1,111$ m; $x \approx 2,276$ m; $x \approx 3,029$ m

(q) La vitesse est maximale si $x = \sqrt{3}/3$ m et $t = 5$ s.

(r) $v_{max} = 3\sqrt{3}/2$ cm/s

1.7 (a) $A = 2$ cm; $\omega = 10\pi$ s^{-1}; $k = \pi/2$ m^{-1}

(b) Calculons la fréquence, la longueur d'onde et la vitesse c.

$f = \frac{\omega}{2\pi} = \frac{10\pi}{2\pi} = 5$ Hz $\lambda = \frac{2\pi}{k} = \frac{2\pi}{\pi/2} = 4$ m

$c = \frac{\omega}{k} = \frac{10\pi}{\pi/2} = 20$ m/s

(c) Déterminons la hauteur maximale atteinte par la corde.

$y_{max} = \mid A\cos(\omega t \pm kx + \varphi)\mid_{max} = A = 2$ cm

(d) Déterminons la vitesse maximale atteinte par la corde.

$v(x, t) = \partial y(x, t)/\partial t$

$v_{max} = \mid -A\omega\sin(\omega t \pm kx + \varphi)\mid_{max} = A\omega = 20\pi$ cm/s

(e) Déterminons l'accélération maximale atteinte par la corde.

$a(x, t) = \partial v(x, t)/\partial t$

$a_{max} = \mid -A\omega^2\cos(\omega t \pm kx + \varphi)\mid_{max} = A\omega^2 = 200\pi^2$ cm/s^2

1.8 (a) $\mu = 3$ kg/m   (e) Le point est sous l'axe des X.

(b) $y(\pi, 2) \approx -0,99193$ mm   (f) Le point monte.

(c) $v(\pi, 2) \approx 218,24$ mm/s   (g) Le point gagne de la vitesse.

(d) $a(\pi, 2) \approx 15,664$ m/s^2

1.9   Rappelons les expressions pour la hauteur et la vitesse transversale dans la corde.

$y(x, t) = A\cos(\omega t - kx + \varphi)$

$v(x, t) = \partial y(x, t)/\partial t = -A\omega \sin(\omega t - kx + \varphi)$

Évaluons ces expressions aux conditions initiales. Nous obtenons un système à deux équations avec deux inconnues.

$y(x_0, t_0) = y_0 \quad \Rightarrow \quad A\cos(\omega t_0 - kx_0 + \varphi) = y_0$

$v(x_0, t_0) = v_0 \quad \Rightarrow \quad -A\omega \sin(\omega t_0 - kx_0 + \varphi) = v_0$

Incounnues : A et φ. Paramètres : x_0, t_0, y_0, v_0, ω et k.

En considérant $x_0 = 2$ m, $t_0 = 1$ s, $y_0 = 1$ cm, $v_0 = -20\sqrt{3}\pi$ cm/s, $\omega = 20\pi$ s^{-1} et $k = 10\pi$ m^{-1}, nous obtenons les résultats ci–dessous.

$A = 2$ cm ; $\varphi = \pi/3$ rad

1.10   Démonstration

1.11   En considérant l'expression de la fonction d'onde sinusoïdale, nous constatons que les constantes dans les arguments des fonctions cos correspondent à l'expression $\omega t_0 - kx_0 + \varphi$. Nous obtenons un système à trois équations et trois inconnues.

$797 = \omega t_1 - kx_1 + \varphi ; \quad 1591 = \omega t_2 - kx_2 + \varphi ; \quad 2773 = \omega t_3 - kx_3 + \varphi$

Inconnues : ω, k et φ. Paramètres : t_1, x_1, t_2, x_2, t_3 et x_3.

En considérant $t_1 = 2$ s, $x_1 = 1$ m, $t_2 = 4$ s, $x_2 = 2$ m, $t_3 = 7$ s et $x_3 = 5$ m, nous obtenons les résultats ci–dessous.

$\omega = 400$ s^{-1} ; $k = 6$ m^{-1} ; $\varphi = 3$ rad

Calculons la fréquence et la longueur d'onde.

$f = \frac{\omega}{2\pi} = \frac{400}{2\pi} = 200/\pi$ Hz $\qquad \lambda = \frac{2\pi}{k} = \frac{2\pi}{6} = \pi/3$ m

1.12 $s(\mathbf{r}, t) \approx 2,0356 \cos(420\pi t - [8; -16; 11] \cdot \mathbf{r} - 1,851)$ cm

1.13 (a) $k = \| \mathbf{k} \| = \sqrt{6^2 + 5^2 + 4^2} = \sqrt{77}$ m^{-1}

$\lambda = 2\pi/k = 2\pi/\sqrt{77}$ m

(b) $\omega = 2\pi f = 2\pi \times 400 = 800\pi$ s^{-1}

$c = \omega/k = 800\pi/\sqrt{77}$ m/s

(c) $\mathbf{k} = [6; 5; 4]$ m^{-1} ; $\varphi = \pi/4$ rad ; $\mathbf{0} = [0; 0; 0]$

Déterminons la fonction d'onde $s(\mathbf{r}, t)$.

$s(\mathbf{r}, t) = A\cos(\omega t - \mathbf{k} \cdot \mathbf{r} + \varphi)$

$s(\mathbf{0}$ m; 1 s$) = A\cos(800\pi \times 1 - \mathbf{k} \cdot [0; 0; 0] + \pi/4) = A/\sqrt{2}$

$s(\mathbf{0}$ m; 1 s$) = A/\sqrt{2}$ m

Déterminons la vitesse de vibration.

$v(\mathbf{r}, t) = -A\omega \sin(\omega t - \mathbf{k} \cdot \mathbf{r} + \varphi)$

$v(\mathbf{0}$ m; 1 s$) = -800\pi A \sin(800\pi \times 1 - \mathbf{k} \cdot [0; 0; 0] + \pi/4) = -800\pi A/\sqrt{2}$

$v(\mathbf{0}$ m; 1 s$) = -800\pi A/\sqrt{2}$ m/s

(d) $(\Delta t)_{1km} = d/c = 1000/(800\pi/\sqrt{77}) = 5\sqrt{77}/4\pi$ s

(e) $\mathbf{u} = \mathbf{k}/k = [6; 5; 4]/\sqrt{77}$

$\mathbf{c} = c\,\mathbf{u} = \frac{800\pi}{\sqrt{77}} \cdot \frac{1}{\sqrt{77}} [6; 5; 4] = \frac{800\pi}{77} [6; 5; 4]$ m/s

(f) Calculons le vecteur **OB** allant de l'origine O au point B.

$\mathbf{OB} \equiv B - O = (-1; -4; -6) - (0; 0; 0) \equiv [-1; -4; -6]$ m

Les composantes du vecteur **OB** coïncident avec les coordonnées du point B. Cela étant remarqué, le vecteur **OB** sera simplement noté par la lettre B, c'est-à-dire que $\mathbf{OB} \equiv B$. Bref, un vecteur quelconque **OX** sera aussi désigné par la lettre X. La convention étant admise, calculons le vecteur allant du point A au point B.

$\mathbf{AB} = B - A = [-1; -4; -6] - [1; 1; 1] = [-2; -5; -7]$ m

Calculons la distance séparant les points A et B en tenant compte du vecteur propagation **k**.

$d_{AB} = \mathbf{AB} \cdot \mathbf{u} = [-2; -5; -7] \cdot ([6; 5; 4]/\sqrt{77}) = -65/\sqrt{77}$ m

Calculons le temps que met l'onde à aller du point A au point B.

$(\Delta t)_{AB} = d_{AB}/c = (-65/\sqrt{77})/(800\pi/\sqrt{77}) = -13/160\pi$ s

Si Δt et d sont négatifs, alors l'onde passe par le point B avant de passer par le point A.

(g) Calculons le vecteur allant du point B au point C.

$\mathbf{BC} = C - B = [-10; -15; -25] - [-1; -4; -6] = [-9; -11; -19]$ m

Calculons la distance séparant les points B et C en tenant compte du vecteur propagation **k**.

$d_{BC} = \mathbf{BC} \cdot \mathbf{u} = [-9; -11; -19] \cdot ([6; 5; 4]/\sqrt{77}) = -185/\sqrt{77}$ m

Calculons le temps que met l'onde à aller du point B au point C.

$(\Delta t)_{BC} = d_{BC}/c = (-185/\sqrt{77})/(800\pi/\sqrt{77}) = -37/160\pi$ s

Si Δt et d sont négatifs, alors l'onde passe par le point C avant de passer par le point B.

1.14 (a) $\lambda = 2\pi/\sqrt{77}$ m   (c) $d = 4000\pi/\sqrt{77}$ m

     (b) $c = 800\pi/\sqrt{77}$ m/s

1.15 (a) $\omega = 2\pi f = 800\pi$ s^{-1}; $k = \omega/c = 800\pi/100 = 8\pi$ m^{-1}

        $\lambda = 2\pi/k = 2\pi/8\pi = 1/4$ m

     (b) $\mathbf{u} = \mathbf{d}/\|\mathbf{d}\| = [2/7; 3/7; -6/7]$

        $\mathbf{k} = k\,\mathbf{u} = 8\pi\,[2; 3; -6]/7$ m^{-1}

     (c) $s(\mathbf{r}, t) = A\cos(\omega t - \mathbf{k} \cdot \mathbf{r} + \varphi)$ où $A = 5$ mm; $\varphi = \pi/7$ rad

        $s(\mathbf{r}, t) = 5\cos(800\pi t - 8\pi\,[2; 3; -6]/7 \cdot \mathbf{r} + \pi/7)$ mm

     (d) $d = c\,\Delta t = 100 \times 3 = 300$ m

     (e) Calculons le vecteur allant du point A au point B.

        $\mathbf{AB} = B - A = [15; 8; -19] - [1; 1; 2] = [14; 7; -21]$ m

        Calculons la distance séparant les points A et B en tenant compte du vecteur propagation **k**.

        $d_{AB} = \mathbf{AB} \cdot \mathbf{u} = [14; 7; -21] \cdot [2/7; 3/7; -6/7] = 25$ m

        Calculons le temps que met l'onde à aller du point A au point B.

        $(\Delta t)_{AB} = d_{AB}/c = 25/100 = 1/4$ s

(f) $s(\mathbf{r}_{OC}, 1) = A\cos(\omega \times 1 - \mathbf{k} \cdot \mathbf{r}_{OC} + \varphi)$ où $\mathbf{r}_{OC} = [1; 2; 4]$ m

$s(\mathbf{r}_{OC}, 1) = 5\cos(800\pi \times 1 - 8\pi\,[2; 3; -6]/7 \cdot [1; 2; 4] + \pi/7)$ mm

$s(\mathbf{r}_{OC},\ 1\ \text{s}) \approx 1,1126$ mm

(g) $v(\mathbf{r}_{OC}, 1) = A\omega\sin(\omega \times 1 - \mathbf{k} \cdot \mathbf{r}_{OC} + \varphi)$ où $\mathbf{r}_{OC} = [1; 2; 4]$ m

$v(\mathbf{r}_{OC}, 1) = -5 \times 800\pi\sin(800\pi \times 1 - 8\pi\,[2; 3; -6]/7 \cdot \mathbf{r}_{OC} + \pi/7)$ mm/s

$v(\mathbf{r}_{OC},\ 1\ \text{s}) \approx -12,251$ m/s

1.16 (a) $\lambda = 4$ m

(b) $\mathbf{k} = \pi/(2\sqrt{74})\,[3; 8; -1]$ m^{-1}

(c) $s(\mathbf{r}, t) = 5\cos(200\pi t - \pi/(2\sqrt{74})\,[3; 8; -1] \cdot \mathbf{r} + \pi/7)$ µm

(d) $d = 1,2$ km

(e) $(\Delta t)_{AB} \approx 3,46 \times 10^{-2}$ s

(f) $s(\mathbf{r}_{OC},\ 1\ \text{s}) \approx -3,295$ µm   où $\mathbf{r}_{OC} = [1; 2; 4]$ m

(g) $v(\mathbf{r}_{OC},\ 1\ \text{s}) \approx 2,363$ mm/s   où $\mathbf{r}_{OC} = [1; 2; 4]$ m

Note : un exercice semblable est résolu à l'exemple 1.2 à la page 17.

1.17 (a) $c = \lambda\,f = 4 \times 100 = 400$ m/s

(b) Calculons le vecteur allant du point A au point B.

$\mathbf{AB} = B - A = [20; -60; 40] - [10; 84; 90] = [10; -144; -50]$ m

Calculons la distance séparant les points A et B en tenant compte du vecteur propagation $\mathbf{k}$.

$d_{AB} = \mathbf{AB} \cdot \mathbf{u} = [10; -144; -50] \cdot [2/7; 3/7; 6/7] = -712/7$ m

Calculons le temps que met l'onde à aller du point A au point B.

$(\Delta t)_{AB} = d_{AB}/c = (-712/7)/400 = -89/350$ s

Si Δt et d sont négatifs, alors l'onde passe par le point B avant de passer par le point A.

(c) Calculons le vecteur allant du point B au point C.

$\mathbf{BC} = C - B = [-60; -70; 20] - [20; -60; 40] = [-80; -10; -20]$ m

Calculons la distance séparant les points B et C en tenant compte du vecteur propagation $\mathbf{k}$.

$d_{BC} = \mathbf{BC} \cdot \mathbf{u} = [-80; -10; -20] \cdot [2/7; 3/7; 6/7] = -310/7$ m

Calculons le temps que met l'onde à aller du point B au point C.

$(\Delta t)_{BC} = d_{BC}/c = (-310/7)/400 = -31/280$ s

Si Δt est négatif, alors l'onde passe par le point C avant de passer par le point B .

1.18 (a) $s(\mathbf{r}, t) \approx 2,3275\cos(420t - [8; -16; 11] \cdot \mathbf{r} + 1,6785)$ µm

(b) $s([1; 2; 4]\ \text{m},\ t) \approx 2,3275\cos(420t - 20 + 1,6785)$ µm

(c) La fonction obtenue en (b) représente la position du plan autour du plan d'équilibre passant en $(1, 2, 4)$ m.

1.19   Déterminons les vecteurs permettant de positionner les capteurs.

$\mathbf{C}_1 = [100; 500; 900]$ m ; $\mathbf{C}_2 = [800; 400; 300]$ m

(a) $\mathbf{u} = \mathbf{k}/\|\mathbf{k}\| = [6; -5; 4]/\sqrt{6^2 + (-5)^2 + 4^2} = [6; -5; 4]/\sqrt{77}$

Calculons la distance entre les points O et C_1 en tenant compte du vecteur propagation $\mathbf{k}$.

$d_{C_1} = \mathbf{C_1} \cdot \mathbf{u} = [100; 500; 900] \cdot ([6; -5; 4]/\sqrt{77}) = 1700/\sqrt{77}$ m

Calculons la distance entre les points O et C_2 en tenant compte du vecteur propagation $\mathbf{k}$.

$d_{C_2} = \mathbf{C_2} \cdot \mathbf{u} = [800; 400; 300] \cdot ([6; -5; 4]/\sqrt{77}) = 4000/\sqrt{77}$ m

Si $d_{C_1} < d_{C_2}$, alors le signal passe par le capteur 1 en premier.

(b) $d_{C_1} = \|\mathbf{C_1}\| = \sqrt{100^2 + 500^2 + 900^2} \approx 1034,41$ m

$d_{C_2} = \|\mathbf{C_2}\| = \sqrt{800^2 + 400^2 + 300^2} \approx 943,39$ m

Dans le cas d'une propagation sphérique émise à partir de l'origine, l'inégalité $d_{C_2} < d_{C_1}$ signifie que le capteur 2 est plus près de la source. Ainsi, le signal passe en premier par le capteur 2.

1.20 (a) $A(r) = \frac{\mathcal{A}}{r} = \frac{12 \times 10^{-5}}{r}$ m$^2 = \frac{120}{r}$ μm $\cdot$ m $\Rightarrow A(100$ m$) = 1,2$ μm

(b) $v_{\max} = 240\pi$ μm/s

(c) $s(50$ m; π s$) \approx 1,2953$ μm

(d) La sphère qui pulse est excentrique à la sphère d'équilibre.

(e) $v(50$ m; π s$) \approx -1,269 \times 10^{-3}$ m/s

(f) La sphère qui pulse est en contraction.

1.21 $A_S = 4 \times 10^{-4}$ m ; $\varphi = 0$ rad

$\mathcal{A}/(5$ m$) = 8 \times 10^{-7}$ m $\Rightarrow \mathcal{A} = 4 \times 10^{-6}$ m$^2 = 4$ μm $\cdot$ m

(a) $A_S = \mathcal{A}/r_{\min} \Rightarrow r_{\min} = \frac{\mathcal{A}}{A_S} = \frac{4\mu\text{m}}{4 \times 10^{-4}\text{ m}} = 1 \times 10^4$ μm $= 1$ cm

(b) $\omega = 2\pi f = 2\pi \times 400 = 800\pi$ s^{-1}

$k = \omega/c = 800\pi/300 = 8\pi/3$ m^{-1}

Déterminons la fonction d'onde en utilisant le modèle sphérique.

$s(r, t) = \frac{\mathcal{A}}{r}\cos(\omega t - kr + \varphi)$

$s(r, t) = \frac{4 \times 10^{-6}}{r}\cos(800\pi t - 8\pi r/3)$ m $= \frac{4}{r}\cos(800\pi t - 8\pi r/3)$ μm

(c) $s(r, 0) = \frac{4}{r}\cos(-8\pi r/3) = \frac{4}{r}\cos(8\pi r/3)$ μm

(d) L'amplitude de l'onde sphérique est donnée par l'expression $\mathcal{A}/r$. Dans notre cas, $r = 3$ m et $\mathcal{A} = 4$ μm $\cdot$ m.

$A(r) = \frac{\mathcal{A}}{r} = \frac{4\,\mu\text{m}\cdot\text{m}}{r} \Rightarrow A(3$ m$) = \frac{4\,\mu\text{m}\cdot\text{m}}{3\text{ m}} = 4/3$ μm

(e) $s(5$ m; 1 s$) = \frac{4\,\mu\text{m}\cdot\text{m}}{5\text{ m}}\cos(800\pi \times 1 - 8\pi \times 5/3) = -0,4$ μm

(f) La sphère est à l'intérieur de la sphère d'équilibre de rayon $r = 5$ m car $s(5$ m; 1 s$) < 0$.

(g) Déterminons la vitesse de vibration pour le modèle sphérique.

$v(r, t) = \partial s(r, t)/\partial t = -\omega\frac{\mathcal{A}}{r}\sin(\omega t - kr + \varphi)$

$v(r, t) = -\frac{3200\pi}{r}\sin(800\pi t - 8\pi r/3)$ μm/s

1.22 (a) $\mathbf{k} = \frac{8\pi}{3\sqrt{337}}[9; 16; 0]$ m^{-1}

(b) L'amplitude vaut $\frac{4}{\sqrt{337}}$ μm.

(c) $s(\mathbf{r}, t) = \frac{4}{\sqrt{337}} \cos(800\pi t - \frac{8\pi}{3\sqrt{337}} [9; 16; 0] \cdot \mathbf{r}) \, \mu\text{m}$

1.23 (a) $W = 10 \text{ W}$; $W_{\text{coquille}} = W = 10 \text{ W}$

(b) Calculons l'intensité qui est transportée par le front d'onde sphérique situé à une distance $r = 5$ mètres.
$I = W/A_{\text{sphère}} = W/(4\pi r^2) = 10/(4\pi \times 5^2) = 1/(10\pi) \text{ W/m}^2$

(c) La puissance sur la calotte s'obtient en multipliant la puissance totale par la fraction de l'aire totale occupée par la calotte.
$W_{\text{calotte}} = W \frac{A_{\text{calotte}}}{A} = 10 \frac{2\pi r^2(1-\cos(60°/2)}{4\pi r^2} = 5(2 - \sqrt{3})/2 \text{ W}$

1.24 $r \approx 1,4457 \text{ m}$; $W \approx 105,05 \text{ W}$

1.25 Calculons l'intensité I_1 à une distance r.
$I_1 = \frac{W}{4\pi r^2}$
Calculons l'intensité I_2 à une distance $r + d$.
$I_2 = \frac{W}{4\pi (r+d)^2}$
Calculons le rapport I_2/I_1.
$\frac{I_2}{I_1} = \frac{W}{4\pi(r+d)^2} \times \frac{4\pi r^2}{W} = r^2/(r + d)^2$
Exprimons l'intensité I_2 en fonction de l'intensité I_1.
$I_2 = I_1 \, r^2/(r + d)^2$

1.26 (a) $x_A = 5 \text{ km}$; $y_A = 6 \text{ km}$

(b) $s(\mathbf{r}, t) = 46,859 \cos(100000\pi t - \frac{2500\pi\sqrt{2}}{17} [1; -1] \cdot \mathbf{r} + \varphi) \, \mu\text{m}$

1.27 Avant de réduire l'angle d'émission, l'intensité se calcule en considérant la surface de la sphère qui est traversée par l'onde émise.
$I_{\text{sphère}} = \frac{W}{A_{\text{sphère}}} = \frac{W}{4\pi r^2}$
Après réduction de l'angle d'émission, l'intensité se calcule en considérant la surface de la calotte sphérique qui est traversée par l'onde.
$I_{\text{cône}} = \frac{W}{A_{\text{calotte}}} = \frac{W}{2\pi r^2(1-\cos(\theta/2))}$ où $\theta = 90°$
Calculons le rapport $\frac{I_{\text{cône}}}{I_{\text{sphère}}}$.
$\frac{I_{\text{cône}}}{I_{\text{sphère}}} = \frac{W}{2\pi r^2(1-\cos(90°/2))} \times \frac{4\pi r^2}{W} = 2\sqrt{2} + 4$
Exprimons l'intensité $I_{\text{cône}}$ en fonction de l'intensité $I_{\text{sphère}}$.
$I_{\text{cône}}/I_{\text{sphère}} = (2\sqrt{2} + 4)$

1.28 (a) $I_1 = \frac{9}{2} \text{ W/m}^2$; $I_2 = \frac{1}{2} \text{ W/m}^2$ (b) $W_S = 162\pi \text{ W}$

1.29 (a) Déterminons l'expression de l'intensité dans le cas d'une propagation omnidirectionnelle.
$(I_O)_S = \frac{W}{4\pi r^2}$
Déterminons l'expression de l'intensité dans le cas où la radiation est contenue à l'intérieur des deux cônes.
$A = 2A_{\text{calotte}} = 2 \times 2\pi r^2(1 - \cos(\theta/2)) = 4\pi r^2(1 - \cos(\theta/2))$
$(I_O)_C = \frac{W}{A} = \frac{W}{4\pi r^2(1-\cos(\theta/2)}$
Calculons le rapport d'intensités I_{Oc}/I_{Os}.

$\frac{(I_O)_C}{(I_O)_S} = \frac{W}{4\pi r^2} \times \frac{4\pi r^2 (1-\cos(\theta/2))}{W} = 1 - \cos(\theta/2)$

L'énoncé indique que l'angle θ vaut $10°$. Le facteur multiplicatif vaut $1 - \cos(10°/2)$, ou encore $1 - \cos(5°)$.

(b) En pensant que la radiation lumineuse est émise dans toutes les directions, les astronomes surestimaient la puissance d'émission de la source. En effet, pour produire une même intensité lumineuse à une distance r fixée, une source omnidirectionnelle doit délivrer plus de puissance qu'une source partiellement directionnelle.

(c) Calculons le temps mis par la lumière pour atteindre le télescope.

$\Rightarrow \Delta t = \frac{d}{c} = \frac{3\times10^{16}}{3\times10^8} = 10^8$ s $\equiv 1157,41$ jours

(d) Afin de calculer l'intensité au télescope en tenant compte du modèle du double cônes, utilisons l'expression pour l'intensité I_O.

$\Rightarrow I_T = (I_O)_C = \frac{W}{4\pi r^2(1-\cos(\theta/2))} = \frac{3,5\times10^{20}}{4\pi(3\times10^{16})^2(1-\cos(10°/2))}$

$\Rightarrow I_T \approx 8,1325 \times 10^{-12}$ W/m^2

(e) Calculons la puissance au télescope, dont le diamètre vaut 2 mètres.

$W_T = I_T A_T = I_T \, \pi\frac{d^2}{4} \approx 8,1325 \times 10^{-12} \times \pi \times \frac{2^2}{4} \approx 2,5549 \times 10^{-11}$ W

1.30 $\theta \approx 0,1524°$

1.31 (a) Afin de calculer la distance entre la source et le point B, utilisons les notions d'intensité et de puissance. L'intensité se calcule à l'aide de la surface de la calotte sphérique.

$\Rightarrow I_B = \frac{W}{2\pi r_{SB}^2(1-\cos(\theta/2))} \Rightarrow 125 \times 10^{-6} = \frac{5\pi}{2\pi r_{SB}^2(1-\cos(120°/2))}$

$\Rightarrow r_{SB} = 200$ m

Le vecteur **SB** est parallèle au vecteur k. Calculons le vecteur **SB**.

SB $= r_{SB}\frac{\mathbf{k}}{\|\mathbf{k}\|} = 200 \times \frac{[1;4;8]}{\|[1;4;8]\|} = \frac{200}{9}[1;4;8]$ m

Calculons les coordonnées du point B.

B $=$ **S** $+$ **SB** $= [1;4;5]$ m $+ \frac{200}{9}[1;4;8]$ m

$\Rightarrow B = \left(\frac{200}{9}; \frac{836}{9}; \frac{1645}{9}\right)$ m

(b) Calculons l'amplitude de l'onde au point B.

$A = \frac{\mathcal{A}}{r_{SB}} = \frac{6,1228\times10^{-3} \text{ m}^2}{200 \text{ m}} = 0,31146$ μm

La valeur A obtenue correspond à l'amplitude du modèle de l'onde plane au voisinage du point B.

$\omega = 2\pi f = 2\pi \times 400 = 800\pi$ s^{-1}

$s(\mathbf{r},t) = A\cos(\omega t - \mathbf{k}\cdot\mathbf{r} + \varphi)$

$\Rightarrow s(\mathbf{r},t) = 0,31146\cos(800\pi t - [1;4;8]\cdot\mathbf{r} + \varphi)$ μm

1.32 (a) $s(r,t) = \frac{2}{r}\cos(800\pi t - \frac{40\pi}{17}x + \varphi)$ μm

   (b) $s(\mathbf{r},t) = \frac{2}{11}\cos(800\pi t - \frac{40\pi}{187}[2;6;9]\cdot\mathbf{r} + \varphi)$ μm

1.33   Déterminons les vecteurs positions qui interviennent.

A $= [10;7;5]$ km ;   **B** $= [16;8;6]$ km ;   **C** $= [6;15;7]$ km

D $= [10;19;6]$ km ; $\mathbf{r_0} = [x_0; y_0; z_0]$

Formulons l'expression de la distance entre deux points. Les vecteurs positions sont quelconques.

$r = \| \mathbf{p_1} - \mathbf{p_2} \|$

Déterminons l'expression de l'intensité entre deux points quelconques.

$I = \frac{W}{4\pi r^2} = \frac{W}{4\pi \| \mathbf{p_1} - \mathbf{p_2} \|^2}$

Les quatre mesures d'intensités nous permettent d'élaborer un système de quatre équations, avec quatre inconnues.

$I_A = \frac{W}{4\pi \| \mathbf{r_0} - \mathbf{A} \|^2} \qquad I_B = \frac{W}{4\pi \| \mathbf{r_0} - \mathbf{B} \|^2}$

$I_C = \frac{W}{4\pi \| \mathbf{r_0} - \mathbf{C} \|^2} \qquad I_D = \frac{W}{4\pi \| \mathbf{r_0} - \mathbf{D} \|^2}$

En utilisant les vecteurs définis précédemment, les inconnues sont : W, x_0, y_0 et z_0. Paramètres : I_A, I_B, I_C et I_D.

En considérant les valeurs suivantes :

$I_A = 1/81 \ \text{W/km}^2$; $I_B = 1/225 \ \text{W/km}^2$; $I_C = 1/169 \ \text{W/km}^2$ et $I_D = 1/324 \ \text{W/km}^2$

nous obtenons deux solutions.

$x_0 = 2 \ \text{km}$; $y_0 = 3 \ \text{km}$; $z_0 = 4 \ \text{km}$; $W = 4\pi \ \text{W}$;

$x_0 \approx 9,98 \ \text{km}$; $y_0 \approx 10,95 \ \text{km}$; $z_0 \approx 5,75 \ \text{km}$; $W \approx 2,51 \ \text{W}$

Peu importe le choix de l'axe correspondant à l'altitude, la deuxième solution est inadmissible. À l'échelle du kilomètre, les dénivellations du terrain où vit l'ours polaire sont petites, de sorte qu'il est raisonnable de supposer que l'altitude où il se situe ne peut être supérieure à l'altitude des points A, B, C et D où est passé l'hélicoptère.

1.34 (a) $f = 77,435 \ \text{kHz}$

(b) $s(\mathbf{r}, t) = 1,6089 \times 10^{-9} \cos(486540t - [774; 819; 882] \cdot \mathbf{r} + \varphi) \ \text{m}$

(c) $B = \left(\frac{17359}{159} ; \frac{18836}{159} ; \frac{20395}{159} \right) \ \text{m}$

1.35 En considérant la position initiale du système, nous obtenons les équations 1(a) et 1(b).

$s(\mathbf{r}, t) = A \cos(\omega t - \mathbf{k} \cdot \mathbf{r} + \varphi)$

$s_0 = A \cos(\omega t_0 - \mathbf{k} \cdot \mathbf{r_0} + \varphi) \quad$ 1(a)

$s_0^2 = A^2 \cos^2(\omega t_0 - \mathbf{k} \cdot \mathbf{r_0} + \varphi) \quad$ 1(b)

En utilisant les conditions initiales correspondant à la vitesse de vibration, nous obtenons les équations 2(a) et 2(b).

$v(\mathbf{r}, t) = -A\omega \sin(\omega t - \mathbf{k} \cdot \mathbf{r} + \varphi)$

$v_0 = -A\omega \sin(\omega t_0 - \mathbf{k} \cdot \mathbf{r_0} + \varphi)$

$-v_0/\omega = A \sin(\omega t_0 - \mathbf{k} \cdot \mathbf{r_0} + \varphi) \quad$ 2(a)

$v_0^2/\omega^2 = A^2 \sin^2(\omega t_0 - \mathbf{k} \cdot \mathbf{r_0} + \varphi) \quad$ 2(b)

L'amplitude A s'obtient en additionnant les équations 1(b) et 2(b).

$s_0^2 + v_0^2/\omega^2 = A^2 (\sin^2(\omega t_0 - \mathbf{k} \cdot \mathbf{r_0} + \varphi) + \cos^2(\omega t_0 - \mathbf{k} \cdot \mathbf{r_0} + \varphi))$

$s_0^2 + v_0^2/\omega^2 = A^2 \quad$ car $\quad \sin^2(\alpha) + \cos^2(\alpha) = 1$

$A = \sqrt{s_0^2 + (v_0/\omega)^2}$

Divisons l'équation 2(a) par l'équation 1(a).

$-\frac{v_0}{\omega s_0} = \frac{A \sin(\omega t_0 - \mathbf{k} \cdot \mathbf{r_0} + \varphi)}{A \cos(\omega t_0 - \mathbf{k} \cdot \mathbf{r_0} + \varphi)} \implies \tan(\omega t_0 - \mathbf{k} \cdot \mathbf{r_0} + \varphi) = -\frac{v_0}{\omega s_0}$

1.36 (a) $A_c = 2\pi r_c^2(1 - \cos(\theta/2))$ (c) $A_c/A_d = \frac{2}{1+\cos(\theta/2)}$

      (b) $A_d = \pi r_c^2 \sin^2(\theta/2)$ (d) $A_c \approx A_d$

1.37 (a) Calculons l'intensité du faisceau lorsque son diamètre est de 3 mm.

$$I_s = \frac{W}{A} = \frac{W}{\pi e^2/4} = \frac{(9/10) \times 10^{-3}}{\pi \times 0,003^2/4} = \frac{400}{\pi} \text{ W/m}^2$$

      (b) Calculons l'intensité du faisceau lorsque son diamètre est $e = 5$ cm.

$$I_m = \frac{W}{A} = \frac{W}{\pi d^2/4} = \frac{(9/10) \times 10^{-3}}{\pi \times 0,05^2/4} = \frac{36}{25\pi} \text{ W/m}^2$$

      (c) Calculons le rayon du disque lumineux situé à une distance d. Le rayon augmente de façon linéaire avec la distance.

$r = ad + b$

Déterminons les valeurs des constantes a et b.

$3 \times 10^{-3}/2 = a \times 0 + b$

$5 \times 10^{-2}/2 = a \times 30 + b$

$\Rightarrow b = (3/2) \times 10^{-3} \; ; \quad a = 47/60000$

Exprimons le rayon du disque lumineux en fonction de la distance d.

$r = 47d/60000 + (3/2) \times 10^{-3}$ m

Calculons l'intensité à une distance d.

$$I_d = \frac{W}{A} = \frac{W}{\pi r^2} = \frac{(9/10) \times 10^{-3}}{\pi (47d/60000 + (3/2) \times 10^{-3})^2}$$

Rappelons la valeur de l'intensité à la source : $I_s = \frac{400}{\pi} \text{ W/m}^2$.

Calculons l'expression du facteur multiplicatif I_d/I_s.

$$\frac{I_d}{I_s} = \frac{(9/10) \times 10^{-3}}{\pi (47d/60000 + (3/2) \times 10^{-3})^2} \times \frac{\pi}{400} = \frac{8100}{(47d + 90)^2}$$

1.38 (a) $r > \sqrt{\frac{W_S A}{4\pi W_{\max}}}$ (b) $r_{\min} \approx 0,20730$ m

1.39 (a) Calculons la puissance d'émission correspondant à l'intensité mesurée dans le cas où la propagation est omnidirectionnelle.

$W = AI = 4\pi r^2 I = 4\pi 5^2 \times 2400 = 240000\pi$ W

La puissance requise est largement supérieure à la puissance théorique de 22 kW. Le principe de conservation de l'énergie n'est pas respecté.

      (b) Calculons l'aire effective correspondant à la zone d'émission.

$A = A_c(r, 2\theta_s) - A_c(r, 2\theta_i)$ où $A_c(r, \theta) = 2\pi r^2(1 - \cos(\theta/2))$

$A = 2\pi r^2(1 - \cos(2\theta_s/2)) - 2\pi r^2(1 - \cos(2\theta_i/2))$

$A = 2\pi r^2(\cos(\theta_i) - \cos(\theta_s)) = 2\pi \times 5^2(\cos(20°) - \cos(60°))$

$A \approx 69,0667$ m^2

Calculons la puissance émise correspondant à l'intensité mesurée.

$W = AI \approx 69,066755 \times 2400 \approx 165,8$ KW

La puissance requise est supérieure à la puissance théorique de 22 kW. Le principe de conservation de l'énergie n'est donc pas respecté.

      (c) Réutilisons l'expression de l'aire correspondant à la zone d'émission, et calculons l'expression pour la puissance émise.

$A = 2\pi r^2 (\cos(\theta_i) - \cos(\theta_s))$

$W = AI \;\Rightarrow\; W = 2\pi r^2 (\cos(\theta_i) - \cos(\theta_s))\, I$

Inconnue : θ_s. Paramètres W, r, θ_i et I.

En considérant $W = 22$ kW, $r = 5$ m, $\theta_i = 20°$ et $I = 2400$ W/m^2, nous obtenons le résultat ci–dessous.

$\theta_s \approx 28,196°$

1.40 (a) L'intensité augmente d'un facteur $8,8186$.

(b) L'intensité augmente d'un facteur $54,999$.

(c) $I \approx 0,17819$ W/m^2

(d) $I \approx 9,8004$ W/m^2

(e) Un grand angle d'émission permet une vue plus étendue du fond marin. Puisque la puissance transportée par le signal émis est constante alors, en raison du principe de conservation de l'énergie, plus l'angle d'émission est grand, plus la profondeur maximale de détection est réduite.

Chapitre 2

+ : désigne à droite de la position d'équilibre (resp. vers le bas).
− : désigne à gauche de la position d'équilibre (resp. vers le haut).

2.1 $\omega = \sqrt{k/m} = \sqrt{50/0,5} = 10 \text{ s}^{-1}$

(a) Considérons la position et la vitesse du bloc à l'instant t.

$\Rightarrow \quad x(t) = A\cos(\omega t + \varphi)\,; \quad v(t) = -\omega A \sin(\omega t + \varphi)$

En évaluant les deux fonctions précédentes aux conditions initiales, on obtient un système de deux équations.

$\Rightarrow \quad x_0 = A\cos(\omega t_0 + \varphi)\,; \quad v_0 = -\omega A \sin(\omega t_0 + \varphi)$

Inconnues : A, φ. Paramètres : t_0, x_0, v_0 et ω.

Si $t_0 = 0$ s, $x_0 = -3$ m, $v_0 = -4$ m/s et $\omega = 10 \text{ s}^{-1}$, alors

$\Rightarrow \ A \approx 3,026 \text{ m}\,; \varphi \approx 3,01 \text{ rad} \ \Rightarrow \ x(t) \approx 3,026\cos(10t + 3,01) \text{ m}$

(b) Considérons la position et la vitesse du bloc à l'instant t.

$\Rightarrow \quad x(t) = A\cos(\omega t + \varphi)\,; \quad v(t) = -\omega A \sin(\omega t + \varphi)$

Évaluons les deux fonctions précédentes aux conditions initiales.

$x_0 = A\cos(\omega t_0 + \varphi)\,; \quad v_0 = -\omega A \sin(\omega t_0 + \varphi)$

Inconnues : A, φ. Paramètres : t_0, x_0, v_0 et ω.

Si $t_0 = 1$ s, $x_0 = 4$ m, $v_0 = -3$ m/s et $\omega = 10 \text{ s}^{-1}$, alors

$\Rightarrow \ A \approx 4,011 \text{ m}\,; \quad \varphi \approx 2,64 \text{ rad} \ \Rightarrow \ x(t) \approx 4,011\cos(10t + 2,64) \text{ m}$

(c) Considérons la position et la vitesse du bloc à l'instant t.

$x(t) = A\cos(\omega t + \varphi)\,; \quad v(t) = -\omega A \sin(\omega t + \varphi)$

Évaluons les deux fonctions précédentes aux conditions initiales.

$x_0 = A\cos(\omega t_0 + \varphi)\,; \quad v_0 = -\omega A \sin(\omega t_0 + \varphi)$

Inconnues : A, φ. Paramètres : t_0, x_0, v_0 et ω.

Si $t_0 = 2$ s, $x_0 = -4$ m, $v_0 = 3$ m/s et $\omega = 10 \text{ s}^{-1}$, alors

$\Rightarrow \ A \approx 4,011 \text{ m}\,; \quad \varphi \approx 2,07 \text{ rad} \ \Rightarrow \ x(t) \approx 4,011\cos(10t + 2,07) \text{ m}$

(d) Considérons la position et la vitesse du bloc à l'instant t.

$\Rightarrow \ x(t) = A\cos(\omega t + \varphi)\,; \quad v(t) = -\omega A \sin(\omega t + \varphi)$

Évaluons les deux fonctions précédentes aux conditions initiales.

$\Rightarrow \ x_0 = A\cos(\omega t_0 + \varphi)\,; \quad v_0 = -\omega A \sin(\omega t_0 + \varphi)$

Inconnues : A, φ. Paramètres : t_0, x_0, v_0 et ω.

Si $t_0 = 3$ s, $x_0 = 3$ m, $v_0 = -4$ m/s et $\omega = 10 \text{ s}^{-1}$, alors

$\Rightarrow \ A \approx 3,026 \text{ m}\,; \quad \varphi \approx 1,55 \text{ rad} \ \Rightarrow \ x(t) \approx 3,026\cos(10t + 1,55) \text{ m}$

(e) Condirérons la position et la vitesse du bloc à l'instant t.

$\Rightarrow \ x(t) = A\cos(\omega t + \varphi)\,; \quad v(t) = -\omega A \sin(\omega t + \varphi)$

Évaluons les deux fonctions précédentes aux conditions initiales.

$\Rightarrow \ x_0 = A\cos(\omega t_0 + \varphi)\,; \quad v_0 = -\omega A \sin(\omega t_0 + \varphi)$

Inconnues : A, φ. Paramètres : t_0, x_0, v_0 et ω.

Si $t_0 = 4$ s, $x_0 = 3$ m, $v_0 = 4$ m/s et $\omega = 10 \text{ s}^{-1}$, alors

$\Rightarrow \ A \approx 3,026 \text{ m}\,; \quad \varphi \approx -2,43 \text{ rad} \ \Rightarrow \ x(t) \approx 3,026\cos(10t - 2,43) \text{ m}$

2.2 (a) $x(t) \approx 1,20 \cos(10t + 0,02)$ m   (c) $x(t) \approx 0,11 \cos(10t + 1,27)$ m
(b) $x(t) \approx 0,93 \cos(10t + 2,51)$ m   (d) $x(t) \approx 0,86 \cos(10t - 1,55)$ m

2.3   Considérons la position du bloc à l'instant t.
$\Rightarrow x = A \cos(\omega t + \varphi) \Rightarrow x^2 = A^2 \cos^2(\omega t + \varphi)$
$\Rightarrow x^2 = A^2(1 - \sin^2(\omega t + \varphi))$
$\Rightarrow A^2 \sin^2(\omega t + \varphi) = A^2 - x^2$
Considérons la vitesse du bloc à l'instant t.
$\Rightarrow v_x = -A\omega \sin(\omega t + \varphi) \Rightarrow v_x^2 = A^2 \omega^2 \sin^2(\omega t + \varphi)$
$\Rightarrow A^2 \sin^2(\omega t + \varphi) = v_x^2 / \omega^2$
Les deux égalités obtenues forment un système de deux équations dont les termes à gauche de l'égalité sont identiques. Il s'ensuit que les côtés droits sont égaux.
$\Rightarrow A^2 - x^2 = v_x^2 / \omega^2 \quad \Rightarrow \quad v_x^2 = \omega^2(A^2 - x^2)$

2.4 (a) $x = -4$ cm   (b) $v \approx \pm 0,435$ m/s   (c) $a \approx -2,92$ m/s^2

2.5 (a) $\omega = \sqrt{k/m} = \sqrt{4/0,05} = \sqrt{80}$ s^{-1}
$\Delta\ell = mg \sin(\theta)/k = 0,05 \times g \times \sin(90°)/4 = g/80 \approx 0,1226$ m
Le bloc est relâché à la position correspondant à un *allongement nul* du ressort. L'axe des X étant positif vers le bas, cela nous permet d'énoncer les conditions initiales.
$\Rightarrow v_0 = 0 \,; \quad x_0 = -\Delta\ell \approx -0,1226$
Calculons l'amplitude.
$A = \sqrt{x_0^2 + (v_0/\omega)^2} = \sqrt{(-\Delta\ell)^2 + (0/\omega)^2} = |\Delta\ell| \approx 0,1226$ m
L'allongement maximal vaut $\Delta\ell + A \approx 0,245$ m.
(b) Pour atteindre son point le plus bas, le bloc doit mettre une temps t équivalent à une demi-péridode, c'est-à-dire $t = T/2$.
$T = 2\pi/\omega = 2\pi/\sqrt{80}; \quad T/2 = \pi/\sqrt{80} \approx 0,35$ s
(c) $v_{\max} = |-A\omega \sin(\omega t + \varphi)|_{\max} = A\omega \approx 0,1226 \times \sqrt{80} \approx 1,1$ m/s
(d) $a_{\max} = |-A\omega^2 \cos(\omega t + \varphi)|_{\max} = A\omega^2 = (g/80) \times (\sqrt{80})^2 = g$ m/s^2
$a_{\max} \approx 9,81$ m/s^2

2.6 (a) L'ajout du bloc n'a aucun effet sur l'amplitude.
(b) $T_{\text{après}} = \sqrt{1,5}\, T_{\text{avant}}$
(c) Si $t_0 = 0$ s et $v_0 = 0$ et si ces mêmes conditions initiales prévalent pour les deux systèmes, alors la valeur de la phase initiale n'est pas affectée.
(d) L'ajout du bloc n'a aucun effet sur l'énergie mécanique totale.

2.7 (a) Désignons respectivement par A et A' l'amplitude du mouvement *avant* et *après* l'ajout du bloc. À l'instant même où le second bloc est empilé sur le premier, les conditions initiales du nouveau système sont les suivantes : $x_0' = A$ et $v_0' = 0$.
$$A' = \sqrt{x_0'^2 + (v_0'/\omega)^2} = \sqrt{A^2 + (0/\omega)^2} = A \,; \quad A' = A$$

Ainsi, l'ajout du bloc n'a eu aucun effet sur l'amplitude.

(b) $T_{\text{avant}} = 2\pi\sqrt{m/k}\,; \quad T_{\text{après}} = 2\pi\sqrt{(m+m/b)/k}$

Calculons le rapport suivant : $T_{\text{après}}/T_{\text{avant}}$.

$$\Rightarrow \frac{T_{\text{après}}}{T_{\text{avant}}} = \frac{2\pi\sqrt{(m+m/b)/k}}{2\pi\sqrt{m/k}} = \sqrt{\frac{m+m/b}{k}\frac{k}{m}} = \sqrt{\frac{m(1+1/b)}{m}}$$

Exprimons la période $T_{\text{après}}$ en fonction de la période T_{avant}.

$$\Rightarrow T_{\text{après}} = \sqrt{1+(1/b)}\ T_{\text{avant}}$$

(c) Si $t_0 = 0$ s et $v_0 = 0$ et si ces mêmes conditions initiales prévalent pour les deux systèmes, alors la valeur de la phase initiale n'est pas affectée.

(d) La solution est la même qu'en (a). Cela dit, l'amplitude du mouvement ne change pas et la constante de rappel k du ressort n'est pas affectée par l'ajout du bloc. Bref, l'énergie mécanique totale n'est pas affectée car $E = kA^2/2$.

2.8 $x(t) \approx 0,07\cos(4t + 0,07)$ m

2.9 $\omega = 2\pi f = \sqrt{k/m} \quad \Rightarrow \quad k = 4\pi^2 f^2 m$

Désignons par m la masse du bloc *avant* l'ajout d'une masse supplémentaire $\Delta m = 0,05$ kg. *Après* l'ajout d'une masse valant 50 grammes, la masse totale du bloc est $m+0,05$ kg. Calculons la valeur de la constante de rappel du ressort avant et après l'ajout de la masse.

$$\Rightarrow k = 4\pi^2 \times f_{\text{avant}}^2 \times m\,; \quad k = 4\pi^2 \times f_{\text{après}}^2 \times (m+0,05)$$

Inconnues : k et m.   Paramètres : $f_{\text{avant}} = 1,2$ Hz et $f_{\text{après}} = 0,9$ Hz

Après avoir effectué le calcul, on obtient les résultats ci–dessous.

$m \approx 0,064$ kg ; $k \approx 3,65$ N/m

2.10 (a) $m = 3/4$ kg   (c) $t \approx 0,046$ s

        (b) $E = 0,24$ J   (d) $a \approx -2,95$ m/s^2

2.11 $\omega = \sqrt{k/m} = \sqrt{32/0,08} = 20$ s^{-1} $\Rightarrow x(t) = 0,2\cos(20t)$ m

(a) Déterminons la position $x(t)$ à l'instant $t = T/5$.

$$\Rightarrow x(T/5) = 0,2\cos(\omega \times T/5)$$

En rappelant que $\omega T = 2\pi$, il découle

$$\Rightarrow x(T/5) = 0,2\cos(2\pi/5) \approx 0,0618 \text{ m}$$

Calculons l'énergie potentielle correspondante.

$$\Rightarrow U = kx^2/2 \approx 32 \times 0,0618^2/2 \approx 0,06 \text{ J}$$

$$\Rightarrow K = E - U = kA^2/2 - U \approx 32 \times 0,2^2/2 - 0,06 \approx 0,58 \text{ J}\,;$$

(b) Calculons l'énergie potentielle du système lorsque le bloc est situé à la position $x = A/2$.

$$\Rightarrow U = kx^2/2 = k \times (A/2)^2/2 = 32 \times (0,2/2)^2/2 = 0,16 \text{ J}$$

En utilisant l'expression pour l'énergie mécanique totale, calculons l'énergie cinétique

$$\Rightarrow K = E - U = kA^2/2 - U = 32 \times 0,2^2/2 - 0,16 = 0,48 \text{ J}$$

(c) La contrainte stipulée dans l'énoncé s'exprime par l'égalité $U = K$.

$kx(t)^2 = mv(t)^2 \Rightarrow 32 \times (0,2\cos(20t))^2 = 0,08 \times (-0,2 \times 20\sin(20t))^2$

$\Rightarrow \sin^2(20t) = \cos^2(20t) \quad \Rightarrow \quad \tan(20t) = \pm 1$

À ce stade, il suffit de résoudre l'équation $\tan(20t) = \pm 1$ et d'exprimer le résultat en fonction de t. Après avoir effectué le calcul, on obtient le résultat ci–dessous.

$t = \pi/80 + 2n\pi/80$ où n est un entier.

(d) $a(t) = -A\omega^2\cos(\omega t)\,; \quad a(0,1) = -0,2 \times 20^2\cos(20 \times 0,1)$

$a \approx 33,29 \text{ m/s}^2$

2.12 (a) $t \approx 0,41$ s   (c) $t \approx 0,42$ s

    (b) $t \approx 0,68$ s   (d) $t \approx 0,69$ s

2.13 Considérons la position et la vitesse du bloc à l'instant t.

$x(t) = 10\cos(20\pi t + \pi/3)$ cm $; \quad v(t) = -10 \times 20\pi\sin(20\pi t + \pi/3)$ cm/s

À l'aide des fonctions précédentes, déterminons les conditions initiales du système après l'ajout du deuxième bloc.

$\Rightarrow t_0 = 10$ s $; \quad x_0 = x(t_0) = 5$ cm $; \quad v_0 = v(t_0) = -100\pi\sqrt{3}$ cm/s

Calculons la fréquence angulaire $\omega_{après}$ après l'ajout du deuxième bloc. Rappelons que $\omega_{avant} = \sqrt{k/m}$

$\Rightarrow \omega_{après} = \sqrt{k/(m + 3m)} = \sqrt{k/(4m)}$

$\Rightarrow \omega_{après} = \sqrt{k/m}/2 = \omega_{avant}/2 = 10\pi \text{ s}^{-1}$

Considérons les nouvelles fonctions pour la position et la vitesse du système après l'ajout du deuxième bloc.

$\Rightarrow x(t) = A\cos(\omega t + \varphi)\,; \quad v(t) = -A\omega\sin(\omega t + \varphi)$

En évaluant les deux fonctions précédentes aux conditions initiales, on obtient un système de deux équations.

$x_0 = A\cos(\omega t_0 + \varphi)\,; \quad v_0 = -A\omega\sin(\omega t_0 + \varphi)$

Inconnues : A, φ. Paramètres : ω, t_0, x_0 et v_0.

En considérant $\omega = 10\pi \text{ s}^{-1}$, $t_0 = 10$ s, $x_0 = 5$ cm et $v_0 = -100\pi\sqrt{3}$ cm/s, on obtient les résultats ci–dessous.

$\Rightarrow A = 5\sqrt{13}$ cm $; \quad \varphi \approx 1,29$ rad

$x(t) \approx 5\sqrt{13}\cos(10\pi t + \varphi)$ cm $; v(t) \approx -50\sqrt{13}\pi\sin(10\pi t + \varphi)$ cm/s

Évaluons ces fonctions à l'instant $t = 15$ s, c'est-à-dire 5 secondes après l'ajout du deuxième bloc.

$\Rightarrow x(15) = 5$ cm $; \quad v(15) = -100\pi\sqrt{3}$ cm/s

On constate que la position et la vitesse sont les mêmes qu'à l'instant $t = 10$ s.

Chapitre 3

3.1 (a) Évaluons la solution de d'Alembert avec la fonction $f(x)$ proposée.

$$y(x,t) = \tfrac{1}{2}f(x-ct) + \tfrac{1}{2}f(x+ct) \quad \Rightarrow$$

$$\Rightarrow \; y(x,t) = \tfrac{1}{2}\frac{4}{1+(x-ct)^2} + \tfrac{1}{2}\frac{4}{1+(x+ct)^2} = \frac{2}{1+(x-ct)^2} + \frac{2}{1+(x+ct)^2}$$

(b) Évaluons l'équation d'onde avec la fonction d'onde $y(x,t)$.

$$\Rightarrow \; \frac{\partial^2}{\partial x^2}y(x,t) - \frac{1}{c^2}\frac{\partial^2}{\partial t^2}y(x,t) \overset{?}{=} 0$$

$$\Rightarrow \; \frac{\partial^2}{\partial x^2}\left(\frac{2}{1+(x-ct)^2} + \frac{2}{1+(x+ct)^2}\right) - \frac{1}{c^2}\frac{\partial^2}{\partial t^2}\left(\frac{2}{1+(x-ct)^2} + \frac{2}{1+(x+ct)^2}\right) \overset{?}{=} 0$$

$$\Rightarrow \; \frac{16\,(x-ct)^2}{(1+(x-ct)^2)^3} - \frac{4}{(1+(x-ct)^2)^2} + \frac{16\,(x+ct)^2}{(1+(x+ct)^2)^3} - \frac{4}{(1+(x+ct)^2)^2} -$$

$$\frac{1}{c^2}\left(\frac{16\,(x-ct)^2\,c^2}{(1+(x-ct)^2)^3} - \frac{4\,c^2}{(1+(x-ct)^2)^2} + \frac{16\,(x+ct)^2\,c^2}{(1+(x+ct)^2)^3} - \frac{4\,c^2}{(1+(x+ct)^2)^2}\right) \overset{?}{=} 0$$

$$\Rightarrow \; 0 \overset{?}{=} 0 \; \Rightarrow \; \text{La fonction d'onde satisfait l'équation d'onde.}$$

(c) Voir le graphique de $y(x,0)$ à la figure 10.

(d) Voir le graphique de $y(x,1/5)$ à la figure 11.

(e) Voir le graphique de $y(x,1/2)$ à la figure 12.

(f) Voir le graphique de $y(x,1)$ à la figure 13.

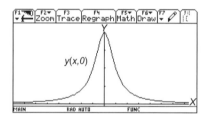

Fig. 10 Exercice 3.1 (c).

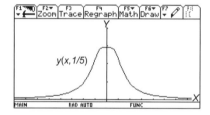

Fig. 11 Exercice 3.1 (d).

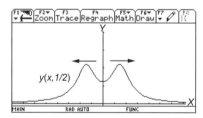

Fig. 12 Exercice 3.1 (e).

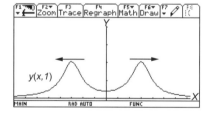

Fig. 13 Exercice 3.1 (f).

(g) Lorsque la corde n'est ni concave vers le haut, ni concave vers le bas, la dérivée seconde de la fonction d'onde par rapport à x est nulle.

$$\left(\frac{\partial^2}{\partial x^2}\,y(x,t)\right)\Big|_{x=0} = 0 \;\Rightarrow\; \frac{32\,c^2\,t^2}{(1+c^2\,t^2)^3} - \frac{8}{(1+c^2\,t^2)^2} = 0 \;\Rightarrow\; t = \pm\frac{1}{\sqrt{3}c}$$

Puisque la corde est relâchée au temps $t = 0$ s, il s'ensuit que $t \geq 0$.

$$t = \frac{1}{\sqrt{3}c} = \frac{1}{3\sqrt{3}} = \frac{1}{\sqrt{27}} \; s$$

(h) Déterminons l'expression de la vitesse transversale.

$$v(x,t) = \frac{\partial}{\partial t}\, y(x,t) = \frac{-2\,(-6\,x+18\,t)}{(1+(x-3\,t)^2)^2} - \frac{2\,(6\,x+18\,t)}{(1+(x+3\,t)^2)^2}$$

Les couples (x,t) correspondant à la vitesse maximale s'obtiennent lorsque les dérivés de la vitesse par rapport à x et t sont nulles.

$$\frac{\partial}{\partial t}\, v(x,t) = 0 \qquad \frac{\partial}{\partial x}\, v(x,t) = 0$$

Inconnues : x et t. En considérant l'expression de la vitesse obtenue précédemment, nous obtenons les résultats ci–dessous.

$$x = 0 \text{ m}, \quad t = \pm\tfrac{1}{\sqrt{27}} \text{ s} \qquad \text{et} \qquad x = \pm\tfrac{1}{\sqrt{3}} \text{ m}, \quad t = 0 \text{ s}$$

Évaluons la fonction de vitesse aux couples obtenus.

$$v(0;\pm\tfrac{1}{\sqrt{27}}) = \mp\tfrac{9\sqrt{3}}{2} \text{ cm/s} \qquad \text{et} \qquad v(\pm\tfrac{1}{\sqrt{3}};0) = 0 \text{ cm/s}$$

Nous retenons le couple dont la grandeur de la vitesse est maximale.

$$x = 0 \text{ m}, \quad t = \tfrac{1}{\sqrt{27}} \text{ s}$$

(i) $v_{\max} = \left| v(0;\tfrac{1}{\sqrt{27}}) \right| = \left| -\tfrac{9\sqrt{3}}{2} \right| \text{ cm/s}$

3.2 (a) $y(x,t) = \tfrac{1}{2}\cos(x-ct) + \tfrac{1}{2}\cos(x+ct)$

(b) Démonstration.

(c) Dessinez le graphique du profil de $y(x,0)$.

(d) Dessinez le graphique du profil de $y(x,1/5)$.

(e) Dessinez le graphique du profil de $y(x,1/2)$.

(f) Dessinez le graphique du profil de $y(x,1)$.

(g) $t = \pi/6 + i\pi/3$ s $\quad (i \in \mathbb{Z})$

(h) $x = i\pi$ m, $\quad t = \pi/6 + j\pi/3$ s $\quad (i,j \in \mathbb{Z})$

(i) $v_{\max} = 3$ cm/s

3.3 (a) Calculons la pente de la tangente à la corde pour tout point x.

$$m(x) = \frac{d}{dx}\, f(x) = \frac{d}{dx}\, \frac{4/100}{1+x^2} = \frac{-2x/25}{(x^2+1)^2}$$

Les candidats x correspondants à la pente maximale s'obtiennent lorsque la dérivé de la pente est nulle.

$$\frac{dm}{dx} = 0 \quad \Rightarrow \quad \frac{d}{dx}\, \frac{-2x/25}{(x^2+1)^2} = 0 \quad \Rightarrow \quad x = \pm\tfrac{1}{\sqrt{3}}$$

Évaluons l'expression de la pente aux points x afin d'obtenir les valeurs de pente. La pente maximale est la valeur la plus élevée.

$$m(\pm\tfrac{1}{\sqrt{3}}) = \mp\tfrac{3\sqrt{3}}{200} \quad \Rightarrow \quad m_{\max} = \tfrac{3\sqrt{3}}{200}$$

Calculons l'angle de déflexion correspondant à cette valeur de pente.

$$\theta_{\max} = \tan^{-1}(m_{\max}) = \tan^{-1}(\tfrac{3\sqrt{3}}{200}) \approx 0,025975 \approx 1,4883°$$

Puisque $\theta_{\max}$ est petit, l'hypothèse des petits angles est respectée.

(b) Si l'hypothèse n'est pas respectée, alors l'équation d'onde ainsi que les fonctions d'ondes qui en sont solutions ne sont pas admissibles.

3.4 (a) Tracez le graphique du profil de $y(x,0)$ et $y(x,1/2)$.

(b) $t = 1/\sqrt{18}$ s

(c) $x \approx \pm 2,2929$ m ; $\quad x \approx \pm 3,7071$ m

(d) $t \approx \pm 0,56725645$ s ; $\quad v_{\max} = |v_y(1 \text{ m}, \pm 0,5672)| \approx |\mp 2,5841|$ cm/s

3.5 (a) Rappelons l'équation d'onde en (3.29).

$\frac{\partial^2 y}{\partial x^2} - \frac{1}{c^2}\frac{\partial^2 y}{\partial t^2} = 0$

Vérifions l'équation d'onde pour $y(x,t) = A\cos(\omega t - kx + \varphi)$.

$\Rightarrow \frac{\partial^2}{\partial x^2} A\cos(\omega t - kx + \varphi) - \frac{1}{c^2}\frac{\partial^2}{\partial t^2} A\cos(\omega t - kx + \varphi) \overset{?}{=} 0$

$\Rightarrow \frac{\partial}{\partial x} kA\sin(\omega t - kx + \varphi) - \frac{1}{c^2}\frac{\partial}{\partial t}\left(-A\omega\sin(\omega t - kx + \varphi)\right) \overset{?}{=} 0$

$\Rightarrow -k^2 A\cos(\omega t - kx + \varphi) - \frac{1}{c^2}\left(-\omega^2 A\cos(\omega t - kx + \varphi)\right) \overset{?}{=} 0$

Remplaçons le quotient ω^2/c^2 par k^2.

$\Rightarrow -k^2 A\cos(\omega t - kx + \varphi) + k^2 A\cos(\omega t - kx + \varphi) \overset{?}{=} 0$

Il n'y a plus de doute, la fonction $y(x,t)$ satisfait à l'équation d'onde.

(b) Dérivons la fonction de position afin d'obtenir la vitesse transversale.

$v(t) = \dot{x}(t) = -A\omega\sin(\omega t - kx + \varphi)$ m/s $\Rightarrow |v_{\max}| = A\omega$

La vitesse est maximale lorsque la fonction sinus vaut 1.

(c) Dérivons la fonction de vitesse afin d'obtenir l'accélération.

$a(t) = \dot{v}(t) = -A\omega^2\cos(\omega t - kx + \varphi)$ m/s^2 $\Rightarrow |a_{\max}| = A\omega^2$

L'accélération est maximale lorsque la fonction cosinus vaut 1.

3.6 (a) $f = 5$ Hz ; $\quad \lambda = 4$ m ; $\qquad$ (c) $\overline{W} = \pi^2/25$ W

$\quad c = 20$ m/s $\qquad\qquad\qquad\qquad$ (d) $|v_{\max}| = 0,2\pi$ m/s

(b) $F = 40$ N $\qquad\qquad\qquad\qquad\qquad$ (e) $|a_{\max}| = 2\pi^2$ m/s^2

3.7 (a) L'expression $\partial y(x,t)/\partial x$ représente la pente de la tangente à la corde en x au temps t.

(b) L'angle de déflexion se calcule à l'aide de la pente de la tangente.

$\Rightarrow \tan\theta = \frac{\partial}{\partial x}(0,01\cos(20\pi t - 4x + \pi/4)) = 0,04\sin(20\pi t - 4x + \pi/4)$

La fonction $\tan\theta$ est strictement croissante, de sorte que sa valeur maximale est obtenue à $\theta = \theta_{\max}$. Calculons la valeur $\theta_{\max}$.

$\Rightarrow (\tan\theta)_{\max} = (0,04\sin(20\pi t - 4x + \pi/4))_{\max} = 0,04$

$\Rightarrow \theta_{\max} = \tan^{-1}(0,04) \approx 0,039979$ rad$\approx 2,2906°$

L'hypothèse des petits angles est vraisemblablement respectée.

(c) Par une démarche semblable, calculons l'expression $\theta_{\max}$.

$(\tan\theta)_{\max} = Ak \Rightarrow \theta_{\max} = \tan^{-1}(Ak)$

Si $Ak \leq 0,1$ alors $\theta_{\max} \approx 0,1$ rad auquel cas l'angle est petit...

3.8 (a) $y(x,t) \approx 0,1003\cos(200\pi t - 4\pi x + 6,2038)$ m

(b) $y(2 \text{ m}; 3 \text{ s}) = 0,1$ m ; $\quad v_y(2 \text{ m}; 3 \text{ s}) = 5$ m/s

(c) $F = 1250$ N

(d) $E_{tot} \approx 993,2 \times 10^3$ J

3.9 Calculons la fréquence angulaire et le nombre d'onde.

$\omega = 2\pi f = 2\pi \times 100 = 200\pi$ s^{-1}

$c = \sqrt{F/\mu} = \sqrt{100/0,5} = \sqrt{200}$ m/s

$k = \omega/c = 200\pi/\sqrt{200} = \sqrt{200}\pi \text{ m}^{-1}$

Établissons les fonctions de position et de vitesse transversale.

$y(x,t) = A\cos(\omega t - kx + \varphi)\,; \quad v(x,t) = -A\omega\sin(\omega t - kx + \varphi)$

Évaluons ces équations aux conditions initiales.

$y(x_0, t_0) = y_0 = A\cos(\omega t_0 - kx_0 + \varphi)$

$v(x_0, t_0) = v_0 = -A\omega\sin(\omega t_0 - kx_0 + \varphi)$

Inconnues : A et φ. Paramètres : x_0, t_0, y_0 et v_0.

En considérant $x_0 = 0$ m, $t_0 = 1$ s, $y_0 = 0,02$ m et $v_0 = +5$ m/s, on obtient : $A \approx 0,0215$ m et $\varphi \approx 0,37868$ rad.

$y(x,t) \approx 0,0215\cos(200\pi t - \sqrt{200}\pi x - 0,37868)$ m

3.10 $\quad y(x,t) = 3 \times 10^{-3}\cos(40\pi t - \pi x + \pi/6)$ cm

3.11 (a) $\quad A = 0,02$ m; $\quad \omega = 10\pi$ s^{-1}; $\quad \mu = 2$ kg/m

Calculons la fréquence et la vitesse de propagation de l'onde.

$f = \omega/(2\pi) = 10\pi/(2\pi) = 5$ Hz; $\quad c = \lambda f = (1/10) \times 5 = 1/2$ m/s

Calculons la puissance moyenne fournie par la source.

$\overline{W} = 2\pi^2 A^2 f^2 \mu c = 2\pi^2 \times 0,02^2 \times 5^2 \times 2 \times 1/2 \approx 0,197$ W

(b) L'énergie emmagasinée par la corde est équivalente à l'énergie fournie par la source pendant le laps de temps $\Delta t = 15 \times 60 = 900$ s.

$E_{tot} = \overline{W}\Delta t \approx 0,197 \times 900 \approx 177,7$ J

3.12 $\quad \overline{W} \approx 139,6$ W

3.13 $\quad$ Identifions les paramètres de la fonction d'onde stationnaire.

$y(x,t) = 2A\sin(kx)\sin(\omega t + \varphi) = 10\sin(5\pi x)\sin(20\pi t + \pi/4)$

$\quad \Rightarrow \quad A = 5$ mm; $\quad k = 5\pi$ m^{-1}; $\quad \omega = 20\pi$; $\quad \varphi = \pi/4$ rad

Ces paramètres nous permettent de déduire la fonction de l'onde incidente dans la première corde.

$y_i(x,t) = A_i\cos(\omega t - k_1 x + \varphi_i) = 5\cos(20\pi t - 5\pi x + \pi/4)$ mm

Calculons la tension et les vitesses de propagation dans les deux cordes. Rappelons que la tension et la fréquence sont identiques dans les deux cordes ($f_1 = f_2 = f$ et $F_1 = F_2 = F$).

$c_1 = \omega/k_1 = 20\pi/(5\pi) = 4$ m/s

$c_1 = \sqrt{F/\mu_1} \quad \Rightarrow \quad F = \mu_1 c_1^2 = 1 \times 4^2 = 16$ N

$c_2 = \sqrt{F/\mu_2} = \sqrt{16/(250 \times 10^{-3})} = 8$ m/s

Calculons les impédances des deux cordes.

$Z_1 = F/c_1 = 16/4 = 4$ kg/s; $\quad Z_2 = F/c_2 = 16/8 = 2$ kg/s

Calculons l'amplitude A_t et le nombre d'onde de la seconde corde.

$t = \dfrac{A_t}{A_i} = \dfrac{2Z_1}{Z_1 + Z_2} \quad \Rightarrow \quad A_t = \dfrac{2Z_1}{Z_1 + Z_2}A_i = \dfrac{2\times 4}{4+2} \times 5 = 20/3$ mm

$k_2 = \dfrac{\omega}{c_2} = \dfrac{20\pi}{8} = 5\pi/2$ m^{-1}

Déterminons l'expression de la fonction d'onde dans la seconde corde, en considérant que $\varphi_t = \varphi_i = \pi/4$ rad.

$y_t(x,t) = A_t\cos(\omega t - k_2 x + \varphi_t) = \dfrac{20}{3}\cos(20\pi t - 5\pi x/2 + \pi/4)$ mm

$\Rightarrow \quad y_2(x,t) = \frac{20}{3}\cos(20\pi t - 5\pi x/2 + \pi/4)$ mm

Dérivons afin d'obtenir l'expression de la vitesse transversale.

$v_2(x,t) = \frac{\partial y_2(x,t)}{\partial t} = -\frac{400\pi}{3}\sin(20\pi t - 5\pi x/2 + \pi/4)$ mm/s

3.14 Démonstration

3.15 (a) À partir de l'énoncé du problème, nous pouvons déduire $W_1 = 2W_2$. Multiplions par le temps afin d'obtenir une équation pour l'énergie.

$W_1 \Delta t = 2W_2 \Delta t \quad \Rightarrow \quad E_1 = 2E_2 \quad \Rightarrow E_1/E_2 = 2$

(b) Ajoutons la contrainte sur la somme des énergies.

$E_1/E_2 = 2\,; \quad E_1 + E_2 = E_{tot}$

Inconnues : E_1 et E_2. Paramètre : E_{tot}.

En considérant $E_{tot} = 105$ J, on obtient : $E_1 = 70$ J et $E_2 = 35$ J.

(c) Calculons l'amplitude de l'onde dans la deuxième corde.

$A_1 = 0,02$ m ; $A_1 = A_2/3 \quad \Rightarrow \quad A_2 = 3A_1 = 3 \times 0,02 = 0,06$ m

Utilisons le rapport des puissances afin de calculer l'impédance Z_1.

$\frac{W_1}{W_2} = \frac{2\pi^2 A_1^2 f_1^2 Z_1}{2\pi^2 A_2^2 f_2^2 Z_2} \Rightarrow 2 = (\frac{A_1 f_1}{A_2 f_2})^2 \frac{Z_1}{Z_2} = (\frac{1\times 1}{3\times 4})^2 \frac{Z_1}{15} \Rightarrow Z_1 = 4320$ kg/s

Calculons les vitesses de propagation des ondes.

$c_1 = F_1/Z_1 = 120/4320 = 1/36$ m/s

$\frac{Z_1}{Z_2} = \frac{\mu_1 c_1}{\mu_2 c_2} \quad \Rightarrow \quad \frac{4320}{15} = \frac{1}{8}\frac{1/36}{c_2} \quad \Rightarrow \quad c_2 = 1/82944$ m/s

Utilisons l'expression de la puissance afin de calculer la fréquence f_1.

$W_1 = \frac{E_1}{\Delta t} = 2\pi^2 A_1^2 f_1^2 Z_1 \Rightarrow \frac{70\text{ J}}{2\text{ s}} = 2\pi^2 0,02^2\, f_1^2\, 4320 \Rightarrow f_1 \approx 1,013$ Hz

Calculons la fréquence de l'onde dans la seconde corde.

$f_2 = 4f_1 \approx 4 \times 1,013 \approx 4,052$ Hz

Calculons les fréquences angulaires et les nombres d'onde.

$\omega_1 \approx 2\pi \cdot 1,013 \approx 6,36$ s^{-1} ; $\omega_2 \approx 2\pi \cdot 4,052 \approx 25,46$ s^{-1}

$k_1 = \frac{\omega_1}{c_1} \approx \frac{6,36}{1/36} \approx 229,11$ m^{-1} ; $k_2 = \frac{\omega_2}{c_2} \approx \frac{25,46}{1/82944} \approx 2,1 \cdot 10^6$ m^{-1}

Il n'y a pas suffisamment d'informations permettant de calculer la valeur des phases initiales φ_1 et φ_2.

$y_1(x,t) \approx 0,02\cos(6,36t \pm 229,11\,x + \varphi_1)$ m

$y_2(x,t) \approx 0,06\cos(25,46t \pm 2,1 \times 10^6\,x + \varphi_2)$ m

3.16 (a) $y_r(x,t) = -(6 - 4\sqrt{2})/5\cos(50\pi t + 25\pi/4\,x + \pi/3)$ m

$y_t(x,t) = (4\sqrt{2} - 4)/5\cos(50\pi t - 50\pi/\sqrt{32}\,x + \pi/3)$ m

(b) La position $x = -1$ correspond au milieu 1.

(c) $y_1(-1$ m; 5 s$) \approx -0,17$ m ; $v_1(-1$ m; 5 s$) \approx -57,9$ m/s

3.17 (a) Puisque les cordes sont reliés, la tension et la fréquence sont identiques dans les deux cordes ($f_1 = f_2 = f$ et $F_1 = F_2 = F$). Voici les informations relatives à l'onde incidente.

$c_1 = 100$ m/s ; $A_i = 0,05$ m ; $\varphi_i = \pi/6$ rad

Calculons l'impédance de la première corde.

$Z_1 = F/c_1 = 100/100 = 1$ kg/s ; $Z_2 = 10$ kg/s

Calculons les amplitudes des ondes réfléchies et transmises.

$r = \frac{A_r}{A_i} = \frac{Z_1 - Z_2}{Z_1 + Z_2} = \frac{1-10}{1+10} \Rightarrow A_r = rA_i = -\frac{9}{11} \times 0,05 = -\frac{9}{220}$ m

$t = \frac{A_t}{A_i} = \frac{2Z_1}{Z_1 + Z_2} = \frac{2 \times 1}{1+10} \Rightarrow A_t = tA_i = \frac{2}{11} \times 0,05 = \frac{2}{220}$ m

Calculons les nombres d'onde.

$k_1 = \omega/c_1 = 800\pi/100 = 8\pi$ m^{-1}

$c_2 = F/Z_2 = 100/10 = 10$ m/s $\Rightarrow k_2 = \omega/c_2 = 800\pi/10 = 80\pi$ m^{-1}

Écrivons les trois fonctions d'ondes.

$y_i(x,t) = 0,05\cos(800\pi t - 8\pi x + \pi/6)$ m

$y_r(x,t) = -9/220\cos(800\pi t + 8\pi x + \pi/6)$ m

$y_t(x,t) = 1/110\cos(800\pi t - 80\pi x + \pi/6)$ m

Une valeur négative pour A_r indique un déphasage de π entre l'onde incidente et l'onde réfléchie.

(b) À $x = -5$ m, les ondes incidente et réfléchie se superposent. Ainsi, nous devons considérer la vibration de la corde dans le milieu 1.

$y_1(x,t) = y_i(x,t) + y_r(x,t)$

$y_1(-5$ m; 2 s$) = y_i(-5$ m; 2 s$) + y_r(-5$ m; 2 s$) \approx 7,873$ mm

(c) Calculons les puissances moyennes des trois ondes.

$W_i = 2\pi^2 A_i^2 f^2 Z_1 = 2\pi^2 \times 0,05^2 \times 400^2 \times 1 \approx 7896$ W

$W_r = 2\pi^2 A_r^2 f^2 Z_1 = 2\pi^2 \times 9/220^2 \times 400^2 \times 1 \approx 5286$ W

$W_t = 2\pi^2 A_t^2 f^2 Z_2 = 2\pi^2 \times 1/110^2 \times 400^2 \times 10 \approx 2610$ W

Le principe de conservation de l'énergie offre une seconde façon de calculer la puissance transmise.

$W_t = W_i - W_r = 7896 - 5286 = 2610$ W

3.18 Démonstration

3.19 Effectuons le calcul de la limite proposée pour la transmission.

$\frac{A_t}{A_i} = \lim_{Z_2 \to \infty} \frac{2Z_1}{Z_1(1 + Z_2/Z_1)} = \lim_{Z_2 \to \infty} \frac{2}{1 + Z_2/Z_1} \Rightarrow \frac{A_t}{A_i} = \frac{2}{1+\infty} = 0$

Effectuons le calcul de la limite proposée pour la réflexion.

$\frac{A_r}{A_i} = \lim_{Z_2 \to \infty} \frac{Z_1 - Z_2}{Z_1 + Z_2} = \lim_{Z_2 \to \infty} \frac{d(Z_1 - Z_2)/dZ_2}{d(Z_1 + Z_2)/dZ_2} = \lim_{Z_2 \to \infty} \frac{-1}{+1} = -1$

3.20 (a) $y_i(x,t) = \frac{\sqrt{2}}{80\pi}\cos(400\pi t - 50\pi x + \pi/8)$ m

$y_r(x,t) = -\frac{1}{80\pi}\cos(400\pi t + 50\pi x + \pi/8)$ m

$y_t(x,t) = \frac{\sqrt{2}-1}{80\pi}\cos(400\pi t - (100\sqrt{2} + 150)\pi x + \pi/8)$ m

(b) La position $x = 1$ correspond au milieu 2.

(c) $y_2(1$ m; 2 s$) \approx -0,984$ mm ; $v_2(1$ m; 2 s$) \approx -1,6615$ m/s

(d) $y_1(-1$ m; 2 s$) \approx 1,523$ mm ; $v_1(-1$ m; 2 s$) \approx -0,7926$ m/s

3.21 Calculons la vitesse de propagation c de l'onde.

$W = E/\Delta t = 2\pi^2 A^2 f^2 \mu c \Rightarrow \frac{1000}{15 \cdot 60} = 2\pi^2 \cdot 0,01^2 \cdot 120^2 \cdot 0,4 \cdot c$

$\Rightarrow c \approx 0,097725$ m/s

La longueur minimale de corde nécessaire correspond à la distance parcourue par l'onde durant 15 minutes.

$L = c\Delta t \approx 0,097725 \times (15 \times 60) \Rightarrow L \approx 87,95$ m

3.22 (a) $t \approx 0,0047$ s   (c) $t \approx 0,03783$ s

     (b) $y \approx 1,19$ cm   (d) $v_y \approx -57,59$ cm/s

3.23 (a) Les deux fonctions proposées sont de la même forme que celles en (3.71) et (3.72), dans le mesure où :

$A = 0,005$ m, $\omega = 100\pi$ s^{-1}, $k = 2$ m^{-1} et $\varphi = \pi/4$ rad.

Ainsi, la démarche menant à l'équation d'onde stationnaire en (3.75) s'applique et l'onde résultante a la forme suivante :

$y(x,t) = 2A\sin(kx)\sin(\omega t + \varphi) = 0,01\sin(2x)\sin(100\pi t + \pi/4)$ m

     (b) La fonction d'onde obtenue se nomme onde stationnaire.

3.24 $y(x,t) \approx 0,0011\sin(5\pi x)\sin(250\sqrt{2}\pi t + 1,148)$ m

3.25 (a) La fonction d'onde dans la corde de droite nous permet de déduire les quantités ci–dessous.

$A_t = \frac{8}{72\pi}$ m; $\omega = 60\pi$ s^{-1}; $k_2 = 2\pi$ m^{-1}; $\varphi_t = \pi/4$ rad

Calculons l'amplitude de l'onde incidente.

$A_i + A_r = A_t \quad \Rightarrow \quad A_i = A_t - A_r = \frac{8}{72\pi} - \frac{3}{72\pi} = \frac{5}{72\pi}$ m

$Z_1 = 18$ kg/s; calculons l'impédance dans la seconde corde.

$\frac{A_r}{A_i} = \frac{Z_1 - Z_2}{Z_1 + Z_2} \quad \Rightarrow \quad \frac{3/(72\pi)}{5/(72\pi)} = \frac{18 - Z_2}{18 + Z_2} \quad \Rightarrow \quad Z_2 = 9/2$ kg/s

Calculons la tension et les vitesses de propagation dans les deux cordes. Rappelons que la tension et la fréquence sont identiques dans les deux cordes ($f_1 = f_2 = f$ et $F_1 = F_2 = F$).

$c_2 = \omega/k_2 = 60\pi/(2\pi) = 30$ m/s

$F = c_2 Z_2 = 30 \times 9/2 = 135$ N

$c_1 = F/Z_1 = 135/18 = 15/2$ m/s

Calculons le nombre d'onde dans la première corde, ainsi que la phase initiale de l'onde incidente.

$k_1 = \omega/c_1 = 60\pi/(15/2) = 8\pi$ m^{-1}; $\varphi_i = \varphi_t = \pi/4$ rad

Déterminons la fonction de l'onde dans la première corde.

$y_i(x,t) = A_i\cos(\omega t - k_1 x + \varphi_i) = \frac{5}{72\pi}\cos(60\pi t - 8x + \pi/4)$ m

$y_r(x,t) = A_r\cos(\omega t + k_1 x + \varphi_i) = \frac{3}{72\pi}\cos(60\pi t + 8x + \pi/4)$ m

$y_1(x,t) = y_i(x,t) + y_r(x,t) \quad \Rightarrow$

$y_1(x,t) = \frac{5}{72\pi}\cos(60\pi t - 8x + \pi/4) + \frac{3}{72\pi}\cos(60\pi t + 8x + \pi/4)$ m

     (b) Calculons le coefficient de transmission en puissance.

$T = \frac{4Z_1 Z_2}{(Z_1 + Z_2)^2} = \frac{4 \times 18 \times 9/2}{(18 + 9/2)^2} = 16/25$

64% de la puissance incidente est transmise à la seconde corde.

3.26 $a(-4 \text{ m}; 1/80 \text{ s}) \approx -4,4296 \times 10^4$ cm/s^2

3.27 (a) Puisque les cordes sont reliés, la tension et la fréquence sont identiques dans les deux cordes ($f_1 = f_2 = f$ et $F_1 = F_2 = F$).

$Z_1 = \sqrt{\mu_1 F}$; $Z_2 = \sqrt{\mu_2 F}$; $\mu_1 < \mu_2 \rightarrow Z_1 < Z_2$

L'énoncé indique que l'impédance d'une des cordes est le double de l'autre. Nous déduisons $Z_2 = 2Z_1$. Calculons l'amplitude A_i.

$r = \frac{A_r}{A_i} = \frac{Z_1 - Z_2}{Z_1 + Z_2} = \frac{Z_1 - 2Z_1}{Z_1 + 2Z_1} = \frac{Z_1(1-2)}{Z_1(1+2)} = -1/3$

$A_i = \frac{A_r}{r} = \frac{-3/(72\pi)}{-1/3} = \frac{9}{72\pi}$ m

Calculons ω ainsi que la phase initiale de l'onde incidente.

$\varphi_i = \varphi_t = \pi/3$ rad ; $\qquad \omega = 2\pi f = 2\pi \times 100 = 200\pi$ s^{-1}

Déterminons les fonctions d'ondes incidente et réfléchie.

$y_i(x,t) = A_i \cos(\omega t - k_1 x + \varphi_i) = \frac{9}{72\pi} \cos(200\pi t - k_1 x + \pi/3)$ m

$y_r(x,t) = A_r \cos(\omega t + k_1 x + \varphi_i) = \frac{-3}{72\pi} \cos(200\pi t + k_1 x + \pi/3)$ m

$y_1(x,t) = y_i(x,t) + y_r(x,t) \quad \Rightarrow$

$y_1(x,t) = \frac{9}{72\pi} \cos(200\pi t - k_1 x + \pi/3) + \frac{-3}{72\pi} \cos(200\pi t + k_1 x + \pi/3)$ m

$v_1(x,t) = \partial y_1(x,t)/\partial t \quad \Rightarrow$

$v_1(x,t) = -25 \sin(200\pi t - k_1 x + \pi/3) + \frac{25}{3} \sin(200\pi t + k_1 x + \pi/3)$ m/s

Évaluons la fonction de vitesse en $x = -1$ m et à $t = 3$ s.

$v_1(-1;3) = -25 \sin(k_1 + \pi/3) + \frac{25}{3} \sin(-k_1 + \pi/3)$ m/s

(b) Calculons le coefficient de transmission en puissance.

$T = 1 - R = 1 - r^2 = 1 - (-1/3)^2 = 8/9$

8/9 de la puissance incidente est transmise à la seconde corde.

3.28   On pourra observer 1501 nœuds.

3.29 (a) Calculons la vitesse de propagation de l'onde dans la corde.

$\mu = 10$ g/m $= 0,01$ kg/m ; $\quad c = \sqrt{F/\mu} = \sqrt{20/0,01} = 20\sqrt{5}$ m/s

Les fréquences mentionnées sont liées à la fréquence fondamentale.

$f_n = nf_1$; $\quad f_{n+2} = (n+2)f_1$

Inconnues : n et f_1. Paramètres : f_n et f_{n+2}.

Or $f_n = 720$ Hz et $f_{n+2} = 960$ Hz $\quad \Rightarrow \quad n = 6$; $\quad f_1 = 120$ Hz

La fréquence fondamentale correspond à la fréquence $f_1 = 120$ Hz.

(b) La fréquence fondamentale est liée à la longueur de la corde.

$f_1 = \frac{c}{2L} \quad \Rightarrow \quad L = \frac{c}{2f_1} = \frac{20\sqrt{5}}{2 \times 120} \quad \Rightarrow \quad L = \sqrt{5}/12 \approx 0,186$ m

(c) Calculons les paramètres de la fonction d'onde en mode 3.

$f_3 = 3f_1 = 360$ Hz ; $\quad \omega_3 = 2\pi f_3 = 720\pi$ s^{-1}

$k_3 = \omega_3/c = \frac{720\pi}{20\sqrt{5}} = \frac{36\pi}{\sqrt{5}}$ m^{-1}

Calculons la longueur d'onde en mode 3.

$\lambda_3 = \frac{2\pi}{k_3} = \frac{2\pi}{36\pi/\sqrt{5}} = \sqrt{5}/18$ m

Déterminons la position des noeuds et des ventres.

$(x_i)_N = i\frac{\lambda_3}{2} = i \times \frac{\sqrt{5}}{36}, \quad i \in [0;3]$

$(x_i)_V = (2i-1)\frac{\lambda_3}{4} = (2i-1) \times \frac{\sqrt{5}}{72}, \quad i \in [1;3]$

(d) Il n'y a pas suffisamment de donnés pour calculer l'amplitude A_3.

$y(x,t) = A_3 \sin(\frac{36\pi}{\sqrt{5}} x) \cos(720\pi t)$ m

3.30 (a) Les modes $n = 6$ et $n = 7$ génèrent les configurations proposées.

    (b) $L = 1,26$ m

    (c) $f_1 = 500\sqrt{15}/63 \approx 30,74$ Hz

    (d) $(x_i)_N \approx \frac{0,504}{2} \times i$, $i \in [0;5]$; $(x_i)_V \approx \frac{0,504}{4} \times (2i-1)$, $i \in [1;5]$

    (e) $y(x,t) \approx A_5 \sin(12,47x)\cos(965,66t)$ m

3.31 (a) La fonction d'onde correspond à celle d'une onde stationnaire.

    (b) En examinant $y(x,t)$ il découle : $k = 2$ m^{-1} et $\omega = 100\pi$ s^{-1}. Calculons la fréquence, la longueur d'onde et la vitesse c.

    $f = \frac{100\pi}{2\pi} = 50$ Hz; $\lambda = \frac{2\pi}{k} = \frac{2\pi}{2} = \pi$ m; $c = \frac{\omega}{k} = \frac{100\pi}{2} = 50\pi$ m/s

    (c) La position des nœuds est donnée par l'expression $(x_i)_N = i\lambda/2$. Les contraintes sur la position nous permettent d'obtenir deux inégalités.

    $(x_i)_N \geq 0 \Rightarrow i\lambda/2 \geq 0$ et $(x_i)_N \leq 4 \Rightarrow i\lambda/2 \leq 4$

    En considérant $\lambda = \pi$ m, il s'ensuit : $i \geq 0$ et $i \leq 8/\pi$. Les valeurs pour i satisfaisant les inégalités sont $i = 0, 1, 2$. Il y a trois nœuds.

    (d) Aux endroits où se situent les ventres, l'amplitude est maximale. L'égalité $(x_i)_V = (2i-1)\lambda/4$ permet de calculer leurs positions. Les contraintes portant sur la position conduisent à deux inégalités.

    $(x_i)_V \geq 0 \Rightarrow (2i-1)\lambda/4 \geq 0$ et $(x_i)_V \leq 4 \Rightarrow (2i-1)\lambda/4 \leq 4$

    En considérant $\lambda = \pi$ m, il s'ensuit : $i \geq 1/2$ et $i \leq 8/\pi + 1/2$. Calculons la position des ventres $(x_i)_V$ correspondant aux valeurs i.

    $x_1 = \pi/4$ m; $x_2 = 3\pi/4$ m; $x_3 = 5\pi/4$ m

    (e) Calculons l'expression de la vitesse transversale de l'onde.

    $v_y(x,t) = \frac{\partial}{\partial t}\, y(x,t) = \pi\sin(2x)\cos(100\pi t + \pi/4)$ m/s

    À la position $x = \pi$ m $\Rightarrow v_y(\pi$ m$,\ t) = 0$ $\forall\, t$

    (f) Évaluons l'expression de la vitesse en $x = 4$ m à l'instant $t = 2$ s.

    $v_y(4$ m; 2 s$) = \pi\sin(2 \times 4)\cos(100\pi \times 2 + \pi/4) \approx 2,2$ m/s

3.32 Il faut quadrupler la tension.

3.33 Exprimons la fréquence fondamentale en fonction de trois variables.

$f_1 = \frac{c}{2L} = \frac{\sqrt{F/\mu}}{2L} = \frac{\sqrt{FL/m}}{2L} = \sqrt{\frac{FL}{4mL^2}} = \sqrt{\frac{F}{4mL}}$

Les paramètres modifiés sont notées par le symbole $'$.

$m' = 2m$; $L' = 3L$; $F' = 4F$

$f_1' = \sqrt{\frac{F'}{4m'L'}} = \sqrt{\frac{4F}{4 \times 2m \times 3L}} = \sqrt{\frac{4}{6}}\sqrt{\frac{F}{4mL}} = \frac{2}{\sqrt{6}}f_1 \Rightarrow f_1' = \frac{2}{\sqrt{6}}f_1$

3.34 (a) $\Delta t = |\,c_m - c_a\,|\,L/(c_a\,c_m)$ (b) $L \approx 367,647$ m ($c_a = 340$ m/s)

3.35 (a) Calculons les paramètres de la fonction d'onde sonore.

    $\omega = 2\pi \cdot 500 = 1000\pi$ s^{-1}; $k = \frac{\omega}{c} = \frac{1000\pi}{340} = \frac{50\pi}{17}$ m^{-1}

    Le calcul de la phase initiale n'est pas possible.

    $s(x,t) = 4\cos(1000\pi t - 50\pi x/17 + \varphi_i)$ nm. Note : Un nm $= 1 \times 10^{-9}$ m

    (b) Calculons la vitesse de vibration pour l'onde longitudinale.

    $v_x(x,t) = \frac{\partial}{\partial t}\, s(x,t) = -4\pi\sin(1000\pi t - 50\pi x/17 + \varphi_i)$ µm/s

(c) Calculons la différence de pression $\Delta p(x,t)$.

$\Delta p = -\rho c A \omega = -1,2 \times 340 \times 4 \times 10^{-9} \times 1000\pi \approx -5,1271 \times 10^{-3}$ Pa

$\Delta p(x,t) = \Delta p \cos(\omega t - kx + \varphi_i)$

$\Rightarrow \quad \Delta p(x,t) \approx -5,1271 \times 10^{-3} \times \sin(1000\pi t - 50\pi x/17 + \varphi_i)$ Pa

3.36 $\quad I_{tt} \approx 81,4683$ dB

3.37 Désignons par I_1 l'intensité du son produit par une machine à une distance r. Si n machines sont toutes à la même distance r du récepteur, alors l'intensité du son produit est $I_n = nI_1$. Exprimons la diminution d'intensité en décibels.

$\Rightarrow (I_n)_{dB} - (I_1)_{dB} = 14$ dB

$\Rightarrow 10\log(nI_1) + 120 - (10\log(I_1) + 120) = 14$

$\Rightarrow 10(\log(nI_1) - \log(I_1)) = 14$

$\Rightarrow \log(nI_1/I_1) = 1,4 \Rightarrow n = 10^{1,4} \Rightarrow n \approx 25$ machines.

3.38 (a) $\Delta p_r = -3$ Pa ; $\quad \Delta p_t = 12$ Pa

(b) $I_r = 1/90$ W/m^2 ; $\quad I_t = 8/90$ W/m^2

(c) $W_i = 1/625$ W ; $\quad W_r = 1/5625$ W ; $\quad W_t = 8/5625$ W

(d) $Z_1 = 405$ kg/(m^{2}s) ; $\quad Z_2 = 810$ kg/(m^{2}s)

(e) $s_i(x,t) = -\frac{1}{9\pi}\cos(200\pi t - 81\pi x/200 + \varphi_i)$ mm

$s_r(x,t) = \frac{1}{27\pi}\cos(200\pi t + 81\pi x/200 + \varphi_i)$ mm

$s_t(x,t) = -\frac{2}{27\pi}\cos(200\pi t - 2\pi x + \varphi_i)$ mm

(f) $\Delta p_i(x,t) = 9\sin(200\pi t - 81\pi x/200 + \varphi_i)$ Pa

$\Delta p_r(x,t) = -3\sin(200\pi t + 81\pi x/200 + \varphi_i)$ Pa

$\Delta p_t(x,t) = 12\sin(200\pi t - 2\pi x + \varphi_i)$ Pa

3.39 (a) Calculons les impédances des deux milieux.

$\rho_{\text{eau}} = 1000$ kg/m^3 ; $\quad c_{\text{eau}} = 1400$ m/s

$Z_1 = \rho_{\text{eau}} \times c_{\text{eau}} = 1000 \times 1400 = 1,4 \times 10^6$ kg/(m^{2}s)

$Z_2 = \sqrt{\rho_2 B_2} = \sqrt{400 \times 200 \times 10^8} = 2\sqrt{2} \times 10^6$ kg/(m^{2}s)

Calculons l'intensité de l'onde incidente.

$I_i = \Delta p_i{}^2/(2Z_1) = 2^2/(2 \times 1,4 \times 10^6) = (1/7) \times 10^{-5}$ W/m^2

Calculons le coefficient de réflexion en puissance.

$R = \frac{(Z_1 - Z_2)^2}{(Z_1 + Z_2)^2} \approx 0,11412$

Dans le cas d'une propagation unidimensionnelle, le passage de la puissance à l'intensité est simple car les superficies des ondes sont identiques.

$I_r = R I_i \approx 0,11412 \times (1/7) \times 10^{-5} \approx 163,03 \times 10^{-9}$ W/m^2

(b) La puissance captée est liée à la surface du capteur.

$A_{\text{détecteur}} = 10$ cm$^2 = 10^{-3}$ m^2

$W_{\text{détecteur}} = I_r A_{\text{détecteur}} \approx 163,03 \times 10^{-9} \times 10^{-3} \approx 163,03 \times 10^{-12}$ W

3.40 $Z_m = 408(19\pm6\sqrt{10})$ kg/(m²s)

3.41 (a) Calculons les impédances des deux milieux.

$Z_1 = \rho_1 c_1 = \rho_{\text{air}} \times c_{\text{air}} = 1,2 \times 340 = 408$ kg/(m²s)

$Z_2 = \rho_2 c_2 = \rho_{\text{eau}} \times c_{\text{eau}} = 1000 \times 1400 \approx 1,4 \times 10^6$ kg/(m²s)

Calculons l'intensité de l'onde incidente.

$(I_i)_{dB} = 10\log(I_i) + 120 \Rightarrow 120 = 10\log(I_i) + 120 \Rightarrow I_i = 1$ W/m²

Calculons l'amplitude de l'onde incidente.

$I_i = \frac{Z_1(A_i\omega)^2}{2} \Rightarrow 1 = 408 \cdot (A_i \cdot 2000\pi)^2/2 \Rightarrow A_i = 1,1143 \times 10^{-5}$ m

Calculons les coefficients en amplitude.

$r = \frac{Z_1 - Z_2}{Z_1 + Z_2} = \frac{408 - 1,4 \times 10^6}{408 + 1,4 \times 10^6} \approx -0,99942$

$t = \frac{2Z_1}{Z_1 + Z_2} = \frac{2 \times 408}{408 + 1,4 \times 10^6} \approx 5,8269 \times 10^{-4}$

Calculons les amplitudes des ondes réfléchie et transmise.

$A_r = rA_i \approx -0,99942 \times 1,1143 \times 10^{-5} \approx -1,1137 \times 10^{-5}$ m

$A_t = tA_i \approx 5,8269 \times 10^{-4} \times 1,1143 \times 10^{-5} \approx 6,4929 \times 10^{-9}$ m

Calculons les nombres d'onde dans les deux milieux.

$k_1 = \omega/c_1 = 2000\pi/340 = 100\pi/17$ m^{-1}

$k_2 = \omega/c_2 = 2000\pi/1400 = 10\pi/7$ m^{-1}

Énonçons les trois fonctions d'onde.

$s_i(x,t) = A_i\cos(\omega t - k_1 x + \varphi_i)$

$\Rightarrow s_i(x,t) = 1,1143 \times 10^{-5}\cos(2000\pi t - 100\pi x/17 + \varphi_i)$ m

$s_r(x,t) = A_r\cos(\omega t + k_1 x + \varphi_i)$

$\Rightarrow s_r(x,t) = -1,1137 \times 10^{-5}\cos(2000\pi t + 100\pi x/17 + \varphi_i)$ m

$s_t(x,t) = A_t\cos(\omega t - k_2 x + \varphi_i)$

$\Rightarrow s_t(x,t) = 6,4929 \times 10^{-9}\cos(2000\pi t - 10\pi x/7 + \varphi_i)$ m

$\Rightarrow s_1(x,t) = s_i(x,t) + s_r(x,t)\,; \quad s_2(x,t) = s_t(x,t)$

(b) Calculons les amplitudes de pression des trois ondes.

$\Delta p_i = -Z_1 A_i\omega \approx -408 \times 1,1143 \times 10^{-5} \times 2000\pi \approx -28,566$ Pa

$\Delta p_r = -Z_1 A_r\omega \approx -408 \times -1,1137 \times 10^{-5} \times 2000\pi \approx 28,549$ Pa

$\Delta p_t = -Z_2 A_t\omega \approx -1,4 \times 10^6 \times 6,4929 \times 10^{-9} \times 2000\pi \approx -57,115$ Pa

Calculons la différence de pression $\Delta p(x,t)$.

$\Delta p_i(x,t) = \Delta p_i\sin(\omega t - k_1 x + \varphi_i)$

$\Rightarrow \Delta p_i(x,t) \approx -28,566\sin(2000\pi t - 100\pi x/17 + \varphi_i)$ Pa

$\Delta p_r(x,t) = -\Delta p_r\sin(\omega t + k_1 x + \varphi_i)$

$\Rightarrow \Delta p_r(x,t) \approx -28,549\sin(2000\pi t + 100\pi x/17 + \varphi_i)$ Pa

$\Delta p_t(x,t) = \Delta p_t\sin(\omega t - k_2 x + \varphi_i)$

$\Rightarrow \Delta p_t(x,t) \approx -57,115\sin(2000\pi t - 10\pi x/7 + \varphi_i)$ Pa

$\Rightarrow \Delta p_1(x,t) = \Delta p_i(x,t) + \Delta p_r(x,t)\,; \quad \Delta p_2(x,t) = \Delta p_t(x,t)$

(c) Calculons la vitesse de vibration longitudinale de l'eau.

$v_2(x,t) = \frac{\partial}{\partial t}(A_t\cos(\omega t - k_2 x + \varphi_i)) = -A_t\omega\sin(\omega t - k_2 x + \varphi_i)$

Or, la fonction sinus oscille entre ± 1.

$\Rightarrow (v_2)_{\text{max}} = |\pm A_t\omega| \approx 4,0796 \times 10^{-5}$ m/s

3.42 (a) $R = 1$ (d) 1500 W   (g) $I \approx 1,5714$ W/m^2

       (b) $T = 0$ (e) 375 W

       (c) $I \approx 0,7128$ W/m^2 (f) 1125 W

3.43   Calculons les valeurs d'intensité en décibels correspondants à des signaux d'intensités I et $I/2$.

$$I_{dB} = 10\log(I) + 120$$

$$I'_{dB} = 10\log(I/2) + 120 = 10\log(I) - 10\log(2) + 120 = I_{dB} - 10\log(2)$$

Lorsque l'intensité est diminuée de moitié, l'intensité en décibels chute de $10\log(2)$, soit d'approximativement 3 dB.

3.44 (a) $W_{source} = \pi \times 10^{-6}$ W   (c) $v_{\max} \approx 3,5007 \times 10^{-6}$ m/s

       (b) $IL \approx 33,979$ dB

3.45 (a) Calculons la valeur du nombre d'onde, ainsi que la fréquence.

$$k = \| \mathbf{k} \| = \| [2;3;6] \| = 7 \text{ m}^{-1}$$

$$k = \omega/c = 2\pi f/c \quad \Rightarrow \quad f = kc/(2\pi) = 7 \times 340/(2\pi) = 1190/\pi \text{ Hz}$$

       (b) Calculons la distance r entre la source et le point B.

$$I_B = \frac{W}{4\pi r^2} \quad \Rightarrow \quad \frac{1}{8820} = \frac{5\pi}{4\pi r^2} \quad \Rightarrow \quad r = 105 \text{ m}$$

Calculons les coordonnées du point B à l'aide du vecteur unitaire $\mathbf{u}_k$.

$$\mathbf{u}_k = \mathbf{k}/k = [2;3;6]/7$$

$$\mathbf{B} = \mathbf{S} + r\,\mathbf{u}_k = [1;4;5] + 105 \times [2;3;6]/7 = [31;49;95]$$

Le point B est donc situé en $(31;49;95)$ m

       (c) Calculons l'amplitude de l'onde plane au point B.

$$Z = \rho c = 1,2 \times 340 = 408 \text{ kg/(m}^2\text{s)}\,; \quad \omega = kc = 7 \times 340 = 2380 \text{ s}^{-1}$$

$$I_{\text{plane}} = \frac{Z(\omega A)^2}{2} \quad \Rightarrow \quad \frac{1}{8820} = \frac{408 \times (2380 \times A)^2}{2}$$

$$\Rightarrow \quad A \approx 3,1324 \times 10^{-7} \text{ m}$$

Déterminons la fonction d'onde plane au voisinage du point B.

$$s(\mathbf{r}, t) = A \cos(\omega t - \mathbf{k} \cdot \mathbf{r} + \varphi)$$

$$\Rightarrow \quad s(\mathbf{r}, t) \approx 3,1324 \times 10^{-7} \cos(2380t - [2;3;6] \cdot \mathbf{r} + \varphi) \text{ m}$$

3.46 (a) $\overline{W} = 5\pi$ watts ; $d_{SB} = 36$ m

       (b) $S = (6; -2; 3)$ m

       (c) $s(\mathbf{r}, t) \approx 9,9521 \times 10^{-7} \cos(3060t - [1;4;8] \cdot \mathbf{r} + \varphi)$ m

3.47 (a) Puisque la longueur d'onde perçue est supérieure à la longueur d'onde émise, l'étoile s'éloigne de la terre.

       (b) Déterminons l'expression de l'effet Doppler électromagnétique, dans le cas où les vecteurs $\mathbf{v}_{os}$ et $\mathbf{u}_{so}$ sont en sens inverse.

$$f_o = \frac{\sqrt{c_0^2 - v_{os}^2}}{c_0 - \mathbf{v}_{os} \cdot \mathbf{u}_{so}} f_s \quad \Rightarrow \quad f_o = \frac{\sqrt{c_0^2 - v_s^2}}{c_0 - (-v_s)} f_s$$

Exprimons l'effet Doppler en termes des longueurs d'ondes.

$$f_o = \frac{c}{\lambda_o}\,; \quad f_s = \frac{c}{\lambda_s}\,; \quad \frac{c}{\lambda_o} = \frac{\sqrt{c_0^2 - v_s^2}}{c_0 + v_s} \frac{c}{\lambda_s} \quad \Rightarrow \quad \lambda_o = \frac{c_0 + v_s}{\sqrt{c_0^2 - v_s^2}} \lambda_s$$

Calculons la vitesse de l'étoile.

$$\lambda_o = \frac{c_0 + v_s}{\sqrt{c_0^2 - v_s^2}} \, \lambda_s \quad \Rightarrow \quad 700 \text{ nm} = \frac{3 \times 10^8 + v_s}{\sqrt{(3 \times 10^8)^2 - v_s^2}} \times 475 \text{ nm}$$

$$\Rightarrow \quad v_s = \frac{423}{1145} \, c$$

3.48 (a) $R = 1$ (d) 1500 W   (g) $I \approx 29,401 \text{ W/m}^2$

       (b) $T = 0$ (e) 1125 W

       (c) $I \approx 39,202 \text{ W/m}^2$ (f) 375 W

3.49   Déterminons les vecteurs $\mathbf{v}_s$, $\mathbf{v}_o$ et $\mathbf{u}_{so}$.

$\mathbf{v}_s = 33\,\mathbf{i}$ m/s ; $\mathbf{v}_o = -66\,\mathbf{i}$ m/s ; $\mathbf{u}_{so} = \mathbf{i}$

Calculons la fréquence perçue par la surface réfléchissante.

$$f_o = \frac{c - \mathbf{v}_o \cdot \mathbf{u}_{so}}{c - \mathbf{v}_s \cdot \mathbf{u}_{so}} \, f_s = \frac{340 - (-66\,\mathbf{i}) \cdot \mathbf{i}}{340 - (33\,\mathbf{i}) \cdot \mathbf{i}} \, 1080 = \frac{340 - (-66)}{340 - (33)} \, 1080 \approx 1428,3 \text{ Hz}$$

La surface réfléchissante émet un son à la fréquence qu'elle perçoit, et le sonar devient maintenant l'observateur. Déterminons les nouveaux vecteurs $\mathbf{v}_s$, $\mathbf{v}_o$ et $\mathbf{u}_{so}$.

$\mathbf{v}_s = -66\,\mathbf{i}$ m/s ; $\mathbf{v}_o = 33\,\mathbf{i}$ m/s ; $\mathbf{u}_{so} = -\mathbf{i}$

Calculons la fréquence perçue par le sonar.

$$f_o = \frac{c - \mathbf{v}_o \cdot \mathbf{u}_{so}}{c - \mathbf{v}_s \cdot \mathbf{u}_{so}} \, f_s = \frac{340 - (33\,\mathbf{i}) \cdot (-\mathbf{i})}{340 - (-66\,\mathbf{i}) \cdot (-\mathbf{i})} \times 1428,3 = \frac{340 - (-33)}{340 - (66)} \times 1428,3$$

$$\Rightarrow \quad f_o \approx 1944,33 \text{ Hz}$$

3.50 (a) $I = \dfrac{64\, Z_a^2 Z_m^2 Z_s^2}{(Z_a + Z_m)^2 (Z_m + Z_s)^2 (Z_s + Z_a)^2} \, I_i$

       (b) $Z_m \approx 252,12 \text{ kg/(m}^2\text{s)}$ et $Z_m \approx 1618,29 \text{ kg/(m}^2\text{s)}$

       (c) $Z_m \approx 252,84 \text{ kg/(m}^2\text{s)}$ et $Z_m \approx 1613,68 \text{ kg/(m}^2\text{s)}$

       (d) $I_{\text{avant}} \approx 6,7769 \text{ mW/m}^2$

       (e) $I_{\text{après}} \approx 4,9980 \text{ mW/m}^2$

       (f) $\dfrac{I_{\text{après}} - I_{\text{avant}}}{I_{\text{avant}}} \approx -0,26249 \Rightarrow$ Il y a diminution relative de 26,249 %.

3.51 (a) Calculons les valeurs des vecteurs $\mathbf{u}_{so}$ et $\mathbf{u}_{s'o'}$, en supposant que l'automobiliste A est à gauche de l'automobiliste B sur l'axe des X. Les vecteurs vitesses sont aussi orientés selon l'axe des X.

$$\Rightarrow \quad \mathbf{u}_{so} = -\mathbf{i} ; \quad \mathbf{u}_{s'o'} = \mathbf{i} ; \quad \mathbf{v}_A = v_A \mathbf{i} ; \quad \mathbf{v}_B = v_B \mathbf{i}$$

Déterminons les fréquences perçues par chaque conducteur.

$$f_o = \frac{c - \mathbf{v}_o \cdot \mathbf{u}_{so}}{c - \mathbf{v}_s \cdot \mathbf{u}_{so}} \, f_s \quad \Rightarrow \quad f_{oA} = \frac{c - \mathbf{v}_A \cdot \mathbf{u}_{so}}{c - \mathbf{v}_B \cdot \mathbf{u}_{so}} \, f_{sB} = \frac{c - (v_A \mathbf{i}) \cdot (-\mathbf{i})}{c - (v_B \mathbf{i}) \cdot (-\mathbf{i})} \, f_{sB}$$

$$f_o = \frac{c - \mathbf{v}_o \cdot \mathbf{u}_{s'o'}}{c - \mathbf{v}_s \cdot \mathbf{u}_{s'o'}} \, f_s \quad \Rightarrow \quad f_{oB} = \frac{c - \mathbf{v}_B \cdot \mathbf{u}_{s'o'}}{c - \mathbf{v}_A \cdot \mathbf{u}_{s'o'}} \, f_{sA} = \frac{c - (v_B \mathbf{i}) \cdot \mathbf{i}}{c - (v_A \mathbf{i}) \cdot \mathbf{i}} \, f_{sA}$$

Nous obtenons un système de deux équations, avec deux inconnues.

$$f_{oA} = \frac{c + v_A}{c + v_B} \, f_{sB} \qquad f_{oB} = \frac{c - v_B}{c - v_A} \, f_{sA}$$

Inconnues : v_A et v_B. Paramètres : c, f_{oA}, f_{oB}, f_{sA} et f_{sB}.

En considérant $c = 340$ m/s, $f_{oA} = 1900$ Hz, $f_{oB} = 1200$ Hz, $f_{sA} = 900$ Hz et $f_{sB} = 1200$ Hz, nous obtenons les résultats ci–dessous.

$$v_A = -17 \text{ m/s} ; \quad v_B = -136 \text{ m/s}$$

L'orientation de l'axe des X est arbitraire.

$$v_A = 17 \text{ m/s} ; \quad v_B = 136 \text{ m/s dans la même direction que l'auto } A.$$

       (b) $(f_b)_A = |\, f_{oA} - f_{sA} \,| = |\, 1900 - 900 \,| = 1000$ Hz

           $(f_b)_B = |\, f_{oB} - f_{sB} \,| = |\, 1200 - 1200 \,| = 0$ Hz

3.52 $v_{\text{avion}} = 68 \text{ m/s}$.

3.53 (a) À l'aide du tableau 4.1, utilisons la fréquence centrale correspondante à l'intervalle de la couleur violette ; il 's'ensuit que $f_o = 714 \times 10^{12}$ Hz. Notons que le vecteur vitesse $\mathbf{v}_{os} = \mathbf{v}_s - \mathbf{v}_o = \mathbf{v}_s - \mathbf{0} = \mathbf{v}_s$ est du même sens que le vecteur $\mathbf{u}_{so}$.

$\mathbf{v}_{os} \cdot \mathbf{u}_{so} = v_s = 0,4\,c_0$

Déterminons l'expression de l'effet Doppler de la lumière perçue.

$f_o = \frac{\sqrt{c_0^2 - v_{os}^2}}{c_0 - \mathbf{v}_{os} \cdot \mathbf{u}_{so}} f_s \quad \Rightarrow \quad f_o = \frac{\sqrt{c_0^2 - v_s^2}}{c_0 - v_s} f_s$

Calculons la fréquence de la lumière émise par la comète.

$f_o = \frac{\sqrt{c_0^2 - v_s^2}}{c_0 - v_s} f_s \quad \Rightarrow \quad 714 \times 10^{12} = \frac{\sqrt{c_0^2 - (0,4c_0)^2}}{c_0 - 0,4c_0} f_s$

$\Rightarrow \quad f_s \approx 467,42 \times 10^{12} \text{ Hz} \equiv \text{Rouge}$

(b) Calculons la distance lorsque le signal est réfléchi par la comète.

$d_1 = c_0 \Delta t / 2 = 3 \times 10^8 \times 60 / 2 = 9 \times 10^9 \text{ m}$

Calculons la distance parcourue par la comète pendant que l'onde effectue le trajet de retour.

$d_2 = v_s \Delta t / 2 = 0,4\,c_0 \Delta t / 2 = 0,4 \times 3 \times 10^8 \times 60 / 2 = 36 \times 10^8 \text{ m}$

Calculons la distance au moment où le signal est capté sur la terre.

$d_{\text{comète}} = d_1 - d_2 = 54 \times 10^8 \text{ m}$

(c) Calculons le temps dont nous disposons avant l'impact.

$t_{\text{impact}} = \frac{d_{\text{comète}}}{v_s} = \frac{d_{\text{comète}}}{0,4c_0} = \frac{54 \times 10^8}{0,4 \times 3 \times 10^8} = 45 \text{ secondes.}$

Il faut faire vite !

3.54 $f_{\text{auto}} \approx 254,191 \text{ Hz} \quad \text{et} \quad v_{\text{auto}} \approx 54,37 \text{ m/s}$

3.55 (a) Puisque la différence de fréquence Δf est positive, nous déduisons que l'automobiliste s'approche.

(b) Calculons l'expression de la fréquence du signal captée par le radar, après un effet Doppler double. Dans les deux trajets (aller et retour), le vecteur vitesse $\mathbf{v}_{os} = \mathbf{v}_s - \mathbf{v}_o = \mathbf{v}_s - \mathbf{0} = \mathbf{v}_s$ est du même sens que le vecteur $\mathbf{u}_{so}$, il s'ensuit que $\mathbf{v}_{os} \cdot \mathbf{u}_{so} = v_s = v_{\text{auto}} = v$. Calculons l'expression de l'effet Doppler pour le premier trajet.

$f_o = \frac{\sqrt{c_0^2 - v_{os}^2}}{c_0 - \mathbf{v}_{os} \cdot \mathbf{u}_{so}} f_s \quad \Rightarrow \quad f_o = \frac{\sqrt{c_0^2 - v^2}}{c_0 - v} f_s$

Lors du retour de l'onde, la paroi de l'automobile devient la source (S'), tandis que le radar devient l'observateur (O').

$f_o' = \frac{\sqrt{c_0^2 - v^2}}{c_0 - v} f_s'$

À la paroi de l'auto, les fréquences f_s' et f_o sont égales.

$f_o' = \frac{\sqrt{c_0^2 - v^2}}{c_0 - v} f_s' = \frac{\sqrt{c_0^2 - v^2}}{c_0 - v} \frac{\sqrt{c_0^2 - v^2}}{c_0 - v} f_s = \frac{c_0 + v}{c_0 - v} f_s \quad \Rightarrow \quad f_o' = \frac{c_0 + v}{c_0 - v} f_s$

Déterminons les fréquences f_o' et f_s.

$f_s = 500 \times 10^9 \text{ Hz} ; \qquad f_o' = f_s + \Delta f = 500 \times 10^9 + 100 \times 10^3 \text{ Hz}$

Calculons la vitesse de l'automobile.

$f_o' = \frac{c_0 + v}{c_0 - v} f_s \quad \Rightarrow \quad 500 \times 10^9 + 100 \times 10^3 = \frac{3 \times 10^8 + v}{3 \times 10^8 - v} \times 500 \times 10^9$

$\Rightarrow \quad v \approx 30$ m/s ≈ 108 km/h.

Étant donné l'inégalité $v < 120$ km/h, il n'y a pas de contravention.

(c) Calculons la fréquence f'_o lorsque $v = 120$ km/h$= 100/3$ m/s.

$f'_o = \frac{c_0+v}{c_0-v} f_s = \frac{3\times10^8+100/3}{3\times10^8-100/3} \times 500 \times 10^9 \approx 500000111111, 1$ Hz

Calculons l'écart entre f'_o et f_s.

$\Delta f = f'_o - f_s \approx 111 \times 10^3$ Hz

(d) Calculons la distance au moment où le signal est réfléchi.

$d_1 = c \frac{\Delta t}{2} = 3 \times 10^8 \times 10^{-9}/2 = 30$ m

Calculons la distance parcourue par le véhicule lorsque l'onde effectue le trajet de retour.

$d_2 = v \frac{\Delta t}{2} = 30 \times 10^{-9}/2 = 3 \times 10^{-6}$ m

Calculons la distance au moment où le signal est capté par le radar.

$d_{\text{véhicule}} = d_1 - d_2 \approx 29,999997$ m

(e) $t = \frac{d_{\text{véhicule}}}{v} \approx 29,999997/30 \approx 1$ s

3.56 (a) $\frac{f_o}{f_s} = \frac{\sqrt{100^2(\tan^{-1}(t))^2+d^2}\,(1+t^2)c}{\sqrt{100^2(\tan^{-1}(t))^2+d^2}\,(1+t^2)c+100^2\tan^{-1}(t)}$

(b) Graphe du rapport f_o/f_s avec $c = 340$ m/s et $d = 10$ m.

(c) Le rapport f_o/f_s est maximal lorsque $t \approx -0,2609$ s

(d) Le rapport f_o/f_s est minimal lorsque $t \approx 0,2609$ s

(e) Si $t \to \infty$ alors $f_o \to f_s$

3.57 (a) Calculons la vitesse de l'automobile.

$v(t) = \partial x(t)/\partial t = \partial(5t^2 + 50t)/\partial t = 10t + 50$ m/s

(b) Déterminons les vecteurs $\mathbf{v}_s$, $\mathbf{v}_o$ et $\mathbf{u}_{so}$.

$\mathbf{v}_s = v(t)\,\mathbf{i} = ((10t + 50)\,\mathbf{i})$ m/s ; $\quad \mathbf{v}_o = \mathbf{0}$ m/s

$\mathbf{SO} = \mathbf{O} - \mathbf{S} = (0\,\mathbf{i} + 0\,\mathbf{j}) - (x(t)\,\mathbf{i} + 40\,\mathbf{j}) = (-(5t^2 + 50t)\,\mathbf{i} - 40\,\mathbf{j})$ m

$\mathbf{u}_{so} = \frac{\mathbf{SO}}{\|\mathbf{SO}\|} = \frac{-t^2-10}{\sqrt{t^4+20t^3+100t^2+64}}\,\mathbf{i} - \frac{8}{\sqrt{t^4+20t^3+100t^2+64}}\,\mathbf{j}$

Calculons le rapport f_o/f_s, que nous dénotons aussi par $r(t)$.

$f_o = \frac{c-(\mathbf{v}_o \cdot \mathbf{u}_{so})}{c-(\mathbf{v}_s \cdot \mathbf{u}_{so})} f_s \quad \Rightarrow \quad \frac{f_o}{f_s} = \frac{c-(\mathbf{v}_o \cdot \mathbf{u}_{so})}{c-(\mathbf{v}_s \cdot \mathbf{u}_{so})}$

$r(t) = \frac{f_o}{f_s} = \frac{c-(\mathbf{0} \cdot \mathbf{u}_{so})}{c-((10t+50)\,\mathbf{i}) \cdot \mathbf{u}_{so}} = \frac{340}{340+10t(t+5)(t+10)/\sqrt{t^4+20t^3+100t^2+64}}$

(c) Dessinez le graphique du profil de $\frac{f_o}{f_s}$.

(d) Déterminons les instants auxquels la dérivée pour $r(t)$ est nulle.

$\frac{d}{dt}r(t) = 0 \quad \Rightarrow \quad t \approx -1,1987$ s $\quad$ et $\quad t \approx -8,8013$ s

La seconde solution est à rejeter car elle correspond à un minimum.

$(f_o/f_s)_{\text{max}} = r(-1,1987$ s$) \approx 1,0978$

(e) La fréquence f_o est maximale lorsque le rapport f_o/f_s est maximal. Évaluons la position de l'automobile au temps $t \approx -1,1987$ s.

$x(-1,1987$ s$) \approx -52,57$ m. L'auto est située en $(-52,57; 40)$ m.

3.58 Démonstration

Chapitre 4

4.1   La clé du problème repose sur l'examen du faisceau qui frappe la face intérieure droite du prisme à l'angle critique. Calculons l'angle critique impliqué.

$\theta_c = \sin^{-1}(n_t/n_i) = \sin^{-1}(1/(3/2)) \approx 41,81°$

Notons A la pointe supérieure du prisme. Notons B et D les endroits où les faisceaux traversent les faces de gauche et de droite du prisme. Notons C l'intersection des normales aux deux interfaces aux points B et D. Considérons le polygone $ABCD$. La somme des angles intérieurs vaut 360°. Calculons l'angle intérieur au sommet C.

$\angle A + \angle B + \angle C + \angle D = 360°$

$\Rightarrow \angle C = 360° - \angle A - \angle B - \angle D = 360° - 60° - 90° - 90° = 120°$

Considérons le triangle BCD. Dans ce nouveau cas, l'angle intérieur au sommet D correspond à l'angle critique θ_c. L'angle intérieur au sommet C vaut 120°, tandis que l'angle intérieur au sommet B correspond à l'angle θ_t. Calculons l'angle θ_t en rappelant que la somme des angles intérieurs au triangle vaut 180°.

$\angle B' + \angle C + \angle D' = 180° \quad \Rightarrow \quad \theta_t + \angle C + \angle D' = 180°$

$\Rightarrow \theta_t = 180° - \angle C - \angle D' \approx 180° - 120° - 41,81° \approx 18,19°$

À l'aide de la loi de la réfraction, calculons l'angle θ_i.

$n_i \sin \theta_i = n_t \sin \theta_t \quad \Rightarrow \quad 1 \sin \theta_i \approx \frac{3}{2} \sin(18,19°) \quad \Rightarrow \quad \theta_i \approx 27,92°$

4.2   Démonstration

4.3   Notons l_1 la distance horizontale séparant la tige du point de contact du faisceau avec la surface de l'eau. Notons l_2 la distance à ajouter à l_1 pour obtenir la longueur L.

$l_1 + l_2 = L$

En étudiant les triangles rectangles impliquant les longueurs l_1 et l_2, nous obtenons les égalités suivantes :

$\tan \theta_i = l_1/h_1 \, ; \quad \tan \theta_t = l_2/h_2$

La loi de la réfraction constitue la quatrième équation.

$l_1 + l_2 = L \, ; \quad \tan \theta_i = l_1/h_1 \, ; \quad \tan \theta_t = l_2/h_2 \, ; \quad n_i \sin \theta_i = n_t \sin \theta_t$

Inconnues : l_1, l_2, θ_i et θ_t.   Paramètres : L, h_1, h_2, n_i et n_t.

En considérant $L = 20$ cm, $h_1 = 10$ cm, $h_2 = 15$ cm, $n_i = 1$ et $n_t = 1,33$, nous obtenons les résultats ci-dessous.

$l_1 \approx 10,355$ cm $; \quad l_2 \approx 9,6451$ cm $; \quad \theta_i \approx 45,999° \, ; \quad \theta_t \approx 32,741°$

4.4 $D_{\text{total}} \approx 19,77$ cm

4.5   Considérons la loi de la réfraction pour l'interface du haut.

$n_i \sin \theta_i = n_t \sin \theta_t$

Pour l'interface du bas, les indices n_i et n_t doivent être permutés : l'angle d'incidence devient θ_i l'angle de transmission θ_t et le nouvel angle de transmission est noté θ_{tt}.

Il s'ensuit

$$n_t \sin \theta_t = n_i \sin \theta_{tt}$$

Le côté gauche de l'égalité ci-dessus est identique au côté droit de l'égalité dégagé pour l'interface du haut.

$$\Rightarrow\ n_i \sin \theta_i = n_i \sin \theta_{tt} \Rightarrow\ \sin \theta_i = \sin \theta_{tt}$$

Les angles θ sont inclus dans l'intervalle $[0; 90°]$.

$$\Rightarrow\ \theta_i = \theta_{tt}$$

4.6   S'il n'y a pas de réflexion totale interne, le faisceau sort à l'angle θ_i.

4.7   Numérotons de 1 à 4 les interfaces en respectant l'ordre d'apparition des trajets optiques. La face supérieure du matériau d'indice n_3 (interface 5) n'intervient pas dans les calculs. Considérons l'interface 1.

$$n_{i,1} \sin \theta_{i,1} = n_{t,1} \sin \theta_{t,1} \quad \Rightarrow \quad 1 \sin 60 = 1,8 \sin \theta_{t,1}$$
$$\Rightarrow\ \theta_{t,1} = \sin^{-1}(5\sqrt{3}/18) \approx 28,76°$$

Les interfaces 1 et 2 sont parallèles, il s'ensuit $\theta_{i,2} = \theta_{t,1}$. À présent, considérons l'interface 2.

$$\Rightarrow\ n_{i,2} \sin \theta_{i,2} = n_{t,2} \sin \theta_{t,2} \Rightarrow\ 1,8 \sin(\sin^{-1}(5\sqrt{3}/18)) = 1 \sin \theta_{t,2}$$
$$\Rightarrow\ \theta_{t,2} = 60°$$

La valeur obtenue est en accord avec le résultat théorique de la question 4.5. L'écart angulaire entre les deux plaques du bas a pour effet d'augmenter l'angle d'incidence à l'interface 3.

$$\theta_{i,3} = \theta_{t,2} + 20°$$

À présent, considérons l'interface 3.

$$\Rightarrow\ n_{i,3} \sin \theta_{i,3} = n_{t,3} \sin \theta_{t,3} \Rightarrow\ 1 \sin 80 = 1,6 \sin \theta_{t,3}$$
$$\Rightarrow\ \theta_{t,3} \approx 37,99°$$

Calculons l'angle critique à l'interface 4.

$$\theta_{c,4} = \sin^{-1}(n_{t,4}/n_{i,4}) = \sin^{-1}(1,2/1,6) \approx 48,59°$$

Les interfaces 3 et 4 sont parallèles, il s'ensuit $\theta_{i,4} = \theta_{t,3} \approx 37,99°$. Étant donné que $\theta_{i,4} < \theta_{c,4}$, la réflexion totale interne n'a pas lieu, de sorte que le signal pénètre dans le milieu d'indice n_3.

4.8   Si $f_{\text{rouge}} = 384 \times 10^{12}$ Hz et $f_{\text{violet}} = 769 \times 10^{12}$ Hz $\Rightarrow d \approx 816,51$ cm.

4.9   L'indice de réfraction d'un matériau n'est pas constant. En réalité la valeur n dépend de la fréquence f (couleur) du signal qui se propage dans le matériau transparent. En combinant cette remarque avec la loi de la réfraction, il s'ensuit que chaque couleur est différemment réfractée, ce qui équivaut à dire que chaque couleur est transmise à un angle θ_t différent. Cela explique pourquoi un prisme parvient à montrer l'étendu des couleurs contenues dans la lumière blanche.

4.10 (a) $\theta_1 = 60°$; $\theta_2 \approx 40,51°$; $\theta_3 \approx 77,61° > \theta_c = 48,75°$

      (b)   Le faisceau ne ressortira pas dans l'air.

      (c) $\lambda_1 = 600$ nm ; $\lambda_2 = 450$ nm ; $\lambda_3 \approx 676,7$ nm ;

4.11 La clé de la solution repose sur l'étude des faisceaux qui frappent la face supérieure du cube à l'angle critique. Calculons l'angle critique impliqué. Construisons le triangle–rectangle dont l'hypoténuse coïncide avec le trajet optique dont la base vaut $d/2$ et dont le côté vertical vaut $h = 5$ cm. Dans le présent cas, d représente le plus grand diamètre du disque permettant à la lumière d'émerger de la face supérieure du cube ; au-delà de la frontière du disque diamètre d, la lumière est totalement réfléchie vers l'intérieur du cube. L'angle soustendu par l'hypoténuse et le côté vertical du triangle rectangle correspond à θ_c. Notons premièrement l'expression de l'angle critique.

$\sin \theta_c = \frac{n_t}{n_i}$

En utilisant le triangle rectangle décrit précédemment, déterminons une expression pour l'angle critique.

$\sin \theta_c = \frac{\text{coté opposé}}{\text{hypoténuse}} = \frac{d/2}{\sqrt{(d/2)^2 + h^2}}$

Considérons les membres à droite des égalités.

$\frac{n_t}{n_i} = \frac{d/2}{\sqrt{(d/2)^2 + h^2}} \quad \Rightarrow \quad d = \frac{2n_t h}{\sqrt{n_i^2 - n_t^2}} = \frac{2 \times 1 \times 5}{\sqrt{2^2 - 1^2}} = 10/\sqrt{3}$ cm

La proportion p couverte s'obtient par un rapport de surfaces.

$p = \frac{A_{\text{disque}}}{A_{\text{face}}} = \frac{\pi (d/2)^2}{10^2} = \pi/12 \approx 0,2618$

Puisque les cinq autres faces sont identiques, la proportion du cube qui est recouverte est aussi de $26,18$ %.

4.12 Démonstration

4.13 Puisque l'image produite n'est pas située du côté du milieu émergent, l'image est virtuelle et, conformément à la convention des signes, le signe pour s_i devrait être négatif. Or, l'expression en (4.44) indique qui si $s_0 > 0$, alors $s_i < 0$. Afin de respecter la convenstion des signes, il est donc souhaitable d'introduire un signe négatif en (4.44). À partir du résultat en (4.44), il est possible retrouver la loi des dioptres plans $(R \to \infty)$ dans la mesure où on suppose que les angles sont petits. En effet, si les angles θ_i et θ_t sont petits,

$\Rightarrow \; s_i = -\frac{n_t \cos \theta_t}{n_i \cos \theta_i} s_o \approx -\frac{n_t}{n_i} s_o \; \Rightarrow \; s_i \approx -\frac{n_t}{n_i} s_o$

Du point de vue du dioptre plan,

$\Rightarrow \; \frac{n_i}{s_o} + \frac{n_t}{s_i} = \frac{n_t - n_i}{\infty} \; \Rightarrow \; \frac{n_i}{s_o} + \frac{n_t}{s_i} = 0 \; \Rightarrow \; s_i = -\frac{n_t}{n_i} s_o$

Les expression obtenues sont équivalentes.

4.14 (a) Le dix sous semble être à une profondeur de $3,51$ m.

(b) L'objet est réel car il se situe dans le milieu d'incidence de l'œil.

4.15 Utilisons un point du fond du réservoir comme objet. La lumière émise par cet objet remonte vers la surface et atteint notre œil situé à l'extérieur du réservoir. Le calcul de la profondeur apparente s'effectue en considérant un à un les différents trajets optiques. Déterminons l'expression de la profondeur apparente dans le cas où nous regardons la surface à incidence normale.

$$s_i = -\frac{n_t \cos\theta_t}{n_i \cos\theta_i} s_o = -\frac{n_t \cos 0}{n_i \cos 0} s_o = -\frac{n_t}{n_i} s_o$$

L'interface entre les deux liquides porte l'étiquette 1. Calculons la position de l'image après que les faisceaux aient franchi l'interface 1.

$$s_{i,1} = -\frac{n_{t,1}}{n_{i,1}} s_{o,1} = -\frac{1,5}{3} \times 4 = -2 \text{ cm}$$

L'image se forme dans le liquide du bas car le calcul indique qu'elle est à 2 cm de l'interface 1. L'interface entre le liquide du haut et l'air porte l'étiquette 2. Pour l'interface 2, l'image produite devient un objet réel situé à 8 cm de l'interface.

$$s_{o,2} = 6 - s_{i,1} = 8 \text{ cm}$$

Calculons la position de l'image correspondant aux faisceaux qui ressortent dans l'air.

$$s_{i,2} = -\frac{n_{t,2}}{n_{i,2}} s_{o,2} = -\frac{1}{1,5} \times 8 = -16/3 \approx -5,33 \text{ cm}$$

Malgré qu'il ait une profondeur réelle de 10 cm, le réservoir sera perçu comme ayant une profondeur de $5,33$ cm. Voilà une explication de l'origine de la notion de *profondeur apparente*.

4.16 (a) $s_{i,1} \approx -24,27$ cm ; $s_{o,2} \approx +29,27$ cm ; $s_{i,2} \approx -11,95$ cm

(b) Pour notre œil, il s'agit d'un objet réel.

4.17 (a) À partir de l'objet réel que constitue le poisson, il suffit de répéter le calcul de la profondeur apparente pour chaque trajet optique. Déterminons l'expression de la profondeur apparente dans le cas où nous regardons le poisson à incidence normale.

$$s_i = -\frac{n_t \cos\theta_t}{n_i \cos\theta_i} s_o = -\frac{n_t \cos 0}{n_i \cos 0} s_o = -\frac{n_t}{n_i} s_o$$

L'interface entre l'eau et le verre porte l'étiquette 1. Puisque le poisson est à une distance de 20 cm de l'interface 1, la position $s_{o,1}$ vaut $+20$ cm. Calculons la position de l'image après que les faisceaux aient franchi l'interface 1.

$$s_{i,1} = -\frac{n_{t,1}}{n_{i,1}} s_{o,1} = -\frac{1,5}{1,33} \times 20 \approx -22,56 \text{ cm}$$

L'image se forme dans l'eau car le calcul indique qu'elle est à $22,56$ cm de l'interface 1. L'interface entre le verre et l'air porte l'étiquette 2. Pour l'interface 2, l'image produite devient un objet réel situé à $27,56$ cm de l'interface.

$$s_{o,2} = 5 - s_{i,1} \approx 27,56 \text{ cm}$$

Calculons la position de l'image correspondant aux faisceaux qui ressortent dans l'air.

$$s_{i,2} = -\frac{n_{t,2}}{n_{i,2}} s_{o,2} \approx -\frac{1}{1,5} \times 27,56 \approx -18,37 \text{ cm}$$

Les positions images demandées sont les suivantes :

$$s_{i,1} \approx -22,56 \text{ cm} ; \quad s_{i,2} \approx -18,37 \text{ cm}.$$

(b) Pour notre œil, il s'agit d'un objet réel.

4.18 $s_{i,2} \approx -4,113$ cm, et l'objet perçu par notre œil est réel.

4.19 Considérons le triangle rectangle dont l'hypoténuse coïncide avec la droite reliant l'origine et le point où la réflexion se produit (droite oblique dans la figure 4.52). L'hypoténuse est R et la base du triangle est $R - D/2$. L'angle soutendu par l'hypoténuse et le côté vertical du triangle rectangle est l'angle d'incidence. Calculons l'angle d'incidence au point où la réflexion se produit.

$\theta_i = \sin^{-1}(\frac{\text{côté opposé}}{\text{hypoténuse}}) = \sin^{-1}(\frac{R-D/2}{R}) = \sin^{-1}(\frac{6-5/2}{6}) \approx 35,68°$

Calculons l'angle critique au point où la réflexion se produit.

$\theta_c = \sin^{-1}(n_t/n_i) = \sin^{-1}(1/1,5) \approx 41,81°$

Puisque $\theta_i < \theta_c$, il n'y a pas de réflexion totale interne auquel cas, la lumière est transmise à l'extérieur de la fibre optique. Cela signifie qu'une partie de l'information transportée par le signal est perdue.

4.20 $D < 2R(1 - n_a/n_{\text{fil}})$

4.21 (a) Les calculs peuvent s'effectuer en utilisant l'équation de la profondeur apparente, ou bien à l'aide de l'équation des dioptres sphériques. Déterminons l'expression de la loi des dioptres lorsque $R \to \infty$.

$\frac{n_i}{s_o} + \frac{n_t}{s_i} = \frac{n_t - n_i}{\infty} \quad \Rightarrow \quad \frac{n_i}{s_o} + \frac{n_t}{s_i} = 0 \quad \Rightarrow \quad s_i = -\frac{n_t}{n_i} s_o$

Calculons la position de l'image formée par l'interface air–verre. L'objet est à une distance $s_{o,1} = +2$ cm de l'interface 1.

$s_{i,1} = -\frac{n_{t,1}}{n_{i,1}} s_{o,1} = -\frac{1,5}{1} \times 2 = -3$ cm

L'image est produite dans l'air à 3 cm de l'interface 1. L'interface verre-air porte l'étiquette 2. Pour l'interface 2, l'image produite est interprété comme un objet réel situé à 8 cm de l'interface.

$s_{o,2} = 5 - s_{i,1} = 8$ cm

Calculons la position de l'image correspondant aux faisceaux qui ressortent dans l'air.

$s_{i,2} = -\frac{n_{t,2}}{n_{i,2}} s_{o,2} = -\frac{1}{1,5} \times 8 = -16/3 \approx -5,33$ cm

(b) La plaque produit une image virtuelle car $s_{i,2} < 0$.

(c) L'œil peut voir cette image ; l'image devient un objet réel pour l'œil.

4.22 (a) $s_{i,1} = -90$ cm ; $\quad g_t = +3$ $\qquad$ (b) $s_{i,1} = +18$ cm ; $\quad g_t = +3/5$

4.23 Calculons la distance focale f de la lentille mince. Étant donné que la lentille est biconvexe, le rayon R_1 de la première face rencontrée est positif, tandis que le rayon R_2 de la deuxième face est négatif.

$\frac{1}{f} = (\frac{n_L}{n_a} - 1)(\frac{1}{R_1} - \frac{1}{R_2}) = (\frac{2}{1} - 1)(\frac{1}{10} - \frac{1}{-10}) = \frac{1}{5} \quad \Rightarrow \quad f = 5$ cm

L'image doit être à 1/2 mm du foyer, soit à 1/20 cm du foyer.

$s_i = f \pm 1/20$

Utilisons l'équation des lentilles minces afin de calculer les positions que peut l'objet.

$1/s_o + 1/s_i = 1/f \quad \Rightarrow \quad 1/s_o + 1/(f \pm 1/20) = 1/f$

Il s'agit de résoudre cette dernière équation, en considérant $f = 5$ cm. Il y a deux solutions à cette équation.

$s_o = 505$ cm $\quad$ et $\quad s_o = -495$ cm

Vu que la scène à photographier est réelle, seule la solution positive est retenue. Notons aussi que plus on s'éloigne de la scène, plus l'image se formera près du foyer image. En conclusion : $s_o \geq 505$ cm.

4.24 $s_{i,3} = -2730/107$ cm ; $g_t = +125/107$

4.25   Puisque l'image produite par le système optique est virtuelle, elle sera assurément interprétée comme un objet réel par la lentille mince. La lentille est biconcave, sa distance focale est négative. La contrainte sur le grandissement transversal permet à l'image d'être inversée par rapport à l'objet ; mais en grandeur, elle doit avoir le double de la grandeur de l'objet.

$s_o > 0$; $f = -30$ cm ; $g_t = \pm 2$

Considérons le grandissement transversal d'une lentille mince.

$g_t = -s_i/s_o$ $\Rightarrow$ $\pm 2 = -s_i/s_o$ $\Rightarrow$ $s_i = \pm 2 s_o$

Intégrons les résultats obtenus dans la loi des lentilles minces.

$1/s_o + 1/s_i = 1/f$ $\Rightarrow$ $1/s_o + 1/(\pm 2 s_o) = 1/(-30)$

L'équation précédente n'admet aucune solution positive pour s_o. Cela signifie que le montage n'est pas réalisable.

4.26   L'expression suivante n'admet aucune solution positive pour $s_{o,1}$. Cela signifie que le montage n'est pas réalisable ($r > 0$, $d > 0$).

$s_{o,1} = -\dfrac{r(r(6 \pm 3) + 2d)}{6r + d}$

4.27   Formulons les équations caractérisant le système optique proposé.

$1/s_{o,1} + 1/s_{i,1} = 1/f_1$ $s_{o,2} = x - s_{i,1}$

$1/s_{o,2} + 1/s_{i,2} = 1/f_2$ $s_{i,2} = 75 - x$

$g_t = g_{t1}\, g_{t2} = -\dfrac{s_{i,1}}{s_{o,1}} \times -\dfrac{s_{i,2}}{s_{o,2}} = -1$

Inconnues : $s_{i,1}$, $s_{o,2}$, x, $s_{i,2}$ et f_2.   Paramètres : $s_{o,1}$ et f_1.

La lentille mince biconvexe a une focale positive. L'objet de départ est réel. En considérant $s_{o,1} = +30$ cm et $f_1 = +20$ cm, nous obtenons les résultats ci–dessous.

$s_{i,1} = 60$ cm ; $s_{o,2} = 30$ cm ; $x = 90$ cm ; $s_{i,2} = -15$ cm ; $f_2 = -30$ cm

La distance x est supérieure à 75 cm, ce qui place la seconde lentille à l'arrière de l'écran... Nous ne pouvons réaliser le système proposé.

4.28 $s_{i,2} = 4$ cm ; $g_t = +8/5$

4.29   Lorsque les faisceaux traversent la lentille biconvexe de la gauche vers la droite, le rayon de la face gauche est positif, tandis que le rayon de la face droite est négatif : $R_G = 10$ cm et $R_D = -10/3$ cm. Calculons la distance focale de la lentille mince.

$\frac{1}{f} = \left(\frac{n_l}{n_a} - 1\right)\left(\frac{1}{R_1} - \frac{1}{R_2}\right) = \left(\frac{3/2}{1} - 1\right)\left(\frac{1}{10} - \frac{1}{-10/3}\right) = \frac{1}{5}$ $\Rightarrow$ $f = 5$ cm

Si les faisceaux se déplacent vers la gauche, le résultat est le même.

(a)   Un objet réel à 20 cm à gauche de la lentille génère des faisceaux se déplaçant vers la droite. Calculons les caractéristiques de l'image.

$1/s_o + 1/s_i = 1/f \;\Rightarrow\; 1/20 + 1/s_i = 1/5 \;\Rightarrow\; s_i = 20/3 \text{ cm}$

$\Rightarrow\; g_t = -s_i/s_o = -(20/3)/20 = -1/3$

(b) Un objet virtuel à 20 cm à gauche de la lentille provient de faisceaux se déplaçant vers la gauche. Calculons les caractéristiques de l'image.

$1/s_o + 1/s_i = 1/f \;\Rightarrow\; 1/(-20) + 1/s_i = 1/5 \;\Rightarrow\; s_i = 4 \text{ cm}$

$g_t = -s_i/s_o = -4/(-20) = 1/5$

(c) La condition est similaire à celle en (a), sauf que le sens des faisceaux est inversé. En considérant $s_o = 20$ cm, nous obtenons les mêmes résultats qu'en (a).

(d) La condition est similaire à celle en (b), sauf que le sens des faisceaux est inversé. En considérant $s_o = -20$ cm, nous obtenons les mêmes résultats qu'en (b).

4.30 (a) L'image produite pourrait être réelle ou virtuelle.

(b) L'image produite doit absolument être réelle.

(c) Même réponse qu'en (a).

(d) Même réponse qu'en (b).

4.31 (a) Modélisons le système optique proposé.

$1/s_o + 1/s_i = 2/R$

$s_i = s_o + d$

Inconnue : s_o, s_i Paramètres : d et R.

Le miroir utilisé est concave. Il s'ensuit $R = +20$ cm. Selon les valeurs pour d, positive ($d = +100$ cm) ou négative ($d = -100$ cm), les positions images sont respectivement situées *derrière* et *devant* l'objet (faites un schéma). Afin de vérifier si l'image produite par le miroir peut apparaître sur un écran, il suffit de vérifier le signe de s_i. Considérons le premier cas $d = +100$ cm. Après avoir effectué le calcul, nous obtenons deux solutions.

$s_{o,1} = 10(\sqrt{26} - 4) \text{ cm} \,;\quad s_{i,1} = 10(\sqrt{26} + 6) \text{ cm} > 0$

$s_{o,1} = -10(\sqrt{26} + 4) \text{ cm} \,;\quad s_{i,1} = -10(\sqrt{26} - 6) \text{ cm} > 0$

Le second cas $d = -100$ cm conduit à deux autres solutions.

$s_{o,1} = 10(\sqrt{26} + 6) \text{ cm} \,;\quad s_{i,1} = 10(\sqrt{26} - 4) \text{ cm} > 0$

$s_{o,1} = -10(\sqrt{26} - 6) \text{ cm} \,;\quad s_{i,1} = -10(\sqrt{26} + 4) \text{ cm} < 0$

(b) Dans la mesure où l'écran ne bloque pas entièrement les faisceaux émis par la source, ce qui peut être le cas s'il est plus bas ou plus haut que l'axe optique ou s'il est très petit, les trois première solutions obtenues sont réalisables ; la dernière ne l'est pas car l'image correspondant à la position $s_o = -10(\sqrt{26} - 6)$ cm est une image virtuelle ($s_i < 0$). Elle ne peut donc pas être projetée sur un écran.

4.32 $R_G = -2$ cm ; $R_D = -3$ cm ; $d = 10$ cm ; la lentille n'est pas mince.

4.33   Formulons les équations caractérisant le système optique proposé. Soulignons que l'image finale est produite par le miroir. L'objet virtuel est à 20 cm à droite de la première lentille. Cela signifie que la position objet $s_{o,1}$ est -20 cm. Les distance focales des deux premières lentilles minces sont positives car ce sont des lentilles convergentes : $f_1 = +5$ cm et $f_2 = +12$ cm. La troisième lentille est divergente et possède une distance focale négative : $f_3 = -22$ cm. Le miroir a un rayon positif car il est concave : $R = 28$ cm. Calculons la position de l'image produite par le miroir.

$\frac{1}{s_{o,1}} + \frac{1}{s_{i,1}} = \frac{1}{f_1} \quad \Rightarrow \quad \frac{1}{-20} + \frac{1}{s_{i,1}} = \frac{1}{+5} \quad \Rightarrow \quad s_{i,1} = 4$ cm

$s_{o,2} = 10 - s_{i,1} = 10 - 4 = 6$ cm

$\frac{1}{s_{o,2}} + \frac{1}{s_{i,2}} = \frac{1}{f_2} \quad \Rightarrow \quad \frac{1}{6} + \frac{1}{s_{i,2}} = \frac{1}{12} \quad \Rightarrow \quad s_{i,2} = -12$ cm

$s_{o,3} = 10 - s_{i,2} = 10 - (-12) = 22$ cm

$\frac{1}{s_{o,3}} + \frac{1}{s_{i,3}} = \frac{1}{f_3} \quad \Rightarrow \quad \frac{1}{22} + \frac{1}{s_{i,3}} = \frac{1}{-22} \quad \Rightarrow \quad s_{i,3} = -11$ cm

$s_{o,4} = 10 - s_{i,3} = 10 - (-11) = 21$ cm

$\frac{1}{s_{o,4}} + \frac{1}{s_{i,4}} = \frac{2}{R} \quad \Rightarrow \quad \frac{1}{21} + \frac{1}{s_{i,4}} = \frac{2}{28} \quad \Rightarrow \quad s_{i,4} = +42$ cm

L'image produite est réelle. Calculons son grandissement transversal.

$g_t = g_{t1}\, g_{t2}\, g_{t3}\, g_{t4} = -\frac{s_{i,1}}{s_{o,1}} \times -\frac{s_{i,2}}{s_{o,2}} \times -\frac{s_{i,3}}{s_{o,3}} \times -\frac{s_{i,4}}{s_{o,4}}$

$\Rightarrow \quad g_t = -\frac{4}{-20} \times -\frac{-12}{6} \times -\frac{-11}{22} \times -\frac{42}{21} = -2/5$

4.34 (a) $f_2 = d - 110$ cm (b) $|R| = 100$ cm

4.35 Cette question est résolue à l'exemple 4.6 de la page 161.
$s_{i,2} = +440$ mm ; $h_i = -20/3$ mm

4.36 (a) Le point à droite correspond au foyer objet.
(b) Le point à gauche correspond au foyer image.
(c) $s_i = -f$
(d) $s_i = f/3$

4.37 Cette question est résolue à l'exemple 4.4 de la page 153.
$s_{i,2} = -8$ cm ; $g_t = -2/5$

4.38 $s_{i,5} = -500/61$ cm ; $g_t = -15/122$

4.39 Le calcul de $s_{i,2}$ est effectué à l'exemple 4.5 de la page 156.
$s_{i,2} = +70$ cm
Calculons le grandissement transversal.

$g_t = g_{t1}\, g_{t2} = -\frac{n_{i,1}\, s_{i,1}}{n_{t,1}\, s_{o,1}} \times -\frac{n_{i,2}\, s_{i,2}}{n_{t,2}\, s_{o,2}} = -\frac{1 \times (-12)}{1{,}5 \times 40} \times -\frac{1{,}5 \times 70}{1 \times 42} = -1/2$

4.40 (a) Le signal lumineux se déplace vers la gauche.
(b) Le système optique devait précédemment produire une image réelle.
(c) L'écran est à gauche de la lentille.
(d) $f = +40$ cm. Il s'agit donc d'une lentille convergente.

4.41 Formulons les équations concernant la première situation.
$1/s_{o,1} + 1/s_{i,1} = 2/R$
Le grandissement est positif, car l'image est virtuelle et l'objet est réel ; il s'ensuit $s_{i,1} < 0$ et $s_{o,1} > 0$.

$g_{t,1} = -s_{i,1}/s_{o,1} \quad \Rightarrow \quad +2 = -s_{i,1}/s_{o,1}$

Formulons les équations concernant la deuxième situation.

$1/s_{o,2} + 1/s_{i,2} = 2/R$

Dans ces cas le grandissement est négatif, car l'image est réelle et l'objet est réel; il s'ensuit $s_{i,2} > 0$ et $s_{o,2} > 0$.

$g_{t,2} = -s_{i,2}/s_{o,2} \quad \Rightarrow \quad -1/4 = -s_{i,2}/s_{o,2}$

En ajoutant l'équation portant sur le déplacement de l'objet, nous obtenons un système à cinq équations.

$1/s_{o,1} + 1/s_{i,1} = 2/R \qquad +2 = -s_{i,1}/s_{o,1} \qquad s_{o,2} = s_{o,1} + 45$

$1/s_{o,2} + 1/s_{i,2} = 2/R \qquad -1/4 = -s_{i,2}/s_{o,2}$

Inconnues : $s_{o,1}$, $s_{i,1}$, R, $s_{o,2}$ et $s_{i,2}$. Après avoir effectué le calcul, nous obtenons $R = +20$ cm. Le miroir concave car $R > 0$.

4.42 (a) $s_{i,5} = -11040/949$ cm ; $\quad g_t \approx +0,001053$

(b) $s_{i,5} = -9900/851$ cm ; $\quad g_t \approx -0,00118$

(c) $s_{i,5} = -349/30$ cm ; $\quad g_t$ est indéfini

4.43 Établissons l'équation du dioptre pour la face gauche de la lentille épaisse. La surface est convexe et les faisceaux se déplacent vers la droite, il s'ensuit $R_G = +5$ cm.

$\frac{n_{i,1}}{s_{o,1}} + \frac{n_{t,1}}{s_{i,1}} = \frac{n_{t,1} - n_{i,1}}{R_G} \quad \Rightarrow \quad \frac{1}{s_{o,1}} + \frac{1,5}{s_{i,1}} = \frac{1,5-1}{5}$

L'image produite par la face gauche devient l'objet pour la face droite. L'épaisseur de la lentille intervient dans le calcul de la nouvelle position objet ($d = 2$ cm).

$s_{o,2} = d - s_{i,1} \quad \Rightarrow \quad s_{o,2} = 2 - s_{i,1}$

Formulons l'équation du dioptre pour la face droite de la lentille épaisse. Cette surface est convexe et les faisceaux se déplacent vers la droite, il s'ensuit $R_D = -5$ cm.

$\frac{n_{i,2}}{s_{o,2}} + \frac{n_{t,2}}{s_{i,2}} = \frac{n_{t,2} - n_{i,2}}{R_D} \quad \Rightarrow \quad \frac{1,5}{s_{o,2}} + \frac{1}{s_{i,2}} = \frac{1-1,5}{-5}$

L'image produite par la face droite devient l'objet pour la lentille mince. La distance x entre les deux lentilles intervient dans le calcul de la nouvelle position objet.

$s_{o,3} = x - s_{i,2}$

Formulons l'équation pour lentille mince. Étant donné que la lentille est biconvexe, il s'ensuit $f_3 = +15$ cm. L'image finale apparaît sur un écran situé 30 cm à droite de la lentille mince. Nous déduisons que la position $s_{i,3}$ vaut $+30$ cm.

$\frac{1}{s_{o,3}} + \frac{1}{s_{i,3}} = \frac{1}{f_3} \quad \Rightarrow \quad \frac{1}{s_{o,3}} + \frac{1}{30} = \frac{1}{15}$

Considérons l'expression du grandissement transversal du système optique. L'énoncé indique que le grandissement vaut $+10$.

$\Rightarrow g_t = g_{t,1} \, g_{t,2} \, g_{t,3} = -\frac{n_{i,1} s_{i,1}}{n_{t,1} s_{o,1}} \times -\frac{n_{i,2} s_{i,2}}{n_{t,2} s_{o,2}} \times -\frac{s_{i,3}}{s_{o,3}}$

$\Rightarrow g_t = -\frac{1 s_{i,1}}{1,5 s_{o,1}} \times -\frac{1,5 s_{i,2}}{1 s_{o,2}} \times -\frac{30}{s_{o,3}} \quad \Rightarrow \quad 10 = -\frac{s_{i,1}}{s_{o,1}} \times -\frac{s_{i,2}}{s_{o,2}} \times -\frac{30}{s_{o,3}}$

Présentons les six équations et les six inconnues.

$$\frac{1}{s_{o,1}} + \frac{1,5}{s_{i,1}} = \frac{1,5-1}{5} \qquad s_{o,2} = 2 - s_{i,1}$$

$$\frac{1,5}{s_{o,2}} + \frac{1}{s_{i,2}} = \frac{1-1,5}{-5} \qquad s_{o,3} = x - s_{i,2}$$

$$\frac{1}{s_{o,3}} + \frac{1}{30} = \frac{1}{15} \qquad 10 = -\frac{s_{i,1}}{s_{o,1}} \times -\frac{s_{i,2}}{s_{o,2}} \times -\frac{30}{s_{o,3}}$$

Inconnues : $s_{o,1}$, $s_{i,1}$, $s_{o,2}$, $s_{i,2}$, x et $s_{o,3}$.

Après avoir effectué le calcul, nous obtenons les résultats ci–dessous.

$s_{o,1} \approx 5, 18$ cm ; $\quad s_{i,1} \approx -16, 11$ cm ; $\quad s_{o,2} \approx 18, 11$ cm ;

$s_{i,2} \approx 58, 21$ cm ; $\quad x \approx 88, 21$ cm ; $\quad s_{o,3} = 30$ cm

4.44 (a) Après avoir effectué le calcul, nous obtenons :

$s_{i,1} = +120$ cm, $s_{i,2} = +16$ cm, $s_{o,2} = -80$ cm, $f_2 = +20$ cm

La distance séparant les deux lentilles est $x = 40$ cm. Dans les circonstances, les résultats sont plausibles car ils semblent réalisables. Il existe donc une lentille pouvant réaliser les conditions stipulées.

(b) $f_2 = +20$ cm

(c) L'objet présenté à la lentille insérée est virtuel car $s_{o,2} < 0$.

(d) L'image donnant lieu à l'objet en (c) est réelle car $s_{i,1} > 0$.

4.45 (a) Formulons l'équation pour la première lentille mince. Étant donné que la lentille est convergente, il s'ensuit $f_1 = +30$ cm. L'objet est réel et il se situe à une distance de 40 cm de la lentille, $s_{o,1} = 40$ cm.

$1/s_{o,1} + 1/s_{i,1} = 1/f_1 \quad \Rightarrow \quad 1/40 + 1/s_{i,1} = 1/30$

L'image produite par la première lentille devient l'objet pour la seconde lentille. La distance x entre les deux lentilles intervient dans le calcul de la nouvelle position objet.

$s_{o,2} = x - s_{i,1}$

Formulons l'équation de la seconde lentille mince de focale inconnue.

$1/s_{o,2} + 1/s_{i,2} = 1/f_2$

Exprimons la position de l'image 2 en fonction des distances connues.

$s_{i,2} = 96 - x - 40$

Considérons l'expression du grandissement transversal du système optique. L'énoncé indique que ce grandissement vaut -9.

$g_t = g_{t,1}\, g_{t,2} = -\frac{s_{i,1}}{s_{o,1}} \times -\frac{s_{i,2}}{s_{o,2}} \quad \Rightarrow \quad -9 = -\frac{s_{i,1}}{40} \times -\frac{s_{i,2}}{s_{o,2}}$

Voici le système d'équations caractérisant le système optique.

$1/40 + 1/s_{i,1} = 1/30 \qquad s_{o,2} = x - s_{i,1}$

$1/s_{o,2} + 1/s_{i,2} = 1/f_2 \qquad s_{i,2} = 96 - x - 40$

$-9 = -\frac{s_{i,1}}{40} \times -\frac{s_{i,2}}{s_{o,2}}$

Inconnues : $s_{i,1}$, $s_{o,2}$, $s_{i,2}$, x et f_2.

Après avoir effectué le calcul, nous obtenons :

$s_{i,1} = +120$ cm, $s_{i,2} = -96$ cm, $s_{o,2} = +32$ cm, $f_2 = +48$ cm

La distance séparant les deux lentilles est $x = 152$ cm. Cette dernière valeur nous signale qu'il faudrait placer la lentille à l'arrière de l'écran... Tel qu'il est proposé, le montage n'est donc pas expérimentalement réalisable. Dans ces circonstances, il n'est pas possible de répondre aux questions (b) à (d).

4.46 (a) Après avoir effectué le calcul, nous obtenons $s_{i,1} \approx +31,35$ cm, $s_{i,2} \approx +27$ cm, $s_{o,2} \approx -2,35$ cm, $f_1 \approx 17,57$ cm, $f_2 \approx -2,57$ cm, et la distance séparant les deux lentilles est $x \approx 29$ cm. La valeur de la distance qui sépare les lentilles est raisonnable.

(b) $f_1 \approx 17,57$ cm et $f_2 \approx -2,57$ cm. La construction d'une lentille mince divergente biconcave de distance focale $|f_2| \approx 2,57$ cm nécessite un rayon de courbure de l'ordre de la moitié de la distance focale, c'est-à-dire $R \approx 1,25$ cm. Cela laisse peu de marge de manœuvre quand à l'épaisseur d qui, rappelons-le, doit être petite devant R pour que la lentille soit considérée comme mince...

(c) L'objet présenté à la lentille 2 est virtuel car $s_{o,2} < 0$.

(d) L'image donnant lieu à l'objet en (c) est réelle car $s_{i,1} > 0$.

4.47 Par définition, la focale image est le point où se forme l'image d'un objet situé à une distance infinie de la composante optique. Considérons l'équation du dioptre sous la condition $s_o \to \infty$.

$$\frac{n_i}{\infty} + \frac{n_t}{s_i} = \frac{n_t - n_i}{R} \quad \Rightarrow \quad \frac{n_t}{s_i} = \frac{n_t - n_i}{R} \quad \Rightarrow \quad s_i = n_t R / (n_t - n_i)$$

Or dans ce cas, la position image correspond à la focale image.

$$f_i = n_t R / (n_t - n_i)$$

Par définition, la focale objet est le point où l'on doit placer l'objet afin que l'image se forme à une distance infinie de la composante optique. Considérons l'équation du dioptre sous la condition $s_i \to \infty$.

$$\frac{n_i}{s_o} + \frac{n_t}{\infty} = \frac{n_t - n_i}{R} \quad \Rightarrow \quad \frac{n_i}{s_o} = \frac{n_t - n_i}{R} \quad \Rightarrow \quad s_o = n_i R / (n_t - n_i)$$

Or dans ce cas, la position objet correspond à la focale objet.

$$f_o = n_i R / (n_t - n_i)$$

4.48 (a) Faux (e) Faux (i) Vrai (m) Vrai (q) Vrai

(b) Faux (f) Vrai (j) Faux (n) Vrai (r) Faux

(c) Vrai (g) Vrai (k) Faux (o) Faux (s) Faux

(d) Vrai (h) Vrai (l) Vrai (p) Faux

4.49 (a) Considérons le triangle rectangle dont l'hypoténuse coïncide avec le signal réfléchi (voir figure 4.55). Le côté vertical est la portion du signal incident entre le point de contact sur la parabole et la droite $y = b$. Notons par d la longueur de ce côté. Conformément à la loi de la réflexion, l'angle formé par le côté vertical et l'hypoténuse est $2\theta_i$. Le côté horizontal du triangle rectangle est la droite $y = b$ entre $x = 0$ et $x = x_0$. Calculons la pente de la tangente au point x_0, y_0.

$$m = dy/dx \mid_{x=x_0} = d\,x^2/dx \mid_{x=x_0} = 2x_0$$

La géométrie du problème nous permet de remarquer que la droite de pente m est l'inclinée d'un angle θ_i.

$$\tan\theta_i = m \quad \Rightarrow \quad \tan\theta_i = 2x_0$$

L'angle entre le signal incident et le signal réfléchi vaut $2\theta_i$. Effectuons le calcul de cet angle, en utilisant le triangle rectangle proposé.

$$\tan(2\theta_i) = \frac{\text{côté\_opposé}}{\text{côté\_adjacent}} = x_0/d$$

Utilisons une identité trigonométrique afin de remplacer le terme $\tan(2\theta_i)$ par une expression faisant intervenir $\tan\theta_i$.

$\tan(2\theta) = \frac{2\tan\theta}{1-\tan^2\theta}$ $\Rightarrow$ $\tan(2\theta_i) = x_0/d$ $\Rightarrow$ $\frac{2\tan\theta_i}{1-\tan^2\theta_i} = x_0/d$

Afin de substituer les fonctions tangentes, utilisons une équation obtenue précédemment : $\tan\theta_i = 2x_0$.

$\Rightarrow$ $\frac{2\times 2x_0}{1-(2x_0)^2} = x_0/d$ $\Rightarrow$ $d = \frac{x_0(1-4x_0^2)}{4x_0}$ $\Rightarrow$ $d = \frac{1-4x_0^2}{4}$

La hauteur du point b se sépare en deux distances, la distance d et la hauteur y_0. Calculons la hauteur y_0.

$y_0 = x^2\,|_{x=x_0}$ $\Rightarrow$ $y_0 = x_0^2$

La hauteur du point b est la somme de y_0 et la distance d.

$b = y_0 + d = x_0^2 + \frac{1-4x_0^2}{4} = x_0^2 + \frac{1}{4} - \frac{4x_0^2}{4} = x_0^2 + \frac{1}{4} - x_0^2 = \frac{1}{4}$

$b = 1/4$ unité

(b) Puisque b ne dépend pas de l'angle θ_i, notre raisonnement est valide pour tous les angles θ_i !

(c) Le point b correspond au foyer de la parabole.

(d) La forme parabolique est importante parce que tous les faisceaux se concentrent au foyer $(0, b)$.

4.50 (a) Démonstration

4.51 Déterminons l'expression pour la première face.

$\frac{n_{i,1}}{s_{o,1}} + \frac{n_{t,1}}{s_{i,1}} = \frac{n_{t,1}-n_{i,1}}{R_1}$ $\Rightarrow$ $\frac{n_a}{s_{o,1}} + \frac{n_l}{s_{i,1}} = \frac{n_l-n_a}{R_1}$

L'image produite par la première face devient l'objet pour la seconde face. La distance d entre les deux faces (l'épaisseur) intervient dans le calcul de la nouvelle position objet.

$s_{o,2} = d - s_{i,1}$

Déterminons l'expression pour la deuxième face.

$\frac{n_{i,2}}{s_{o,2}} + \frac{n_{t,2}}{s_{i,2}} = \frac{n_{t,2}-n_{i,2}}{R_2}$ $\Rightarrow$ $\frac{n_l}{d-s_{i,1}} + \frac{n_a}{s_{i,2}} = \frac{n_a-n_l}{R_2}$

Reconsidérons l'équation lorsque l'épaisseur d devient négligeable.

$d \to 0$ $\Rightarrow$ $\frac{-n_l}{s_{i,1}} + \frac{n_a}{s_{i,2}} = \frac{n_a-n_l}{R_2}$

Modifions légèrement le terme à droite de l'égalité et rappelons l'équation pour la première face.

$\frac{-n_l}{s_{i,1}} + \frac{n_a}{s_{i,2}} = -\frac{n_l-n_a}{R_2}$ $\frac{n_a}{s_{o,1}} + \frac{n_l}{s_{i,1}} = \frac{n_l-n_a}{R_1}$

Additionnons les deux équations afin d'en former une seule.

$\frac{n_a}{s_{o,1}} + \frac{n_l}{s_{i,1}} + \frac{-n_l}{s_{i,1}} + \frac{n_a}{s_{i,2}} = \frac{n_l-n_a}{R_1} - \frac{n_l-n_a}{R_2}$

$\frac{n_a}{s_{o,1}} + \frac{n_a}{s_{i,2}} = (n_l-n_a)\left(\frac{1}{R_1} - \frac{1}{R_2}\right)$ $\Rightarrow$ $\frac{1}{s_{o,1}} + \frac{1}{s_{i,2}} = \frac{(n_l-n_a)}{n_a}\left(\frac{1}{R_1} - \frac{1}{R_2}\right)$

Renommons les termes $s_{o,1}$ et $s_{i,2}$.

$s_{o,1} \equiv s_o$; $s_{i,2} \equiv s_i$ $\Rightarrow$ $\frac{1}{s_o} + \frac{1}{s_i} = \left(\frac{n_l}{n_a} - 1\right)\left(\frac{1}{R_1} - \frac{1}{R_2}\right)$

Le côté droit de l'égalité correspond à l'inverse de la distance focale, tel que présenté à l'équation en (4.41).

$\left(\frac{n_l}{n_a} - 1\right)\left(\frac{1}{R_1} - \frac{1}{R_2}\right) = \frac{1}{f}$ $\Rightarrow$ $\frac{1}{s_o} + \frac{1}{s_i} = \frac{1}{f}$

4.52 Démonstration

Chapitre 5

5.1   I=10 W/m^2 ; $E = \parallel \mathbf{E} \parallel = \sqrt{20^2 + 28^2 + 70^2} = 78$ V/m

Déterminons la vitesse de propagation de l'onde.

$I = \frac{E^2}{2\mu_0 c}$ $\Rightarrow$ $10 = \frac{78^2}{2 \times 4\pi \times 10^{-7} c}$ $\Rightarrow$ $c \approx 2,42075 \times 10^8$ m/s

Les grandeurs des vecteurs amplitudes $\mathbf{E}$ et $\mathbf{B}$ sont reliées.

$\parallel \mathbf{B} \parallel = \frac{\parallel \mathbf{E} \parallel}{c} \approx \frac{78}{2,42075 \times 10^8} \approx 3,22215 \times 10^{-7}$ T

5.2 (a) L'inégalité $\mathbf{E} \cdot \mathbf{B} \neq 0$ indique que l'appareil ne fonctionne pas bien.

(b) L'inégalité $c > c_0$ indique que l'appareil n'est pas bien réparé.

5.3 (a) Calculons les grandeurs des champs électrique et magnétique.

$E = \parallel \mathbf{E} \parallel = \sqrt{10^2 + 15^2 + 20^2} = \sqrt{725}$ V/m

$B = \parallel \mathbf{B} \parallel = \sqrt{64^2 + 40^2 + (-62)^2} \times 10^{-9} = \sqrt{9540} \times 10^{-9}$ T

Calculons la vitesse de propagation de l'onde.

$c = E/B \approx 2,75673 \times 10^8$ m/s

(b) L'indice de réfraction se calcule à l'aide de la vitesse de propagation.

$n = c_0/c \approx 3 \times 10^8/(2,75673 \times 10^8) \approx 1,08824$

(c) La fréquence de 400 THz appartient au spectre du visible (tab. 5.1).

(d) Calculons le vecteur unitaire indiquant la direction de propagation.

$\mathbf{u} = \mathbf{E} \times \mathbf{B}/\parallel \mathbf{E} \times \mathbf{B} \parallel$

$\mathbf{E} \times \mathbf{B} = [10; 15; 20] \times [64; 40; -62] \times 10^{-9}$

$\mathbf{E} \times \mathbf{B} = [-173/1000; 19/100; -7/125] \times 10^{-5}$

$\parallel \mathbf{E} \times \mathbf{B} \parallel = 3\sqrt{7685} \times 10^{-8}$

$\mathbf{u} = [-173/1000; 19/100; -7/125] \times 10^{-5}/(3\sqrt{7685} \times 10^{-8})$

$\mathbf{u} \approx [-0,6578; 0,7224; -0,2129]$

Calculons la grandeur du vecteur de propagation $\mathbf{k}$.

$\omega = 2\pi f = 2\pi \times 400 \times 10^{12} = 800\pi \times 10^{12}$ s^{-1}

$k = \omega/c \approx 800\pi \times 10^{12}/2,75673 \times 10^8 \approx 9,1169 \times 10^6$ m^{-1}

Afin d'obtenir le vecteur de propagation, utilisons le vecteur unitaire.

$\mathbf{k} = k\,\mathbf{u} \approx [-5,997; 6,587; -1,941] \times 10^6$ m^{-1}

(e) Déterminons la fonction d'onde du champ électrique.

$\mathbf{E}(\mathbf{r}, t) = \mathbf{E}\cos(\omega t - \mathbf{k} \cdot \mathbf{r} + \varphi)$

$\mathbf{E}(\mathbf{r}, t) = [10; 15; 20]\cos(800\pi \times 10^{12}t - \mathbf{k} \cdot \mathbf{r} + \varphi)$ V/m

La fonction d'onde du champ magnétique s'obtient de la même façon.

$\mathbf{B}(\mathbf{r}, t) = \mathbf{B}\cos(\omega t - \mathbf{k} \cdot \mathbf{r} + \varphi)$

$\mathbf{B}(\mathbf{r}, t) = [64; 40; -62] \times 10^{-9}\cos(800\pi \times 10^{12}t - \mathbf{k} \cdot \mathbf{r} + \varphi)$ T

(f) Le calcul s'effectue en considérant l'expression générale de l'intensité.

$I = nE^2/(240\pi) \approx 1,08824 \times (\sqrt{725})^2/(240\pi)$ $\Rightarrow$ $I \approx 1,0464$ W/m^2

(g) Calculons la pression de radiation exercée par l'onde sur la surface.

$P = \frac{(R+1)I}{c} \approx \frac{(1/2+1) \times 1,0464}{2,75673 \times 10^8} \approx 5,6938 \times 10^{-9}$ N/m^2

5.4   Démonstration

5.5 (a) Calculons d'abord le nombre d'onde et la fréquence angulaire.

$k = \| \mathbf{k} \| = \| \frac{\pi}{7}[2; -3; 6] \| = \pi \text{ m}^{-1}$

$\omega = 2\pi f = 200\pi \times 10^6 \text{ s}^{-1}$

Calculons la vitesse de propagation de l'onde.

$c = \omega/k = 200\pi \times 10^6/\pi = 2 \times 10^8 \text{ m/s}$

L'indice de réfraction se calcule à l'aide de la vitesse de propagation.

$n = c_0/c = 3 \times 10^8/(2 \times 10^8) \quad \Rightarrow \quad n = 3/2$

(b) Calculons la grandeur du vecteur amplitude du champ électrique.

$E = \| \mathbf{E} \| = \| [12; 14; 3] \| = \sqrt{12^2 + 14^2 + 3^2} = \sqrt{349} \text{ V/m}$

Calculons l'intensité de l'onde.

$I = nE^2/(240\pi) = (3/2) \times (\sqrt{349})^2/(240\pi) = 349/160\pi \text{ W/m}^2$

(c) Les grandeurs des vecteurs amplitudes $\mathbf{E}$ et $\mathbf{B}$ sont reliées.

$\| \mathbf{B} \| = E/c = \sqrt{349}/(2 \times 10^8) \text{ T}$

(d) Rappelons le vecteur amplitude du champ électrique.

$\mathbf{E} = [12; 14; 3] \text{ V/m}$

Calculons l'amplitude de la densité de flux magnétique B.

$B = (\sqrt{349}/2) \times 10^{-8} \text{ T}$

Calculons le vecteur unitaire indiquant la direction du vecteur $\mathbf{B}$.

$\mathbf{b} = \mathbf{k} \times \mathbf{E} = \frac{\pi}{7}[2; -3; 6] \times [12; 14; 3] = \frac{\pi}{7}[-93; 66; 64]$

$\mathbf{u}_b = \mathbf{b}/\| \mathbf{b} \| = \frac{\sqrt{349}}{2443}[-93; 66; 64]$

Afin d'obtenir le vecteur de propagation, utilisons le vecteur unitaire.

$\mathbf{B} = B\,\mathbf{u}_b = (\sqrt{349}/2) \times 10^{-8} \times \frac{\sqrt{349}}{2443}[-93; 66; 64]$

$\Rightarrow \quad \mathbf{B} = [-93/1400; 33/700; 1/21, 875] \times 10^{-6} \text{ T}$

Déterminons la fonction d'onde $\mathbf{E}(\mathbf{r}, t)$. La phase initiale est $\varphi = 0$.

$\mathbf{E}(\mathbf{r}, t) = \mathbf{E}\cos(\omega t - \mathbf{k} \cdot \mathbf{r} + \varphi)$

$\mathbf{E}(\mathbf{r}, t) = \mathbf{E}\cos(2\pi \times 10^8 t - \pi/7\,[2; -3; 6] \cdot \mathbf{r}) \text{ V/m}$

La fonction d'onde du champ magnétique s'obtient de la même façon.

$\mathbf{B}(\mathbf{r}, t) = \mathbf{B}\cos(\omega t - \mathbf{k} \cdot \mathbf{r} + \varphi)$

$\mathbf{B}(\mathbf{r}, t) = \mathbf{B}\cos(2\pi \times 10^8 t - \pi/7\,[2; -3; 6] \cdot \mathbf{r}) \text{ T}$

5.6 (a) $\mathbf{k} = [1; 391/30; 8] \text{ m}^{-1}$; $\mathbf{E} = [-9; -30; 50] \text{ V/m}$

(b) $\mathbf{u} = [-9; -30; 50]/59$

(c) $I \approx 4,82612 \text{ W/m}^2$

(d) $\mathbf{B} = 1/\pi\,[107/168; -61/700; 873/14000] \times 10^{-6} \text{ T}$

5.7 (a) Calculons la vitesse de propagation de l'onde.

$c = \omega/k = 600\pi \times 10^{12}/(200\pi \times 10^4) = 3 \times 10^8 \text{ m/s}$

L'indice de réfraction se calcule à l'aide de la vitesse de propagation.

$n = c_0/c = 3 \times 10^8/(3 \times 10^8) \quad \Rightarrow \quad n = 1$

(b) La fréquence f se calcule à l'aide de la fréquence angulaire.

$f = \omega/(2\pi) = 600\pi \times 10^{12}/(2\pi) \quad \Rightarrow \quad f = 300 \text{ THz}$

(c) La fréquence de 300 THz n'est pas dans le spectre du visible (tab. 5.1).

(d) Notons θ l'angle séparant le vecteur $\mathbf{E}$ et l'axe Y.
$$\Rightarrow \quad \theta = \tan^{-1}(E_x/E_y) = \tan^{-1}(4/3) \approx 53,13°$$

(e) L'amplitude du champ $\mathbf{E}(\mathbf{r}, t)$ est le vecteur $[4; 3; 0]$ V/m.
$$\| \mathbf{E} \| = \| [4; 3; 0] \| = \sqrt{4^2 + 3^2 + 0^2} \quad \Rightarrow \quad \| \mathbf{E} \| = E = 5 \text{ V/m}$$

(f) Rappelons un principe important concernant une OEM : le vecteur $\mathbf{E} \times \mathbf{B}$ indique la direction de la propagation de l'onde.

$\mathbf{E} \times \mathbf{B} = [4; 3; 0] \times [-B_1; B_2; 0] = [0; 0; 3B_1 + 4B_2]$

Puisque $B_1 > 0$ et $B_2 > 0$, l'onde se propage dans la direction de l'axe Z positif. Déterminons le vecteur propagation $\mathbf{k}$.

$\mathbf{k} = [0; 0; k] = [0; 0; 200\pi \times 10^4] \text{ m}^{-1}$

Déterminons la fonction d'onde correspondant au champ électrique.

$\mathbf{E}(\mathbf{r}, t) = [4; 3; 0] \cos(600\pi \times 10^{12}t - \mathbf{k} \cdot \mathbf{r} + \pi/4)$

Désignons par $\mathbf{r}_0$ la position caractérisant le point $(x, 1, 1)$ m.
$$\Rightarrow \quad \mathbf{r}_0 = [x; 1; 1] \text{ m}$$

Évaluons la fonction d'onde à la position $\mathbf{r}_0 = [x; 1; 1]$.

$\mathbf{E}(\mathbf{r}_0, t) = [4; 3; 0] \cos(600\pi \times 10^{12}t - [0; 0; k] \cdot [x; 1; 1] + \pi/4)$

$\mathbf{E}(\mathbf{r}_0, t) = [4; 3; 0] \cos(600\pi \times 10^{12}t - k + \pi/4)$

La valeur $k = 200\pi \times 10^4$ est un multiple de 2π.
$$\Rightarrow \mathbf{E}(\mathbf{r}_0, t) = [4; 3; 0] \cos(600\pi \times 10^{12}t + \pi/4)$$

Calculons la grandeur de $\mathbf{E}(\mathbf{r}_0, t)$ à l'instant $t = 3$ s en ayant à l'esprit que la valeur $w = 600\pi \times 10^{12}$ est un multiple de 2π.
$$\Rightarrow \mathbf{E}(\mathbf{r}_0, 3 \text{ s}) = [4; 3; 0] \cos(\pi/4) = [4; 3; 0]/\sqrt{2}$$

Calculons la grandeur de $\mathbf{E}(\mathbf{r}_0, 3 \text{ s})$.
$$\Rightarrow \| \mathbf{E}(\mathbf{r}_0, 3 \text{ s}) \| = \| [4; 3; 0]/\sqrt{2} \| = 5/\sqrt{2}$$
$$\Rightarrow \| \mathbf{E}(x; 1 \text{ m}; 1 \text{ m}; \ 3 \text{ s}) \| = 5/\sqrt{2} \text{ V/m}$$

(g) Faites un schéma semblable à celui de la figure 5.4.

(h) Le calcul s'effectue en considérant l'expression générale de l'intensité.
$$I = nE^2/(240\pi) = 1 \times 5^2/(240\pi) \quad \Rightarrow \quad I = 5/48\pi \text{ W/m}^2$$

(i) Calculons la pression de radiation exercée par l'onde sur la surface.
$$\Rightarrow P = \frac{(R+1)I}{c} = \frac{(3/4+1) \times (5/(48\pi))}{3 \times 10^8} = \frac{7}{1152\pi} \times 10^{-7} \text{ N/m}^2$$

5.8 (a) $n = 9/4$

(b) $f = 300$ THz

(c) Le signal n'est pas visible.

(d) L'angle séparant le vecteur $\mathbf{E}$ et l'axe Y vaut $90°$

(e) $\| \mathbf{E} \| = 5$ V/m

(f) $\| \mathbf{E}(x; 1 \text{ m}; 1 \text{ m}; \ 3 \text{ s}) \| = 5/2$ V/m

(g) Faites un schéma semblable à celui de la figure 5.4.

(h) $I = 15/64\pi$ W/m^2

(i) $P = (63/2048\pi) \times 10^{-7}$ N/m^2

5.9 Si la propagation est dirigée vers le vecteur **j**, alors l'amplitude de la fonction d'onde $\mathbf{E}(y,t)$ ne peut être $\mathbf{E} = [0; 4; 3]$ V/m.

5.10 (a) $\mathbf{E}(x,t) = \mathbf{E}\cos(\omega t - kx + \varphi)$ V/m

(b) $\mathbf{E}(x,t) = [0; 300; 400]\cos(900\pi \times 10^{12}t - 3\pi \times 10^6 x + \pi/3)$ V/m

(c) $I = 3125/3\pi$ W/m^2

(d) $P = 1/144000\pi$ N/m^2

(e) $F = (1/144\pi) \times 10^{-7}$ N

5.11 (a) Une onde électromagnétique se propageant en direction des X positifs a un vecteur amplitude dont la composante en x est nulle.

$\mathbf{E} = [0; E_y; E_z]$

Cela dit, énonçons la forme générale de la fonction d'OEM.

$\mathbf{E}(x,t) = \mathbf{E}\cos(\omega t - kx + \varphi)$ V/m

(b) $\|\mathbf{E}\| = 500$ V/m; $0 < \varphi < \pi/2$; $f = 450 \times 10^{12}$ Hz; $c = c_0$

Évaluons l'expression de la fonction d'onde aux conditions initiales.

$\mathbf{E}(0,0) = [0; 150\sqrt{2}; 200\sqrt{2}] = [0; E_y; E_z]\cos(\omega \times 0 - k \times 0 + \varphi)$

L'égalité précédente contient trois équations. Dégageons-les.

$\underbrace{0 = 0\cos\varphi}_{\text{Composante en } x}$; $\underbrace{150\sqrt{2} = E_y\cos\varphi}_{\text{Composante en } y}$; $\underbrace{200\sqrt{2} = E_z\cos\varphi}_{\text{Composante en } z}$

Ajoutons l'équation concernant la grandeur E.

$E = \sqrt{0^2 + E_y^2 + E_z^2}$; $150\sqrt{2} = E_y\cos\varphi$; $200\sqrt{2} = E_z\cos\varphi$;

Inconnues : E_y, E_z et φ. Paramètre : $E = 500$ V/m.

En considérant $E = 500$ V/m, on obtient les résultats ci-dessous.

$E_y = 300$ V/m; $E_z = 400$ V/m; $\varphi = \pi/4$

Calculons la fréquence angulaire et le nombre d'onde.

$\omega = 2\pi f = 2\pi \times 450 \times 10^{12} = 900\pi \times 10^{12}$ s^{-1}

$k = \omega/c = 900\pi \times 10^{12}/(3 \times 10^8) = 3\pi \times 10^6$ m^{-1}

Déterminons la fonction d'onde correspondant au champ électrique.

$\mathbf{E}(x,t) = [0; 300; 400]\cos(900\pi \times 10^{12}t - 3\pi \times 10^6 x + \pi/4)$ V/m

(c) Le calcul s'effectue en considérant l'expression générale de l'intensité.

$I = nE^2/(240\pi) = 1 \times 500^2/(240\pi) \Rightarrow I = 3125/3\pi$ W/m^2

(d) Calculons la pression de radiation exercée par l'onde sur une surface parfaitement réfléchissante ($R = 1$).

$\Rightarrow P = \frac{(R+1)I}{c} = \frac{(1+1)\times(3125/(3\pi))}{3\times10^8} = \frac{1}{144000\pi}$ N/m^2

(e) L'aire occupée par le faisceau est plus petite que celle du miroir. Il s'ensuit que $A = 10^{-4}$ m^2. Calculons la force exercée sur le miroir.

$F = PA = 1/(144000\pi) \times 10^{-4} \Rightarrow F = (1/144\pi) \times 10^{-7}$ N

5.12 (a) $I = 4$ W/m^2 (b) $P = \frac{1}{375} \times 10^{-7} \frac{\text{N}}{\text{m}^2}$ (c) $F = \frac{2}{375} \times 10^{-7}$ N

5.13 (a) La vitesse de propagation dans l'air est presque identique à celle dans le vide. Cela dit, supposons $c_{air} = c_0$ et calculons la fréquence angulaire et le nombre d'onde.

$$\omega = 2\pi f = 600\pi \times 10^6 \text{ s}^{-1} ; \quad k = \frac{\omega}{c} = \frac{600\pi \times 10^6}{3 \times 10^8} = 2\pi \text{ m}^{-1}$$

Considérons un point D sur l'antenne reliant les points A et B. Le point D est choisi de sorte que les vecteurs **AD** et **DC** soient $\perp$. Puisque le vecteur propagation **k** est perpendiculaire à l'antenne, utilisons le vecteur **DC** pour le construire (fig. 14).

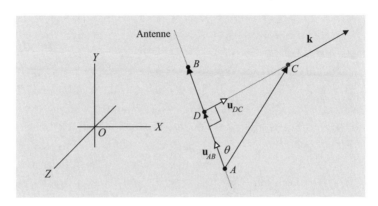

FIG. 14 Exercice 5.13(a).

Désignons par $\mathbf{u}_{DC}$ le vecteur unitaire parallèle au vecteur **DC**.

$\Rightarrow \mathbf{k} = k\,\mathbf{u}_{DC}$

Déterminons le vecteur **DC**. Puisque $\mathbf{AC} = \mathbf{AD} + \mathbf{DC}$, il s'ensuit :

$\Rightarrow \mathbf{DC} = \mathbf{AC} - \mathbf{AD}$

Exprimons le vecteur **AD** en utilisant le vecteur unitaire $\mathbf{u}_{AB}$. Remarquez que $AD = AC\cos\theta = \mathbf{AC} \cdot \mathbf{u}_{AB}$.

$\Rightarrow \mathbf{AD} = (\mathbf{AC} \cdot \mathbf{u}_{AB})\,\mathbf{u}_{AB}$

Substituons le résultat.

$\Rightarrow \mathbf{DC} = \mathbf{AC} - (\mathbf{AC} \cdot \mathbf{u}_{AB})\,\mathbf{u}_{AB}$

Afin de calculer **AC** et $\mathbf{u}_{AB}$, utilisons les points A, B et C.

$\Rightarrow \mathbf{AC} = C - A = (20; 28; 70) - (8; 4; 12) = [12; 24; 58] \text{ m}$

$\Rightarrow \mathbf{AB} = B - A = (10; 7; 18) - (8; 4; 12) = [2; 3; 6] \text{ m}$

$\Rightarrow \mathbf{u}_{AB} = \frac{1}{\|\mathbf{AB}\|}\,\mathbf{AB} = \frac{1}{7}\,[2; 3; 6] = [\frac{2}{7}; \frac{3}{7}; \frac{6}{7}]$

Après avoir effectué le calcul, on obtient le résultat suivant :

$\Rightarrow \mathbf{DC} = \mathbf{AC} - (\mathbf{AC} \cdot \mathbf{u}_{AB})\,\mathbf{u}_{AB}$

$\Rightarrow \mathbf{DC} = [-\frac{300}{49}; -\frac{156}{49}; \frac{178}{49}] \text{ m}$

$\Rightarrow \mathbf{u}_{DC} = \frac{1}{\|\mathbf{DC}\|}\,\mathbf{DC} = \frac{7}{2\sqrt{745}}\,[-\frac{300}{49}; -\frac{156}{49}; \frac{178}{49}]$

Rappelons la valeur calculée $k = 2\pi$.

$\Rightarrow \mathbf{k} = k\,\mathbf{u}_{DC} = 2\pi\,[-\frac{30\sqrt{745}}{1043}; -\frac{78\sqrt{745}}{5212}; \frac{89\sqrt{745}}{5212}] \text{ m}^{-1}$

$\Rightarrow \mathbf{k} \approx [-4,94; -2,56; 2,93] \text{ m}^{-1}$

(b) Calculons la grandeur du champ électrique au point C.

$E = \sqrt{240\pi I/n} = \sqrt{240\pi 60/1} = 120\sqrt{\pi} \text{ V/m}$

Utilisons le vecteur $\mathbf{u}_{AB}$ pour construire le vecteur amplitude $\mathbf{E}$.

$\mathbf{E} = E\,\mathbf{u}_{AB} = 120\sqrt{\pi} \times \frac{1}{7}[2;3;6]$ V/m

(c) Les grandeurs B et E sont reliées.

$\|\mathbf{B}\| = B = E/c = 120\sqrt{\pi}/(3\times 10^8) = \sqrt{\pi}/(25\times 10^5)$ T

Calculons le vecteur unitaire $\mathbf{u}_b$.

$\mathbf{b} = \mathbf{k}\times\mathbf{E} = 2\pi\sqrt{745}/1043\,[-30;-78/5;89/5] \times 120\sqrt{\pi}/7\,[2;3;6]$

$\mathbf{b} = \pi^{3/2}\sqrt{745}/149\,[-720;1056;-288]$

$\mathbf{u}_b = \mathbf{b}/\|\mathbf{b}\| = \sqrt{745}\,[-3/149;22/745;-6/745]$

Calculons le vecteur amplitude $\mathbf{B}$.

$\mathbf{B} = B\,\mathbf{u}_b = \sqrt{\pi}/(25\times 10^5)\times\sqrt{745}\,[-3/149;22/745;-6/745]$

$\mathbf{B} = \sqrt{745\pi}/3725\,[-3/10;11/25;-3/25]\times 10^{-4}$ T

Déterminons la fonction d'onde correspondant au champ électrique.

$\mathbf{E}(\mathbf{r},t) = \mathbf{E}\cos(\omega t - \mathbf{k}\cdot\mathbf{r} + \varphi) = \mathbf{E}\cos(600\pi\times 10^6 t - \mathbf{k}\cdot\mathbf{r})$ V/m

La fonction d'onde du champ magnétique s'obtient de la même façon.

$\mathbf{B}(\mathbf{r},t) = \mathbf{B}\cos(\omega t - \mathbf{k}\cdot\mathbf{r} + \varphi) = \mathbf{B}\cos(600\pi\times 10^6 t - \mathbf{k}\cdot\mathbf{r})$ T

5.14 (a) Le signal n'est pas visible.

(b) $\mathbf{E}(\mathbf{r},t) = \mathbf{E}\cos(600\pi\times 10^{12} t - \mathbf{k}\cdot\mathbf{r} + \pi/4)$ V/m

$\mathbf{B}(\mathbf{r},t) = \mathbf{B}\cos(600\pi\times 10^{12} t - \mathbf{k}\cdot\mathbf{r} + \pi/4)$ T

$\mathbf{k} = [0;2\pi/91;0]\times 10^8$ m^{-1} ; $\mathbf{E} = [-4;0;3]$ V/m

$\mathbf{B} = (1/273)[3;0;4]\times 10^{-6}$ T

5.15 (a) $I = 1500$ W/m^2 ; $r = 6370\times 10^3$ m

Calculons la pression de radiation exercée par le soleil.

$P = (R+1)I/c = (0+1)\times 1500/(3\times 10^8) = 5\times 10^{-6}$ N/m^2

(b) La valeur de l'aire A_{Efficace} s'obtient en réduisant, à sa forme plane équivalente, la surface de l'objet exposé à la radiation.

$(A_{\text{Efficace}})_{\text{Sphère}} = A_{\text{Disque}} = \pi\,r^2 = \pi\times(6370\times 10^3)^2$ m^2

Afin de calculer la force exercée sur la terre, utilisons l'aire A_{Efficace} soumise à la pression de radiation.

$F = P\,A_{\text{Efficace}} = 5\times 10^{-6}\times\pi\times(6370\times 10^3)^2 = 202884500\pi$ N

5.16 Sur la traînée de la comète $F \approx 25\,(20-\pi)$ N.

5.17 $m = 100$ kg ; $a = 1$m/s^2 ; $I = 10000$ W/m^2

Relions la vitesse à l'accélération et calculons la force exercée par la pression de radiation. Rappelons que $dv/dt = a = 1$m/s^2 et rappelons qu'à incidence normale $W = I\,A$. Cela dit,

$\Rightarrow\ m\,dv/dt = (R+1)W/c \Rightarrow\ ma = (R+1)IA/c$

$\Rightarrow\ A = m\,c\,a/((R+1)I)$

Si le voilier est parfaitement réfléchissant alors l'albédo R vaut 1.

$A = 100\times 3\times 10^8 \times 1/((1+1)\times 10000)\quad\Rightarrow\quad A = 15\times 10^5$ m^2

5.18 Démonstration

5.19 $R = 1/2$; $W = 1000$ W ; $A = 20 \times 10^{-4}$ m^2 ; $m = 10^{-6}$ kg ; $v(0) = 0$
Calculons la vitesse de la plaque. Dans l'air $c = c_0 = 3 \times 10^8$ m/s.
$F = m\, dv/dt = (R+1)W/c \quad \Rightarrow \quad dv = (R+1)W/(mc)\, dt$
Afin de déterminer la vitesse, intégrons de chaque côté de l'égalité.
$\Rightarrow \int dv = \int \frac{(R+1)W}{mc}\, dt = \frac{(R+1)W}{mc} \int dt \quad \Rightarrow \quad v(t) = \frac{(R+1)W}{mc}\, t + C$
Calculons la valeur de la constante d'intégration C.
$v(0) = 0 \quad \Rightarrow \quad (R+1)W/(mc) \times 0 + C = 0 \quad \Rightarrow \quad C = 0$
$v(t) = \frac{(R+1)W}{mc}\, t = \frac{(1/2+1) \times 1000}{1 \times 10^{-6} \times 3 \times 10^8}\, t = 5t$
Après une heure d'éclairement
$\Rightarrow\ v(3600\text{ s}) = 18000$ m/s.

5.20 (a) $\mathbf{E} = 100/\sqrt{69}\,[4; 2; -7]$ V/m
$\mathbf{B} = \sqrt{989}\,[-9/79120; -1/118680; -1/14835] \times 10^{-4}$ T

(b) $\mathbf{k} = \pi \times 10^6/\sqrt{129}\,[-10; 55; 10]$ m^{-1}

5.21 (a) Calulons l'amplitude du champ électrique au point C.
$I = nE^2/(240\pi) \quad \Rightarrow \quad 1 = 1\,E^2/(240\pi) \quad \Rightarrow \quad E = \sqrt{240\pi}$ V/m
Calculons le vecteur amplitude du champ électrique. Le champ électrique est parallèle à l'antenne, et est donc lui aussi orienté dans la direction de l'axe Z.
$\mathbf{E} = [0; 0; E] = [0; 0; \sqrt{240\pi}]$ V/m
Calculons la coordonnée D du point sur l'antenne qui est le plus proche du point C. Puisque l'antenne est orientée selon l'axe Z, il s'agit d'ajuster la coordonnée Z du point A afin qu'elle corresponde avec celle du point C.
$D = (1; 4; 14)$ m
Calculons le vecteur unitaire $\mathbf{u}_{DC}$.
$\mathbf{DC} = C - D = (3; 10; 14) - (1; 4; 14) = [2; 6; 0]$ m
$\mathbf{u}_{DC} = \frac{\mathbf{DC}}{\|\mathbf{DC}\|} = [1; 3; 0]/\sqrt{10}$
Calculons le vecteur de propagation k.
$k = \omega/c = 2\pi f/c = 2\pi \times 3 \times 10^5/3 \times 10^8 = \pi/500$ m^{-1}
$\mathbf{u}_k = \mathbf{u}_{DC} = [1; 3; 0]/\sqrt{10}$
$\mathbf{k} = k\,\mathbf{u}_k = (\pi/500) \times [1; 3; 0]/\sqrt{10} = \pi[1; 3; 0]/(500\sqrt{10})$ m^{-1}
Déterminons la fonction d'onde du champ électrique.
$\mathbf{E}(\mathbf{r}, t) = \mathbf{E}\cos(\omega t - \mathbf{k} \cdot \mathbf{r} + \varphi) \quad \Rightarrow$
$\mathbf{E}(\mathbf{r}, t) = [0; 0; \sqrt{240\pi}]\cos(6\pi \times 10^5\, t - (\frac{\pi[1;3;0]}{500\sqrt{10}}) \cdot \mathbf{r} + \varphi)$ V/m

(b) Les grandeurs B et E sont reliées.
$\|\mathbf{B}\| = B = E/c = \sqrt{240\pi}/(3 \times 10^8) = \sqrt{15\pi}/(75 \times 10^6)$ T
Calculons le vecteur unitaire $\mathbf{u}_b$.
$\mathbf{b} = \mathbf{k} \times \mathbf{E} = (\pi[1; 3; 0]/(500\sqrt{10})) \times [0; 0; \sqrt{240\pi}]$
$\mathbf{b} = \pi^{3/2}\sqrt{6}/250\,[3; -1; 0]$
$\mathbf{u}_b = \mathbf{b}/\|\mathbf{b}\| = [3; -1; 0]/\sqrt{10}$

Calculons le vecteur amplitude **B**.

$\mathbf{B} = B\,\mathbf{u}_b = \sqrt{15\pi}/(75 \times 10^6) \times [3; -1; 0]/\sqrt{10}$

$\mathbf{B} = \sqrt{6\pi}/15\,[3; 1; 0] \times 10^{-7}$ T

Déterminons la fonction d'onde correspondant au champ magnétique.

$\mathbf{B}(\mathbf{r}, t) = \mathbf{B}\cos(\omega t - \mathbf{k} \cdot \mathbf{r} + \varphi) \quad \Rightarrow$

$\mathbf{B}(\mathbf{r}, t) = \sqrt{6\pi}/15\,[3; 1; 0] \times 10^{-7} \times \cos(6\pi \times 10^5\,t - \mathbf{k} \cdot \mathbf{r} + \varphi)$ T

(c) $\mathbf{E}(\mathbf{r}, t) \cdot \mathbf{B}(\mathbf{r}, t) = 0$

Il n'y a donc pas de composante de champ magnétique dans la direction du champ électrique, et inversement.

5.22 (a) L'onde se propage selon l'axe Z.

(b) $\mathbf{E}(\mathbf{r}, t) \approx [160\sqrt{5}; 80\sqrt{5}; 0]\cos(720\pi \times 10^{12}\,t - [0; 0; 24\pi \times 10^5] \cdot \mathbf{r} + 0.9776)$ V/m

(c) $\mathbf{B}(\mathbf{r}, t) \approx [-\sqrt{5}; 2\sqrt{5}; 0]/3750000\,\cos(720\pi \times 10^{12}\,t - \mathbf{k} \cdot \mathbf{r} + 0.9776)$ T

(d) $\mathbf{H}(\mathbf{r}, t) \approx [-2\sqrt{5}; 4\sqrt{5}; 0]/(3\pi)\,\cos(720\pi \times 10^{12}\,t - \mathbf{k} \cdot \mathbf{r} + 0.9776)$ A/m

(e) $I = 2000/(3\pi)$ W/m^2

(f) $P = 1/(225000\pi)$ N/m^2

(g) $F \approx 2,8294 \times 10^{-9}$ N

5.23 $\mathbf{AB} = B - A = (-5; 12; 12) - (x; y; z) = [-5 - x; 12 - y; 12 - z]$ m

$\mathbf{AC} = C - A = (3; 1; 9) - (x; y; z) = [3 - x; 1 - y; 9 - z]$ m

$\mathbf{AD} = D - A = (39; 31; 21) - (x; y; z) = [39 - x; 31 - y; 21 - z]$ m

Les vecteur **AB**, **AC** et **AD** sont respectivement orientés dans les mêmes directions que les vecteurs **E**, **B** et **k**. De plus, ils sont mutuellement perpendiculaires. Nous pouvons former un système à trois équations basé sur le produit scalaire.

$\mathbf{AB} \cdot \mathbf{AC} = 0; \quad \mathbf{AC} \cdot \mathbf{AD} = 0; \quad \mathbf{AD} \cdot \mathbf{AB} = 0$

Inconnues : x, y, et z.

On obtient les résultats ci-dessous.

$A = (1; 8; 4)$ m   et $A = (5/33; 128/33; 556/33)$ m.

La solution recherchée doit respecter la règle du produit vectoriel.

$\mathbf{u}_E \times \mathbf{u}_B = \mathbf{u}_k \quad \Rightarrow \quad \mathbf{u}_{AB} \times \mathbf{u}_{AC} = \mathbf{u}_{AD}$

Les vecteurs **u** sont des vecteurs unitaires. Après vérification avec l'équation du produit vectoriel, la solution pour A est la suivante :

$A = (1; 8; 4)$ m

5.24 $\epsilon = n^2 \epsilon_0$

5.25 $\mathbf{B} = [3; -8; 4] \times 10^{-8}$ T ; $\mu_0 = 4\pi \times 10^{-7}$ H/m

Les vecteurs amplitudes **B** et **H** sont liés par le paramètre μ_0.

$\Rightarrow \mathbf{B} = \mu_0 \mathbf{H} \quad \Rightarrow \quad \mathbf{H} = \mathbf{B}/\mu_0$

$\Rightarrow \mathbf{H} = \mathbf{B}/\mu_0 = [3; -8; 4] \times 10^{-8}/(4\pi \times 10^{-7})$

$\Rightarrow \mathbf{H} = 1/40\pi\,[-3; -8; 4]$ A/m

5.26   Les trois vecteurs peuvent caractériser une OEM.

$f = 29 \times 10^8/\pi$ Hz

Chapitre 6

Dans les solutions qui suivent, nous présumons que :

- Le calcul de l'angle θ_t s'effectue en utilisant la loi de la réfraction en (4.15) ;
- Les mots *parallèle* et *perpendiculaire* sont respectivement remplacés par les symboles $\parallel$ et $\perp$;
- Les coefficients de Fresnel réfèrent aux égalités (6.3) à (6.6) ;
- Le calcul des intensités réfléchie et transmise s'effectue en utilisant les résultats (6.19) et (6.18), c'est-à-dire :
$$(I_r)_* = (I_i)_* \, (r^2)_* \, ; \quad (I_t)_* = \frac{n_t}{n_i} \, (I_t)_* \, (t^2)_* \, ;$$
- Le symbole $*$ peut être remplacé par les symboles $\parallel$ ou $\perp$;
- La grandeur d'un vecteur $\mathbf{E}$ est désignée par une lettre en italique $E \equiv \parallel \mathbf{E} \parallel$.

6.1   Le calcul s'effectue en considérant l'expression générale de l'intensité.

$I = nE^2/(240\pi)$

Inconnue : E.   Paramètres : I et n.

En considérant : $I = 20$ W/m^2 et $n = n_v = 3/2$, on obtient le résultat ci-dessous.

$\parallel \mathbf{E} \parallel = E \approx 100,26$ V/m

6.2   (a) $n_1 = 4,5$

       (b) $(E_i)_\parallel = \pm 30$ V/m

       (c)   Si $(E_i)_\parallel = 30$ V/m alors $\gamma_i \approx 53,13°$.

           Si $(E_i)_\parallel = -30$ V/m alors $\gamma_i \approx 126,87°$.

6.3 $n_i = 3/2; \quad n_t = 3; \quad \theta_i = 60°; \quad E_i = 10$ V/m; $\quad \gamma_i = 30°$

       (a)   Calculons la valeur de l'intensité incidente.

           $I_i = n_i E_i^2/(240\pi) = 1,5 \times 10^2/(240\pi) \approx 19,9 \times 10^{-2}$ W/m^2

           L'angle azimutal γ_i permet d'obtenir les composantes $\parallel$ et $\perp$ de l'intensité incidente.

           $(I_i)_\parallel = I_i \cos^2 \gamma_i \approx 0,199 \cos^2 30° \approx 14,92 \times 10^{-2}$ W/m^2

           $(I_i)_\perp = I_i \sin^2 \gamma_i \approx 0,199 \sin^2 30° \approx 4,97 \times 10^{-2}$ W/m^2

       (b)   Calculons les valeurs des coefficients de réflexion en amplitude.

           $n_i = 3/2; \quad n_t = 3; \quad \theta_i = 60°; \quad \theta_t \approx 25,66°$

           $\Rightarrow \quad r_\parallel \approx 0,05186 \, ; \quad r_\perp \approx -0,56574$

           Calculons les composantes $\parallel$ et $\perp$ de l'intensité réfléchie.

           $(I_r)_\parallel = (I_i)_\parallel (r^2)_\parallel \approx 0,1492 \times 0,05186^2 \approx 0,4 \times 10^{-3}$ W/m^2

           $(I_r)_\perp = (I_i)_\perp (r^2)_\perp \approx 0,0497 \times (-0,56574)^2 \approx 15,92 \times 10^{-3}$ W/m^2

           L'intensité réfléchie s'obtient en additionnant ses composantes $\parallel$ et $\perp$.

           $I_r = (I_r)_\parallel + (I_r)_\perp \approx 0,4 \times 10^{-3} + 15,92 \times 10^{-3} \approx 16,32 \times 10^{-3}$ W/m^2

       (c)   Calculons les valeurs des coefficients de transmission en amplitude.

           $n_i = 3/2; \quad n_t = 3; \quad \theta_i = 60°; \quad \theta_t \approx 25,66°$

           $\Rightarrow \quad t_\parallel \approx 0,52593 \, ; \quad t_\perp \approx 0,43426$

Calculons les composantes $\parallel$ et $\perp$ de l'intensité transmise.

$(I_t)_\parallel = (I_i)_\parallel (t^2)_\parallel n_t / n_i \approx 0,1492 \times 0,52593^2 \times 3/1,5$

$(I_t)_\parallel \approx 82,5 \times 10^{-3}$ W/m^2

$(I_t)_\perp = (I_i)_\perp (t^2)_\perp n_t / n_i \approx 0,0497 \times 0,43426^2 \times 3/1,5$

$(I_t)_\perp \approx 18,8 \times 10^{-3}$ W/m^2

L'intensité I_t s'obtient en additionnant ses composantes $\parallel$ et $\perp$.

$I_t = (I_t)_\parallel + (I_t)_\perp \approx 82,5 \times 10^{-3} + 18,8 \times 10^{-3} \approx 101,3 \times 10^{-3}$ W/m^2

6.4   Si la lumière est naturelle, alors l'angle γ_i est aléatoire, fait qui est contradictoire avec l'information selon laquelle $\gamma_i = 30°$. Dans le cas d'une lumière naturelle, $\cos^2 \gamma_i \equiv 1/2$ et $\sin^2 \gamma_i \equiv 1/2$.

6.5   Si la lumière est non polarisée, alors les fonctions $\cos^2 \gamma$ et $\sin^2 \gamma$ sont évaluées en terme de valeur moyenne.

6.6   (a) $(I_i)_\parallel \approx 0,099$ W/m^2 ; $(I_i)_\perp \approx 0,099$ W/m^2 ; $I_i \approx 0,199$ W/m^2

   (b) $(I_r)_\parallel \approx 2,68 \times 10^{-4}$; $(I_r)_\perp \approx 31,8 \times 10^{-3}$; $I_r \approx 32,1 \times 10^{-3}$

   (c) $(I_t)_\parallel \approx 5,5 \times 10^{-2}$; $(I_t)_\perp \approx 3,75 \times 10^{-2}$; $I_t \approx 9,25 \times 10^{-2}$

6.7   (a) $(I_t)_\parallel = 10$ W/m^2; $(I_t)_\perp = 20$ W/m^2 ; $n_t = 2$

   L'intensité s'obtient en additionnant ses composantes $\parallel$ et $\perp$.

   $I_t = (I_t)_\parallel + (I_t)_\perp = 10 + 20 = 30$ W/m^2

   (b) Le calcul s'effectue en considérant l'expression générale de l'intensité.

   $I = nE^2/(240\pi) \quad \Rightarrow \quad E = \pm\sqrt{I\,240\pi/n}$

   Appliquons ce résultat aux composantes $\parallel$ et $\perp$ en y ajoutant les indices appropriés.

   $(E_t)_\parallel = \pm\sqrt{(I_t)_\parallel 240\pi/n_t}$; $(E_t)_\perp = \pm\sqrt{(I_t)_\perp 240\pi/n_t}$

   Tel que mentionné, nous conserverons seulement les valeurs positives.

   $(E_t)_\parallel = \sqrt{10 \cdot 120\pi} \approx 61,4$V/m ; $(E_t)_\perp = \sqrt{20 \cdot 120\pi} \approx 86,832$V/m

   $\Rightarrow \quad \mathbf{E}_t = [(E_t)_\perp; (E_t)_\parallel] \approx [86,83; 61,4]$ V/m

   La grandeur de E_t se calcul à l'aide de ses composantes $\parallel$ et $\perp$.

   $E_t = \|\mathbf{E}_t\| = \sqrt{(E_t^2)_\parallel + (E_t^2)_\perp} \approx \sqrt{61,4^2 + 86,832^2} \approx 106,35$ V/m

   (c) $n_i = 3/2$; $n_t = 2$; $\theta_i = 30°$; $\theta_t = 22,024°$

   Calculons les coefficients de transmission en amplitude.

   $t_\parallel \approx 0,83203$; $t_\perp \approx 0,82398$

   À l'aide de la définition des coefficients de transmission, calculons les composantes du champ électrique incident.

   $t_\parallel = (E_t)_\parallel/(E_i)_\parallel \quad \Rightarrow \quad (E_i)_\parallel = (E_t)_\parallel/t_\parallel \approx 73,796$ V/m

   $t_\perp = (E_t)_\perp/(E_i)_\perp \quad \Rightarrow \quad (E_i)_\perp = (E_t)_\perp/t_\perp \approx 105,38$ V/m

   $\Rightarrow \quad \mathbf{E}_i = [(E_i)_\perp; (E_i)_\parallel] \approx [105,38; 73,8]$ V/m

   (d) Calculons les intensités partielles du champ électrique incident.

   $(I_i)_\parallel = n_i(E_i^2)_\parallel/(240\pi) \approx 1,5 \times 73,7968^2/(240\pi) \approx 10,834$ W/m^2

   $(I_i)_\perp = n_i(E_i^2)_\perp/(240\pi) \approx 1,5 \times 105,38^2/(240\pi) \approx 22,093$ W/m^2

L'intensité s'obtient en additionnant ses composantes $\parallel$ et $\perp$.

$I_i = (I_i)_\parallel + (I_i)_\perp \approx 10,834 + 22,093 \approx 32,927 \text{ W/m}^2$

(e) Rappelons les composantes de l'intensité incidente calculées en (d).

$(I_i)_\parallel \approx 10,834 \text{ W/m}^2 \, ; \quad (I_i)_\perp \approx 22,093 \text{ W/m}^2$

Calculons les valeurs des coefficients de réflexion en amplitude.

$r_\parallel \approx 0,10937 \, ; \quad r_\perp \approx -0,17602$

Calculons les composantes $\parallel$ et $\perp$ de l'intensité réfléchie.

$(I_r)_\parallel = (I_i)_\parallel (r^2)_\parallel \approx 10,834 \times 0,10937^2 \approx 0,1296 \text{ W/m}^2$

$(I_r)_\perp = (I_i)_\perp (r^2)_\perp \approx 22,093 \times (-0,17602)^2 \approx 0,6845 \text{ W/m}^2$

L'intensité s'obtient en additionnant ses composantes $\parallel$ et $\perp$.

$I_r = (I_r)_\parallel + (I_r)_\perp \approx 0,1296 + 0,6845 \approx 0,814 \text{ W/m}^2$

6.8 $\quad I_t \approx 12,075 \text{ W/m}^2 \, ; \quad I_r \approx 0,3422 \text{ W/m}^2$

6.9 $\quad$ Le calcul s'effectue en considérant l'expression générale de l'intensité.

$I = nE^2/(240\pi)$

Inconnue : E. Paramètres : I et n.

$I = 33 \text{ W/m}^2$ et $n = n_{eau} = 1,33$, on obtient le résultat ci–dessous.

$\| \mathbf{E} \| = E \approx 136,78 \text{ V/m}$

6.10 (a) $(E_r)_\parallel = 0 \text{ V/m}$

(b) $\theta_1 = 60°$

(c) L'angle θ_i se nomme angle de polarisation ou angle de Brewster.

6.11 $\quad V = 2/3 \, ; \quad I_r = 25 \text{ W/m}^2 \, ; \quad I_i = 300 \text{ W/m}^2$

(a) Calculons le degré de polarisation de la lumière incidente.

$V = I_p/I_i \quad \Rightarrow \quad I_p = V \, I_i = (2/3) \times 300 = 200 \text{ W/m}^2$

(b) La lumière incidente est composée de lumières polarisée et naturelle.

$I_i = I_p + I_n \quad \Rightarrow \quad I_n = I_i - I_p = 300 - 200 = 100 \text{ W/m}^2$

Rappelons que la valeur I_p a été calculée à la question (a).

(c) Calculons les valeurs des coefficients de réflexion en amplitude.

$n_i = 1 \, ; \quad n_t = \sqrt{3} \, ; \quad \theta_i = 60° \, ; \quad \theta_t = 30° \quad \Rightarrow \quad r_\parallel = 0 \, ; \quad r_\perp = -1/2$

Le coefficient de réflexion $\parallel$ étant nul, il s'ensuit que l'intensité réfléchie est entièrement contenue dans la composante $\perp$.

$r_\parallel = 0 \quad \Rightarrow \quad (I_r)_\perp = I_r = 25 \text{ W/m}^2$

Rappelons les valeurs de I_p et I_n calculées en (a) et (b).

$I_p = 200 \text{ W/m}^2 \, ; \quad I_n = 100 \text{ W/m}^2$

Le calcul de l'intensité réfléchie doit s'effectuer en tenant compte de deux contributions : la première contribution provient de la partie polarisée de la lumière incidente, tandis que la seconde contribution provient de la partie naturelle de la lumière incidente. Désignons par $(I_r)_p$ et $(I_r)_n$ les intensités réfléchies correspondant respectivement aux intensités I_p et I_n de la lumière incidente.

$(I_r)_p = r_\parallel^2 \cos^2 \gamma_p \, I_p + r_\perp^2 \sin^2 \gamma_p \, I_p$

$(I_r)_n = r_\parallel^2\, I_n/2 + r_\perp^2\, I_n/2$

L'intensité réfléchie totale s'obtient en additionnant toutes les contributions partielles. Dans le présent cas,

$I_r = (I_r)_p + (I_r)_n = 25\ \mathrm{W/m^2}$

Il s'ensuit :

$I_r = r_\parallel^2\, I_n/2 + r_\perp^2\, I_n/2 + r_\parallel^2 \cos^2 \gamma_p\, I_p + r_\perp^2 \sin^2 \gamma_p\, I_p$

Inconnue : γ_p.

Paramètres : I_r, I_p, I_n, $r_\parallel$ et $r_\perp$.

$I_r = 25\mathrm{W/m^2}$; $I_p = 200\mathrm{W/m^2}$; $I_n = 100\mathrm{W/m^2}$; $r_\parallel = 0$; $r_\perp = -1/2$;

Après avoir effectué le calcul, on obtient le résultat ci-dessous.

$\gamma_p = \pm 30°$ ou $\gamma_p = \pm 150°$.

(d) À la question (c), nous avons obtenu $r_\parallel = 0$. Cela signifie que le champ électrique $\mathbf{E}_r$ est orienté dans la direction de l'axe $\perp$. La lumière ainsi produite est polarisée et son degré de polarisation est $V = 1$.

(e) Bien que la lumière incidente soit partiellement polarisée, la lumière réfléchie est polarisée. Le phénomène en cause est nommé polarisation par réflexion ; il se produit lorsque l'angle d'incidence θ_i est égal à l'angle de polarisation θ_p.

6.12 $n_2 = 3$; $\theta_i = 30°$

6.13   La chute des vitesses c_1 et c_2 s'exprime sans les faire intervenir.

$c_2 = c_1 - 8c_0/35$ où $c_1 = c_0/n_1$ et $c_2 = c_0/n_2$

$c_0/n_2 = c_0/n_1 - 8c_0/35$ $\Rightarrow$ $1/n_2 = 1/n_1 - 8/35$

À partir des composantes du champ électrique réfléchi et incident, dégageons deux équations supplémentaires.

$r_\parallel = (E_r)_\parallel/(E_i)_\parallel = (n_2 \cos\theta_1 - n_1 \cos\theta_2)/(n_2 \cos\theta_1 + n_1 \cos\theta_2)$

$r_\perp = (E_r)_\perp/(E_i)_\perp = (n_1 \cos\theta_1 - n_2 \cos\theta_2)/(n_1 \cos\theta_1 + n_2 \cos\theta_2)$

En introduisant la loi de la réfraction, on obtient un système de quatre équations à quatre inconnues.

$(E_r)_\parallel/(E_i)_\parallel = (n_2 \cos\theta_1 - n_1 \cos\theta_2)/(n_2 \cos\theta_1 + n_1 \cos\theta_2)$

$(E_r)_\perp/(E_i)_\perp = (n_1 \cos\theta_1 - n_2 \cos\theta_2)/(n_1 \cos\theta_1 + n_2 \cos\theta_2)$

$1/n_2 = 1/n_1 - 8/35$

$n_1 \sin\theta_1 = n_2 \sin\theta_2$

Inconnues : n_1, n_2, θ_1 et θ_2.

Paramètres : $(E_i)_\parallel$, $(E_i)_\perp$, $(E_r)_\parallel$ et $(E_r)_\perp$.

En considérant $(E_i)_\parallel = +288$ V/m, $(E_i)_\perp = +192$ V/m, $(E_r)_\parallel = 19,7191$ V/m et $(E_r)_\perp = -50,24$ V/m, on obtient :

$n_1 \approx 1,25$; $n_2 \approx 1,75$; $\theta_1 \approx 45°$; $\theta_2 \approx 30,336°$

6.14 (a) Démonstration   (b) Démonstration   (c) Démonstration

6.15   Afin de vérifier s'il est possible que $\gamma_i = \gamma_t = \gamma$, utilisons le résultat obtenu en 6.14 (a).

$\tan\gamma = (t_1)_\perp/(t_1)_\parallel\, \tan\gamma$

Cherchons des valeurs γ susceptibles de satisfaire l'égalité. Pour faciliter l'analyse, remplaçons les fonctions tangentes.

$\Rightarrow \quad \sin\gamma/\cos\gamma = (t_1)_\perp/(t_1)_\parallel \ \sin\gamma/\cos\gamma$

$\Rightarrow \quad \sin\gamma\cos\gamma = (t_1)_\perp/(t_1)_\parallel \ \sin\gamma\cos\gamma$

Analysons le produit $\sin\gamma\cos\gamma$. Une première solution apparaît dès qu'on remarque que si $\sin\gamma = 0$ ou $\cos\gamma = 0$, alors l'égalité est satisfaite. Cela dit, cherchons les valeurs γ correspondantes.

$\gamma = \sin^{-1} 0 = 0$ ou $180°$; $\quad \gamma = \cos^{-1} 0 = \pm 90°$

Ces valeurs γ ont la signification suivante : un champ électrique orienté dans la direction de l'axe $\parallel$ ou $\perp$ a la même orientation après avoir traversé l'interface. Autrement dit, pour les valeurs γ obtenues les vecteurs amplitudes $\mathbf{E}_t$ et $\mathbf{E}_i$ sont parallèles.

Reconsidérons l'égalité obtenue en 6.14 (a) et vérifions s'il est possible que $\gamma_i = \gamma_t = \gamma$ dans le cas où $\sin\gamma\cos\gamma \neq 0$.

$\Rightarrow \quad 1 = (t_1)_\perp/(t_1)_\parallel \quad \Rightarrow \quad (t_1)_\perp = (t_1)_\parallel$

$\Rightarrow \quad \dfrac{2n_1\cos\theta_1}{n_1\cos\theta_1 + n_2\cos\theta_2} = \dfrac{2n_1\cos\theta_1}{n_2\cos\theta_1 + n_1\cos\theta_2} \quad \Rightarrow$

$\Rightarrow \quad n_1\cos\theta_1 + n_2\cos\theta_2 = n_2\cos\theta_1 + n_1\cos\theta_2$

La solution $n_1 = n_2$ n'est guère intéressante car elle réfère à la situation physique où il n'y a pas d'interface... Considérons le cas où le signal frappe l'interface avec un angle $\theta_i = 0$.

$n_1\cos 0 + n_2\cos 0 = n_2\cos 0 + n_1\cos 0 \quad \Rightarrow \quad n_1 + n_2 = n_2 + n_1$

Peu importe les valeurs n_1 et n_2, la dernière égalité est satisfaite. Résumons-nous.

Si $\gamma_i = \{0°; \pm 90°; 180°\}$ ou si $\theta_i = 0$, alors $\gamma_i = \gamma_t$.

6.16   Si $\gamma_i = \{0°; \pm 90°; 180°\}$ ou si $\theta_i = 0$, alors $\gamma_i = \gamma_{tt}$

6.17   Construisons une équation reliant γ_i et γ_t.

$\tan\gamma_i = (E_i)_\perp/(E_i)_\parallel$; $\quad \tan\gamma_t = (E_t)_\perp/(E_t)_\parallel$

Rappelons la définition des coefficients de transmission.

$(E_t)_\perp = t_\perp (E_i)_\perp$; $\quad (E_t)_\parallel = t_\parallel (E_i)_\parallel$

Formons une seule équation.

$\tan\gamma_t = \dfrac{t_\perp (E_i)_\perp}{t_\parallel (E_i)_\parallel} = \dfrac{t_\perp}{t_\parallel} \ \tan\gamma_i$

Introduisons les paramètres n_i, n_t, θ_i et θ_t.

$\Rightarrow \quad \tan\gamma_t = \dfrac{2n_i\cos\theta_i}{n_i\cos\theta_i + n_t\cos\theta_t} \dfrac{n_t\cos\theta_i + n_i\cos\theta_t}{2n_i\cos\theta_i} \ \tan\gamma_i$

$\Rightarrow \quad \tan\gamma_t = \dfrac{n_t\cos\theta_i + n_i\cos\theta_t}{n_i\cos\theta_i + n_t\cos\theta_t} \ \tan\gamma_i$

L'ajout de la loi de la réfraction mène à un système de deux équations.

$\tan\gamma_t = \dfrac{n_t\cos\theta_i + n_i\cos\theta_t}{n_i\cos\theta_i + n_t\cos\theta_t} \ \tan\gamma_i$

$n_i\sin\theta_i = n_t\sin\theta_t$

Inconnues : θ_i et θ_t.   Paramètres : γ_i, γ_t, n_i et n_t.

En considérant $\gamma_i = 45°$, $\gamma_t = 30°$, $n_i = 1$ et $n_t = 2$, on obtient les résultats ci-dessous.

$\theta_i \approx 84,59°$; $\quad \theta_t \approx 29,85°$

6.18 (a) $I_{tt} \approx 19,25$ W/m^2 (d) $I_{tt} \approx 11,17$ W/m^2

     (b) $I_{tt} \approx 17,56$ W/m^2 (e) Les calculs ne s'appliquent pas

     (c) $I_{tt} \approx 15,15$ W/m^2 lorsque $\theta_1 = 90°$.

6.19 $n_1 = n_3 = 3/2$; $n_2 = 2$; $E_i = 100$ V/m ; $\gamma_i = 30°$

Dégageons quelques résultats préliminaires qui serviront à répondre aux questions (a) à (e). Débutons par le calcul des composantes $\parallel$ et $\perp$ de l'intensité pour l'onde incidente.

$I_i = n_i E_i^2/(240\pi) = (2/3) \times 100^2/(240\pi) = 125/(2\pi)$ W/m^2

$(I_i)_\perp = I_i \sin^2 \gamma_i = 125/(2\pi) \times \sin^2 30 = 125/(8\pi)$ W/m^2

$(I_i)_\parallel = I_i \cos^2 \gamma_i = 125/(2\pi) \times \cos^2 30 = 375/(8\pi)$ W/m^2

Suite à une ou deux transmissions, nous savons que

$(I_t)_\perp = (I_i)_\perp (t_1^2)_\perp n_2/n_1$; $(I_{tt})_\perp = (I_t)_\perp (t_2^2)_\perp n_3/n_2$

$(I_{tt})_\perp = (I_i)_\perp (t_1^2)_\perp (t_2^2)_\perp n_3/n_1$

Le calcul de la composante parallèle est similaire.

$(I_{tt})_\parallel = (I_i)_\parallel (t_1^2)_\parallel (t_2^2)_\parallel n_3/n_1$

(a) Calculons les coefficients de transmission à la première interface.

$n_1 = 3/2$; $n_2 = 2$; $\theta_1 = 0°$; $\theta_2 = 0°$ $\Rightarrow$ $(t_1)_\perp = 6/7$; $(t_1)_\parallel = 6/7$

Calculons les coefficients de transmission à la deuxième interface.

$n_2 = 2$; $n_3 = 3/2$; $\theta_2 = 0°$; $\theta_3 = 0°$ $\Rightarrow$ $(t_2)_\perp = 8/7$; $(t_2)_\parallel = 8/7$

Calculons les composantes $\parallel$ et $\perp$ de l'intensité I_{tt}.

$(I_{tt})_\perp = (I_i)_\perp (t_1^2)_\perp (t_2^2)_\perp n_3/n_1$

$125/(8\pi) \times (6/7)^2 \times (8/7)^2 \times (3/2)/(3/2) \approx 4,7727$ W/m^2

$(I_{tt})_\parallel = (I_i)_\parallel (t_1^2)_\parallel (t_2^2)_\parallel n_3/n_1$

$375/(8\pi) \times (6/7)^2 \times (8/7)^2 \times (3/2)/(3/2) \approx 14,318$ W/m^2

L'intensité I_{tt} s'obtient en additionnant ses composantes $\parallel$ et $\perp$.

$I_{tt} = (I_{tt})_\parallel + (I_{tt})_\perp \approx 14,318 + 4,7727 \approx 19,09$ W/m^2

(b) Calculons les coefficients de transmission à la première interface.

$n_1 = 3/2$; $n_2 = 2$; $\theta_1 = 30°$; $\theta_2 = 22,024°$

     $\Rightarrow$ $(t_1)_\perp = 0,82398$; $(t_1)_\parallel = 0,83203$

Calculons les coefficients de transmission à la deuxième interface.

$n_2 = 2$; $n_3 = 3/2$; $\theta_2 = 22,024°$; $\theta_3 = 30°$

     $\Rightarrow$ $(t_2)_\perp = 1,176$; $(t_2)_\parallel = 1,1875$

Calculons les composantes $\parallel$ et $\perp$ de l'intensité I_{tt}.

$(I_{tt})_\perp = (I_i)_\perp (t_1^2)_\perp (t_2^2)_\perp n_3/n_1$

$125/(8\pi) \times 0,82398^2 \times 1,176^2 \times (3/2)/(3/2) \approx 4,6702$ W/m^2

$(I_{tt})_\parallel = (I_i)_\parallel (t_1^2)_\parallel (t_2^2)_\parallel n_3/n_1$

$375/(8\pi) \times 0,83203^2 \times 1,1875^2 \times (3/2)/(3/2) \approx 14,566$ W/m^2

L'intensité I_{tt} s'obtient en additionnant ses composantes $\parallel$ et $\perp$.

$I_{tt} = (I_{tt})_\parallel + (I_{tt})_\perp \approx 14,566 + 4,6702 \approx 19,24$ W/m^2

(c) Similairement à la solution en (b), on obtient $I_{tt} \approx 19,3$ W/m^2.

(d) Similairement à la solution en (b), on obtient $I_{tt} \approx 18,69 \text{ W/m}^2$.

(e) Les calculs ne s'appliquent pas lorsque $\theta_1 = 90°$.

6.20 Démonstration

6.21 La démonstration se fait par induction. La *base de l'induction* consistera à vérifier l'égalité proposée dans le cas où il y a une seule interface. Cela correspond à la valeur $k = 2$.

$$\Rightarrow \quad (I_2)_\parallel = \frac{n_2}{n_1}\left(\prod_{j=1}^{2-1}(t_j^2)_\parallel\right)\cos^2\gamma_i\, I_1$$

$$\Rightarrow \quad (I_2)_\parallel \overset{?}{=} \frac{n_2}{n_1}(t_1^2)_\parallel\cos^2\gamma_i\, I_1$$

Ayant fait l'objet d'une démonstration en classe, l'égalité obtenue ne pose plus de doute. De plus, en remplaçant le symbole $\parallel$ par le symbole $\perp$, nous retrouvons aussi une expression bien connue. La base de l'induction est ainsi vérifiée.

L'*hypothèse de l'induction* consiste à supposer que l'égalité de départ est vraie pour l'entier k.

$$\Rightarrow \quad (I_k)_\parallel = \frac{n_k}{n_1}\left(\prod_{j=1}^{k-1}(t_j^2)_\parallel\right)\cos^2\gamma_i\, I_1$$

Le *pas de l'induction* consiste à vérifier si l'égalité est valide pour l'entier succédant à k, soit $k+1$.

$$\Rightarrow \quad (I_{k+1})_\parallel \overset{?}{=} \frac{n_{k+1}}{n_1}\left(\prod_{j=1}^{(k+1)-1}(t_j^2)_\parallel\right)\cos^2\gamma_i\, I_1$$

$$\Rightarrow \quad (I_{k+1})_\parallel \overset{?}{=} \frac{n_{k+1}}{n_k}\frac{n_k}{n_1}\left(\prod_{j=1}^{k}(t_j^2)_\parallel\right)\cos^2\gamma_i\, I_1$$

$$\Rightarrow \quad (I_{k+1})_\parallel \overset{?}{=} \frac{n_{k+1}}{n_k}\frac{n_k}{n_1}\left(\prod_{j=1}^{k-1}(t_j^2)_\parallel\right)(t_k^2)_\parallel\cos^2\gamma_i\, I_1$$

$$\Rightarrow \quad (I_{k+1})_\parallel \overset{?}{=} \left[\frac{n_k}{n_1}\left(\prod_{j=1}^{k-1}(t_j^2)_\parallel\right)\cos^2\gamma_i I_1\right]\frac{n_{k+1}}{n_k}(t_k^2)_\parallel$$

Afin de pouvoir utiliser l'hypothèse d'induction, l'astuce consiste à la mettre en évidence. Cela étant fait, utilisons l'hypothèse d'induction que nous supposons vraie.

$$\Rightarrow \quad (I_{k+1})_\parallel \overset{?}{=} (I_k)_\parallel\frac{n_{k+1}}{n_k}(t_k^2)_\parallel$$

L'égalité obtenue présente de moins en moins de doute. Afin de comprendre pourquoi, substituons l'indice muet k par l'indice i, en ayant à l'esprit que i réfère au milieu incident. Or, si $k \equiv i$ alors $k+1 \equiv t$, de sorte que l'on retrouve une égalité dont on sait qu'elle est vraie, c'est-à-dire :

$(I_t)_\parallel = \frac{n_t}{n_i}(t^2)_\parallel\,(I_i)_\parallel$

Cela complète la démonstration pour la composante $\parallel$ de l'intensité. La démonstration est semblable pour la composante $\perp$ de l'intensité.

6.22 $I_D \approx 1,609 \text{ W/m}^2$

6.23 $n_1 = 1$; $n_2 = 3/2$; $n_3 = 2$; $n_4 = 5/2$; $E_i = 50$ V/m ; $\gamma_i = 45°$

Dégageons quelques résultats préliminaires.

$I_i = n_1 E_i^2/(240\pi) = 1 \times 50^2/(240\pi) = 125/(12\pi)$ W/m^2

$(I_i)_\perp = I_i \sin^2 \gamma_i = 125/(12\pi) \times \sin^2 45 = 125/(24\pi)$ W/m^2

$(I_i)_\parallel = I_i \cos^2 \gamma_i = 125/(12\pi) \times \cos^2 45 = 125/(24\pi)$ W/m^2

Suite à une ou plusieurs transmissions, nous savons que

$(I_t)_\perp = (I_i)_\perp (t_1^2)_\perp n_2/n_1$; $(I_{tt})_\perp = (I_t)_\perp (t_2^2)_\perp n_3/n_2$

$(I_{ttt})_\perp = (I_{tt})_\perp (t_3^2)_\perp n_4/n_3$; $(I_{tttt})_\perp = (I_{ttt})_\perp (t_4^2)_\perp n_1/n_4$

$(I_{tttt})_\perp = (I_i)_\perp (t_1^2)_\perp (t_2^2)_\perp (t_3^2)_\perp (t_4^2)_\perp n_1/n_1$

La composante $\parallel$ de l'intensité I_{tttt} se calcule de la même façon.

$(I_{tttt})_\parallel = (I_i)_\parallel (t_1^2)_\parallel (t_2^2)_\parallel (t_3^2)_\parallel (t_4^2)_\parallel n_1/n_1$

Calculons les coefficients de transmission à la première interface.

$n_1 = 1$; $n_2 = 3/2$; $\theta_1 = 0°$; $\theta_2 = 0°$ $\Rightarrow$ $(t_1)_\perp = 4/5$; $(t_1)_\parallel = 4/5$

Calculons les coefficients de transmission à la deuxième interface.

$n_2 = 3/2$; $n_3 = 2$; $\theta_2 = 0°$; $\theta_3 = 0°$ $\Rightarrow$ $(t_2)_\perp = 6/7$; $(t_2)_\parallel = 6/7$

Calculons les coefficients de transmission à la troisième interface.

$n_3 = 2$; $n_4 = 5/2$; $\theta_3 = 0°$; $\theta_4 = 0°$ $\Rightarrow$ $(t_3)_\perp = 8/9$; $(t_3)_\parallel = 8/9$

Calculons les coefficients de transmission à la dernière interface.

$n_4 = 5/2$; $n_5 = 1$; $\theta_4 = 0°$; $\theta_5 = 0°$ $\Rightarrow$ $(t_4)_\perp = 10/7$; $(t_4)_\parallel = 10/7$

À l'aide des résultats préliminaires, calculons l'intensité I_{tttt}.

$(I_{tttt})_\perp = (I_i)_\perp (t_1^2)_\perp (t_2^2)_\perp (t_3^2)_\perp (t_4^2)_\perp =$

$125/(24\pi) \times (4/5)^2 \times (6/7)^2 \times (8/9)^2 \times (10/7)^2 \approx 1,257$ W/m^2

$(I_{tttt})_\parallel = (I_i)_\parallel (t_1^2)_\parallel (t_2^2)_\parallel (t_3^2)_\parallel (t_4^2)_\parallel =$

$125/(24\pi) \times (4/5)^2 \times (6/7)^2 \times (8/9)^2 \times (10/7)^2 \approx 1,257$ W/m^2

L'intensité I_{tttt} s'obtient en additionnant ses composantes $\parallel$ et $\perp$.

$I_{tttt} = (I_{tttt})_\parallel + (I_{tttt})_\perp \approx 1,257 + 1,257 \approx 2,514$ W/m^2

6.24 (a) $W_1 = W_0 R_1$ (d) $W_4 = W_0 T_1 T_2$ $W_3 = 1/6$ watt ;

      (b) $W_2 = W_0 T_1$ (e) $W_1 = 1/3$ watt ; $W_4 = 1/2$ watt

      (c) $W_3 = W_0 T_1 R_2$ $W_2 = 2/3$ watt ;

6.25   Rappelons les liens entre l'aire des surfaces que présentent les ondes et l'aire de la surface sur l'interface.

$A_i = A \cos \theta_i$; $A_r = A \cos \theta_i$; $A_t = A \cos \theta_t$

    (a)   La puissance est le produit de l'intensité par la superficie appropriée.

$W_1/A_1 = I_1$; $W_0/A_0 = I_0$

Divisons les deux résultats.

$(W_1/A_1)/(W_0/A_0) = I_1/I_0$ $\Rightarrow$ $I_1/I_0 = R_1 A_0/A_1$

L'aire incidente est égale à l'aire réfléchie, c'est-à-dire que $A_1 = A_0$.

     $\Rightarrow$ $I_1 = R_1 I_0$

L'égalité révèle que le quotient W_r/W_i équivaut au quotient I_r/I_i.

(b) Par une démarche semblable,

$W_2/A_2 = I_2$; $W_0/A_0 = I_0$

Divisons les deux résultats.

$(W_2/A_2)/(W_0/A_0) = I_2/I_0$ $\Rightarrow$ $I_2/I_0 = T_1 A_0/A_2$

Utilisons les rappels présentés.

$A_i = A\cos\theta_i$ $\Rightarrow$ $A_0 = A\cos\theta_i$

$A_t = A\cos\theta_t$ $\Rightarrow$ $A_2 = A\cos\theta_t$

L'onde incidente et l'onde transmise n'occupe pas la même superficie, c'est-à-dire que $A_2 \neq A_0$.

$\Rightarrow$ $I_2 = T_1\, I_0 \cos\theta_i/\cos\theta_t$

L'égalité révèle que le quotient W_t/W_i diffère du quotient I_t/I_i. De plus, pour être en mesure de déterminer la valeur de l'intensité transmise, les angles θ_i et θ_t doivent être connus.

(c) Tirons profit du résultat obtenu en (a).

$\Rightarrow$ $I_3 = I_2 R_2$

Substituons le résultat obtenu en (b).

$\Rightarrow$ $I_3 = T_1 R_2 I_0 \cos\theta_i/\cos\theta_t$

(d) Tirons profit du résultat obtenu en (b).

$\Rightarrow$ $I_4 = T_2 I_2 \cos\theta_2/\cos\theta_4$

À la sortie et à l'entrée, le signal se déplace dans le même milieu ambiant. De plus, les interfaces rencontrées par le signal sont parallèles. Il s'ensuit que $\theta_4 = \theta_i$ et $\theta_2 = \theta_t$.

$\Rightarrow$ $I_4 = T_2 I_2 \cos\theta_t/\cos\theta_i$.

Utilisons l'expression pour I_2 trouvée en (b).

$\Rightarrow$ $I_4 = T_2\,(T_1 I_0 \cos\theta_i/\cos\theta_t)\,\cos\theta_t/\cos\theta_i$

$\Rightarrow$ $I_4 = T_2 T_1 I_0$

6.26 (a) $R_1 = (r_1^2)_\perp \sin^2\gamma_i + (r_1^2)_\parallel \cos^2\gamma_i$

(b) $R_2 = \dfrac{(t_1^2)_\perp (r_2^2)_\perp \sin^2\gamma_i + (t_1^2)_\parallel (r_2^2)_\parallel \cos^2\gamma_i}{(t_1^2)_\perp \sin^2\gamma_i + (t_1^2)_\parallel \cos^2\gamma_i}$

(c) Faites le graphique de $R_1(\gamma_i)$.

(d) Faites le graphique de $R_1(\gamma_i)$ et $R_2(\gamma_i)$.

(e) Les coefficients ne sont pas égaux.

(f) Faites le graphique de $R_1(\gamma_i) - R_2(\gamma_i)$.

(g) On constate que l'écart n'excède pas $1/25$.

6.27 $n_i = 3/2$; $n_t = 2$; $W_i = 1$ watt ; $\gamma_i = 60°$

Dégageons quelques résultats préliminaires qui serviront à répondre aux questions (a) à (e). Débutons par le calcul des composantes de l'intensité pour l'onde incidente.

$(I_i)_\perp = I_i \sin^2\gamma_i$; $(I_i)_\parallel = I_i \cos^2\gamma_i$

Suite à une transmission, nous savons que

$(I_t)_\perp = (I_i)_\perp (t^2)_\perp n_t/n_i$; $(I_t)_\parallel = (I_i)_\parallel (t^2)_\parallel n_t/n_i$

L'intensité I_t s'obtient en additionnant ses composantes $\parallel$ et $\perp$.

$I_t = (I_t)_\parallel + (I_t)_\perp$

Il s'ensuit :

$I_t/I_i = n_t/n_i \left((t^2)_\perp \sin^2 \gamma_i + (t^2)_\parallel \cos^2 \gamma_i\right)$

En rappelant que :

$W_t = I_t A_t; \quad W_i = I_i A_i; \quad A_i = A \cos \theta_i; \quad A_t = A \cos \theta_t$

il s'ensuit :

$W_t/W_i = n_t/n_i \left((t^2)_\perp \sin^2 \gamma_i + (t^2)_\parallel \cos^2 \gamma_i\right) \cos \theta_t / \cos \theta_i$

(a) Calculons les coefficients de transmission en amplitude.

$n_i = 3/2; \quad n_t = 2; \quad \theta_i = 0°; \quad \theta_i = 0° \quad \Rightarrow \quad t_\perp = 6/7; \quad t_\parallel = 6/7$

Calculons la valeur W_t sachant que $W_i = 1$ watt.

$W_t/W_i = (2)/(3/2) \times ((6/7)^2 \sin^2 60° + (6/7)^2 \cos^2 60°) \times 1$

$\Rightarrow \quad W_t = 48/49 \approx 0,98$ W

(b) Calculons les coefficients de transmission en amplitude.

$n_i = 3/2; n_t = 2; \theta_i = 30°; \theta_i = 22,024° \Rightarrow t_\perp = 0,824; t_\parallel = 0,832$

Calculons la valeur W_t sachant que $W_i = 1$ watt.

$W_t/W_i = \frac{2}{3/2} \times (0,82398^2 \sin^2 60° + 0,83203^2 \cos^2 60°) \times \frac{\cos 22,024°}{\cos 30°}$

$\Rightarrow \quad W_t \approx 0,974$ W

(c) Similairement à la solution en (b) on obtient $W_t \approx 0,96$ W.

(d) Similairement à la solution en (b) on obtient $W_t \approx 0,913$ W.

(e) Les calculs ne s'appliquent pas lorsque $\theta_i = 90°$.

6.28 (a) $W_r \approx 0,02$ W   (d) $W_r \approx 0,087$ W

      (b) $W_r \approx 0,026$ W   (e) Les calculs ne s'appliquent pas

      (c) $W_r \approx 0,04$ W   lorsque $\theta_i = 90°$.

6.29 Oui, le signal transmis perd peu de puissance relativement au signal incident. Les pertes en puissance à la transmission vont à la réflexion.

6.30 Voir les réponses aux exercices 6.27 et 6.28 et utilisez $W_i = W_r + W_t$.

6.31 Rappelons les formules permettant de séparer l'intensité en ses composantes parallèles et perpendiculaires.

$(I_i)_\parallel = I_i \cos^2 \gamma_i; \quad (I_i)_\perp = I_i \sin^2 \gamma_i$

Pour de la lumière naturelle, l'angle azimutal n'a pas d'orientation fixe. Rappelons que la valeur moyenne des fonctions $\sin^2 \gamma_i$ et $\cos^2 \gamma_i$ durant un cycle vaut $1/2$.

(a) $(I_i)_\parallel = I_i/2 = 50$ W/m^2 (b) $(I_i)_\perp = I_i/2 = 50$ W/m^2

6.32 (a) $I_{max} = 35$ W/m^2 (b) $I_{min} = 20$ W/m^2 (c) $V = 3/11$

6.33 (a) À l'angle de polarisation, l'intensité réfléchie est entièrement contenue dans la composante perpendiculaire car $r_\parallel = 0 \Rightarrow (I_r)_\parallel = 0$.

$\Rightarrow \quad (I_r)_\perp = I_r - (I_r)_\parallel = 1 - 0 = 1$ W/m^2

La lumière naturelle se sépare à part égales dans ses composantes parallèles et perpendiculaires.

$$\Rightarrow \quad (I_i)_\perp = I_i/2 = 20/2 = 10 \text{ W/m}^2$$

Nous pouvons établir une première équation en considérant la réflexion en intensité de la composante perpendiculaire.

$$(I_r)_\perp = (r^2)_\perp (I_i)_\perp = \left(\frac{n_1 \cos\theta_1 - n_2 \cos\theta_2}{n_1 \cos\theta_1 + n_2 \cos\theta_2} \right)^2 (I_i)_\perp$$

Le signal incident frappe l'interface à l'angle de polarisation.

$$\Rightarrow \quad \tan(\theta_1) = n_2/n_1$$

En ajoutant la loi de la réfraction, on obtient trois équations.

$$(I_r)_\perp = \left(\frac{n_1 \cos\theta_1 - n_2 \cos\theta_2}{n_1 \cos\theta_1 + n_2 \cos\theta_2} \right)^2 (I_i)_\perp$$

$$\tan(\theta_1) = n_2/n_1$$

$$n_1 \sin\theta_1 = n_2 \sin\theta_2$$

Inconnues : n_2, θ_1 et θ_2. Paramètres : $(I_r)_\perp$, $(I_i)_\perp$, et n_1.
En considérant $(I_r)_\perp = 1$ W/m^2, $(I_i)_\perp = 10$ W/m^2, et $n_1 = 1$, on obtient les résultats ci-dessous.

$$n_2 \approx 1,39 ; \quad \theta_1 \approx 54,22° ; \quad \theta_2 \approx 35,78°$$

(b) Le signal incident frappe l'interface à l'angle $\theta_p = \theta_1 \approx 54,22°$.

6.34 (a) $I_n = 20$ W/m^2 (c) $V = 1/3$

     (b) $I_p = 10$ W/m^2 (d) $\beta = 60° \pm 90°$

6.35 Si $r_\parallel = 0$, alors le champ électrique $\mathbf{E}_r$ est orienté dans la direction de l'axe $\perp$. La lumière ainsi produite est polarisée et son degré de polarisation est $V = 1$.

6.36 Il n'y aura aucune variation d'intensité.

6.37 $I_{\max} = 30$ W/m^2 ; $I_{\min} = 10$ W/m^2

(a) Le degré de polarisation peut se calculer à l'aide des intensités maximales et minimales.

$$V = (I_{\max} - I_{\min})/(I_{\max} + I_{\min}) = (30 - 10)/(30 + 10) = 1/2$$

(b) Dans le cas où la lumière polarisée est absorbée par le polariseur, seule la moitié de la lumière naturelle incidente le traverse.

$$I_{\min} = I_n/2 \quad \Rightarrow \quad 10 = I_n/2 \quad \Rightarrow \quad I_n = 20 \text{ W/m}^2$$

Dans le cas où la lumière polarisée traverse le polariseur sans y être absorbée, sa contribution s'ajoute à celle de lumière naturelle.

$$I_{\max} = I_n/2 + I_p \quad \Rightarrow \quad 30 = 20/2 + I_p \quad \Rightarrow \quad I_p = 20 \text{ W/m}^2$$

L'intensité est la somme de sa partie naturelle et polarisée.

$$I_s = I_p + I_n = 20 + 20 = 40 \text{ W/m}^2$$

(c) La valeur $I_p = 20$ W/m^2

(d) La valeur $I_n = 20$ W/m^2

6.38 (a) $I_s = 5$ W/m^2

     (b) $\theta \approx 77,08°$

6.39   Mêmes réponses qu'à l'exercice 6.38

        Note : cette question est résolue à l'exemple 6.5 à la page 228.

6.40 (a) $(E_i)_\parallel = 5\sqrt{3}$ V/m ; $(E_i)_\perp = 5$ V/m

       (b) $\mathbf{E}_r \approx [-1,1518; 0,4596]$ V/m ; $E_r \approx 1,24$ V/m

       (c) $\gamma_r \approx -68,25°$ (d) $I_r \approx 0,002$ W/m^2

       (e) $\mathbf{E}_t \approx [3,8482; 6,8398]$ V/m ; $(E_t)_\perp = 7,8481$ V/m

       (f) $\gamma_t \approx 29,36°$ (g) $I_t \approx 0,1089$ W/m^2

6.41   Déterminons l'expression de l'intensité de la lumière naturelle après k réflexions identiques.

$$\Rightarrow \quad (I_i)_\perp = I_i/2 ; \quad (I_i)_\parallel = I_i/2$$

Les réflexions font intervenir le même interface et le même angle d'incidence. Ainsi, seuls les coefficients $(r)_\parallel$ et $(r)_\perp$ sont nécessaires. Déterminons la composante $\perp$ de l'intensité après k réflexions.

$$(I_1)_\perp = (r^2)_\perp (I_i)_\perp$$
$$(I_2)_\perp = (r^2)_\perp (I_1)_\perp = (r^2)_\perp (r^2)_\perp (I_i)_\perp$$
$$(I_3)_\perp = (r^2)_\perp (I_2)_\perp = (r^2)_\perp (r^2)_\perp (r^2)_\perp (I_i)_\perp$$
$$\vdots$$
$$(I_k)_\perp = (r^{2k})_\perp (I_i)_\perp$$

La composante parallèle s'obtient de la même façon.

$$(I_k)_\parallel = (r^{2k})_\parallel (I_i)_\parallel$$

L'intensité est la somme de ses composantes $\parallel$ et $\perp$.

$$\Rightarrow \quad I_k = (r^{2k})_\perp (I_i)_\perp + (r^{2k})_\parallel (I_i)_\parallel$$
$$\Rightarrow \quad I_k = (r^{2k})_\perp I_i/2 + (r^{2k})_\parallel I_i/2$$

Toutes les réflexions se font à l'angle de polarisation.

$$\Rightarrow \quad r_\parallel = 0 \quad \Rightarrow \quad I_k = (r^{2k})_\perp I_i/2 \quad \Rightarrow \quad I_k/I_i = (r^{2k})_\perp/2$$

Trouvons le nombre k diminuant l'intensité I_i d'un facteur de 100.

$$\Rightarrow \quad I_k/I_i = 1/100 \quad \Rightarrow \quad (r^{2k})_\perp/2 = 1/100$$

Calculons la valeur du coefficient de réflexion pour la composante $\perp$.

$n_i = 1$; $n_t = 1,33$ $\Rightarrow$ $\theta_i = \theta_p = \tan^{-1}(n_t/n_i) \approx 53,061°$

$\theta_t = 36,939°$; $r_\perp = -0,27769$

Calculons la valeur k recherchée.

$(r^{2k})_\perp/2 = 1/100 \Rightarrow (-0,27769)^{2k}/2 = 1/100 \Rightarrow k \approx 1,527$

Pour que l'intensité diminue d'un facteur de 100 il faut deux rebonds.

6.42 (a) $\tan\gamma_r = \dfrac{(r_1)_\perp}{(r_1)_\parallel} \tan\gamma_i$ et $n_i \sin\theta_i = n_t \sin\theta_t$

       (b) $n_l = \sqrt{10}/2$ (e) $\gamma_t \approx 28,711°$

       (c) $\theta_p \approx 57,688°$ (f) $\tan\gamma_{tt} = \dfrac{(t_1)_\perp}{(t_1)_\parallel} \dfrac{(t_2)_\perp}{(t_2)_\parallel} \tan\gamma_i$

       (d) $\tan\gamma_t = \dfrac{(t_1)_\perp}{(t_1)_\parallel} \tan\gamma_i$ (g) $\gamma_{tt} \approx 27,457°$

6.43 $n_1 = 1$; $n_2 = 3/2$; $\theta_i = 45°$; $\gamma_i = 45°$

(a) Puisque l'angle azimutal est γ_i fixe, la lumière incidente est polarisée.

(b) Calculons les composantes $\parallel$ et $\perp$ du champ électrique incident.

$(E_i)_\perp = E_i \sin \gamma_i = E_i \sin 45° = E_i/\sqrt{2}$ V/m

$(E_i)_\parallel = E_i \cos \gamma_i = E_i \cos 45° = E_i/\sqrt{2}$ V/m

Calculons les coefficients de réflexion à l'interface.

$n_1 = 1 ; n_2 = \frac{3}{2} ; \theta_i = 45° ; \theta_2 \approx 28,1° \Rightarrow r_\perp \approx -0,303;$ $r_\parallel \approx 0,092$

Calculons les composantes $\parallel$ et $\perp$ du champ électrique réfléchi.

$(E_r)_\perp = r_\perp (E_i)_\perp = -0,30334 \times E_i/\sqrt{2} \approx -0,21449 E_i$

$(E_r)_\parallel = r_\parallel (E_i)_\parallel = 0,09201 \times E_i/\sqrt{2} \approx 0,06506 E_i$

Déterminons l'angle azimutal γ_r du signal réfléchi.

$\gamma_r = \tan^{-1}((E_r)_\perp/(E_r)_\parallel) \approx \tan^{-1}(-0,21449/0,06506) \approx -73,126°$

Désignons par $\beta_{\max}$ et $\beta_{\min}$ les angles correspondant respectivement aux intensités maximale et minimale de la lumière sortant du polariseur. Si l'axe du polariseur est parallèle au champ électrique incident, alors l'intensité lumineuse sortant du polariseur est maximale.

$\Rightarrow \quad \beta_{\max} = \gamma_r + 90° \approx -73,126° + 90° \approx 16,874°$

(c) Si l'axe du polariseur est perpendiculaire au champ électrique incident, alors l'intensité lumineuse sortant du polariseur est minimale.

$\Rightarrow \quad \beta_{\min} = \beta_{\max} + 90° \approx 16,874° + 90° \approx 106,87°$

(d) $\tan \theta_p = n_2/n_1 = (3/2)/1 \quad \Rightarrow \quad \theta_p \approx 56,31°$

6.44 (a) $(r_1^2)_\perp \sin^2 \gamma_i + (r_1^2)_\parallel \cos^2 \gamma_i = (t_1^2)_\perp (t_2^2)_\perp \sin^2 \gamma_i + (t_1^2)_\parallel (t_2^2)_\parallel \cos^2 \gamma_i$

(b) $n = 4,345$

(c) La valeur obtenue n'est pas réaliste car elle est élevée comparativement aux indices des matériaux connus à ce jour (eau, verre, ..., etc.).

(d) $n = 5,594$

(e) $n = 4,345$

(f) $n = 3,648$

(g) Faites le graphique de n en fonction de γ_i.

(h) $n = 3,078$

6.45 (a) Déterminons les composantes $\parallel$ et $\perp$ de l'intensité incidente.

$(I_0)_\perp = I_0 \sin^2 \gamma_i = I_0 \sin^2 30° = I_0/4$ W/m^2

$(I_0)_\parallel = I_0 \cos^2 \gamma_i = I_0 \cos^2 30° = 3I_0/4$ W/m^2

Calculons les coefficients de réflexion à l'interface supérieure.

$n_i = 1; n_t = \sqrt{3}; \theta_i = \theta_t = 0°; \Rightarrow (r_1)_\perp = \sqrt{3} - 2; (r_1)_\parallel = -\sqrt{3} + 2$

Calculons les composantes $\parallel$ et $\perp$ de l'intensité réfléchie.

$(I_r)_\perp = (r_1^2)_\perp (I_0)_\perp = (\sqrt{3} - 2)^2 I_0/4$ W/m^2

$(I_r)_\parallel = (r_1^2)_\parallel (I_0)_\parallel = (\sqrt{3} - 2)^2 3I_0/4$ W/m^2

L'intensité I_1 s'obtient en additionnant ses composantes $\parallel$ et $\perp$.

$I_1 = (I_r)_\perp + (I_r)_\parallel = (\sqrt{3} - 2)^2 I_0$

Ainsi, le facteur multiplicatif recherché est $(\sqrt{3} - 2)^2$.

(b) Évaluons l'expression obtenue à la question (a) avec $I_0 = 100$ W/m^2.
$I_1 = (\sqrt{3} - 2)^2 I_0 = (\sqrt{3} - 2)^2 \times 100 = 100(\sqrt{3} - 2)^2 \approx 7,1797$ W/m^2

(c) Calculons les composantes $\parallel$ et $\perp$ de l'onde incidente.
$(E_0)_\perp = E_0 \sin \gamma_i = E_0 \sin 30° = E_0/2$ V/m
$(E_0)_\parallel = E_0 \cos \gamma_i = E_0 \cos 30° = E_0 \sqrt{3}/2$ V/m
Calculons les valeurs des composantes du champ électrique réfléchi.
$(E_r)_\perp = (r_1)_\perp (E_0)_\perp = (\sqrt{3} - 2) \times E_0/2$
$(E_r)_\parallel = (r_1)_\parallel (E_0)_\parallel = -(\sqrt{3} - 2) \times E_0 \sqrt{3}/2$
Déterminons l'angle azimutal du signal réfléchi.
$\gamma_r = \tan^{-1}((E_r)_\perp/(E_r)_\parallel) = \tan^{-1}(-1/\sqrt{3}) = -30° \Rightarrow \gamma_r = -30°$
Puisque $(E_r)_\perp < 0$ et $(E_r)_\parallel > 0$, l'angle obtenu est le bon.

(d) L'examen de la figure ci-dessous révèle que les vecteurs $\mathbf{E}_i$ et $\mathbf{E}_r$ ne peuvent pas être comparés s'ils sont exprimés dans la base $\parallel$ et $\perp$. Cela est dû au fait que l'axe $\parallel$ change d'orientation après la réflexion du signal. Il est de même pour la transmission du signal.

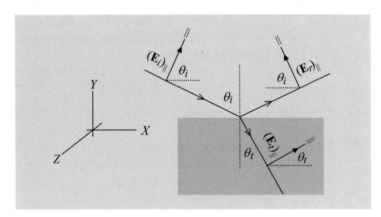

FIG. 15 Exercice 6.45(d).

Afin de pouvoir comparer les vecteurs $\mathbf{E}_i$, $\mathbf{E}_r$ et $\mathbf{E}_t$, il est nécessaire de les exprimer dans un référentiel commun. Pour ce faire, considérons le référentiel standard formé des axes XYZ ; les vecteurs de bases $\mathbf{i}$, $\mathbf{j}$ et $\mathbf{k}$ étant respectivement attachés aux axes XYZ. Dans le référentiel standard, soulignons que l'axe Z coïncide avec l'axe $\perp$.
Exprimons le vecteur $\mathbf{E}_i$ dans la base vectorielle $\mathbf{i}$, $\mathbf{j}$ et $\mathbf{k}$.
$\Rightarrow \quad \mathbf{E}_i = (E_0)_\parallel \cos \theta_i \, \mathbf{i} + (E_0)_\parallel \sin \theta_i \, \mathbf{j} + (E_0)_\perp \, \mathbf{k}$;
Rappelons que les composantes $\parallel$ et $\perp$ d'une onde électromagnétique s'expriment en fonction de l'angle azimutal γ que forme le champ électrique $\mathbf{E}$ avec le plan d'incidence.
$\Rightarrow \quad (E_i)_\parallel = E_i \cos \gamma_i$; $\quad (E_i)_\perp = E_i \sin \gamma_i$
Rappelons que $\gamma_i = 30°$ et $\theta_i = 0°$.
$\Rightarrow \quad \mathbf{E}_i = E_0 \cos 30 \, \mathbf{i} + E_0 \sin 30 \, \mathbf{k}$;

Exprimons le vecteur $\mathbf{E}_r$ dans la base vectorielle $\mathbf{i}$, $\mathbf{j}$ et $\mathbf{k}$.

$\Rightarrow \quad \mathbf{E}_r = -(E_r)_\parallel \cos\theta_i \, \mathbf{i} + (E_r)_\parallel \sin\theta_i \, \mathbf{j} + (E_r)_\perp \, \mathbf{k}$

$\Rightarrow \quad \mathbf{E}_r = -(r_1)_\parallel (E_i)_\parallel \, \mathbf{i} + (r_1)_\parallel (E_i)_\parallel \times 0 \, \mathbf{j} + (r_1)_\perp (E_i)_\perp \, \mathbf{k}$

$\Rightarrow \quad \mathbf{E}_r = (\sqrt{3}-2)E_i \cos 30 \, \mathbf{i} + (\sqrt{3}-2)E_i \sin(30) \, \mathbf{k}$

Utilisons le produit scalaire pour calculer l'angle α que forment les vecteurs $\mathbf{E}_i$ et $\mathbf{E}_r$.

$\Rightarrow \quad \cos\alpha = \mathbf{E}_i \cdot \mathbf{E}_r / (E_i \, E_r)$

Après avoir effectué le calcul, on obtient $\cos\alpha = -1$. Le résultat signifie que les vecteurs sont en sens inverse.

(e) Décomposons l'intensité incidente I_0 en ses composantes $\parallel$ et $\perp$.

$(I_0)_\perp = I_0 \sin^2 \gamma_i = I_0 \sin^2 30° = I_0/4 \text{ W/m}^2$

$(I_0)_\parallel = I_0 \cos^2 \gamma_i = I_0 \cos^2 30° = 3I_0/4 \text{ W/m}^2$

Calculons les coefficients $(t_1)_\parallel$ et $(t_1)_\perp$ à l'interface du haut.

$n_i = 1; \; n_t = \sqrt{3}; \; \theta_i = \theta_t = 0°; \; \Rightarrow \; (t_1)_\perp = \sqrt{3}-1; \; (t_1)_\parallel = \sqrt{3}-1$

Calculons les coefficients $(r_2)_\parallel$ et $(r_2)_\perp$ à l'interface du bas.

$n_i = \sqrt{3}; \; n_t = 1; \; \theta_i = \theta_t = 0°; \; \Rightarrow \; (r_2)_\perp = -(\sqrt{3}-2); \; (r_2)_\parallel = \sqrt{3}-2$

Calculons les coefficients $(t_3)_\parallel$ et $(t_3)_\perp$ à l'interface du haut.

$n_i = \sqrt{3}; \; n_t = 1; \; \theta_i = \theta_t = 0°; \; \Rightarrow \; (t_3)_\perp = 3 - \sqrt{3}; \; (t_3)_\parallel = 3 - \sqrt{3}$

Calculons la composante $\perp$ de l'intensité sortant par la face du haut.

$(I_t)_\perp = (t_1^2)_\perp (I_0)_\perp n_l/n_a$

$(I_{tr})_\perp = (r_2^2)_\perp (I_t)_\perp = (r_2^2)_\perp (t_1^2)_\perp (I_0)_\perp n_l/n_a$

$(I_{trt})_\perp = (t_3^2)_\perp (I_{tr})_\perp n_a/n_l = (t_3^2)_\perp (r_2^2)_\perp (t_1^2)_\perp (I_0)_\perp$

$(I_{trt})_\perp = (3 - \sqrt{3})^2 \times (-(\sqrt{3}-2))^2 \times (\sqrt{3}-1)^2 \times I_0/4$

$(I_{trt})_\perp = (1164 - 672\sqrt{3}) \times I_0/4$

La composante $\parallel$ de l'intensité s'obtient de la même façon.

$(I_{trt})_\parallel = (t_3^2)_\parallel (r_2^2)_\parallel (t_1^2)_\parallel (I_0)_\parallel$

$(I_{trt})_\parallel = (3 - \sqrt{3})^2 \times (\sqrt{3}-2)^2 \times (\sqrt{3}-1)^2 \times 3I_0/4$

$(I_{trt})_\parallel = (1164 - 672\sqrt{3}) \times 3I_0/4$

L'intensité I_2 s'obtient en additionnant ses composantes $\parallel$ et $\perp$.

$I_2 = (I_{trt})_\perp + (I_{trt})_\parallel = (1164 - 672\sqrt{3}) \times I_0/4 + (1164 - 672\sqrt{3}) \times 3I_0/4$

$I_2 = (1164 - 672\sqrt{3})I_0$

Le facteur multiplicatif qui relie I_2 et I_0 est $(1164 - 672\sqrt{3})$.

(f) Évaluons l'expression obtenue à la question (e) avec $I_0 = 100 \text{ W/m}^2$.

$I_2 \approx 6,1857 \text{ W/m}^2$

(g) Calculons les composantes $\parallel$ et $\perp$ du champ électrique incident.

$(E_0)_\perp = E_0 \sin\gamma_i = E_0 \sin 30° = E_0/2 \text{ V/m}$

$(E_0)_\parallel = E_0 \cos\gamma_i = E_0 \cos 30° = E_0\sqrt{3}/2 \text{ V/m}$

Calculons la composante $\perp$ du champ sortant de la face supérieure.

$(E_t)_\perp = (t_1)_\perp (E_0)_\perp$

$(E_{tr})_\perp = (r_2)_\perp (E_t)_\perp = (r_2)_\perp (t_1)_\perp (E_0)_\perp$

$(E_{trt})_\perp = (t_3)_\perp (E_{tr})_\perp = (t_3)_\perp (r_2)_\perp (t_1)_\perp (E_0)_\perp$

$(E_{trt})_\perp = (3 - \sqrt{3}) \times (-(\sqrt{3} - 2)) \times (\sqrt{3} - 1)E_0/2$

$(E_{trt})_\perp = (14\sqrt{3} - 24)E_0/2$

L'amplitude de la composante $\parallel$ s'obtient de la même façon.

$(E_{trt})_\parallel = (t_3)_\parallel (r_2)_\parallel (t_1)_\parallel (E_0)_\parallel$

$(E_{trt})_\parallel = (3 - \sqrt{3}) \times (\sqrt{3} - 2) \times (\sqrt{3} - 1)E_0\sqrt{3}/2$

$(E_{trt})_\parallel = -(14\sqrt{3} - 24)E_0\sqrt{3}/2$

Déterminons l'angle azimutal du signal sortant de la face supérieure.

$\gamma_{trt} = \tan^{-1}((E_{trt})_\perp/(E_{trt})_\parallel) = \tan^{-1}(-1/\sqrt{3}) = -30°$

Puisque $(E_{trt})_\perp > 0$ et $(E_{trt})_\parallel < 0$, l'angle recherché est le suivant :

$\gamma_{trt} = -30° + 180° = 150°$

(h) Rappelons le résultat de la question en (d).

$\mathbf{E}_i = (E_i)_\parallel \cos\theta_i \, \mathbf{i} + (E_i)_\parallel \sin\theta_i \, \mathbf{j} + (E_i)_\perp \, \mathbf{k} \, ;$

$\mathbf{E}_i = E_0 \cos 30 \, \mathbf{i} + E_0 \sin 30 \, \mathbf{k} \, ;$

$\mathbf{E}_i = E_0\sqrt{3}/2 \, \mathbf{i} + E_0/2 \, \mathbf{k} \, ;$

Les signaux 0 et 2 sont ne sont pas parallèles. Ainsi, les axes $\parallel$ des systèmes ne forment pas le même angle $\theta_i = 0$ avec l'horizontal (fig. 15). Cela dit, déterminons le vecteur $\mathbf{E}_{trt}$ dans la base $\mathbf{i}$, $\mathbf{j}$ et $\mathbf{k}$.

$\mathbf{E}_{trt} = -(E_{trt})_\parallel \cos\theta_i \, \mathbf{i} + (E_{trt})_\parallel \sin\theta_i \, \mathbf{j} + (E_{trt})_\perp \, \mathbf{k} \, ;$

Rappelons que $\theta_i = 0°$ et utilisons les résultats précédents.

$\mathbf{E}_{trt} = (14\sqrt{3} - 24)E_0\sqrt{3}/2 \, \mathbf{i} + 0 \, \mathbf{j} + (14\sqrt{3} - 24)E_0/2 \, \mathbf{k})$

Utilisons le produit scalaire pour calculer l'angle α que forment les vecteurs $\mathbf{E}_i$ et $\mathbf{E}_{trt}$.

$\Rightarrow \quad \cos\alpha = \mathbf{E}_i \cdot \mathbf{E}_{trt}/(E_i \, E_{trt})$

Après avoir effectué le calcul, on obtient $\cos\alpha = 1$. Le résultat signifie que les vecteurs sont strictement parallèles.

(i) Tel que calculés en (a) et (e), rappelons les facteurs multiplicatifs qui relient I_1 à I_0 et I_2 à I_0.

$I_1 = (\sqrt{3} - 2)^2 I_0 \, ; \quad I_2 = (1164 - 672\sqrt{3})I_0$

Substituons la première équation dans la seconde.

$I_1 = (\sqrt{3} - 2)^2 I_0 \quad \Rightarrow \quad I_0 = I_1/(\sqrt{3} - 2)^2$

$I_2 = (1164 - 672\sqrt{3})I_0 \quad \Rightarrow \quad I_2 = (84 - 48\sqrt{3})I_1$

Le facteur multiplicatif qui relie I_2 et I_1 est $(84 - 48\sqrt{3})$.

(j) Les signaux 1 et 2 sont parallèles de sorte que les axes $\parallel$ des systèmes forment le même angle $\theta_i = 0$ avec l'horizontal (fig. 15). Étant exprimés dans un référentiel commun, les vecteurs $\mathbf{E}_r$ et $\mathbf{E}_{trt}$ peuvent être comparés en utilisant uniquement les angles azimutaux γ_r et γ_{trt}. Rappelons les résultats obtenus en (c) et (g).

$\gamma_r = -30°; \quad \gamma_{trt} = 150°$

Nous constatons que les deux signaux sont orientés en sens inverse.

(k) Décomposons l'intensité incidente en ses composantes $\parallel$ et $\perp$.

$(I_0)_\perp = I_0 \sin^2 \gamma_i = I_0 \sin^2 30° = I_0/4 \text{ W/m}^2$

$(I_0)_\parallel = I_0 \cos^2 \gamma_i = I_0 \cos^2 30° = 3I_0/4 \text{ W/m}^2$

Rappelons les valeur des coefficients de transmission $(t_1)_\perp$ et $(t_1)_\parallel$.

$(t_1)_\perp = \sqrt{3} - 1; \quad (t_1)_\parallel = \sqrt{3} - 1$

Calculons les coefficients de transmission à l'interface du bas.

$n_i = \sqrt{3}; \ n_t = 1; \ \theta_i = \theta_t = 0°; \ \Rightarrow \ (t_2)_\perp = 3 - \sqrt{3}; \ (t_2)_\parallel = 3 - \sqrt{3}$

Calculons la composante $\perp$ de l'intensité sortant de la face du bas.

$(I_t)_\perp = (t_1^2)_\perp (I_0)_\perp n_l/n_a$

$(I_{tt})_\perp = (t_2^2)_\perp (I_t)_\perp n_a/n_l = (t_2^2)_\perp (t_1^2)_\perp (I_0)_\perp$

$(I_{tt})_\perp = (3 - \sqrt{3})^2 \times (\sqrt{3} - 1)^2 \times I_0/4$

$(I_{tt})_\perp = (84 - 48\sqrt{3}) \times I_0/4$

La composante $\perp$ de l'intensité s'obtient de la même façon.

$(I_{tt})_\parallel = (t_2^2)_\parallel (t_1^2)_\parallel (I_0)_\parallel$

$(I_{tt})_\parallel = (3 - \sqrt{3})^2 \times (\sqrt{3} - 1)^2 \times 3I_0/4$

$(I_{tt})_\parallel = (84 - 48\sqrt{3}) \times 3I_0/4$

L'intensité I_3 s'obtient en additionnant ses composantes $\parallel$ et $\perp$.

$I_3 = (I_{tt})_\perp + (I_{tt})_\parallel = (84 - 48\sqrt{3}) \times I_0/4 + (84 - 48\sqrt{3}) \times 3I_0/4$

$I_3 = (84 - 48\sqrt{3})I_0$

Le facteur multiplicatif qui relie I_3 et I_0 est $(84 - 48\sqrt{3})$.

(l) Évaluons l'expression obtenue à la question (k) avec $I_0 = 100 \text{ W/m}^2$.

$I_3 = (84 - 48\sqrt{3})I_0 \approx 86,156 \text{ W/m}^2$

(m) Séparons le champ électrique incident en ses composantes $\parallel$ et $\perp$.

$(E_0)_\perp = E_0 \sin \gamma_i = E_0 \sin 30° = E_0/2 \text{ V/m}$

$(E_0)_\parallel = E_0 \cos \gamma_i = E_0 \cos 30° = E_0\sqrt{3}/2 \text{ V/m}$

Calculons la composante $\perp$ du champ sortant de la face du bas.

$(E_t)_\perp = (t_1)_\perp (E_0)_\perp$

$(E_{tt})_\perp = (t_2)_\perp (E_t)_\perp = (t_2)_\perp (t_1)_\perp (E_0)_\perp$

$(E_{tt})_\perp = (3 - \sqrt{3}) \times (\sqrt{3} - 1)E_0/2 = (4\sqrt{3} - 6) \times E_0/2$

L'amplitude de la composante $\parallel$ s'obtient de la même façon.

$(E_{tt})_\parallel = (t_2)_\parallel (t_1)_\parallel (E_0)_\parallel = (3 - \sqrt{3}) \times (\sqrt{3} - 1)E_0\sqrt{3}/2$

$(E_{tt})_\parallel = (4\sqrt{3} - 6) \times E_0\sqrt{3}/2$

Déterminons l'angle azimutal γ_{tt} de l'onde sortant de la face du bas.

$\Rightarrow \quad \gamma_{tt} = \tan^{-1}((E_{tt})_\perp/(E_{tt})_\parallel) = \tan^{-1}(1/\sqrt{3}) = 30°$

Puisque $(E_{tt})_\perp > 0$ et $(E_{tt})_\parallel > 0$, l'angle obtenu est le bon.

(n) Les signaux 0 et 3 sont parallèles de sorte que les axes $\parallel$ des systèmes forment le même angle $\theta_i = 0$ avec l'horizontal (fig. 15). Étant exprimés dans un référentiel commun, les vecteurs $\mathbf{E}_i$ et $\mathbf{E}_{tt}$ peuvent être comparés en utilisant uniquement les angles azimutaux γ_i et γ_{tt}.

$\gamma_i = 30; \quad \gamma_{tt} = 30$

Le résultat signifie que les vecteurs sont bels et bien de même sens.

6.46 (a) Le facteur multiplicatif est $0,05244$.

(b) $I_1 = 5,2439 \text{ W/m}^2$

(c) $\gamma_r = -56,512°$

(d) Les vecteurs ne sont pas de sens inverse.

(e) Le facteur multiplicatif est $0,0419$.

(f) $I_2 = 4,19 \text{ W/m}^2$

(g) $\gamma_{trt} = 127,17°$

(h) Les vecteurs ne sont pas de sens inverse.

(i) Le facteur multiplicatif est $0,79902$.

(j) Les vecteurs sont presque de sens inverse (écart angulaire : $183,68°$).

(k) Le facteur multiplicatif est $0,90078$.

(l) $I_3 = 90,078 \text{ W/m}^2$

(m) $\gamma_{tt} = 26,741°$

(n) Les vecteurs ne sont pas de sens inverse.

6.47 Une démarche similaire à celle de la question 6.45 mène aux résultats ci–dessous.

(a) Le facteur multiplicatif est $1/16$.

(b) $I_1 = 25/4 \text{ W/m}^2$

(c) $\gamma_r = -90°$ car $(E_r)_{\parallel} = 0$ et $(E_r)_{\perp} < 0$.

(d) Les vecteurs ne sont pas de sens inverse.

(e) Le facteur multiplicatif est $9/256$.

(f) $I_2 = 225/64 \text{ W/m}^2$

(g) $\gamma_{trt} = 90°$ car $(E_{trt})_{\parallel} = 0$ et $(E_{trt})_{\perp} > 0$.

(h) Les vecteurs ne sont pas de sens inverse.

(i) Le facteur multiplicatif est $9/16$.

(j) Les vecteurs sont de sens inverse car $|\gamma_r - \gamma_{trt}| = 180°$.

(k) Le facteur multiplicatif est $57/64$.

(l) $I_3 = 1425/16 \text{ W/m}^2$

(m) $\gamma_{tt} = 23,413°$

(n) Les vecteurs ne sont pas de sens inverse.

6.48 (a) $n \approx 23,436$; $\theta \approx 3,8402°$ $\Rightarrow$ $n = 24$; $\theta = 15/4°$

(b) $I_{out} \approx 0,90223 \times 5/(12\pi) \approx 0,11966 \text{ W/m}^2$

(c) $\mathbf{E}_{out} = [(E_{out})_{\perp}; (E_{out})_{\parallel}] \approx [9,4986; 0] \text{ V/m}$

(d) $I_{out} = 0 \text{ W/m}^2$

(e) $\mathbf{E}_{out} = [(E_{out})_{\perp}; (E_{out})_{\parallel}] = [0; 0] \text{ V/m}$

(f) $I_{out} = 5,649 \times 10^{-4} \text{ W/m}^2$

(g) $\mathbf{E}_{out} = [E_{out\perp}; E_{out\parallel}] \approx [0,6526; 0] \text{ V/m}$

6.49 On souhaite pivoter le champ électrique incident de $180°$. Pour y parvenir, plaçons n polariseurs dont les axes sont décalés d'un angle θ entre eux. Le premier polariseur a un écart angulaire de θ avec le signal incident. De plus, l'écart angulaire entre le signal incident et le dernier polariseur est de 180°.

$I_1 = I_{in} \cos^2 \theta$

$I_2 = I_1 \cos^2 \theta$

$\vdots$

$I_n = I_{n-1} \cos^2 \theta$

Exprimons l'intensité lumineuse I_n en fonction de I_{in}.

$I_n = (\cos^2 \theta)^n I_{in}$

Or nous savons que I_n doit valoir 90 % de I_{in}.

$I_n = (9/10)I_{in} \quad \Rightarrow \quad 9/10 = (\cos^2 \theta)^n$

En considérant la contrainte portant sur la rotation des polariseurs, on obtient un système de deux équations.

$n\theta = \alpha$

$9/10 = (\cos^2 \theta)^n$

Inconnues : n, θ. Paramètre : α.

En considérant $\alpha = 180°$, on obtient les résultats ci–dessous.

$n \approx 93,692; \quad \theta \approx 1,921° \quad \Rightarrow \quad n = 94; \quad \theta = 90/47°$

6.50 (a) $I_s \approx 36,81 \times 10^{-2}$ W/m^2 (c) $I_s = 31,25 \times 10^{-2}$ W/m^2

(b) $I_s \approx 41,8 \times 10^{-2}$ W/m^2 (d) $I_s \approx 20,71 \times 10^{-1}$ W/m^2

6.51 $n_1 = ; \quad n_2 = \sqrt{3}; \quad I_i = 10$ W/m^2; $\quad \gamma_i = 0°$; $\quad \gamma_{pol} = +30°$

Dégageons quelques résultats préliminaires qui serviront à répondre aux questions (a) à (d). Débutons par le calcul des composantes de l'intensité pour l'onde incidente.

$(I_i)_\perp = I_i \sin^2 \gamma_i = I_i \sin^2 0 = 0$ W/m^2

$(I_i)_\parallel = I_i \cos^2 \gamma_i = I_i \cos^2 0 = 10$ W/m^2

Étant donné que $(I_i)_\perp = 0$, il découle :

$(I_r)_\perp = 0$ W/m^2

L'égalité ci-dessus est valide pour les questions (a) à (d). Cela dit, calculons la composante $\parallel$ de l'intensité réfléchie.

$(I_r)_\parallel = (I_i)_\parallel (r^2)_\parallel$

(a) Calculons le coefficient de réflexion parallèle.

$n_1 = ; \quad n_2 = \sqrt{3}; \quad \theta_1 = 30°; \quad \theta_2 \approx 16,78° \quad \Rightarrow \quad r_\parallel \approx 0,22079$

Calculons la composante $\parallel$ de l'intensité du signal réfléchi.

$(I_r)_\parallel = (I_i)_\parallel (r^2)_\parallel \approx 10 \times 0,22079^2 \approx 0,48748$ W/m^2

Puisque $(E_r)_\perp = 0$, alors $\gamma_r = 0°$ ou $\gamma_r = 180°$. Mais étant donné que $r_\parallel > 0$, il s'ensuit que l'angle azimutal $\gamma_r = 0°$.

L'intensité réfléchie est la somme de ses composantes $\parallel$ et $\perp$.

$I_r = (I_r)_\parallel + (I_r)_\perp \approx 0,48748$ W/m^2

Appliquons la loi de Malus pour calculer l'intensité à la sortie du polariseur.

$$\theta = \gamma_{pol} - \gamma_r = 30 - 0 = 30°$$
$$I_s = I_r \cos^2 \theta \approx 0,48748 \times \cos^2 30 \approx 36,56 \times 10^{-2} \text{ W/m}^2$$

(b) Par une démarche similaire à celle en (a), il découle :
$$I_s \approx 15,96 \times 10^{-2} \text{ W/m}^2$$

(c) Calculons le coefficient de réflexion parallèle.
$$n_1 = ; \quad n_2 = \sqrt{3}; \quad \theta_1 = 60°; \quad \theta_2 = 30° \quad \Rightarrow \quad r_\parallel = 0$$
La valeur $r_\parallel = 0$ induit une valeur nulle pour la composante $\parallel$ de l'intensité de l'onde réfléchie, c'est-à-dire que $(I_r)_\parallel = 0$. Puisque la composante $\perp$ de l'intensité de l'onde réfléchie est aussi nulle, c'est-à-dire que $(I_r)_\perp = 0$, alors $I_r = (I_r)_\parallel + (I_r)_\perp = 0$. Cela dit,
$$\Rightarrow \quad I_s = 0 \text{ W/m}^2$$

(d) Par une démarche similaire à celle en (a), il découle :
$$I_s \approx 16,18 \times 10^{-1} \text{ W/m}^2$$

6.52 (a) $\Delta\theta \approx 23,51°$ \qquad (b) $I_3 \approx 35,355 \text{ W/m}^2$

6.53 (a) Le premier polariseur n'a pas d'effet car le champ électrique incident est parallèle à l'axe du polariseur.
$$\gamma_i = \gamma_{P1} \quad \Rightarrow \quad E_i' = E_i = 50 \text{ V/m}; \quad \Rightarrow \quad \gamma_i' = \gamma_{P1} = 45°$$
Rappelons les valeurs des indices de réfraction.
$$n_1 = 1; \quad n_2 = 3/2; \quad n_3 = 2; \quad n_4 = 5/2$$
Calculons les composantes $\parallel$ et $\perp$ de l'onde incidente.
$$(E_i)_\perp = E_i' \sin\gamma_i' = 50 \times \sin 45 = 25\sqrt{2} \text{ V/m}$$
$$(E_i)_\parallel = E_i' \cos\gamma_i' = 50 \times \cos 45 = 25\sqrt{2} \text{ V/m}$$
Construisons les expressions permettant de calculer l'intensité d'un signal ayant traversé quatre milieux transparents.
$$(E_t)_\perp = (E_i)_\perp (t_1)_\perp; \quad (E_{tt})_\perp = (E_t)_\perp (t_2)_\perp;$$
$$(E_{ttt})_\perp = (E_{tt})_\perp (t_3)_\perp; \quad (E_{tttt})_\perp = (E_{ttt})_\perp (t_4)_\perp;$$
$$(E_{tttt})_\perp = (E_i)_\perp (t_1)_\perp (t_2)_\perp (t_3)_\perp (t_4)_\perp$$
La composante $\parallel$ du champ électrique se calcule de la même façon.
$$(E_{tttt})_\parallel = (E_i)_\parallel (t_1)_\parallel (t_2)_\parallel (t_3)_\parallel (t_4)_\parallel$$
Calculons les coefficients de transmission à la première interface.
$$n_1 = 1; \quad n_2 = 3/2; \quad \theta_1 = \theta_2 = 0° \quad \Rightarrow \quad (t_1)_\perp = 4/5; \quad (t_1)_\parallel = 4/5$$
Calculons les coefficients de transmission à la deuxième interface.
$$n_2 = 3/2; \quad n_3 = 2; \quad \theta_2 = \theta_3 = 0° \quad \Rightarrow \quad (t_2)_\perp = 6/7; \quad (t_2)_\parallel = 6/7$$
Calculons les coefficients de transmission à la troisième interface.
$$n_3 = 2; \quad n_4 = 5/2; \quad \theta_3 = \theta_4 = 0° \quad \Rightarrow \quad (t_3)_\perp = 8/9; \quad (t_3)_\parallel = 8/9$$
Calculons les coefficients de transmission à la dernière interface.
$$n_4 = 5/2; n_5 = n_1 = 1; \theta_4 = \theta_5 = 0° \Rightarrow (t_4)_\perp = 10/7; (t_4)_\parallel = 10/7$$
Calculons les composantes $\parallel$ et $\perp$ du champ électrique $\mathbf{E}_{tttt}$.
$$(E_{tttt})_\perp = 25\sqrt{2} \times (4/5) \times (6/7) \times (8/9) \times (10/7) \approx 30,786 \text{ V/m}$$
$$(E_{tttt})_\parallel = 25\sqrt{2} \times (4/5) \times (6/7) \times (8/9) \times (10/7) \approx 30,786 \text{ V/m}$$

Calculons la grandeur du champ électrique $\mathbf{E}_{tttt}$.

$E_{tttt} = \sqrt{(E_{tttt})_\parallel^2 + (E_{tttt})_\perp^2} \approx \sqrt{30,786^2 + 30,786^2} \approx 43,537 \text{ V/m}$

Afin de déterminer l'intensité lumineuse à la sortie du deuxième polariseur, l'angle azimutal γ_{tttt} doit être connu.

$\gamma_{tttt} = \tan^{-1}((E_{tttt})_\perp/(E_{tttt})_\parallel) = \tan^{-1}(30,786/30,786) = 45°$

La dernière égalité indique que le champ électrique $\mathbf{E}_{tttt}$ est parallèle à l'axe du polariseur. Le filtre n'a donc aucun effet sur le signal entrant.

$\gamma_{tttt} = \gamma_{P2} \quad \Rightarrow \quad E_{out} = E_{tttt} \approx 43,537 \text{ V/m}$

$I_{out} = n_1 E_{tttt}^2/(240\pi) \approx 1 \times 43,537^2/(240\pi) \approx 2,514 \text{ W/m}^2$

(b) Le champ électrique $\mathbf{E}_i$ n'est pas parallèle à l'axe du polariseur. Le filtre agit donc sur le signal entrant.

$\theta = \gamma_i - \gamma_{P1} = 90° - 45° = 45°$

$E_i' = E_i \cos\theta = 50\cos 45 = 25\sqrt{2} \text{ V/m}$

$\gamma_i' = \gamma_{P1} = 45°$

Rappelons les valeurs des indices de réfraction.

$n_1 = 1 \, ; \quad n_2 = 3/2 \, ; \quad n_3 = 2 \, ; \quad n_4 = 5/2$

Calculons les composantes $\parallel$ et $\perp$ de l'onde incidente.

$(E_i)_\perp = E_i' \sin\gamma_i' = 25\sqrt{2} \times \sin 45 = 25 \text{ V/m}$

$(E_i)_\parallel = E_i' \cos\gamma_i' = 25\sqrt{2} \times \cos 45 = 25 \text{ V/m}$

Établissons les formules générales pour obtenir l'intensité suite à une quadruple transmission pour chaque composante de l'onde incidente.

$(E_t)_\perp = (E_i)_\perp (t_1)_\perp \, ; \quad (E_{tt})_\perp = (E_t)_\perp (t_2)_\perp \, ;$

$(E_{ttt})_\perp = (E_{tt})_\perp (t_3)_\perp \, ; \quad (E_{tttt})_\perp = (E_{ttt})_\perp (t_4)_\perp \, ;$

$(E_{tttt})_\perp = (E_i)_\perp (t_1)_\perp (t_2)_\perp (t_3)_\perp (t_4)_\perp$

La composante $\parallel$ du champ électrique se calcule de la même façon.

$(E_{tttt})_\parallel = (E_i)_\parallel (t_1)_\parallel (t_2)_\parallel (t_3)_\parallel (t_4)_\parallel$

Rappelons les valeurs des coefficients de transmission calculés en (a).

$(t_1)_\perp = 4/5 \, ; \quad (t_1)_\parallel = 4/5 \, ; \quad (t_2)_\perp = 6/7 \, ; \quad (t_2)_\parallel = 6/7$

$(t_3)_\perp = 8/9 \, ; \quad (t_3)_\parallel = 8/9 \, ; \quad (t_4)_\perp = 10/7 \, ; \quad (t_4)_\parallel = 10/7$

Calculons les composantes $\parallel$ et $\perp$ du champ électrique $\mathbf{E}_{tttt}$.

$(E_{tttt})_\perp = 25 \times (4/5) \times (6/7) \times (8/9) \times (10/7) \approx 21,769 \text{ V/m}$

$(E_{tttt})_\parallel = 25 \times (4/5) \times (6/7) \times (8/9) \times (10/7) \approx 21,769 \text{ V/m}$

Calculons la grandeur du champ électrique $\mathbf{E}_{tttt}$.

$E_{tttt} = \sqrt{(E_{tttt})_\parallel^2 + (E_{tttt})_\perp^2} \approx \sqrt{21,769^2 + 21,769^2} \approx 30,786 \text{ V/m}$

Afin de déterminer l'intensité lumineuse à la sortie du deuxième polariseur, l'angle azimutal γ_{tttt} doit être connu.

$\gamma_{tttt} = \tan^{-1}((E_{tttt})_\perp/(E_{tttt})_\parallel) = \tan^{-1}(21,769/21,769) = 45°$

La dernière égalité indique que le champ électrique $\mathbf{E}_{tttt}$ est parallèle à l'axe du polariseur. Le filtre n'a donc aucun effet sur le signal entrant.

$\gamma_{tttt} = \gamma_{P2} \quad \Rightarrow \quad E_{out} = E_{tttt} \approx 30,786 \text{ V/m}$

$I_{out} = n_1 E_{tttt}^2/(240\pi) \approx 1 \times 30,786^2/(240\pi)$

$I_{out} \approx 1,257 \text{ W/m}^2$

6.54 (a) $V = 1/3$ (b) $V = 1$ (c) $I = 25 \text{ W/m}^2$

6.55 $I_a = I_b = 40 \text{ W/m}^2$; $V_a = 0$; $V_b = 3/4$

Désignons respectivement par I_{ap} et I_{an} les parties polarisée et naturelle de la première source.

$I_{ap} = I_a V_a = 40 \times 0 = 0 \text{ W/m}^2$; $I_{an} = I_a - I_{ap} = 40 - 0 = 40 \text{ W/m}^2$

Désignons respectivement par I_{bp} et I_{bn} les parties polarisée et naturelle de la deuxième source.

$I_{bp} = I_b V_b = 40 \times = 30 \text{ W/m}^2$; $I_{bn} = I_b - I_{bp} = 40 - 30 = 10 \text{ W/m}^2$

(a) La première source étant naturelle, son intensité lumineuse chute d'un facteur $1/2$ a la sortie du filtre polarisant P_1. Désignons par I_1 l'intensité lumineuse à la sortie du filtre P_1.

$(I_1)_{ap} = I_{an}/2 = 40/2 = 20 \text{ W/m}^2$; $(I_1)_{an} = 0$

Notons que l'égalité $(I_1)_{an} = 0$ signifie que la lumière sortant d'un polariseur est entièrement polarisée... Le degré de polarisation de la lumière située entre les deux polariseurs est calculé en considérant les intensités lumineuses des deux sources.

$I_p = (I_1)_{ap} + I_{bp} = 20 + 30 = 50 \text{ W/m}^2$

$I_n = (I_1)_{an} + I_{bn} = 0 + 30 = 10 \text{ W/m}^2$

$V = I_p/(I_p + I_n) = 50/(50 + 10) = 5/6$

(b) $V = 0$ car la lumière sortant d'un polariseur est assurément polarisée.

(c) Désignons par I_2 l'intensité lumineuse à la sortie du filtre P_2.

$(I_2)_a = (I_1)_{an}/2 + (I_1)_{ap} \times \cos^2 \theta = 0/2 + 20\cos^2 60 = 5 \text{ W/m}^2$

$(I_2)_b = I_{bn}/2 + I_{bp} = 10/2 + 30 \times \cos^2 0 = 35 \text{ W/m}^2$

L'intensité totale est la somme des intensités partielles.

$I = (I_2)_a + (I_2)_b = 5 + 35 = 40 \text{ W/m}^2$

6.56 (a) $\mathbf{E}_t = [(E_t)_\perp ; (E_t)_\parallel] \approx [16,869; -26,638] \text{ V/m}$

(b) $\gamma_t \approx 147,65°$

(c) $I_t \approx 1,9778 \text{ W/m}^2$

6.57 (a) $(I_r)_p = 11 \text{ W/m}^2$; $V_r = 1/2$

L'intensité de la composante naturelle de la lumière réfléchie se calcule à l'aide du degré de polarisation.

$V_r = \dfrac{(I_r)_p}{(I_r)_p + (I_r)_n} \Rightarrow 1/2 = \dfrac{11}{(11 + (I_r)_n)} \Rightarrow (I_r)_n = 11 \text{ W/m}^2$

Calculons la grandeur du champ électrique de la partie naturelle.

$(I_r)_n = n_i (E_r)_n^2/(240\pi) \Rightarrow (E_r)_n = 4\sqrt{165\pi} \approx 91,07 \text{ V/m}.$

(b) L'intensité réfléchie est la somme des parties polarisée et naturelle.

$\Rightarrow I_r = (I_r)_n + (I_r)_p = 11 + 11 = 22 \text{ W/m}^2$

Les composantes de l'intensité d'une lumière naturelle sont égales.

$\Rightarrow (I_i)_\perp = I_i/2 ; (I_i)_\parallel = I_i/2$

Déterminons les composantes $\parallel$ et $\perp$ de l'intensité réfléchie.

$(I_r)_\perp = (r^2)_\perp (I_i)_\perp ; (I_r)_\parallel = (r^2)_\parallel (I_i)_\parallel$

L'intensité réfléchie est la somme de ses composantes $\parallel$ et $\perp$.

$I_r = (I_r)_\perp + (I_r)_\parallel = (r^2)_\perp I_i/2 + (r^2)_\parallel I_i/2$

Introduisons la loi de la réfraction.

$I_r = ((r^2)_\perp + (r^2)_\parallel) I_i/2$

$n_i \sin\theta_i = n_t \sin\theta_t$

Inconnues : n_t et θ_t. Paramètres : I_r, I_i, θ_i et n_i.

En considérant $I_r = 22$ W/m^2, $I_i = 200$ W/m^2, $\theta_i = 60°$ et $n_i = 1$, on obtient les résultats ci–dessous.

$n_t \approx 1,631 \,; \quad \theta_t \approx 32,073°$

(c) Calculons les coefficients de transmission.

$n_i = 1 \,; n_t \approx 1,631 \,; \theta_i = 60° \,; \theta_t \approx 32,1° \Rightarrow t_\perp = 0,531 \,; t_\parallel = 0,601$

Calculons les composantes $\parallel$ et $\perp$ de l'intensité de l'onde transmise.

$(I_t)_\perp = (t^2)_\perp (I_i)_\perp n_t/n_i \approx 0,53135^2 \times \frac{200}{2} \times \frac{1,631}{1} \approx 46,046$ W/m^2

$(I_t)_\parallel = (t^2)_\parallel (I_i)_\parallel n_t/n_i \approx 0,60138^2 \times \frac{200}{2} \times \frac{1,631}{1} \approx 58,984$ W/m^2

L'intensité transmise est la somme de ses composantes $\parallel$ et $\perp$.

$I_t = (I_t)_\perp + (I_t)_\parallel \approx 46,046 + 58,984 \approx 105,03$ W/m^2

6.58 $\quad I_1 \approx 9,596 \times \frac{7}{10} \approx 6,7172$ W/m$^2 \,; \quad I_2 \approx 9,216 \times \frac{8}{10} \approx 7,3728$ W/m^2

6.59 $\quad$ Calculons les composantes $\parallel$ et $\perp$ de l'intensité I_0.

$(I_0)_\parallel = I_0 \cos^2\gamma_i \,; \quad (I_0)_\perp = I_0 \sin^2\gamma_i$

(a) Construisons l'expression pour l'intensité réfléchie I_1.

$\Rightarrow \quad (I_1)_\parallel = (r_1^2)_\parallel (I_0)_\parallel \,; \quad (I_1)_\perp = (r_1^2)_\perp (I_0)_\perp$

$I_1 = (I_1)_\parallel + (I_1)_\perp \quad \Rightarrow \quad I_1 = (r_1^2)_\parallel \cos^2\gamma_i \, I_0 + (r_1^2)_\perp \sin^2\gamma_i \, I_0$

(b) Construisons l'expression pour l'intensité I_3.

$(I_2)_\parallel = (t_1^2)_\parallel (I_0)_\parallel n_v/n_a \,; \quad (I_3)_\parallel = (t_2^2)_\parallel (I_2)_\parallel n_a/n_v$

Il s'ensuit :

$(I_3)_\parallel = (t_2^2)_\parallel (t_1^2)_\parallel (I_0)_\parallel = (t_2^2)_\parallel (t_1^2)_\parallel I_0 \cos^2\gamma_i$

L'expression pour la composante $\perp$ s'obtient de façon similaire.

$(I_3)_\perp = (t_2^2)_\perp (t_1^2)_\perp (I_0)_\perp = (t_2^2)_\perp (t_1^2)_\perp I_0 \sin^2\gamma_i$

L'intensité totale est la somme de ses composantes $\parallel$ et $\perp$.

$I_3 = (I_3)_\parallel + (I_3)_\perp = (t_2^2)_\parallel (t_1^2)_\parallel \cos^2\gamma_i \, I_0 + (t_2^2)_\perp (t_1^2)_\perp \sin^2\gamma_i \, I_0$

(c) Déterminons l'expression pour l'intensité lumineuse à la sortie de la lamelle dont l'indice de réfraction n est inconnu.

$(I_4)_\parallel = (t_4^2)_\parallel (t_3^2)_\parallel (I_3)_\parallel$

L'expression pour la composante $\perp$ s'obtient de façon similaire.

$(I_4)_\perp = (t_4^2)_\perp (t_3^2)_\perp (I_3)_\perp$

Substituons les expressions de $(I_3)_\parallel$ et $(I_3)_\perp$ obtenues en (b).

$(I_4)_\parallel = (t_4^2)_\parallel (t_3^2)_\parallel (t_2^2)_\parallel (t_1^2)_\parallel I_0 \cos^2\gamma_i \,;$

$(I_4)_\perp = (t_4^2)_\perp (t_3^2)_\perp (t_2^2)_\perp (t_1^2)_\perp I_0 \sin^2\gamma_i$

L'intensité totale est la somme de ses composantes $\parallel$ et $\perp$.

$I_4 = (t_4^2)_\parallel (t_3^2)_\parallel (t_2^2)_\parallel (t_1^2)_\parallel \cos^2\gamma_i \, I_0 + (t_4^2)_\perp (t_3^2)_\perp (t_2^2)_\perp (t_1^2)_\perp \sin^2\gamma_i \, I_0$

(d) Rappelons les résultats obtenus aux questions (a) et (c).

$I_1 = (r_1^2)_\parallel \cos^2\gamma_i \, I_0 + (r_1^2)_\perp \sin^2\gamma_i \, I_0$

$I_4 = (t_4^2)_\parallel (t_3^2)_\parallel (t_2^2)_\parallel (t_1^2)_\parallel \cos^2\gamma_i \, I_0 + (t_4^2)_\perp (t_3^2)_\perp (t_2^2)_\perp (t_1^2)_\perp \sin^2\gamma_i \, I_0$

Si $\gamma_i = 0°$, alors les expressions se simplifient.

$\Rightarrow \quad I_1 = I_0 (r_1^2)_\parallel \, ; \quad I_4 = I_0 (t_4^2)_\parallel (t_3^2)_\parallel (t_2^2)_\parallel (t_1^2)_\parallel$

La contrainte proposée exige que $I_4 = I_1$.

$\Rightarrow \quad (t_4^2)_\parallel (t_3^2)_\parallel (t_2^2)_\parallel (t_1^2)_\parallel = (r_1^2)_\parallel$

Calculons la valeur du coefficient de réflexion à l'interface 1.

$n_i = 1 \, ; \quad n_t = 3/2 \, ; \quad \theta_i = 45° \, ; \quad \theta_t \approx 28,126° \; \Rightarrow \; (r_1)_\parallel \approx 0,09201$

Calculons la valeur du coefficient de transmission à l'interface 1.

$n_i = 1 \, ; \quad n_t = 3/2 \, ; \quad \theta_i = 45° \, ; \quad \theta_t \approx 28,126° \; \Rightarrow \; (t_1)_\parallel \approx 0,72801$

Calculons la valeur du coefficient de transmission à l'interface 2.

$n_i = 3/2 \, ; \quad n_t = 1 \, ; \quad \theta_i \approx 28,126° \, ; \quad \theta_t = 45° \; \Rightarrow \; (t_2)_\parallel \approx 1,362$

Les coefficients $(t_4^2)_\parallel$ et $(t_3^2)_\parallel$ dépendent de l'inconnue n. Rappelons l'équation à résoudre.

$(t_4^2)_\parallel (t_3^2)_\parallel (t_2^2)_\parallel (t_1^2)_\parallel = (r_1^2)_\parallel$

Inconnue : n. Paramètres : $(r_1)_\parallel$, $(t_1)_\parallel$ et $(t_2)_\parallel$.

En considérant $(r_1)_\parallel \approx 0,09201$, $(t_1)_\parallel \approx 0,72801$ et $(t_2)_\parallel \approx 1,362$, nous obtenons le résultat ci–dessous.

$n \approx 41,08$

(e) La valeur $n \approx 41$ n'est pas du tout réaliste car elle est de beaucoup supérieure aux indices de réfraction des matériaux connus à ce jour.

6.60 (d) $n \approx 9,872$

(e) Cette valeur ne semble pas très réaliste car elle est supérieure aux indices de réfraction des matériaux connus à ce jour.

6.61 (d) Utilisons les résultats obtenus aux questions 6.59 (a) et 6.59 (c) dans le cas où la lumière est non polarisée. Rappelons que si la lumière incidente est non polarisée, alors $\cos^2\gamma_i = \sin^2\gamma_i \equiv 1/2$.

$I_1 = (r_1^2)_\parallel I_0/2 + (r_1^2)_\perp I_0/2$

$I_4 = (t_4^2)_\parallel (t_3^2)_\parallel (t_2^2)_\parallel (t_1^2)_\parallel I_0/2 + (t_4^2)_\perp (t_3^2)_\perp (t_2^2)_\perp (t_1^2)_\perp I_0/2$

La contrainte proposée exige que $I_4 = I_1$.

$(t_4^2)_\parallel (t_3^2)_\parallel (t_2^2)_\parallel (t_1^2)_\parallel + (t_4^2)_\perp (t_3^2)_\perp (t_2^2)_\perp (t_1^2)_\perp = (r_1^2)_\parallel + (r_1^2)_\perp$

Calculons les coefficients de réflexion à l'interface 1.

$\Rightarrow \quad n_i = 1 \, ; \quad n_t = \frac{3}{2} \, ; \quad \theta_i = 45° \, ; \quad \theta_t \approx 28,126°$

$\Rightarrow \quad (r_1)_\parallel \approx 0,09201 \, ; \quad (r_1)_\perp \approx -0,30334$

Calculons les coefficients de transmission à l'interface 1.

$\Rightarrow \quad n_i = 1 \, ; \quad n_t = \frac{3}{2} \, ; \quad \theta_i = 45° \, ; \quad \theta_t \approx 28,126°$

$\Rightarrow \quad (t_1)_\parallel \approx 0,72801 \, ; \quad (t_1)_\perp \approx 0,69666$

Calculons les coefficients de transmission à l'interface 2.

$\Rightarrow \quad n_i = 3/2 \, ; \quad n_t = 1 \, ; \quad \theta_i \approx 28,126° \, ; \quad \theta_t = 45°$

$\Rightarrow \quad (t_2)_\parallel \approx 1,362 \, ; \quad (t_2)_\perp \approx 1,3033$

Les coefficients $(t_3^2)_{\parallel}$, $(t_3^2)_{\perp}$, $(t_4^2)_{\parallel}$ et $(t_4^2)_{\perp}$ dépendent de l'inconnue n. Rappelons l'équation à résoudre.

$$(t_4^2)_{\parallel}(t_3^2)_{\parallel}(t_2^2)_{\parallel}(t_1^2)_{\parallel} + (t_4^2)_{\perp}(t_3^2)_{\perp}(t_2^2)_{\perp}(t_1^2)_{\perp} = (r_1^2)_{\parallel} + (r_1^2)_{\perp}$$

Inconnue : n. Paramètres : $(r_1)_{\parallel}$, $(r_1)_{\perp}$, $(t_1)_{\parallel}$, $(t_1)_{\perp}$, $(t_2)_{\parallel}$ et $(t_2)_{\perp}$. En considérant les coefficients calculés précédemment, nous obtenons le résultat ci–dessous.

$$n \approx 14,898$$

(e) La valeur $n \approx 14$ n'est pas du tout réaliste car elle est de beaucoup supérieure aux indices de réfraction des matériaux connus à ce jour.

6.62 Oui, la valeur n de l'indice de réfraction dépend du type de lumière émise par la source.

6.63 Calculons les composantes $\parallel$ et $\perp$ de l'intensité I_0.

$$(I_0)_{\parallel} = I_0 \cos^2 \gamma_i = I_0 \cos^2 90 = 0 \text{ W/m}^2$$

$$(I_0)_{\perp} = I_0 \sin^2 \gamma_i = I_0 \sin^2 90 = I_0$$

Déterminons l'expression pour l'intensité réfléchie I_1.

$$(I_1)_{\parallel} = (r_1^2)_{\parallel}(I_0)_{\parallel} = (r_1^2)_{\parallel} \times 0 = 0 \text{ W/m}^2$$

$$(I_1)_{\perp} = (r_1^2)_{\perp}(I_0)_{\perp} = (r_1^2)_{\perp} I_0$$

$$I_1 = (I_1)_{\parallel} + (I_1)_{\perp} = 0 + (r_1^2)_{\perp} I_0 \quad \Rightarrow \quad I_1 = I_0 (r_1^2)_{\perp}$$

Déterminons l'expression pour l'intensité I_3.

$$(I_2)_{\parallel} = (t_1^2)_{\parallel}(I_0)_{\parallel} n_v / n_a \,; \quad (I_3)_{\parallel} = (t_2^2)_{\parallel}(I_2)_{\parallel} n_a / n_v$$

Il s'ensuit :

$$(I_3)_{\parallel} = (t_2^2)_{\parallel}(t_1^2)_{\parallel}(I_0)_{\parallel}$$

L'expression pour la composante $\perp$ s'obtient de façon similaire.

$$(I_3)_{\perp} = (t_2^2)_{\perp}(t_1^2)_{\perp}(I_0)_{\perp}$$

En utilisant les résultats précédents, il découle :

$$(I_3)_{\parallel} = (t_2^2)_{\parallel}(t_1^2)_{\parallel} \times 0 = 0 \text{ W/m}^2 \,; \quad (I_3)_{\perp} = (t_2^2)_{\perp}(t_1^2)_{\perp} I_0$$

L'intensité totale est la somme de ses composantes $\parallel$ et $\perp$. Réunissons les résultats obtenus.

$$\Rightarrow \quad I_1 = (r_1^2)_{\perp} I_0 \,; \quad I_3 = (t_2^2)_{\perp}(t_1^2)_{\perp} I_0$$

La contrainte proposée exige que $I_3 = I_1$.

$$\Rightarrow \quad (t_2^2)_{\perp}(t_1^2)_{\perp} = (r_1^2)_{\perp}$$

En introduisant la loi de la réfraction, on obtient deux équations.

$$(t_2^2)_{\perp}(t_1^2)_{\perp} = (r_1^2)_{\perp}$$

$$n_a \sin \theta_1 = n_v \sin \theta_2$$

Inconnues : θ_1 et θ_2. Paramètres : n_a et n_v. En considérant $n_a = 1$ et $n_v = 3/2$, on obtient les résultats ci–dessous.

$$\theta_1 = 74,24° \,; \quad \theta_2 = 39,912°.$$

Les angles obtenus sont plausibles. L'idée de départ est réalisable.

6.64 (a) $\theta_i = 0°$

(b) $W_{\max} = 1,323 \text{ W}$

(c) Non car $W_c = 0,1531 < 1/5$.

(d) $y = 18,497 \text{ m}$

6.65 (a) Déterminons l'expression pour l'intensité transmise dans le cas où la lumière incidente est non–polarisée.

$$\Rightarrow \quad I_t = \frac{n_t}{n_i} t_\parallel^2 \frac{I_i}{2} + \frac{n_t}{n_i} t_\perp^2 \frac{I_i}{2}$$

Considérons la situation avant l'ajout du fluorure de magnésium. Déterminons l'expression du coefficient de transmission.

$$n_i = n_a ; \quad n_t = n_v ; \quad \theta_i = \theta_t = 0° \quad \Rightarrow \quad t_\parallel = t_\perp = 2n_a/(n_a + n_v)$$

Calculons l'expression pour l'intensité I_{avant}.

$$I_{\text{avant}} = I_t = 4 I_i n_a n_v/(n_a + n_v)^2$$

Considérons la situation après l'ajout du fluorure de magnésium. Déterminons l'expression des coefficients $(t_1)_\parallel$ et $(t_1)_\perp$.

$$n_i = n_a ; \quad n_t = n_f ; \quad \theta_i = \theta_t = 0° \Rightarrow (t_1)_\parallel = (t_1)_\perp = 2n_a/(n_a + n_f)$$

Déterminons l'expression des coefficients $(t_2)_\parallel$ et $(t_2)_\perp$.

$$n_i = n_f ; \quad n_t = n_v ; \quad \theta_i = \theta_t = 0° ; \quad \Rightarrow \quad (t_2)_\perp = 2n_f/(n_f + n_v)$$

Calculons l'expression pour l'intensité $I_{\text{après}}$.

$$I_t = (t_1^2)_\perp I_i n_f/n_a$$

$$I_{tt} = (t_2^2)_\perp I_t n_v/n_f = (t_1^2)_\perp (t_2^2)_\perp I_i n_v/n_a$$

$$I_{tt} = (2n_a/(n_a + n_f))^2 (2n_f/(n_f + n_v))^2 I_i n_v/n_a$$

$$I_{\text{après}} = I_{tt} = 16 I_i n_a n_f^2 n_v/((n_a + n_f)^2 (n_f + n_v)^2)$$

Déterminons l'expression du rapport des intensités.

$$\Rightarrow \quad \frac{I_{\text{après}}}{I_{\text{avant}}} = \frac{16 I_i n_a n_f^2 n_v/((n_a+n_f)^2(n_f+n_v)^2)}{4 I_i n_a n_v/(n_a+n_v)^2}$$

$$\Rightarrow \quad \frac{I_{\text{après}}}{I_{\text{avant}}} = \frac{4n_f^2(n_a+n_v)^2}{(n_a+n_f)^2(n_f+n_v)^2}$$

(b) Évaluons l'expression trouvée en (a). Si $n_a = 1$, $n_f = \frac{69}{50}$ et $n_v = \frac{3}{2}$

$$\Rightarrow \quad \frac{I_{\text{après}}}{I_{\text{avant}}} = 8265625/8156736 \approx 1,01335$$

La valeur obtenue correspond à une augmentation de $1,335$ %.

(c) Il s'agit de résoudre l'équation $df/dn_f = 0$.

$$\Rightarrow \quad df/dn_f = \frac{-8n_f(n_a+n_v)^2(n_f^2-n_a n_v)}{(n_a+n_f)^3(n_f+n_v)^3} = 0$$

$$\Rightarrow \quad n_f^2 - n_a n_v = 0$$

$$\Rightarrow \quad n_f = \sqrt{n_a n_v}$$

Il s'agit d'un maximum car le test de la dérivée seconde est négatif.

$$\frac{d^2f}{dn_f^2}\bigg|_{n_f=\sqrt{n_a n_v}} = \frac{8(n_a+n_v)^2\left(\sqrt{n_a n_v}\left(-2n_a^2 n_v - 2n_a n_v^2\right) - 4n_a^2 n_v^2\right)}{(n_a+\sqrt{n_a n_v})^4(\sqrt{n_a n_v}+n_v)^4} < 0$$

(d) Évaluons l'expression trouvée en (a) avec $n_f = \sqrt{n_a n_v}$.

$$\Rightarrow \quad \frac{I_{\text{après}}}{I_{\text{avant}}} = \frac{4n_a n_v(n_a+n_v)^2}{(n_a+\sqrt{n_a n_v})^2(\sqrt{n_a n_v}+n_v)^2}$$

6.66 (a) $I_1 = I_0(1 - R_1)(1 - R_1) \quad \Rightarrow \quad I_1 = I_0/4$

Une seconde réponse acceptable est obtenue en considérant que le coefficient global R_1 s'applique au miroir M_1. Il s'ensuit $I_1 = I_0/2$.

(b) $I_2 = 144I_0/625$ (c) $I_3 = I_0 R_1$ (d) $I_4 = I_0 R_1 R_2$

Chapitre 7

7.1 (a) Calculons les grandeurs des champs électriques.

$E_1 = \| \mathbf{E}_1 \| = \| [-18; 21; 38] \| = 47 \text{ V/m}$

$E_2 = \| \mathbf{E}_2 \| = \| [-54; 63; 114] \| = 141 \text{ V/m}$

La vitesse de propagation dans l'air est presque identique à celle dans le vide. Supposons $c_{air} = c_0$ et calculons les intensités des ondes.

$I_1 = E_1^2/(240\pi) = 2209/(240\pi) \text{ W/m}^2$

$I_2 = E_2^2/(80\pi) = 6627/(80\pi) \text{ W/m}^2$

Calculons le cosinus de l'angle entre les deux vecteurs.

$\cos\alpha = \frac{\mathbf{E}_1 \cdot \mathbf{E}_2}{\| \mathbf{E}_1 \| \| \mathbf{E}_2 \|} = \frac{[-18;21;38] \cdot [-54;63;114]}{47 \times 141} = 1$

D'après l'énoncé la différence de marche est nulle, $\delta = 0$ m. Calculons la valeur du terme d'interférence I_{12}.

$I_{12} = 2\sqrt{I_1}\sqrt{I_2}\cos(\frac{2\pi\delta}{\lambda_0})\cos\alpha = 2 \cdot \sqrt{\frac{2209}{240\pi}} \cdot \sqrt{\frac{6627}{80\pi}} \cdot 1 = \frac{2209}{40\pi} \text{ W/m}^2$

(b) La valeur $\cos\alpha = 1$ signifie que les vecteurs amplitudes sont parallèles. Puisque $I_{12} = +2\sqrt{I_1}\sqrt{I_2}$, il y a interférence constructive.

(c) Calculons l'intensité au point P après interférence.

$I = I_1 + I_2 + I_{12} = \frac{2209}{240\pi} + \frac{6627}{80\pi} + \frac{2209}{40\pi} = \frac{2209}{15\pi} \text{ W/m}^2$

7.2 (a) $I_{12} = -\frac{125}{12\pi} \text{ W/m}^2$ (b) Destructive   (c) $I = \frac{125}{48\pi} \text{ W/m}^2$

7.3 (a) Calculons les vecteurs $\mathbf{r}_{AB}$ et $\mathbf{r}_{CD}$ ainsi que leur grandeur.

$\mathbf{r}_{AB} = \mathbf{r}_{OB} - \mathbf{r}_{OA} = [7; -2; 17] - [3; -8; 5] = [4; 6; 12] \text{ m}$

$\mathbf{r}_{CD} = \mathbf{r}_{OD} - \mathbf{r}_{OC} = [-1; -4; 3] - [-4; 0; 2] = [3; -4; 1] \text{ m}$

$r_{AB} = \| \mathbf{r}_{AB} \| = 14 \text{ m}; \quad r_{CD} = \| \mathbf{r}_{CD} \| = \sqrt{26} \text{ m}$

Les vecteurs $\mathbf{r}_{AB}$ et $\mathbf{r}_{CD}$ sont respectivement parallèles aux vecteurs $\mathbf{E}_1$ et $\mathbf{E}_2$ et ils doivent être utilisés afin de calculer la valeur $\cos\alpha$.

$\cos\alpha = \frac{\mathbf{r}_{AB} \cdot \mathbf{r}_{CD}}{\| \mathbf{r}_{AB} \| \| \mathbf{r}_{CD} \|} = \frac{[4;6;12] \cdot [3;-4;1]}{14 \times \sqrt{26}} = 0$

Calculons la valeur du terme d'interférence I_{12}.

$I_{12} = 2\sqrt{I_1}\sqrt{I_2}\cos(\frac{2\pi\delta}{\lambda_0})\cos\alpha = 2\sqrt{10}\sqrt{15} \cdot \cos(\frac{2\pi\delta}{\lambda_0}) \cdot 0 = 0 \text{ W/m}^2$

(b) Puisque $\cos\alpha$ vaut 0, les deux ondes n'interfèrent pas.

(c) Calculons l'intensité au point P.

$I = I_1 + I_2 + I_{12} = 10 + 15 + 0 = 25 \text{ W/m}^2$

7.4 (a) $I_{12} = 2 \times \sqrt{10} \times \sqrt{15} \times \cos(2\pi \times 0/\lambda_0) \times -47/147 = -470\sqrt{6}/147 \text{ W/m}^2$

(b) L'interférence tend à être destructive.

(c) $I \approx 17,168 \text{ W/m}^2$

7.5 (a) L'interférence tend à être destructive car $I = 400 < I_1 + I_2 = 500$.

(b) Calculons la valeur du terme d'interférence I_{12}.

$I = I_1 + I_2 + I_{12} \Rightarrow I_{12} = I - I_1 - I_2 = 400 - 200 - 300 = -100 \text{ W/m}^2$

(c) La différence de marche est $\delta = 0$ m. Considérons le terme I_{12}.

$I_{12} = 2\sqrt{I_1}\sqrt{I_2}\cos\alpha \Rightarrow -100 = 2\sqrt{200}\sqrt{300}\cos\alpha \Rightarrow \alpha \approx 101,78°$

7.6   (a)   Deux antennes.   (b)   Quatre antennes.   (c)   Cinq antennes.

7.7   Calculons la longueur d'onde du signal.

$\lambda_0 = c_0/f = \frac{3 \times 10^8}{300 \times 10^3} = 1000$ m

Étant initialement à la même distance du poste P, des antennes identiques produisent assurément une interférence constructive au point P. De plus, si l'ordre de grandeur de la longueur d'onde λ_0 est de beaucoup supérieure à une variation de δ, alors la valeur du terme d'interférence I_{12} ne peut pas changer significativement. Du moins, c'est ce que révèle l'examen de la fonction $\cos(2\pi\delta/\lambda_0)$. Dans le pire cas, un déplacement de 10 mètres du point P correspond à une variation de δ équivalent à $1/100$ de la longueur d'onde λ_0 qui est de l'ordre du kilomètre. À toutes fins pratiques, l'interférence demeurera constructive.

7.8   Si la longueur d'onde λ_0 est comparable ou plus petite que la variation de δ, alors la valeur du terme d'interférence I_{12} peut changer significativement. Comparativement à $\lambda_0 = 3$ mm, un déplacement de dix mètres peut ainsi changer la valeur du terme d'interférence I_{12}.

7.9   Nous pouvons conclure que l'intensité captée ne varie pas lorsque les déplacements sont largement inférieurs à la longueur d'onde. Inversement, des déplacements supérieurs ou de l'ordre de la longueur d'onde peuvent changer le type d'interférence. Dans un tel cas, il faut prévoir ajouter des antennes pour produire l'intensité désirée.

7.10 (a)   Les deux signaux n'interfèrent pas, de sorte que l'interférence ne tend ni à être destructive, ni à être constructive.

      (b) $\delta = (2m + 1)\lambda_0/4$

7.11 (a)   Posons $I_1 = I_2 = I_i$ et calculons la valeur du terme d'interférence. La différence de marche est nulle.

$I_{12} = 2\sqrt{I_1}\sqrt{I_2}\cos(\frac{2\pi\delta}{\lambda_0})\cos\alpha = 2\sqrt{I_i}\sqrt{I_i}\cos(\frac{2\pi \cdot 0}{\lambda_0})\cos(0) = 2I_i$

Calculons l'intensité à l'endroit où il y a interférence.

$I = I_1 + I_2 + I_{12} = I_i + I_i + 2I_i = 4I_i$

L'égalité indique qu'il y a interférence constructive.

      (b)   Posons $I_1 = I_2 = I_i$ et calculons le terme d'interférence.

$I_{12} = 2\sqrt{I_1}\sqrt{I_2}\cos(\frac{2\pi\delta}{\lambda_0})\cos\alpha = 2\sqrt{I}\sqrt{I}\cos(\frac{2\pi \cdot 0}{\lambda_0})\cos(\pi/6) = \sqrt{3}I_i$

Calculons l'intensité à l'endroit où il y a interférence.

$I = I_1 + I_2 + I_{12} = I_i + I_i + \sqrt{3}I_i = (\sqrt{3} + 2)I_i$

Étant donné $I_{12} > 0$, l'interférence tend à être constructive.

      (c)   Posons $I_1 = I_2 = I_i$ et calculons le terme d'interférence.

$I_{12} = 2\sqrt{I_1}\sqrt{I_2}\cos(\frac{2\pi\delta}{\lambda_0})\cos\alpha = 2\sqrt{I_i}\sqrt{I_i}\cos(\frac{2\pi \cdot 0}{\lambda_0})\cos(\pi/2) = 0$

Calculons l'intensité à l'endroit où il y a interférence.

$I = I_1 + I_2 = I_i + I_i = 2I_i$

Les deux signaux n'interfèrent pas car $I_{12} = 0$. L'interférence ne tend ni à être destructive, ni à être constructive.

(d) Posons $I_1 = I_2 = I_i$ et calculons le terme d'interférence.
$I_{12} = 2\sqrt{I_1}\sqrt{I_2}\cos(\frac{2\pi\delta}{\lambda_0})\cos\alpha = 2\sqrt{I_i}\sqrt{I_i}\cos(\frac{2\pi \cdot 0}{\lambda_0})\cos(\pi) = -2I_i$
Calculons l'intensité à l'endroit où il y a interférence.
$I = I_1 + I_2 + I_{12} = I_i + I_i - 2I_i = 0$
L'égalité indique qu'il y a interférence destructive.

7.12 (a) L'interférence est constructive car $I = 4I_i$.

(b) L'interférence tend à être constructive car $I \approx 2,176I_i$.

(c) L'interférence tend à être destructive car $I \approx 0,03097I_i$.

(d) L'interférence tend à être destructive car $I \approx 1,478I_i$.

(e) L'interférence tend à être constructive car $I \approx 3,877I_i$.

7.13 (a) Posons $I_1 = I_2 = I_i$ et calculons la valeur du terme d'interférence. L'angle $\alpha = 0$ rad.
$I = I_1 + I_2 + 2\sqrt{I_1}\sqrt{I_2}\cos(\frac{2\pi\delta}{\lambda_0})\cos\alpha = I_i + I_i + 2\sqrt{I_i}\sqrt{I_i}\cos(\frac{2\pi\delta}{\lambda_0})$
Nous obtenons une équation qui contient l'inconnue recherchée.
$I = 2I_i(1 + \cos(2\pi\delta/\lambda_0))$
Inconnue : δ. Paramètre : I.
En considérant $I = 0 \Rightarrow \delta = (2m+1)\lambda_0/2 = (2m+1) \times 258,5$ nm.

(b) En considérant $I = I_i \Rightarrow \delta = (3m\pm1)\lambda_0/3 \approx (3m\pm1) \times 172,33$ nm.

(c) Si $I = 2I_i \Rightarrow \delta = (2m+1)\lambda_0/4 = (2m+1) \times 129,25$ nm.

(d) Si $I = 3I_i \Rightarrow \delta = (6m\pm1)\lambda_0/6 \approx (6m\pm1) \times 86,167$ nm.

(e) En considérant $I = 4I_i \Rightarrow \delta = m\lambda_0 = m \times 517$ nm.

7.14 (a) $e_2 = 20$ cm   (b) $e_2 = 40$ cm   (c) $e_2 = 10$ cm

7.15 (a) Puisque les sources sont cohérentes, il découle $\varphi_2 - \varphi_1 = 0$ rad. Considérons l'expression résultante de la différence de marche.
$\delta = \left(\sum n_i d_i\right)_2 - \left(\sum n_i d_i\right)_1 = (n_a\,S_2P) - (n_a(S_1P - e_1) + n_1 e_1)$
À interférence constructive, la différence de marche vaut $m\lambda_0$. Nous obtenons une équation permettant de calculer l'épaisseur e_1.
$m\lambda_0 = (n_a\,S_2P) - (n_a(S_1P - e_1) + n_1 e_1)$
Inconnue : e_1. Paramètres : λ_0, n_a, n_1, S_1P et S_2P
En considérant $\lambda_0 = 20$ cm, $n_a = 1$, $n_1 = 4/3$, $S_1P = 250$ cm et $S_2P = 220$ cm, nous obtenons $e_1 = -60m - 90$. La plus petite épaisseur positive correspond à la valeur $m = -2$.
$e_1 = -60 \times -2 - 90 = 30$ cm

(b) À interférence destructive, la différence de marche vaut $(2m+1)\lambda_0/2$. Par une démarche similaire à celle effectuée en (a), en considérant $\delta = (2m+1)\lambda_0/2$, nous obtenons $e_1 = 60$ cm.

(c) Tel qu'observé à la question 7.13 (c), la différence de marche vaut $(2m+1)\lambda_0/4$. Si $\delta = (2m+1)\lambda_0/4$, alors nous obtenons $e_1 = 15$ cm.

7.16 (a) $\lambda_0 \approx 522,56$ nm (vert)   (c) $I \approx 9,8224$ W/m^2

(b) $\lambda_0 \approx 391,92$ nm (violet)   (d) $I \approx 2,5021 \times 10^{-5}$ W/m^2

7.17 (a) Considérons l'expression de la différence de marche des films minces.

$\delta = 2\,n_t e \cos\theta_t - \lambda_0/2$

À interférence constructive, la différence de marche vaut $m\lambda_0$. Dégageons l'équation permettant de calculer l'épaisseur e.

$m\lambda_0 = 2\,n_t e \cos\theta_t - \lambda_0/2$

Inconnue : e.   Paramètres : λ_0, n_t et θ_t

Si $\lambda_0 = 600$ nm, $n_t = \frac{3}{2}$ et $\theta_t = 0°$, nous obtenons $e = (m+\frac{1}{2})\cdot 200$ nm.

La plus petite épaisseur positive correspond à la valeur $m = 0$.

$e = (0 + 1/2) \times 200 = 100$ nm

(b) À interférence destructive, la différence de marche vaut $(2m+1)\lambda_0/2$. Par une démarche similaire à celle effectuée en (a), en considérant $\delta = (2m+1)\lambda_0/2$, nous obtenons $e = 200$ nm.

(c) À interférence nulle, tel qu'observé à la question 7.13 (c), la différence de marche vaut $(2m+1)\lambda_0/4$. En considérant $\delta = (2m+1)\lambda_0/4$, nous obtenons $e = 50$ nm.

7.18 (a) $I_{12} = 48$ W/m^2 ; $I = 1201/25 + 48$ W/m^2

(b) $I_{12} = -48$ W/m^2 ; $I = 1201/25 - 48$ W/m^2

(c) $I_{12} = 0$ W/m^2 ; $I = 1201/25$ W/m^2

7.19 L'angle θ_i doit être supérieur à $30°$. Calculons l'angle θ_t.

$n_i \sin\theta_i = n_t \sin\theta_t \Rightarrow 1 \cdot \sin 30° = 11/10 \cdot \sin\theta_t \Rightarrow \sin\theta_t = 5/11$

Si $\theta_i > 30° \Rightarrow \theta_t > \sin^{-1}(5/11)$

Pour les films minces, la valeur δ dépend de la fonction $\cos\theta_t$.

$\theta_t > \sin^{-1}(5/11) \Rightarrow \cos\theta_t < \cos(\sin^{-1}(5/11)) \Rightarrow \cos\theta_t < 4\sqrt{6}/11$

(a) Considérons l'expression $\delta = 2\,n_t e \cos\theta_t - \lambda_0/2$. À interférence constructive, la différence de marche vaut $m\lambda_0$. Déterminons l'expression pour $\cos\theta_t$.

$m\lambda_0 = 2\,n_t e \cos\theta_t - \lambda_0/2 \Rightarrow (m+1/2)\,\lambda_0 = 2 \cdot 11/10 \cdot 10\lambda_0 \cos\theta_t$

$\Rightarrow \cos\theta_t = \frac{(m+1/2)\lambda_0}{2 \times 11/10 \times 10\lambda_0} = (m+1/2)/22$

Afin de calculer les valeurs admissibles de m, utilisons la contrainte qui est formulée en début de solution.

$\cos\theta_t < \frac{4\sqrt{6}}{11} \Rightarrow \frac{(m+1/2)}{22} < \frac{4\sqrt{6}}{11} \Rightarrow m < 8\sqrt{6} - 1/2 \Rightarrow m < 19,09$

La deux premières valeurs admissibles de m sont 19 et 18. Calculons les valeurs équivalentes des angles θ_t.

$\cos\theta_t = \frac{(m+1/2)}{22} \Rightarrow \cos\theta_{t1} = \frac{39}{44}$ et $\cos\theta_{t2} = \frac{37}{44}$

Calculons les valeurs correspondant aux angles θ_i.

$\sin\theta_{i1} = \frac{n_t}{n_i} \sin(\theta_{t1}) = \frac{11/10}{1} \cdot \sin(\cos^{-1}(\frac{39}{44})) \Rightarrow \theta_{i1} \approx 30,616°$

$\sin\theta_{i2} = \frac{n_t}{n_i} \sin(\theta_{t1}) = \frac{11/10}{1} \cdot \sin(\cos^{-1}(\frac{38}{44})) \Rightarrow \theta_{i2} \approx 36,534°$

(b) À interférence destructive, la différence de marche vaut $(2m+1)\lambda_0/2$. Par une démarche similaire à celle en (a), en considérant $\delta = (2m+1)\lambda_0/2$, nous obtenons $\theta_{i1} \approx 33,678°$ et $\theta_{i2} \approx 39,232°$.

(c) Tel qu'observé à la question 7.13 (c), la différence de marche vaut $(2m+1)\lambda_0/4$. En considérant $\delta = (2m+1)\lambda_0/4$, nous obtenons les résultats suivants : $\theta_{i1} \approx 35,128°$ et $\theta_{i2} \approx 45,492°$.

7.20 (a) Si $\theta_i = \theta_{i1} \approx 30,616° \Rightarrow I_{12} \approx 4,950$ W/m^2 et $I \approx 9,900$ W/m^2.
Si $\theta_i = \theta_{i2} \approx 36,534° \Rightarrow I_{12} \approx 5,536$ W/m^2 et $I \approx 11,071$ W/m^2.

(b) Si $\theta_i = \theta_{i1} \approx 33,678° \Rightarrow I_{12} = 0$ W/m^2 et $I \approx 5,198$ W/m^2.
Si $\theta_i = \theta_{i2} \approx 39,232° \Rightarrow I_{12} = 0$ W/m^2 et $I \approx 5,988$ W/m^2.

(c) Si $\theta_{i1} \approx 35,128° \Rightarrow I_{12} \approx -5,354$ W/m^2 et $I \approx 4,544 \times 10^{-5}$ W/m^2.
Si $\theta_{i2} \approx 45,492° \Rightarrow I_{12} \approx -7,850$ W/m^2 et $I \approx 2,426 \times 10^{-4}$ W/m^2.

7.21 (a) Calculons la différence de marche avant et après l'insertion du film. Dans l'interféromètre de Young : les ondes sont produites par la même source et $D \ggg d$. Dans le présent cas, l'onde traverse le film à incidence normale. Rappelons qu'une frange claire est caractérisée par $\delta = m\lambda_0$. Supposons que le film est inséré dans le trajet 2.

$\Rightarrow \delta_{\text{avant}} = n_a r_2 - n_a r_1 = m_{\text{avant}}\lambda_0$

$\Rightarrow \delta_{\text{après}} = n_a(r_2 - e) + n\,e - n_a r_1 = m_{\text{après}}\lambda_0$

Calculons la variation de la différence de marche $\Delta\delta = \delta_{\text{après}} - \delta_{\text{avant}}$.

$\Rightarrow \Delta\delta = n_a(r_2 - e) + n\,e - n_a r_1 - (n_a r_2 - n_a r_1) = e(n - n_a)$

Or $\Delta\delta = m_{\text{après}}\lambda_0 - m_{\text{avant}}\lambda_0 = \Delta m \lambda_0 = \pm 7\lambda_0$.

$\Rightarrow \Delta\delta = e(79/50 - 1) = \pm 7 \times 550 \times 10^{-9}$

Parmi les deux solutions à l'équation, seule la solution dont l'épaisseur est positive est retenue. On obtient $e \approx 6,64 \times 10^{-6}$ m.

(b) À incidence normale, les coefficients de transmission sont égaux. Déterminons l'expression de l'intensité I_{tt}.

$I_{tt} = \frac{n_3}{n_1} I_i (t_1^2)_\parallel (t_2^2)_\parallel$

Calculons le coefficient de transmission $\parallel$ à la première interface.

$n_1 = 1$; $n_2 = 79/50$; $\theta_1 = 0°$; $\theta_2 = 0° \Rightarrow (t_1)_\parallel = 100/129$

Calculons le coefficient de transmission $\parallel$ à la deuxième interface.

$n_2 = 79/50$; $n_3 = 1$; $\theta_2 = 0°$; $\theta_3 = 0° \Rightarrow (t_2)_\parallel = 158/129$

Calculons l'intensité du trajet 2, après passage dans le film.

$I_2 = I_{tt} = \frac{1}{1} \times 100 \times (100/129)^2 \times (158/129)^2 \approx 90,148$ W/m^2

L'intensité $I_1 = 100$ W/m^2 n'est pas atténuée. Puisque la frange centrale est en interférence constructive, il s'ensuit $\delta = m\lambda_0$. Puisque les sources S_1 et S_2 sont cohérentes, il s'ensuit $\cos\alpha = 1$.

$I \approx 100 + 90,148 + 2\sqrt{100}\sqrt{90,148}\cos(2\pi m) \approx 380,04$ W/m^2

7.22 (a) $I_{12} = 2I$ (b) Constructive. (c) $I_i = 25$ W/m^2

7.23 (a) Déterminons l'expression pour I_r dans le cas où l'angle $\gamma_i = 90°$.

$I_r = I_i(r^2)_\perp \sin^2\gamma_i + I_i(r^2)_\parallel \cos^2\gamma_i \quad \Rightarrow \quad I_r = I_i(r^2)_\perp$

Calculons le coefficient de réflexion $\perp$.

$n_i = 1$; $n_t = 2$; $\theta_i = 60°$; $\theta_t \approx 25,659°$ $\Rightarrow$ $r_\perp \approx -0,56574$

Calculons l'intensité réfléchie.

$I_r = I_2(r^2)_\perp \approx 200 \times (-0,56574)^2 \approx 64,013 \text{ W/m}^2$

(b) Déterminons l'expression pour I_{tt} dans le cas où $\gamma_i = 90°$.

$I_{tt} = \frac{n_c}{n_a} I_i (t_1^2)_\perp (t_2^2)_\perp \sin^2 \gamma_i + \frac{n_c}{n_a} I_i (t_1^2)_\parallel (t_2^2)_\parallel \cos^2 \gamma_i = \frac{n_c}{n_a} I_i (t_1^2)_\perp (t_2^2)_\perp$

Calculons le coefficient de transmission $\perp$ à la première interface.

$n_a = 1$; $n_b = 4/3$; $\theta_a = 0°$; $\theta_b = 0°$ $\Rightarrow$ $(t_1)_\perp = 6/7$

Calculons le coefficient de transmission $\perp$ à la deuxième interface.

$n_b = 4/3$; $n_c = 1$; $\theta_b = 0°$; $\theta_c = 0°$ $\Rightarrow$ $(t_2)_\perp = 8/7$

Calculons l'intensité de l'onde après son passage dans le bloc n_1.

$I_{tt} = \frac{n_c}{n_a} I_1 (t_1^2)_\perp (t_2^2)_\perp = \frac{1}{1} \times 100 \times (6/7)^2 \times (8/7)^2 \approx 95,960 \text{ W/m}^2$

(c) Considérons l'expression du terme d'interférence lorsque $\delta = 0$.

$\Rightarrow I_{12} = 2\sqrt{I_1}\sqrt{I_2} \cos\alpha$ où $\cos\alpha = \frac{\mathbf{E}_{tt} \cdot \mathbf{E}_r}{\|\mathbf{E}_{tt}\| \|\mathbf{E}_r\|}$

Au point P, les quantités I_1 et I_2 réfèrent aux intensités I_{tt} et I_r. Dans cet exercice, les vecteurs amplitudes $\mathbf{E}_i$, $\mathbf{E}_r$ et $\mathbf{E}_{tt}$ sont tous orientés dans la direction de l'axe des Z. À incidence normale, l'angle azimutal γ_i n'est pas modifié. Par contre, une valeur $r_\perp$ négative indique ici que le vecteur $\mathbf{E}_r$, caractérisant le champ électrique après réflexion du signal sur le matériau, est orienté dans la direction de l'axe des Z négatifs. Cela dit, les vecteurs qui interfèrent au point P sont de sens inverse et il s'ensuit $\cos\alpha = -1$.

$I_{12} = 2\sqrt{I_1}\sqrt{I_2} \cos\alpha \approx 2\sqrt{95,960 \times 64,013} \times (-1) \approx -156,75 \text{ W/m}^2$

(d) Étant donné que $I_{12} < 0$, l'interférence tend à être destructive.

(e) Calculons l'intensité au point P. Rappelons que les symboles I_1 et I_2 désignent les intensités des ondes qui interfèrent au point P.

$I = I_1 + I_2 + I_{12} \approx 95,960 + 64,013 - 156,75 \approx 3,223 \text{ W/m}^2$

7.24 (a) $I_r \approx 0,53796 \text{ W/m}^2$

(b) $I_{tt} \approx 95,960 \text{ W/m}^2$

(c) $I_{12} = 0 \text{ W/m}^2$

(d) Les deux signaux n'interfèrent pas. L'interférence ne tend ni à être destructive, ni à être constructive.

(e) $I \approx 96,498 \text{ W/m}^2$

7.25 (a) Dans le cas où $\gamma_i = 45°$, on obtient l'intensité $I_r \approx 32,275 \text{ W/m}^2$. La démarche est similaire à celle en 7.23 (a).

(b) Dans le cas où $\gamma_i = 45°$, on obtient l'intensité $I_{tt} \approx 95,960 \text{ W/m}^2$. Remarquons qu'à incidence normale, la valeur I_{tt} est indépendante de l'angle γ_i. La démarche est similaire à celle en 7.23 (b).

(c) Considérons l'expression du terme d'interférence pour $\delta = 0$.

$\Rightarrow I_{12} = 2\sqrt{I_1}\sqrt{I_2} \cos\alpha$ où $\cos\alpha = \frac{\mathbf{E}_{tt} \cdot \mathbf{E}_r}{\|\mathbf{E}_{tt}\| \|\mathbf{E}_r\|}$

Afin de déterminer une expression pour $\cos\alpha$, exprimons les vecteurs $\mathbf{E}_{tt}$ et $\mathbf{E}_r$ dans la base $\mathbf{i}$, $\mathbf{j}$ et $\mathbf{k}$. En ce qui concerne le trajet 1, les vecteurs $\mathbf{E}_{tt}$ et $\mathbf{E}_i$ sont parallèles car l'onde traverse le bloc à incidence normale. Calculons l'expression du vecteur $\mathbf{E}_{tt}$.

$\gamma_{tt} = \gamma_i = 45°; \quad (E_{tt})_{\parallel} = E_{tt} \cos \gamma_{tt}; \quad (E_{tt})_{\perp} = E_{tt} \sin \gamma_{tt}$

$\Rightarrow \mathbf{E}_{tt} = E_{tt}/\sqrt{2}\, \mathbf{u}_{\perp} + E_{tt}/\sqrt{2}\, \mathbf{u}_{\parallel}$

Exprimons le vecteur $\mathbf{E}_{tt}$ dans la base $\mathbf{i}$, $\mathbf{j}$ et $\mathbf{k}$. Désignons par θ_1 l'angle entre l'axe $\parallel$ et l'axe Y. D'après la figure 7.23, l'angle $\theta_1 = 30°$.

$\Rightarrow \mathbf{E}_{tt} = (E_{tt})_{\parallel} \sin \theta_1\, \mathbf{i} + (E_{tt})_{\parallel} \cos \theta_1\, \mathbf{j} + (E_{tt})_{\perp}\, \mathbf{k}$

$\Rightarrow \mathbf{E}_{tt} = E_{tt}/\sqrt{2} \sin 30°\, \mathbf{i} + E_{tt}/\sqrt{2} \cos 30°\, \mathbf{j} + E_{tt}/\sqrt{2}\, \mathbf{k}$

$\Rightarrow \mathbf{E}_{tt} = E_{tt}(\sqrt{2}/4\, \mathbf{i} + \sqrt{6}/4\, \mathbf{j} + 1/\sqrt{2}\, \mathbf{k})$

Calculons l'expression du vecteur $\mathbf{E}_r$ du second trajet.

$\Rightarrow (E_r)_{\parallel} = r_{\parallel}(E_i)_{\parallel} = r_{\parallel} E_i \cos \gamma_i \approx 0,051863 \times E_i \times \cos 45°$

$\Rightarrow (E_r)_{\perp} = r_{\perp}(E_i)_{\perp} = r_{\perp} E_i \sin \gamma_i \approx -0,56574 \times E_i \times \sin 45°$

$\Rightarrow \mathbf{E}_r \approx -0,40004\, E_i\, \mathbf{u}_{\perp} + 0,036673\, E_i\, \mathbf{u}_{\parallel}$

Exprimons le vecteur $\mathbf{E}_r$ dans la base $\mathbf{i}$, $\mathbf{j}$ et $\mathbf{k}$. Pour la portion du trajet 2 après la réflexion sur le bloc, désignons par θ_2 l'angle entre l'axe $\parallel$ et l'axe Y. D'après la figure 7.23 l'angle est $\theta_2 = 60°$.

$\Rightarrow \mathbf{E}_r = -(E_r)_{\parallel} \sin \theta_2\, \mathbf{i} + (E_r)_{\parallel} \cos \theta_2\, \mathbf{j} + (E_r)_{\perp}\, \mathbf{k} \Rightarrow$

$\mathbf{E}_r \approx -0,036673\, E_i \sin 60°\, \mathbf{i} + 0,036673\, E_i \cos 60°\, \mathbf{j} - 0,40004\, E_i\, \mathbf{k}$

$\Rightarrow \mathbf{E}_r \approx E_i(-0,031760\, \mathbf{i} + 0,018336\, \mathbf{j} + -0,40004\, \mathbf{k})$

Calculons le cosinus de l'angle entre les vecteurs $\mathbf{E}_{tt}$ et $\mathbf{E}_r$.

$\cos \alpha \approx \dfrac{E_{tt}[\sqrt{2}/4; \sqrt{6}/4; 1/\sqrt{2}] \cdot E_i[-0,031760; 0,018336; -0,40004]}{E_{tt} \times (0,40172 \times E_i)} \approx -0,70415$

Les valeurs des paramètres E_{tt} et E_i n'ont pas à être calculés car elles s'annulent. D'après l'énoncé, la différence de marche est $\delta = 0$ m. Calculons la valeur du terme d'interférence I_{12}.

$I_{12} = 2\sqrt{I_1}\sqrt{I_2} \cos \alpha = 2\sqrt{I_{tt}}\sqrt{I_r} \cos \alpha$

$I_{12} \approx 2 \times \sqrt{95,960} \times \sqrt{32,275} \times (-0,70415) \approx -78,375$ W/m^2

(d) Étant donné que $I_{12} < 0$, l'interférence tend à être destructive.

(e) Calculons l'intensité au point P. Rappelons que les symboles I_1 et I_2 désignent les intensités des ondes qui interfèrent au point P.

$I = I_1 + I_2 + I_{12} \approx 95,960 + 32,275 - 78,375 \approx 49,860$ W/m^2

7.26 $(n_{film} = 1,7$ et $e = 2 \cdot 10^{-4}$ m$)$ ou $(n_{film} \approx 1,191$ et $e \approx 7,33 \cdot 10^{-4}$ m$)$

7.27 (a) En consultant le tableau 5.1, une longueur d'onde de 1 cm constitue une onde électromagnétique du type micro–onde.

(b) On remarque qu'une même portion de trajet est parcouru dans l'air par les deux signaux. Désignons par d la distance des trajets communs parcourus dans l'air dont l'indice de réfraction vaut $n_a = 1$. Cela étant admis, le terme $n_a d$ du signal 2 annule le terme $n_a d$ du signal 1. De plus, les sources sont cohérentes $\Rightarrow \varphi_2 - \varphi_1 = 0$ rad. Il découle :

$\delta = \left(\sum n_i d_i\right)_2 - \left(\sum n_i d_i\right)_1 = n_a(40 + \sqrt{40^2 + 30^2}) = 90 n_a = 90$ cm

(c) Un coefficient de réflexion négatif a pour effet d'inverser le sens de la composante perpendiculaire de l'onde incidente. Puisque l'angle azimutal incident est $\gamma_i = 90°$, l'angle $\gamma_r = -90°$. De sorte qu'au point P, le terme $\cos\alpha = -1$. Calculons les intensités I_1 et I_r en P.

$\Rightarrow I_1 = 10 \text{ W/m}^2$; $I_r = R\,I_2 = (4/5)\times 10 = 8 \text{ W/m}^2$

Calculons la valeur de l'intensité suite à l'interférence des ondes.

$\Rightarrow I = I_1 + I_r + 2\sqrt{I_1}\sqrt{I_r}\cos(2\pi\delta/\lambda_0)\cos\alpha$

$\Rightarrow I = 10 + 8 + 2\sqrt{10\times 8}\cos(2\pi\times 90/1)\times -1 = 18 - 8\sqrt{5} \text{ W/m}^2$

$\Rightarrow I \approx 0,11146 \text{ W/m}^2$

(d) L'interférence constructive est obtenue en maximisant le terme d'interférence. Cela se produit lorsque $\cos(2\pi\delta/\lambda_0)\cos\alpha$ vaut 1.

$\Rightarrow I = I_1 + I_r + 2\sqrt{I_1}\sqrt{I_r} = 10 + 8 + 2\sqrt{10}\sqrt{8} = 8\sqrt{5} + 18 \text{ W/m}^2$

$\Rightarrow I \approx 35,889 \text{ W/m}^2$

7.28 $n_{\text{plaque}} = 5/3$

7.29 (a) Rappelons quelques résultats obtenus à l'exercice 7.27.

$\cos\alpha = -1$; $\delta = 90 \text{ cm}$

La longueur d'onde $\lambda_0 = 1$ cm. Dans le montage initial, le calcul du terme d'interférence indique qu'il y a interférence destructive en P.

$\Rightarrow I_{12} = 2\sqrt{I_1}\sqrt{I_r}\cos(2\pi\times 90/1)\times -1 = -2\sqrt{I_1}\sqrt{I_r}$

Ainsi calculé, le terme d'interférence a une valeur minimale. Afin de créer une interférence constructive, nous pouvons rapprocher S_1 d'une demi-longueur d'onde. Puisque le montage baigne dans l'air, le rapprochement est $1/2$ cm.

(b) Puisque le montage baigne dans l'air, un déplacement de la source S_1 équivalent à $m\lambda_0$ préservera l'interférence destructive en P. Bref, il suffit de ne pas avancer la source S_1 ou de la rapprocher de 1 cm.

7.30 (a) $e \approx 4,123\cdot 10^{-6} \text{ m}$ (b) $I \approx 35,45 \text{ W/m}^2$ (c) $I \approx 0,059 \text{ W/m}^2$

7.31 (a) Calculons l'angle d'incidence à la plaque de verre.

$\theta_i = \theta_p = \tan^{-1}(n_t/n_i) = \tan^{-1}((3/2)/1)$

Calculons la longueur des trajets 1 et 2.

$d_1 = \dfrac{2}{\cos\theta_i} \approx \dfrac{2}{\cos(\tan^{-1}(3/2))} = \sqrt{13} \approx 3,6056 \text{ m}$; $d_2 = 1 \text{ m}$

Considérons l'expression de la différence de marche lorsque $\varphi_1 = \varphi_2$. Calculons la différence de marche en supposant $n_a = 1$.

$\delta = \left(\sum n_i d_i\right)_2 - \left(\sum n_i d_i\right)_1 = n_a d_2 - n_a d_1 = 1 - \sqrt{13} \approx -2,6056 \text{ m}$

(b) Calculons les coefficients $r_\perp$ et $r_\parallel$. Le signal 1 frappe l'interface à l'angle de polarisation $\Rightarrow r_\parallel = 0$.

$n_i = 1$; $n_t = 3/2$; $\theta_i \approx 56,310°$; $\theta_t \approx 33,690°$ $\Rightarrow r_\perp \approx -0,38462$

Au point P, le signal 2 est caractérisé par un angle $\gamma_2 = 90°$. Cela signifie que le vecteur $\mathbf{E}_2$ est parallèle au vecteur[10] $\mathbf{k}$ orienté vers l'axe Z. Les calculs permettent de conclure que le signal réfléchi a un angle $\gamma_r = -90°$. Cela signifie que le vecteur $\mathbf{E}_r$ est parallèle au

---

[10]Il ne faut pas confondre ce vecteur avec le vecteur propagation $\mathbf{k}$.

vecteur $-\mathbf{k}$. Ainsi, les champs électriques des ondes qui se superposent au point P sont en sens inverse. Il s'ensuit $\cos\alpha = -1$. Calculons l'intensité du signal réfléchi. Rappelons aussi que l'angle γ_i vaut $60°$.

$\Rightarrow \; I_i = n_a E_i^2/(240\pi) = 1 \times 100^2/(240\pi) = 125/(3\pi) \; \text{W/m}^2$

$\Rightarrow \; (I_i)_\perp = I_i \sin^2\gamma_i = 125/(3\pi) \times \sin^2 60° = 125/(4\pi) \; \text{W/m}^2$

$\Rightarrow \; (I_r)_\perp = (r^2)_\perp (I_i)_\perp \approx (-0,38462)^2 \times 125/(4\pi) \approx 1,4715 \; \text{W/m}^2$

Puisque $r_\parallel = 0$, alors $(I_r)_\parallel = 0$ W/m^2. L'intensité réfléchie est la somme de ses composantes $\parallel$ et $\perp$.

$\Rightarrow \; I_r = (I_r)_\perp + (I_r)_\parallel \approx 1,4715 + 0 \approx 1,4715 \; \text{W/m}^2$

Calculons la valeur du terme d'interférence.

$\Rightarrow \; I_{12} = 2\sqrt{I_r}\sqrt{I_2}\cos(2\pi\delta/\lambda_0)\cos\alpha$

$\Rightarrow \; I_{12} \approx 2\sqrt{1,4715}\sqrt{3}\cos(\frac{2\pi\cdot-2,6056}{5\times10^{-3}})\cdot-1 \approx -3,2335 \; \text{W/m}^2$

(c) Calculons l'intensité au point P.

$\Rightarrow \; I = I_r + I_2 + I_{12} \approx 1,4715 + 3 - 3,2335 \approx 1,2380 \; \text{W/m}^2$

7.32 (a) Le résultat est le même qu'en 7.31 (a), soit $\delta = 1 - \sqrt{13}$ m.

(b) $I_{12} \approx 3,2335$ W/m^2

(c) $I \approx 7,7050$ W/m^2

7.33 (a) Le résultat est le même qu'en 7.31 (a), soit $\delta = 1 - \sqrt{13}$ m.

(b) Rappelons quelques résultats calculés en 7.31 (b).

$I_r \approx 1,4715$ W/m^2 ; $\quad \gamma_r = -90°$

L'amplitude du champ électrique réfléchi $\mathbf{E}_r$ est parallèle à $-\mathbf{k}$. L'amplitude du champ électrique $\mathbf{E}_2$ est parallèle au vecteur $-\mathbf{i}$. Puisque les deux vecteurs amplitudes forment un angle de 90 degrés, le terme $\cos\alpha$ est nul et il découle $I_{12} = 0$ W/m^2. Cela signifie que les deux signaux n'interfèrent pas.

(c) Calculons l'intensité au point P.

$I = I_r + I_2 + I_{12} \approx 1,4715 + 3 + 0 \approx 4,4715 \; \text{W/m}^2$

7.34 (a) $\delta = 1 - \sqrt{13}$ m (b) $I_{12} = 0$ W/m^2 (c) $I \approx 4,4715$ W/m^2

7.35 (a) Calculons la longueur des trajets 1 et 2.

$d_1 = 2 \times 1/\cos\theta_i \approx 2/\cos 30° = 4/\sqrt{3}$ m ; $\quad d_2 = 1$ m

Considérons l'expression pour δ lorsque $\varphi_1 = \varphi_2$ et $n_a = 1$.

$\delta = \left(\sum n_i d_i\right)_2 - \left(\sum n_i d_i\right)_1 = n_a d_2 - n_a d_1 = 1 - 4/\sqrt{3}$ m

(b) Calculons l'intensité du signal provenant de la source S_1.

$I_1 = n_a E_1^2/(240\pi) = 1 \times 100^2/(240\pi) = 125/(3\pi) \; \text{W/m}^2$

Calculons les coefficients de réflexion.

$n_i = 1$; $n_t = \frac{3}{2}$; $\theta_i = 30°$; $\theta_t \approx 19,471° \Rightarrow r_\perp \approx -0,24$; $r_\parallel \approx 0,159$

Calculons l'intensité du signal après réflexion sur le verre.

$I_r \approx \frac{125}{3\pi}((-0,24041)^2 \sin^2 60° + 0,15890^2 \cos^2 60°) \approx 0,65863 \; \text{W/m}^2$

Déterminons le vecteur $\mathbf{E}_r$ pour le trajet 1.

$(E_r)_\parallel = r_\parallel (E_i)_\parallel = r_\parallel E_i \cos\gamma_i \approx 0,15890 \times E_i \times \cos 60°$

$(E_r)_\perp = r_\perp (E_i)_\perp = r_\perp E_i \sin\gamma_i \approx -0,24041 \times E_i \times \sin 60°$

$\mathbf{E}_r \approx -0,20820\, E_i\, \mathbf{u}_\perp + 0,079450\, E_i\, \mathbf{u}_\parallel$

Exprimons le vecteur $\mathbf{E}_r$ dans la base $\mathbf{i}$, $\mathbf{j}$ et $\mathbf{k}$. Pour la portion du trajet 1 après la réflexion sur le verre, désignons par θ_1 l'angle entre l'axe $\parallel$ et l'axe Y. L'examen de la figure 7.25 mène à $\theta_1 = 60°$.

$\Rightarrow \mathbf{E}_r = -(E_r)_\parallel \sin\theta_1\, \mathbf{i} + (E_r)_\parallel \cos\theta_1\, \mathbf{j} + (E_r)_\perp\, \mathbf{k}$

$\Rightarrow \mathbf{E}_r \approx -0,07945\, E_i\, \sin 60°\, \mathbf{i} + 0,07945\, E_i\, \cos 60°\, \mathbf{j} - 0,2082\, E_i\, \mathbf{k}$

$\Rightarrow \mathbf{E}_r \approx E_i(-0,068806\, \mathbf{i} + 0,039725\, \mathbf{j} - 0,20820\, \mathbf{k})$

Exprimons le vecteur amplitude $\mathbf{E}_r$ dans la base $\mathbf{i}$, $\mathbf{j}$ et $\mathbf{k}$ et calculons le cosinus de l'angle entre les vecteurs $\mathbf{E}_2$ et $\mathbf{E}_r$.

$\Rightarrow \mathbf{E}_2 = [0; 0; E_2] \quad\text{et}\quad \cos\alpha = \frac{\mathbf{E}_2 \cdot \mathbf{E}_r}{\|\mathbf{E}_2\|\,\|\mathbf{E}_r\|}$

$\Rightarrow \cos\alpha \approx \frac{E_2[0;0;1] \cdot E_i[-0,068806; 0,039725; -0,20820]}{E_2 \times (0,22284 \times E_i)} \approx -0,93428$

Notez qu'il n'a pas été nécessaire de calculer E_2 et E_i. La différence de marche est $\delta = 1 - 4/\sqrt{3}$ m. Calculons le terme d'interférence I_{12}.

$I_{12} = 2\sqrt{I_r}\sqrt{I_2}\cos(\frac{2\pi\delta}{\lambda_0})\cos\alpha \approx 2\sqrt{0,6586}\sqrt{3}\cos(\frac{2\pi(1-\frac{4}{\sqrt{3}})}{5\cdot 10^{-3}}) \cdot -0,9343$

$I_{12} \approx -1,91712$ W/m^2

(c) Calculons l'intensité au point P.

$I = I_r + I_2 + I_{12} \approx 0,65863 + 3 - 1,91712 \approx 1,74151$ W/m^2

7.36 (a) $\delta = 1 - \sqrt{2}$ m   (c) $I \approx 7,14$ W/m^2

      (b) $I_{12} \approx 3,197$ W/m^2

7.37   Calculons la différence de marche avant et après avoir fait le vide dans la boîte en verre. Dans l'interféromètre de Michelson, $\varphi_2 - \varphi_1 = 0$ car la lumière est cohérente. La boîte est insérée dans le trajet 2.

$\delta_{\text{avant}} = (2n_a(d_2 - 0,05 - 2e) + 2n_v \times 2e + 2n_a \times 0,05) - 2n_a d_1 = m_{\text{avant}}\lambda_0$

$\delta_{\text{après}} = (2n_a(d_2 - 0,05 - 2e) + 2n_v \times 2e + 2 \times 1 \times 0,05) - 2n_a d_1 = m_{\text{après}}\lambda_0$

Calculons la variation de la différence de marche $\Delta\delta = \delta_{\text{après}} - \delta_{\text{avant}}$.

$\Delta\delta = 2 \times 1 \times 0,05 - 2n_a \times 0,05 = m_{\text{après}}\lambda_0 - m_{\text{avant}}\lambda_0$

$\Delta\delta = 0,1(1 - n_a) = \Delta m\lambda_0$

Si l'ordre d'interférence m change 60 fois, alors $\Delta m = \pm 60$.

$\Delta\delta = 0,1(1 - n_a) = \pm 60 \times 500 \times 10^{-9}$

Parmi les deux solutions à l'équation précédente, seule la solution dont l'indice de réfraction est supérieur à un sera retenue.

$n_a = n_{air} = 1,0003$

7.38 (a) $\delta \approx 0,05992$ m   (c) $I \approx 1,523$ W/m^2

      (b) $I_{12} \approx 0,661$ W/m^2

7.39 (a) Le signal 1 est réfléchi sur le verre, tandis que le signal 2 est réfléchi sur le liquide. Calculons les angles d'incidence θ_{i1} et θ_{i2}.

$\theta_{i1} = \theta_{p1} = \tan^{-1}(n_{t1}/n_{i1}) = \tan^{-1}((3/2)/1) \approx 56,310°$

$$\theta_{i2} = \theta_{p2} = \tan^{-1}(n_{t2}/n_{i2}) = \tan^{-1}((6/5)/1) \approx 50,194°$$

Notons respectivement d_{1a} et d_{1b} les portions du trajet 1 avant et après réflexion. De la même façon, le trajet 2 se compose de deux chemins de longueurs d_{2a} et d_{2b}.

Calculons les portions horizontales des segments d_{1a} et d_{2a}.

$$\tan\theta_{i1} = x_1/y_1 \quad \Rightarrow \quad \tan\theta_{i1} = x_1/0,2 \quad \Rightarrow \quad x_1 = 0,3 \text{ m}$$
$$\tan\theta_{i2} = x_2/y_2 \quad \Rightarrow \quad \tan\theta_{i2} = x_2/0,25 \quad \Rightarrow \quad x_2 = 0,3 \text{ m}$$

L'égalité $x_1 = x_2$ indique que les points S et P se situent sur une même droite horizontale. Par conséquent, les longueurs des segments b sont égales aux longueurs des segments a.

$$d_{1b} = d_{1a} \,; \quad d_{2b} = d_{2a}$$

Calculons les longueurs des segments d_{1a} et d_{2a}.

$$d_{1a} = \sqrt{x_1^2 + y_1^2} = \sqrt{0,3^2 + 0,2^2} \approx 0,36056 \text{ m}$$
$$d_{2a} = \sqrt{x_2^2 + y_2^2} = \sqrt{0,3^2 + 0,25^2} \approx 0,39051 \text{ m}$$

Dans l'expression pour δ, $\varphi_2 - \varphi_1 = 0$ rad car la lumière est cohérente.

$$\Rightarrow \quad \delta = n_a(d_{2a} + d_{2b}) - n_a(d_{1a} + d_{1b}) = 2n_a(d_{2a} - d_{1a})$$
$$\Rightarrow \quad \delta \approx 2 \times 1 \times (0,39051 - 0,36056) \approx 0,059915 \text{ m}$$

(b) Le signal incident est non–polarisé et a une intensité de $30/\pi$ W/m². Calculons les intensités des ondes réfléchies par les deux interfaces.

$$I_{r1} = ((r_1^2)_\perp \sin^2\gamma_i + (r_1^2)_\parallel \cos^2\gamma_i)I_i = ((r_1^2)_\perp + (r_1^2)_\parallel)I_i/2$$
$$I_{r1} \approx ((-0,38462)^2 + 0^2) \times (30/\pi)/2 \approx 0,70631 \text{ W/m}^2$$
$$I_{r2} = ((r_2^2)_\perp \sin^2\gamma_i + (r_2^2)_\parallel \cos^2\gamma_i)I_i = ((r_2^2)_\perp + (r_2^2)_\parallel)I_i/2$$
$$I_{r2} \approx ((-0,18033)^2 + 0^2) \times (30/\pi)/2 \approx 0,15526 \text{ W/m}^2$$

Les deux ondes réfléchies sont polarisées car chacune est émise à l'angle de Brewster. Ainsi, le champ électrique des ondes réfléchies est parallèle à l'axe Z. Puisque les coefficients de réflexion ont le même signe, les vecteurs $(\mathbf{E}_r)_1$ et $(\mathbf{E}_r)_2$ sont parallèles. Il s'ensuit $\cos\alpha = 1$. Calculons I_{12}.

$$\Rightarrow \quad I_{12} = 2\sqrt{I_{r1}}\sqrt{I_{r2}}\cos(2\pi\delta/\lambda_0)\cos\alpha$$
$$\Rightarrow \quad I_{12} = 2\sqrt{0,70631}\sqrt{0,15526}\cos(2\pi \times 0,059915/0,01) \times 1$$
$$\Rightarrow \quad I_{12} \approx 0,66136 \text{ W/m}^2$$

(c) Calculons l'intensité au point P.

$$I = I_{r1} + I_{r2} + I_{12} \approx 0,70631 + 0,15526 + 0,66136 \approx 1,5229 \text{ W/m}^2$$

7.40 (a) $\delta = 0$ m

(b) $I_1 = (I_r)_{\text{verre}} \approx 0,084242$ W/m² et $I_2 = (I_r)_{\text{liquide}} \approx 0,016477$ W/m²

Exprimons les vecteurs $\mathbf{E}_1$ et $\mathbf{E}_2$ dans la base $\mathbf{i}, \mathbf{j}$ et $\mathbf{k}$.

$$\mathbf{E}_1 \approx 5,504450\,\mathbf{i} + 3,177996\,\mathbf{j} + -4,808164\,\mathbf{k} \text{ en V/m}$$
$$\mathbf{E}_2 \approx 2,314471\,\mathbf{i} + -1,336260\,\mathbf{j} + -2,2979835\,\mathbf{k} \text{ en V/m}$$
$$\Rightarrow \quad \cos\alpha = \frac{\mathbf{E}_1 \cdot \mathbf{E}_2}{\|\mathbf{E}_1\|\,\|\mathbf{E}_2\|} \approx 0,695691 \quad \Rightarrow \quad I_{12} \approx 0,051838 \text{ W/m}^2$$

(c) $I \approx 0,152556$ W/m²

7.41   Calculons la différence de marche avant et après le déplacement du miroir. Dans cet interféromètre, $\varphi_2 - \varphi_1 = 0$ car la lumière est cohérente. La condition pour qu'une frange soit brillante est $\delta = m\lambda_0$. Supposons que le miroir M_2 soit celui qui est déplacé.

$\Rightarrow \delta_{\text{avant}} = 2n_a d_2 - 2n_a d_1 = m_{\text{avant}}\lambda_0$

$\Rightarrow \delta_{\text{après}} = 2n_a(d_2 \pm 233 \times 10^{-6}) - 2n_a d_1 = m_{\text{après}}\lambda_0$

Calculons la variation de la différence de marche $\Delta\delta = \delta_{\text{après}} - \delta_{\text{avant}}$.

$\Rightarrow \Delta\delta = \pm 2n_a \times 233 \times 10^{-6} = m_{\text{après}}\lambda_0 - m_{\text{avant}}\lambda_0$

$\Rightarrow \Delta\delta = \pm 466 \times 10^{-6} n_a = \Delta m \lambda_0$

Si l'ordre d'interférence m change 792 fois, alors $\Delta m = \pm 792$. De plus, supposons $n_a = 1$.

$\Rightarrow \Delta\delta = 2 \times 1 \times 0,05 - 2n_a \times 0,05 = m_{\text{après}}\lambda_0 - m_{\text{avant}}\lambda_0$

$\Rightarrow \Delta\delta = 0,1(1 - n_a) = \Delta m \lambda_0$

$\Rightarrow \Delta\delta = \pm 466 \times 10^{-6} n_a = \pm 792\lambda_0 \Rightarrow \lambda_0 = \pm 466 \times 10^{-6}/792$

Parmi les deux solutions à l'équation, retenons la solution positive.

$\Rightarrow \lambda_0 \approx 588,38$ nm

7.42 (a) $\delta \approx 0,099572$ m   (d) $I_{\text{max}} \approx 27,285$ W/m^2

   (b) $I_{12} \approx 10,385$ W/m^2 (e) $I_{\text{min}} \approx 3,0956$ W/m^2

   (c) $I \approx 25,576$ W/m^2

7.43 (a) Le plus long trajet porte l'étiquette 2, tandis que le plus court porte l'étiquette 1. Considérons l'expression pour δ. L'indice de réfraction du milieu ambiant est $n_a = 1$ et la lumière est cohérente.

$\delta = ((2 \times 0,4 + x - 2 \times 0,05)n_a + 0,05n_2 + 0,05n_3) - ((x - 0,1)n_a + 0,1n_1)$

$\delta = (0,7 \times 1 + 0,05 \times 1,335 + 0,05 \times 2) - (-0,1 \times 1 + 0,1 \times 6/5)$

$\delta = 0,84775$ m

   (b) Afin de déteminer les coefficients globaux de transmission, calculons l'intensité I_{tt}. Tous les matériaux sont traversés à incidence normale.

$\Rightarrow I_{tt} = \frac{n_{out}}{n_{in}}(t_1^2)_{\parallel}(t_2^2)_{\parallel} I_i$

$\Rightarrow T_{f_1} = \frac{I_{tt}}{I_i} = \frac{1}{1} \times (10/11)^2 \times (12/11)^2 \approx 0,98354$

$\Rightarrow T_{f_2} = \frac{I_{tt}}{I_i} \approx \frac{1}{1} \times (0,84926)^2 \times (1,1507)^2 \approx 0,95507$

$\Rightarrow T_{f_3} = \frac{I_{tt}}{I_i} = \frac{1}{1} \times (2/3)^2 \times (4/3)^2 = 64/81$

Notons les valeurs des coefficients globaux des miroirs.

$R_1 = 3/5$; $T_1 = 1 - R_1 = 2/5$; $R_2 = 4/5$; $R_3 = 7/10$

Calculons les intensités des trajets 1 et 2 au point P.

$\Rightarrow I_1 = I_i T_1 T_{f_1} \approx 10 \cdot \frac{2}{5} \cdot 0,98354 \approx 3,9342$ W/m^2

$\Rightarrow I_2 = I_i R_1 R_2 T_{f_2} T_{f_3} R_3 \approx 10 \cdot \frac{3}{5} \cdot \frac{4}{5} \cdot 0,95507 \cdot \frac{64}{81} \cdot \frac{7}{10} \approx 2,5355$ W/m^2

Calculons la valeur du terme d'interférence avec $\alpha = 180°$.

$I_{12} = 2\sqrt{I_1}\sqrt{I_2} \cos(2\pi \cdot 0,84775/0,001)\cos(180°) = 0$ W/m^2

Calculons l'intensité résultante au point P.

$I = I_1 + I_2 + I_{12} \approx 3,9342 + 2,5355 + 0 \approx 6,4697$ W/m^2

7.44 (a) $\mathbf{E}_i = (11\sqrt{3}/2\ \mathbf{i} + 11/2\ \mathbf{j} + 2\ \mathbf{k})$ V/m

$\mathbf{E}_r = (-(21 - 8\sqrt{5})\sqrt{3}/2\ \mathbf{i} + (21 - 8\sqrt{5})/2\ \mathbf{j} + (\sqrt{5} - 3)\ \mathbf{k})$ V/m

(b) $\alpha \approx 121,36°$

7.45 (a) Déterminons l'expression du vecteur $\mathbf{E}_i$.

$(E_i)_\parallel = E_i \cos\gamma_i = 200\sqrt{3} \times \cos 45° = 100\sqrt{6}$ V/m

$(E_i)_\perp = E_i \sin\gamma_i = 200\sqrt{3} \times \sin 45° = 100\sqrt{6}$ V/m

$\mathbf{E}_i = 100\sqrt{6}\ \mathbf{u}_\perp + 100\sqrt{6}\ \mathbf{u}_\parallel$

Calculons les coefficients de réflexion.

$n_i = 1$; $n_t = \frac{3}{2}$; $\theta_i = 30°$; $\theta_t \approx 19,47° \Rightarrow r_\parallel \approx 0,1589$; $r_\perp \approx -0,2404$

Déterminons l'expression du vecteur $\mathbf{E}_r$.

$(E_r)_\parallel = r_\parallel (E_i)_\parallel \approx 0,15890 \times 100\sqrt{6} \approx 38,922$ V/m

$(E_r)_\perp = r_\perp (E_i)_\perp \approx -0,24041 \times 100\sqrt{6} \approx -58,888$ V/m

$\mathbf{E}_r \approx -58,888\ \mathbf{u}_\perp + 38,922\ \mathbf{u}_\parallel$

(b) Exprimons le vecteur $\mathbf{E}_i$ dans la base $\mathbf{i}, \mathbf{j}$ et $\mathbf{k}$. Notons θ_1 l'angle entre l'axe $\parallel$ et l'axe Y. L'examen de la figure 7.29 mène à $\theta_1 = 60°$.

$\Rightarrow \mathbf{E}_i = (E_i)_\parallel \sin\theta_1\ \mathbf{i} + (E_i)_\parallel \cos\theta_1\ \mathbf{j} + (E_i)_\perp\ \mathbf{k}$

$\Rightarrow \mathbf{E}_i = 100\sqrt{6}\ \sin 60°\ \mathbf{i} + 100\sqrt{6}\ \cos 60°\ \mathbf{j} + 100\sqrt{6}\ \mathbf{k}$

$\Rightarrow \mathbf{E}_i = (150\sqrt{2}\ \mathbf{i} + 50\sqrt{6}\ \mathbf{j} + 100\sqrt{6}\ \mathbf{k})$ V/m

Exprimons le vecteur $\mathbf{E}_r$ dans la base $\mathbf{i}, \mathbf{j}$ et $\mathbf{k}$. Notons θ_2 l'angle entre l'axe $\parallel$ et l'axe Y. L'examen de la figure 7.29 mène à $\theta_2 = 60°$.

$\Rightarrow \mathbf{E}_r = -(E_r)_\parallel \sin\theta_2\ \mathbf{i} + (E_r)_\parallel \cos\theta_2\ \mathbf{j} + (E_r)_\perp\ \mathbf{k}$

$\Rightarrow \mathbf{E}_r \approx -38,922\ \sin 60°\ \mathbf{i} + 38,922\ \cos 60°\ \mathbf{j} - 58,888\ \mathbf{k}$

$\Rightarrow \mathbf{E}_r \approx (-33,708\ \mathbf{i} + 19,461\ \mathbf{j} - 58,888\ \mathbf{k})$ V/m

(c) Calculons le cosinus de l'angle entre les vecteurs $\mathbf{E}_i$ et $\mathbf{E}_r$.

$\Rightarrow \cos\alpha = \frac{\mathbf{E}_i \cdot \mathbf{E}_r}{\parallel \mathbf{E}_i \parallel \parallel \mathbf{E}_r \parallel} \approx \frac{[150\sqrt{2};50\sqrt{6};100\sqrt{6}] \cdot [-33,708;19,461;-58,888]}{200\sqrt{3} \times 70,588}$

$\Rightarrow \cos\alpha \approx -0,78485 \Rightarrow \alpha \approx 141,71°$

7.46 (a) $\Delta\delta = (2n_{2\text{après}} - 5n_{1\text{après}}) - (2n_{2\text{avant}} - 5n_{1\text{avant}}) = \pm\Delta m\lambda_0$

(b) $-3 - 2n_2 + 5n_1 = \pm50 \times 1/100$; $\quad 3 + 2n_1 - 5n_2 = \pm70 \times 1/100$

(c) $n_1 = 83/70$; $\quad n_2 = 17/14$

(d) $I = 29,470$ W/m^2

7.47 (a) Déterminons l'angle de formation d'une frange claire. Pour l'interféromètre de Young, la différence de marche est $\delta = nd\sin\theta$. Pour de petits angles $\sin\theta \approx \theta$, de sorte qu'à interférence constructive,

$\Rightarrow n\,d\,\theta = m\lambda_0 \Rightarrow \theta(m) = m\lambda_0/(nd)$

$\Rightarrow \theta(m) = m \times 600 \times 10^{-6}/(1 \times 10^{-3}) = 3m/5000$ rad

En faisant varier l'ordre d'interférence m de 0 à 4, nous obtenons cinq valeurs d'angles. Après conversion en degrés, nous obtenons

$\theta_0 = 0°$; $\theta_1 \approx 0,0344°$; $\theta_2 \approx 0,0687°$; $\theta_3 \approx 0,1031°$; $\theta_4 \approx 0,1375°$

(b) Déterminons l'angle de formation d'une frange sombre. À interférence destructive, $\delta = (2m + 1)\lambda_0/2$. Pour de petits angles $\sin\theta \approx \theta$, de sorte qu'à interférence destructive,

$$\Rightarrow n\,d\,\theta = (2m + 1)\lambda_0/2 \;\Rightarrow\; \theta(m) = (2m + 1)\lambda_0/(2nd)$$

$$\Rightarrow \theta(m) = (2m+1)\times 600\times 10^{-6}/(2\times 1\times 10^{-3}) = 3(2m+1)/10000\,\text{rad}$$

En faisant varier l'ordre d'interférence m de 0 à 4, nous obtenons cinq valeurs d'angles. Après conversion en degrés, nous obtenons

$\theta_0 \approx 0,0172°$; $\theta_1 \approx 0,0516°$; $\theta_2 \approx 0,0859°$;

$\theta_3 \approx 0,1203°$; $\theta_4 \approx 0,1547°$

7.48 $d \approx 33,75 \times 10^{-6}$ m

7.49 Ces démonstrations apparaissent dans la solution de l'exercice 7.47.

7.50 (a) Démonstration (b) Démonstration

7.51 En utilisant le résultat de la question 7.50, les hauteurs y_m des franges claires s'obtiennent par la fonction $y(m) = m\,\lambda_0\,D/n\,d$. Déterminons la distance Δy_m séparant deux franges claires successives.

$$\Rightarrow \Delta y_m = y_{m+1} - y_m = \frac{(m+1)\lambda_0 D}{nd} - \frac{(m)\lambda_0 D}{nd}$$

$$\Rightarrow \Delta y_m = \frac{\lambda_0 D}{nd}$$

7.52 (a) $\Delta\theta_m \approx 0,573°$ (b) $\Delta y_m \approx 0,5$ cm

Bibliographie

[1] E. BORIDY. *Électromagnétime : théorie et applications. 2e éd.* Presse de l'Université du Québec, 1990.

[2] P. LÉNA et A. BLANCHARD. *Lumière : une introduction aux phénomènes optiques.* InterÉditions, 1990.

[3] R. FEYNMAN, R. LEIGHTON et M. SANDS. *Le cours de physique de Feynman : Électromagnétisme 1.* Dunod, Paris, 1999.

[4] R. FEYNMAN, R. LEIGHTON et M. SANDS. *Le cours de physique de Feynman : Électromagnétisme 2.* Dunod, Paris, 1999.

[5] R. FEYNMAN, R. LEIGHTON et M. SANDS. *Le cours de physique de Feynman : Mécanique 1.* Dunod, Paris, 1999.

[6] R. FEYNMAN, R. LEIGHTON et M. SANDS. *Le cours de physique de Feynman : Mécanique 2.* Dunod, Paris, 1999.

[7] D. LEVESQUE, A. BORDELEAU et P. PARADIS. Cours de physique des ondes. Note de cours Tome I, École de technologie supérieure, Montréal, 1992.

[8] D. LEVESQUE, A. BORDELEAU et P. PARADIS. Cours de physique des ondes. Note de cours Tome II, École de technologie supérieure, Montréal, 1993.

[9] M. HENRY et R. JOUANISSON. *La lumière du laser. 2e éd.* Masson, Paris, 1994.

[10] E. HECHT. *Optics. 2e éd.* Addison-Wesley, 1990.

[11] E. KREYSZIG. *Advanced Engineering Mathematics. 8e éd.* John Wiley & Sons, 1999.

[12] J-P. PÉREZ. *Optique : fondements et applications. 6e éd.* Dunod, Paris, 2000.

[13] E. ROTHEN. *Physique générale : la physique des sciences de la nature et de la vie. 2e éd.* Presses polytechniques et universitaires romandes, 1999.

Index

Marquis imprimeur inc.

Québec, Canada
2008

DATE DUE